L'INTERPRÉTATION
DES RÊVES

SIGMUND FREUD

L'INTERPRÉTATION DES RÊVES

Traduit en français par
I. MEYERSON

NOUVELLE ÉDITION
AUGMENTÉE ET ENTIÈREMENT RÉVISÉE PAR
DENISE BERGER

PRESSES UNIVERSITAIRES DE FRANCE

ISBN 2 13 040004 3

Dépôt légal — 1re édition : 1926
Nouvelle édition révisée : 4e trimestre 1967
6e tirage : 1987, février

AVANT-PROPOS

Nous présentons ici une édition entièrement rénovée de la première traduction française de Die Traumdeutung, réalisée en 1926 par M. le Pr I. Meyerson sous le titre La Science des Rêves.

Dans notre travail, nous nous sommes efforcée de suivre le plus fidèlement possible la dernière version de Die Traumdeutung publiée par Freud en 1929 (huitième édition allemande) et éditée dans les Gesammelte Werke, tome II-III, en 1942. Notre traduction reproduit pour la première fois en français les diverses préfaces de Freud et tous les additifs depuis 1925. Nous avons eu parfois recours à la traduction anglaise de J. Strachey, parue en 1954. En ce qui concerne la terminologie psychanalytique, nous nous sommes référée au Vocabulaire de la psychanalyse de J. Laplanche et J.-B. Pontalis, publié sous la direction de D. Lagache.

Il nous a paru nécessaire d'ajouter un certain nombre de notes à celles du premier traducteur; nous avons indiqué les unes et les autres par la mention [N. d. T.].

Enfin, pour faciliter la tâche du lecteur, nous avons établi un index de l'ouvrage (auteurs-matières, rêves, personnages et œuvres célèbres) et fait suivre la bibliographie d'une liste des écrits de Freud auxquels il est fait référence dans L'Interprétation des Rêves.

Denise BERGER.

AVERTISSEMENT
DE LA PREMIÈRE ÉDITION

Je me suis efforcé d'exposer, dans ce volume, l'interprétation du rêve. Ce faisant, je ne crois pas sortir du domaine de la neuropathologie. La recherche psychologique reconnaît en effet dans le rêve le premier terme d'une série de formations psychiques anormales, parmi lesquelles la phobie hystérique, les représentations obsessionnelles et délirantes doivent, pour des motifs pratiques, intéresser le médecin. Le rêve ne peut pas prétendre à une importance de cette sorte, mais sa valeur théorique comme paradigme n'en est que plus grande. Celui qui ne peut expliquer l'origine des images du rêve cherchera vainement à comprendre les phobies, les obsessions, les idées délirantes et à exercer éventuellement sur elles une influence thérapeutique.

Mais cette même connexion du rêve et des névroses, qui fait l'importance de notre sujet, doit être tenue pour responsable des lacunes de ce travail. Les si nombreuses interruptions que présentera si souvent mon exposé correspondent aussi aux multiples points de contact par lesquels le problème de la formation du rêve s'insère dans ceux beaucoup plus vastes de la psychopathologie. Ces derniers ne pouvaient être abordés ici mais il faudra les reprendre quand j'aurai le temps et les forces nécessaires et que je disposerai de plus de matériaux.

La publication de cet ouvrage était rendue difficile par le matériel très particulier dont il traitait. On verra, en le lisant, pourquoi je ne pouvais me servir des rêves qu'on trouve dans les livres ou des rêves d'inconnus : je n'avais le choix qu'entre mes propres rêves et les rêves de mes malades en traitement psychanalytique. Je ne pouvais utiliser ces derniers, parce que les processus du rêve y étaient compliqués d'une manière fâcheuse par le

mélange de caractères névrotiques. Pour communiquer mes
propres rêves, il fallait me résigner à exposer aux yeux de
tous beaucoup plus de ma vie privée qu'il ne me convenait
et qu'on ne le demande à un auteur qui n'est point poète,
mais homme de science. Cette nécessité pénible était inévitable; j'ai dû m'y soumettre pour ne pas renoncer à présenter les arguments en faveur des résultats de mes recherches psychologiques. Naturellement je n'ai pu résister à la
tentation d'atténuer nombre d'indiscrétions par des omissions et des substituts toujours pour le plus grand détri-
ment de mes exemples. Je ne peux qu'exprimer l'espoir
que les lecteurs de ce travail, se mettant à la place difficile
qui est la mienne, useront d'indulgence à mon égard et,
en outre, que tous ceux qui se trouvent concernés, d'une
façon ou d'une autre, par les rêves que je communique,
voudront bien ne pas refuser au moins à la vie du rêve sa
liberté de pensée.

PRÉFACE
DE LA DEUXIÈME ÉDITION

La publication, moins de dix ans après la parution de cet ouvrage, d'une seconde édition, n'est pas nécessitée par l'intérêt que lui auraient accordé les cercles de spécialistes auxquels, dans ma préface originale, je m'adressais. Mes collègues les psychiatres ne semblent pas avoir pris la peine de surmonter la stupeur que leur avait causée ma nouvelle approche du rêve. Quant aux philosophes de profession, ils ont pris l'habitude de considérer les problèmes liés à la vie du rêve comme un appendice des états de conscience et de les traiter en quelques mots — les mêmes généralement; aussi n'ont-ils pas remarqué qu'il y avait justement là matière à un certain nombre de déductions qui doivent transformer totalement nos théories psychologiques.

L'attitude des critiques scientifiques ne pouvait conduire qu'à la conviction que l'ouvrage était condamné à un silence de mort, et ce n'est pas le petit groupe des courageux partisans de mes théories, qui pratiquent sous ma conduite le traitement psychanalytique, et qui, à mon exemple, utilisent dans le traitement des névroses l'interprétation des rêves, ce n'est pas ce petit groupe qui aurait jamais pu épuiser la première édition de mon livre.

Je suis ainsi très redevable à un cercle plus large de gens cultivés et curieux dont l'intérêt m'a conduit, après neuf années, à reprendre ce difficile travail, qui est fondamental à bien des égards. Je me réjouis de constater que j'ai trouvé très peu de choses à y reprendre. J'ai çà et là intercalé du nouveau, ajouté un détail issu de mon expérience accrue et, en quelques endroits, j'ai remanié mon texte. Mais l'essentiel de ce que j'ai écrit sur le rêve et son interprétation et sur les théorèmes psychologiques qui en découlent demeure inchangé. Tous ceux qui sont familiers de mes autres écrits (sur l'étiologie ou le mécanisme des psychonévroses) savent que je n'ai jamais présenté l'inachevé comme achevé et que je me suis toujours efforcé de transformer mes dires en fonction du progrès de mes connaissances. Pour ce qui est du rêve, j'ai pu m'en tenir à mes premières assertions. Au cours des longues années pendant lesquelles j'ai travaillé au problème des névroses, j'ai eu bien des hésitations et, souvent, je ne savais plus que penser. Chaque fois, c'est l'interprétation du rêve qui m'a rendu l'assurance. Mes nombreux adversaires scientifiques font donc preuve d'un sûr instinct, en refusant de me suivre justement sur le terrain de mes recherches sur le rêve.

La matière même de ce livre, mes propres rêves, dont je suis parti pour exposer ma méthode d'interprétation, et qui, par suite de la marche du temps, sont pour la plupart dévalués et dépassés, se sont montrés, au cours de cette révision, hostiles à toute transformation. Pour moi, ce livre a une autre signification, une signification subjective que je n'ai saisie qu'une fois l'ouvrage terminé. J'ai compris qu'il était un morceau de mon auto-analyse, ma réaction à la mort de mon père, l'événement le plus important, la perte la plus déchirante d'une vie d'homme. Ayant découvert qu'il en était ainsi, je ne me sentis plus capable d'effacer les traces de cette influence. Peu importe au lecteur quel matériel lui sert à apprécier et à interpréter les rêves. Chaque fois qu'il m'a paru impossible d'incorporer dans le texte original une addition importante, j'ai indiqué, entre crochets, sa date (1).

Berchtesgaden, été 1908.

(1) Ces crochets ont été supprimés dans les éditions suivantes.

PRÉFACE
DE LA TROISIÈME ÉDITION

Neuf années séparaient la première édition de ce livre de la seconde; mais, à peine plus d'un an s'est écoulé, que le besoin d'une troisième édition se fait sentir. J'ose me réjouir de ce nouvel état de choses, mais, de même que je n'ai jamais voulu considérer l'indifférence primitive des lecteurs comme une preuve de la nullité de mon livre, je ne peux exploiter l'intérêt qu'il suscite de nos jours pour prouver son excellence.

Le progrès des connaissances scientifiques n'a pas épargné *Die Traumdeutung*. En 1899, lorsque j'ai écrit ce livre, je n'avais pas encore formulé ma « théorie de la sexualité » et l'analyse des formes les plus compliquées des psychonévroses en était encore à ses débuts. J'espérais que l'interprétation du rêve permettrait une analyse psychologique des névroses; depuis lors, la connaissance approfondie des névroses a réagi sur la compréhension du rêve. La théorie de l'interprétation du rêve a, quant à elle, continué de se développer; la direction qu'elle a prise n'a pas été suffisamment soulignée dans la première édition de cet ouvrage. Mes expériences personnelles, comme le travail de W. Stekel et d'autres, m'ont permis de mieux apprécier l'extension et l'importance de la symbolique du rêve (ou au moins de la pensée inconsciente). Beaucoup de choses, donc, ces dernières années, ont requis mon attention. J'ai essayé de tenir compte de ces innovations en faisant de nombreux additifs, insérés dans le texte ou en notes de bas de page. Si parfois ces ajouts risquent de faire éclater le cadre de cet ouvrage, si je n'ai pas toujours réussi à porter le texte primitif au niveau de nos connaissances actuelles, j'en demande pardon au lecteur; ces déficiences sont le résultat et le signe du développement de plus en plus rapide de notre science. Je pourrais prédire en quoi les prochaines éditions de cet ouvrage, s'il y en a, différeront du présent texte. Il leur faudra, d'une part, chercher un contact plus étroit avec le matériel copieux que représentent la poésie, le mythe, l'usage linguistique et le folklore; il leur faudra, d'autre part, étudier plus en détail les rapports du rêve et des névroses et des maladies mentales.

M. Otto Rank m'a prêté un concours précieux pour la sélection des additifs et il a assumé toute la correction des épreuves. Je lui dois, comme à beaucoup d'autres, pour leurs contributions et leurs corrections, mes remerciements.

Vienne, printemps 1911.

PRÉFACE
DE LA QUATRIÈME ÉDITION

L'an dernier (1913), le Dr A. A. Brill, de New York, a traduit ce livre en anglais (*The Interpretation of Dreams*, G. Allen & C°, London). A cette occasion O. Rank a non seulement corrigé les épreuves, mais il a enrichi le texte de deux contributions personnelles.

Vienne, juin 1914.

PRÉFACE
DE LA CINQUIÈME ÉDITION

L'intérêt pour *Die Traumdeutung* n'a pas faibli, même au cours de la guerre mondiale, et, lors que la guerre n'est même pas terminée, il faut une nouvelle édition. Nous n'avons cependant pas pu examiner toute la littérature depuis 1914; ni le Dr Rank ni moi n'avons eu connaissance depuis cette date des publications en langue étrangère.

Une traduction hongroise, due aux soins des Drs Hollós et Ferenczi, va sortir sous peu. En 1916-17, Hugo Heller a publié à Vienne mes *Vorlesungen zur Einführung in die Psychoanalyse*. Les onze leçons consacrées au rêve qui sont la partie centrale de ces *Vorlesungen* s'efforcent de présenter les choses d'une façon plus élémentaire et plus étroitement liée à la théorie des névroses. C'est une sorte d'abrégé de la *Traumdeutung*, bien qu'il soit, en certains points, plus détaillé.

Je n'ai pu me résoudre à réviser radicalement cet ouvrage, car l'élever au niveau de nos conceptions psychanalytiques actuelles c'est renoncer à son caractère de document historique. Je pense, pourtant, qu'après près de vingt années d'existence il a rempli sa tâche.

Budapest-Steinbruch, juillet 1918.

PRÉFACE
DE LA SIXIÈME ÉDITION

Les difficultés que rencontre à présent l'industrie du livre font que cette nouvelle édition — dont le besoin s'est fait sentir depuis longtemps — ne paraît qu'aujourd'hui; c'est aussi à cause de ces difficultés que, pour la première fois, cette édition reproduit l'édition précédente sans aucune modification. Il n'y a que la bibliographie, à la fin de l'ouvrage, qui a été complétée et mise à jour par le Dr O. Rank.

J'avais dit qu'après vingt ans presque d'existence cet ouvrage avait accompli sa tâche; les faits ne m'ont pas donné raison, au contraire je pourrais dire que mon livre a un nouveau rôle à assumer. Si jadis il avait pour fonction d'informer sur la nature du rêve, il lui faut maintenant remédier, avec tout autant de soins, à l'incompréhension têtue que rencontre cette information.

Vienne, avril 1921.

PRÉFACE
DE LA HUITIÈME ÉDITION

Dans l'intervalle qui a séparé la publication de la dernière (la septième) édition de cet ouvrage, en 1922, de l'édition présente, l'Internationaler psychoanalytischer Verlag, à Vienne, a publié mes *Gesammelte Schriften*. Le second volume de cette collection reprend exactement la première édition de la *Traumdeutung*; tous les additifs u!térieurs sont publiés dans le troisième volume de la collection. Toutes les traductions de mon livre parues dans ce même laps de temps correspondent à l'édition en un seul volume de l'ouvrage; I. Meyerson a publié sous le titre de *La Science des Rêves*, dans la « Bibliothèque de Philosophie contemporaine », une traduction en français, en 1926. John Landquist en a publié une en suédois, *Drömtydning*, en 1927. Luis Lopez Ballesteras y de Torres publie une traduction en espagnol qui forme les volumes VI et VII des *Obras completas*. La traduction en langue hongroise que, dès 1918, je croyais sur le point d'être publiée n'a pas encore paru jusqu'à ce jour.

J'ai continué, même dans l'édition que je présente aujourd'hui, à traiter cet ouvrage comme un document historique; je n'y ai apporté que les modifications auxquelles j'ai été conduit par la volonté de clarifier et d'approfondir mes opinions. Ainsi, finalement, j'ai été amené à y inclure une liste d'ouvrages sur les problèmes du rêve publiés depuis la première édit'on de mon livre et à ne plus tenir compte des chapitres correspondants des éditions précédentes. Les deux contributions d'Otto Rank aux éditions précédentes : « Rêve et poésie », « Rêve et pensée créatrice », ont été également omises.

Vienne, décembre 1929.

CHAPITRE PREMIER

LA LITTÉRATURE SCIENTIFIQUE
CONCERNANT LES PROBLÈMES DU RÊVE

AVANT-PROPOS

Je me propose de montrer dans les pages qui suivent qu'il existe une technique psychologique qui permet d'interpréter les rêves : si on applique cette technique, tout rêve apparaît comme une production psychique qui a une signification et qu'on peut insérer parfaitement dans la suite des activités mentales de la veille. Je veux, de plus, essayer d'expliquer les processus qui donnent au rêve son aspect étrange, méconnaissable, et d'en tirer une conclusion sur la nature des forces psychiques dont la fusion ou le heurt produisent le rêve. Je limiterai là mon exposé : il aura atteint le point où le problème du rêve aboutit à des problèmes plus vastes pour la solution desquels il faut mettre en œuvre d'autres matériaux.

Je commence par un exposé historique, parce que j'aurai peu d'occasions d'y revenir dans le corps de l'ouvrage. La conception scientifique du rêve s'est, en effet, peu développée, en dépit d'efforts plusieurs fois millénaires; le fait est si universellement admis par les auteurs qu'il semble inutile d'en apporter ici les preuves. Les travaux dont on trouvera la liste à la fin de ce livre contiennent nombre de remarques suggestives et une documentation très intéressante, mais rien ou fort peu de chose sur l'essence même du rêve, rien qui éclaire ses énigmes. Bien entendu les notions du public cultivé sont plus pauvres encore.

J'écarte bien à regret, car c'est un sujet plein d'intérêt, de cet exposé l'examen des idées sur le rêve à l'origine de l'humanité, chez les peuples primitifs, et l'étude de l'influence que ces idées ont pu avoir sur leurs conceptions du monde et de l'âme. Pour cette question, je renvoie le lecteur aux ouvrages classiques de Sir J. Lubbock, H. Spencer, E. B. Tylor, etc., et j'ajoute que sa véritable portée ne nous apparaîtra nettement que quand nous aurons compris le problème de l'interprétation du rêve, tel qu'il va se présenter à nous.

On trouve l'écho de ces croyances primitives chez les peuples de l'Antiquité classique (1). Ces peuples attribuaient aux rêves une importance considérable; ils croyaient que les rêves les mettaient en rapport avec le monde des êtres surhumains et qu'ils leur apportaient des révélations venant des dieux et des démons. De plus, ils étaient persuadés que les rêves étaient envoyés à dessein au rêveur : ils lui annonçaient le plus souvent l'avenir. Ces croyances n'ont pas abouti, il est vrai, à une doctrine : l'extraordinaire variété du contenu des rêves et des impressions qu'ils laissaient rendait difficile la formation d'une conception homogène et entraînait des distinctions et des catégories multiples d'après la valeur des rêves et la confiance qu'ils inspiraient. Il va de soi que l'opinion que les philosophes anciens se faisaient du rêve n'était pas indépendante de la place qu'ils donnaient dans leur système à la mantique en général.

Dans les deux écrits qu'il lui a consacrés, Aristote considère déjà le rêve comme un objet d'investigation psychologique. Le rêve n'est pas envoyé par les dieux, il est d'essence non divine, mais démoniaque, puisque la nature elle-même est démoniaque et non divine. En d'autres termes, le rêve n'est point une révélation surnaturelle, mais il est conforme aux lois de l'esprit humain, lui-même parent de la divinité. Le rêve est défini : l'activité de l'âme de l'homme endormi en tant que tel.

Aristote connaît quelques-uns des caractères de la vie du rêve, par exemple le fait que le rêve amplifie de menues stimulations nerveuses survenues pendant le sommeil (« on croit traverser du feu et avoir très chaud, alors que

(1) Nous suivons, dans cet exposé historique, l'excellent travail de BÜCHSENSCHÜTZ (*Traum und Traumdeutung im Altertum*, Berlin, 1861).

tel ou tel membre subit seulement un échauffement très léger »). Il en conclut que les rêves peuvent révéler au médecin les premiers signes d'un changement dans l'état du corps, imperceptibles pendant la veille (1).

Ainsi qu'on vient de le voir, avant Aristote les anciens ne considéraient pas le rêve comme une création de l'esprit du rêveur, mais comme une inspiration divine. Les deux manières de concevoir le rêve que nous allons retrouver sont ainsi apparentes déjà chez eux. Ils distinguaient les rêves véridiques et importants, envoyés au dormeur pour le mettre en garde ou lui annoncer l'avenir, des rêves vains, trompeurs et futiles qui devaient le mener à sa perte.

Gruppe (*Griechische Mythologie und Religionsgeschichte*, p. 390) nous donne une telle classification des rêves, d'après Macrobe et Artémidore : « On divisait les rêves en deux classes. L'une passait pour avoir son origine dans le présent (ou le passé) et ne rien révéler de l'avenir; elle comprenait les ἐνύπνια *(insomnia)*, qui rendent immédiatement la représentation ou son contraire, par exemple la faim ou son assouvissement, et les φαντάσματα, qui amplifient de manière fantastique la représentation donnée, comme par exemple l'incube Ephialtes. Par contre, l'autre classe de rêves passait pour déterminer l'avenir; y appartenaient : 1° la prophétie directe reçue en songe (χρηματισμός, *oraculum*); 2° la prédiction d'un événement à venir (ὅραμα, *visio*); 3° le rêve symbolique nécessitant une explication (ὄνειρος, *somnium*). » Cette théorie a régné pendant de longs siècles.

Cette diversité d'appréciation posait le problème de l'interprétation des rêves.

On attendait des rêves en général des indications importantes, mais on ne pouvait comprendre directement tous les rêves, ni savoir si tel rêve incompréhensible n'était pas significatif; c'est pourquoi on s'efforça de remplacer le contenu incompréhensible du rêve par un autre facile à reconnaître et plein de signification. Vers la fin de l'Antiquité, la plus haute autorité en matière d'interprétation des songes était Artémidore de Daldis, dont l'œuvre très

---

(1) Un chapitre du célèbre ouvrage d'HIPPOCRATE traite aussi des rapports du rêve et de la maladie.

détaillée peut nous dédommager de la perte des ouvrages de contenu analogue (1).

La conception préscientifique du rêve des anciens était en pleine harmonie avec leur philosophie générale, qui projetait dans le monde extérieur ce qui n'avait de réalité que dans la vie de l'esprit. De plus, elle rendait compte de l'impression essentielle que nous donnent au matin les souvenirs demeurés du rêve, car dans ces souvenirs le rêve s'oppose au contenu de notre conscience comme quelque chose d'étranger et qui provient d'un autre monde.

Il serait d'ailleurs faux de croire que, de nos jours, la doctrine de l'origine surnaturelle des rêves manque de partisans. En dehors même des écrivains religieux et mystiques — qui ont grandement raison de garder, aussi longtemps que les explications des sciences naturelles ne les en chassent pas, les restes du domaine, jadis si étendu, du surnaturel —, on rencontre des hommes sagaces et hostiles à toute pensée aventureuse qui s'efforcent d'étayer leur foi en l'existence et en l'action de forces spirituelles surhumaines précisément sur le caractère inexplicable des visions des rêves (Haffner). Le prix que maintes écoles philosophiques (les disciples de Schelling, par exemple) attachent à la vie du rêve est un écho très clair de l'origine divine incontestée du rêve dans l'Antiquité. Sur la puissance divinatoire et prophétique du rêve, la discussion n'est pas close non plus. Si forte que soit, chez tous ceux qui ont des habitudes de pensée scientifique, la tendance à repousser ces sortes d'allégations, il faut convenir que les essais d'explication psychologique ne rendent pas compte de tous les faits accumulés.

Il est difficile de faire l'historique de notre connaissance scientifique du problème du rêve. Si, en effet, elle a pu aboutir à des études de détail intéressantes, on ne constate point de progrès d'ensemble. On n'est pas parvenu à construire une assise de résultats assurés sur lesquels les chercheurs suivants auraient continué à bâtir. Chaque

(1) Voir, pour l'histoire de l'interprétation des rêves au Moyen Age, entre autres, l'ouvrage de DIEPGEN et les recherches spéciales de M. FÖRSTER, GOTTHARD, etc. ; pour les Juifs, ALMOLI, AMRAM, LÖWINGER et le travail récent de LAUER qui tient compte du point de vue psychanalytique ; pour les Arabes, DREXL, F. SCHWARZ et le missionnaire TFINKDJI ; pour les Japonais, MIURA et IWAYA ; pour les Chinois, SECKER ; pour les Hindous, NEGELEIN.

nouvel auteur recommence l'étude des mêmes questions. Si je voulais m'en tenir à la succession des auteurs et dire quels points de vue chacun a développés, il me faudrait renoncer à donner une vue d'ensemble de la connaissance actuelle du problème du rêve. C'est pourquoi je préfère m'attacher aux idées directrices; je dirai, à propos de chaque question, quels éléments les travaux antérieurs ont préparés pour sa solution. Il n'est pas facile de dominer entièrement une bibliographie aussi dispersée et qui s'étend sur tant de domaines frontières; je prie donc mes lecteurs de se tenir pour satisfaits si je n'ai oublié dans mon exposé aucun fait fondamental ni aucun point de vue essentiel.

Jusqu'à ces temps derniers, la plupart des auteurs étudiaient ensemble le sommeil, le rêve et les états psychopathologiques analogues au rêve, comme les hallucinations, visions, etc. Les travaux les plus récents montrent, au contraire, une tendance à délimiter le sujet : ils traitent de questions isolées de psychologie du rêve. Je crois voir dans ce fait l'expression de la conviction qu'en matières si obscures la clarté et l'accord ne sauraient être obtenus que par des séries de recherches de détail. Ce que je présente ici est une de ces recherches de détail, de nature spécialement psychologique. J'ai eu peu d'occasions de m'occuper du sommeil, car celui-ci est essentiellement un fait physiologique. Il ne sera donc pas question ici de la bibliographie du sommeil.

L'investigation scientifique dans le domaine du rêve conduit à poser un certain nombre de questions qui se lient en partie les unes aux autres et que nous allons passer en revue.

I. — RELATIONS DU RÊVE AVEC LA VEILLE

Le jugement simpliste de l'homme éveillé admet que le rêve — même s'il ne provient pas d'un autre monde — transporte cependant le dormeur dans un monde différent. Le psychophysiologiste Burdach, à qui nous devons une description soigneuse et fine des phénomènes du rêve, a exprimé cette conviction en quelques phrases très remarquées (p. 474) : « ... Jamais la vie de la journée ne se répète, avec ses fatigues et ses plaisirs, ses joies et ses peines; le rôle du rêve est bien plutôt de nous en délivrer. Lors même que notre âme tout entière était pleine d'un objet, que nous étions déchiré par une profonde douleur ou entièrement préoccupé d'une tâche, le rêve nous a donné quelque chose de tout à fait étranger, ou bien il n'a pris dans la réalité que quelques éléments qu'il a fait entrer dans ses combinaisons, ou encore il n'a pris de notre humeur que la tonalité générale et a symbolisé la réalité. » — J. H. Fichte (I, 541) parle dans le même sens de rêves complémentaires et les considère comme un des bienfaits cachés de l'esprit, qui se guérit lui-même. L. Strümpell dit des choses analogues dans son important travail : *Die Natur und Entstehung der Träume* : (p. 16) : « Qui rêve se détourne du monde de la conscience éveillée... »; (p. 17) : « La mémoire du contenu ordonné et de la conduite normale de la conscience éveillée peut être considérée comme entièrement perdue dans le rêve... »; (p. 19) : « L'âme est comme absente dans le rêve et entièrement dépourvue des souvenirs du contenu ordinaire et de la conduite de la vie pendant la veille... »

Mais un nombre beaucoup plus considérable d'auteurs ont défendu une conception tout opposée des relations du rêve et de la veille. Ainsi Haffner écrit (p. 19) : « Avant tout, le rêve continue la vie de la veille. Nos rêves se rattachent toujours aux représentations qui peu de temps auparavant étaient dans la conscience. Une observation attentive découvrira presque toujours le fil par lequel le rêve se rattache aux événements du jour précédent. » Weygandt (p. 6) contredit directement l'affirmation de Burdach que nous avons citée plus haut : « On peut souvent observer clairement, et cela dans la grande majorité des rêves, que ceux-ci nous ramènent précisément dans la vie ordinaire au lieu de nous en délivrer. » Maury (*Le sommeil et les rêves*, p. 56) précise en une de ses brèves formules : « Nous rêvons de ce que nous avons vu, dit, désiré ou fait. » Jessen, dans sa *Psychologie*, parue en 1855 (p. 530), dit un peu plus explicitement : « Le contenu du rêve est toujours plus ou moins déterminé par la personnalité individuelle, par l'âge, le sexe, la situation, la culture, les habitudes de vie et par les événements et l'expérience de toute la vie. » Le philosophe I. G. E. Maass affirme de la manière la plus nette (*Ueber die Leidenschaften*, 1805) :

« L'expérience confirme notre affirmation que le plus souvent nous rêvons des objets de nos passions les plus ardentes. On voit donc que nos passions doivent influer sur la formation de nos rêves. L'ambitieux rêve des lauriers obtenus (peut-être dans sa seule imagination) ou encore à obtenir, tandis que l'amoureux s'occupe dans ses rêves de l'objet de ses plus chères espérances. Tous les désirs et toutes les aversions sensibles qui sommeillent dans notre cœur peuvent, à condition d'être excités par une cause quelconque, faire naître un rêve des représentations qui leur sont associées, ou mêler ces représentations à un rêve déjà construit » (noté par Winterstein in *Zbl. für Psychoanalyse*).

Les Anciens pensaient de même. Je cite d'après Radestock (p. 139) : « Xerxès était détourné par ses conseillers de l'expédition contre la Grèce, mais ses rêves l'y incitaient toujours à nouveau. Artaban, le sage interprète des songes, lui dit très justement que les images des songes contenaient le plus souvent les pensées de la veille. »

Lucrèce dit dans le *De Rerum Natura* (IV, v. 962-967) :

> « Et quo quisque fere studio devinctus adhaeret,
> aut quibus in rebus multum sumus ante morati
> atque in ea ratione fuit contenta magis mens,
> in somnis eadem plerumque videmur obire;
> causidici causas agere et componere leges,
> induperatores pugnare ac proelia obire... »

De même Cicéron (*De Divin.*, II) (comme plus tard Maury) : « Maximeque reliquiae earum rerum moventur in animis et agitantur, de quibus vigilantes aut cogitavimus aut egimus. »

L'opposition entre les deux opinions que nous venons d'indiquer semble irréductible. Ce fait a dû frapper F. W. Hildebrandt, qui écrit (1875, p. 8) : « Les particularités du rêve ne sauraient être exprimées que par une série d'oppositions qui apparemment peuvent devenir des contradictions totales... » « La première de ces oppositions est d'une part l'isolement du rêve, son exclusion entière de la vie réelle et vraie, d'autre part l'empiétement constant de l'un sur l'autre, la constante dépendance entre l'un et l'autre. Le rêve diffère de la réalité vécue pendant la veille, il a une existence entièrement fermée et séparée de la vie réelle par un abîme infranchissable. Il nous détache de la réalité, il efface en nous le souvenir de celle-ci et nous place dans un autre monde, dans une existence toute différente et qui au fond n'a rien à voir avec notre existence réelle... » Hildebrandt montre ensuite comment, lorsque nous nous endormons, tout notre être, avec la forme même de son existence, disparaît « comme dans une trappe invisible ». On fera par exemple la traversée de Sainte-Hélène pour offrir d'excellent vin de la Moselle à Napoléon. On sera très bien reçu par l'ex-empereur et on regrettera presque que le réveil dérange cette intéressante illusion. Comparons maintenant rêve et réalité. On n'a jamais été négociant en vins, on n'a jamais pensé à le devenir, on n'a jamais fait de traversée et Sainte-Hélène ne serait assurément pas le but que l'on choisirait. On n'a aucune sympathie pour Napoléon, mais bien plutôt une haine patriotique. De plus, le rêveur n'était pas encore au monde lors de la mort de Napoléon; il était donc impossible qu'il fût en relation personnelle avec lui. Ainsi les événements du rêve nous apparaissent comme quelque chose d'étranger, intercalé entre deux fragments de vie qui convenaient parfaitement l'un à l'autre et se continuaient.

« Et cependant, continue Hildebrandt, le contraire est tout aussi vrai et juste. La liaison et les rapports les plus intimes vont de front avec cet isolement et cette exclusion. On peut même dire que, quoi que présente le rêve, il prend ses éléments dans la réalité et dans la vie de l'esprit qui se développe à partir de cette réalité... Si singulière que soit son œuvre, il ne peut cependant jamais échapper au monde réel, et ses créations les plus sublimes comme les plus grotesques doivent toujours tirer leurs éléments de ce que le monde sensible offre à nos yeux ou de ce qui s'est trouvé d'une quelconque manière dans la pensée de la veille, en d'autres termes, de ce que nous avons déjà vécu intérieurement ou extérieurement. »

II. — LE MATÉRIEL DU RÊVE
LA MÉMOIRE DANS LE RÊVE

Tout le matériel qui forme le contenu du rêve provient d'une manière quelconque de notre expérience vécue : il est donc reproduit ou remémoré dans le rêve. Cela au moins nous pouvons le tenir pour certain. Mais il ne faut pas croire que la liaison entre le contenu du rêve et la veille apparaisse sans peine comme un fait qui saute aux yeux aussitôt qu'on instaure la comparaison. Il faut au contraire la rechercher avec grand soin, et dans nombre de cas elle se dissimule longtemps. Cela parce que dans le rêve notre mémoire présente une série de particularités qui, souvent observées, se sont jusqu'ici dérobées à toute explication. Elles valent la peine d'être examinées.

Tout d'abord, le rêve présente des éléments que nous ne reconnaissons pas pendant la veille comme appartenant à notre savoir et à notre expérience. On se souvient d'avoir rêvé ce dont il s'agit, mais on ne se rappelle pas quand ni comment on l'a vécu. On ne sait donc à quelle source le rêve a puisé et on est tenté de croire à une activité créatrice indépendante, jusqu'à ce qu'un événement nouveau rappelle le souvenir perdu d'un événement ancien, découvrant ainsi l'origine du songe. Il faut convenir alors qu'on a su et qu'on s'est rappelé en rêve quelque chose qui échappait à la mémoire de la veille (1).

Delbœuf raconte le fait suivant, pris dans sa propre expérience. Il voyait en rêve la cour de sa maison couverte de neige et y trouvait deux petits lézards, raidis par le froid et ensevelis par la neige, qu'il ramassait, réchauffait et rapportait dans leur petit trou, dans la muraille. Il y mettait de plus quelques feuilles d'une petite fougère qui poussait sur le mur et que les lézards aimaient. En rêve il savait que la plante s'appelait : *Asplenium ruta muralis*. Le rêve continuait; après que d'autres événements s'y étaient intercalés, il revenait aux lézards, et Delbœuf voyait avec étonnement deux nouveaux animaux qui s'étaient formés des restes de la fougère. Il tournait ensuite ses yeux vers la campagne et voyait un cinquième, puis un sixième lézard prendre le chemin du trou dans la muraille. Enfin toute la route était couverte par une procession de lézards qui allaient tous dans la même direction, etc.

Delbœuf savait les noms latins de peu de plantes, à l'état de veille il ne connaissait pas l'*Asplenium*. Il vit, à son grand étonnement, qu'il existait réellement une fougère

---

(1) VASCHIDE affirme aussi que les langues étrangères sont souvent parlées d'une manière beaucoup plus pure et beaucoup plus courante en rêve que pendant la veille.

de ce nom. Le rêve avait un peu transformé sa dénomination exacte, qui était : *Asplenium ruta muraria*. On ne pouvait imaginer une rencontre fortuite. Delbœuf se demandait donc d'où lui était venu le nom d'*Asplenium*.

Le rêve avait eu lieu en 1862; seize ans plus tard, le philosophe, en visite chez un de ses amis, vit un petit album contenant des feuilles séchées comme on en vend aux étrangers, dans diverses régions de Suisse, pour servir de cadeau-souvenir. Un souvenir lui revint à l'esprit, il ouvrit l'herbier, y trouva l'*Asplenium* de son rêve et reconnut que lui-même avait écrit le nom latin. Il put rétablir alors la liaison des faits. En 1860 — deux ans avant le rêve des lézards —, une sœur de cet ami, en voyage de noces, avait rendu visite à Delbœuf. Elle avait alors l'album destiné à son frère, et Delbœuf s'était donné la peine d'écrire, sous la dictée d'un botaniste, le nom latin de chacune des plantes sèches.

Grâce au hasard, qui rend cet exemple si intéressant, Delbœuf put retrouver, pour une autre partie du contenu de ce rêve, la source oubliée. En 1877, un vieux volume d'un journal illustré lui étant tombé entre les mains, il y retrouva toute la procession des lézards telle qu'il l'avait rêvée en 1862. Le volume était de 1861, et Delbœuf se rappela qu'il avait été abonné à ce périodique dès son apparition.

Le fait que le rêve dispose de souvenirs inaccessibles à la veille est si remarquable et si important au point de vue théorique que j'y insisterai encore, en rapportant d'autres rêves « hypermnésiques ». Maury raconte que, pendant quelque temps, le mot Mussidan lui revenait souvent à l'esprit dans la journée. Il savait que c'était le nom d'une ville de France, mais rien de plus. Il rêva un jour qu'il s'entretenait avec une certaine personne, qui lui disait venir de Mussidan et qui, sur sa demande, lui dit que Mussidan était un chef-lieu de canton du département de la Dordogne. Réveillé, Maury n'en crut rien, mais un dictionnaire de géographie lui prouva que c'était parfaitement exact. Dans ce cas encore, le rêve était plus savant que la veille, mais on n'a pu retrouver la source oubliée de ce savoir.

Jessen raconte (p. 55) un fait de rêve du temps passé, en tout point semblable. « Il faut classer, entre autres, parmi ceux-là le rêve du vieux Scaliger (Hennings, *l. c.*, p. 300) qui avait écrit à Vérone un poème à la louange des hommes célèbres. Il vit en rêve un homme qui lui dit s'appeler Brugnolus et qui se plaignit d'avoir été oublié. Scaliger, bien qu'il ne se rappelât pas avoir jamais entendu parler de lui, lui consacra des vers, et son fils apprit plus tard à Vérone qu'il y avait eu autrefois, dans cette ville même, un célèbre critique du nom de Brugnolus. »

Hervey de Saint-Denis (cit. d'après Vaschide, p. 232) raconte un rêve hypermnésique caractérisé par la particularité suivante : il était suivi d'un second rêve qui complétait la reconnaissance du souvenir non identifié dans le premier : « Je rêve une autre nuit que je vois une jeune femme blonde comme de l'or, causant avec ma sœur et lui montrant un petit ouvrage en tapisserie qu'elle avait fait. En songe, je crois parfaitement la reconnaître; j'ai même le sentiment de l'avoir rencontrée déjà bien des fois. Cependant, je m'éveille, et ce visage, encore présent à ma pensée, me semble dès lors absolument inconnu. Je me rendors; la même vision se reproduit. J'ai gardé, tout en rêvant, la conscience des instants du réveil momentané que je viens d'avoir, aussi bien que de cette impression que j'ai ressentie d'avoir eu devant les yeux de mon esprit un visage que je n'avais encore jamais vu. Rendu aux illusions du rêve, je m'en étonne; je me demande comment j'ai pu manquer à ce point de mémoire, et, mêlant l'incohérence du songe à la vague réminiscence d'une idée que je désire éclaircir, je m'approche de la blonde jeune femme et je lui demande à elle-même si je n'ai pas déjà eu le plaisir de la rencontrer. — Assurément, me répondit-elle, souvenez-vous des bains de mer de Pornic. Ces mots me frappent. Je fus réveillé tout à fait, et je me rappelai alors parfaitement les circonstances dans lesquelles j'avais recueilli, sans m'en douter, ce gracieux cliché souvenir. »

Le même auteur (dans Vaschide, p. 233) raconte le fait suivant : Un musicien de ses amis entendit un jour en rêve une mélodie qui lui parut entièrement nouvelle. Il ne la trouva que plusieurs années après dans une vieille collection de morceaux de musique qu'il ne se rappelle toujours pas avoir eue auparavant entre les mains.

Myers a publié (Proceedings of the Society for psychical Research) toute une collection de rêves hypermnésiques.

Tous ceux qui se sont occupés de la question du rêve savent combien souvent il témoigne de connaissances et de souvenirs que l'on ne croyait pas posséder pendant la veille. Mes travaux psychanalytiques sur des nerveux — dont je parlerai plus tard — me donnent l'occasion, plusieurs fois par semaine, de prouver aux patients, grâce à leurs rêves, qu'ils connaissent très bien des citations, des mots obscènes et bien d'autres choses semblables dont ils se servent pendant leurs rêves, bien qu'ils les oublient pendant la veille. Je voudrais communiquer encore un cas, très simple, d'hypermnésie pendant le rêve, parce qu'il est très aisé de retrouver la source d'où découlait la connaissance accessible au rêve seul.

Au cours d'un long rêve, un patient rêva qu'il s'était fait servir dans un café une « Kontuszówka ». Il me demanda, après me l'avoir raconté, ce que cela pouvait bien être. Il n'avait jamais entendu ce nom. Je lui répondis que c'était une eau-de-vie polonaise dont il n'avait assurément pas inventé le nom en rêve : je l'avais vu, en effet, depuis longtemps déjà, sur des affiches. Il ne voulut d'abord pas me croire. Quelques jours après, ayant réalisé son rêve en allant au café, il remarqua ce nom sur une affiche au coin d'une rue où, depuis des mois, il passait au moins deux fois par jour.

J'ai éprouvé moi-même quel rôle considérable joue le hasard dans la découverte de l'origine des divers éléments du rêve. L'image d'un certain clocher d'architecture très simple, et que je ne me rappelais pas avoir vu, m'a poursuivi pendant des années. Je le reconnus brusquement et avec une certitude entière dans une petite station entre Salzbourg et Reichenhall que j'avais traversée pour la première fois en 1886.

Plus tard, comme je m'occupais beaucoup de l'étude du rêve, l'image d'un certain lieu bizarre qui revenait souvent dans mes songes m'était devenue insupportable. Je voyais à ma gauche, placée d'une certaine façon par rapport à moi, une pièce sombre d'où se détachaient plusieurs statues de grès grotesques. Une ombre de souvenir à laquelle je ne voulais pas me fier me faisait croire que c'était l'entrée d'une brasserie, mais je ne pouvais m'expliquer ni le sens de cette image, ni son origine. En 1907, je vins par hasard à Padoue où à mon grand regret je n'étais plus retourné depuis 1895. Ma première visite avait d'ailleurs été incomplète : je n'avais pu voir les fresques de Giotto à la Madonna dell'Arena et j'avais fait demi-tour en apprenant que ce jour-là la petite église était fermée. Lors de ma seconde visite, douze ans plus tard, je voulus reprendre le chemin de la Madonna dell'Arena. Sur la route qui y conduisait, à gauche, à l'endroit sans doute où j'avais dû faire demi-tour en 1885, je découvris l'endroit que j'avais si souvent vu en rêve et ses statues de grès. C'était bien l'entrée du jardin d'un restaurant.

L'enfance est une des sources d'où le rêve tire le plus d'éléments, de ceux notamment que nous ne nous rappelons pas pendant la veille et que nous n'utilisons pas. Je citerai quelques-uns des auteurs qui ont souligné ce fait.

Hildebrandt remarque (p. 23) : « On a déjà convenu expressément que le rêve nous représentait quelquefois fidèlement et avec une exactitude merveilleuse des événements éloignés et que nous avions nous-même oubliés. »

Strümpell dit (p. 40) : « Il est curieux encore de remarquer que le rêve ressuscite dans leur fraîcheur originelle et leur intégrité les images de lieux, d'objets et de personnes ensevelies sous les alluvions les plus profondes que l'écoulement du temps puisse déposer sur les événements de notre prime jeunesse. Il ne s'agit pas seulement d'impressions qui dès leur naissance nous avaient frappé ou s'étaient unies à de fortes valeurs psychiques et qui reviendraient plus tard en rêve comme des souvenirs véritables que la conscience de veille serait heureuse de retrouver. Il y a, dans les profondeurs de notre mémoire de rêve, des images de personnes, de choses, de lieux et d'événements d'autrefois qui nous avaient médiocrement frappé, ou ne possédaient aucune valeur psychique; ou qui, ayant perdu depuis longtemps l'une et l'autre qualités, nous paraissent totalement étrangères en rêve comme au réveil, jusqu'à ce que nous découvrions leur origine. »

Volkelt note (p. 119) : « La manière dont nos souvenirs d'enfance et de jeunesse rentrent dans nos rêves est particulièrement remarquable. Le rêve nous rappelle inlassablement ce à quoi nous ne pensons plus, ce qui a perdu pour nous toute importance. »

Le rêve disposant de souvenirs d'enfance qui sont pour la plupart hors de la mémoire consciente, nous avons des rêves hypermnésiques fort intéressants dont je voudrais donner quelques exemples :

Maury raconte (*Le sommeil*, p. 92) que, dans son enfance, il était allé souvent de Meaux, sa ville natale, au village voisin de Trilport où son père dirigeait la construction d'un pont. Une nuit, en rêve, il se retrouve à Trilport, jouant dans les rues. Un homme qui porte une sorte d'uniforme s'approche de lui. Maury lui demande son nom. Il se nomme C..., est gardien du pont. Réveillé, Maury, doutant de l'exactitude de son souvenir, demande à une vieille servante qui était chez lui depuis son enfance si elle se rappelle un homme de ce nom. « Assurément, dit-elle, c'était le gardien du pont que votre père a fait construire. »

La certitude des souvenirs d'enfance resurgis dans le rêve nous est encore démontrée par l'exemple, donné par Maury, d'un M. F... qui avait passé son enfance à Montbrison. Vingt-cinq ans après en être parti, il résolut d'aller revoir sa ville natale et de rendre visite à de vieux amis de sa famille qu'il n'avait pas vus depuis. La nuit avant son départ, il rêve qu'il est arrivé et que, près de Montbrison, il rencontre un inconnu qui lui dit qu'il est M. T..., ami de son père. Le sujet savait qu'étant enfant il avait connu un monsieur de ce nom, mais il ne se rappelait plus son aspect. Quelques jours plus tard, arrivé réellement à Montbrison, il retrouve le lien vu en rêve, qu'il croyait ne pas connaître, et rencontre un monsieur en qui il reconnaît aussitôt M. T... de son rêve. Le personnage véritable était seulement beaucoup plus âgé que l'image du rêve.

Je puis raconter ici un de mes propres rêves dans lequel l'impression qui revient à la mémoire est remplacée par une relation. Je voyais une personne dont je savais qu'elle était le médecin de mon pays natal. Son visage était indistinct et se confondait avec celui d'un des professeurs de mon lycée que je rencontre encore aujourd'hui. Réveillé, je ne pus découvrir quel rapport unissait ces deux personnes. Je parlai à ma mère de ce médecin, j'appris qu'il était borgne; le professeur dont le visage se confondait dans mon rêve avec celui du médecin l'était aussi. Il y avait 38 ans que je n'avais plus vu le médecin et jamais à ma connaissance je n'avais pensé à lui, durant la veille, bien qu'une cicatrice au menton eût dû me rappeler une de ses interventions.

Il semble que les observations de nombreux auteurs, selon lesquels la majorité des rêves peuvent être ramenés à des éléments datant des jours précédents, dussent contrebalancer le rôle excessif attribué aux impressions d'enfance dans la vie du rêve. Robert (p. 46) déclare même : « En général le rêve normal n'utilise que les impressions des derniers jours écoulés. » Nous apprendrons en effet que la théorie du rêve construite par Robert exige impérieusement ce refoulement des anciennes impressions et cette poussée en avant des plus récentes. Le fait même affirmé par Robert est exact, mes propres recherches m'en ont persuadé. Un auteur américain, Nelson, estime que le rêve met le plus souvent en valeur des impressions de la veille ou de l'avant-veille, comme si les impressions du jour n'étaient pas assez affaiblies, assez extérieures.

Plusieurs auteurs, qui ne mettent pas en doute l'intime liaison entre le rêve et la veille, ont remarqué que des impressions qui avaient intensément occupé la pensée n'apparaissaient dans le rêve que lorsqu'elles avaient été en quelque sorte refoulées. Ainsi on ne rêve pas d'un mort aimé pendant les premiers temps et aussi longtemps que le chagrin préoccupe exclusivement (Delage). Toutefois, une des plus récentes observatrices, Miss Hallam, a collectionné des exemples tout opposés et déclare qu'il faut ici tenir compte de la personnalité de chacun.

La troisième, la plus remarquable et la plus incompréhensible des particularités de la mémoire dans le rêve est le choix des éléments reproduits. Ce n'est plus, comme dans la veille, le plus caractéristique, mais au contraire ce qui est le plus indifférent, le plus insignifiant, qui est considéré comme le plus digne de souvenir. Je laisse ici la parole aux auteurs qui ont exprimé leur étonnement de la manière la plus forte.

Hildebrandt écrit (p. 11) : « Le plus étonnant est qu'en général le rêve ne tire pas ses éléments des événements importants et considérables, des puissants intérêts qui, le jour précédent, nous ont stimulé; mais des accessoires, des à-côtés et, pour ainsi dire, des miettes d'un passé ou récent ou très éloigné. La mort d'un de nos proches qui nous a bouleversé, sous l'impression de laquelle nous nous sommes endormi tard dans la nuit, disparaîtra de notre mémoire jusqu'à ce que le réveil l'y ramène avec une puissance funeste. En revanche, une verrue sur le front d'un ami que nous avons rencontré jouera un rôle dans notre rêve, bien qu'après l'avoir quitté nous n'y ayons pas pensé un seul instant. »

Strümpell signale (p. 39) des cas où, « en fragmentant le rêve, nous en trouvons des parties qui proviennent de notre vie du ou des jours précédents, mais qui étaient si insignifiantes et si dépourvues de valeur pour la conscience de veille qu'elles étaient tombées dans l'oubli aussitôt après. Ces événements peuvent être des opinions entendues par hasard ou des actes auxquels nous avons prêté une attention superficielle, des impressions rapides d'objets ou de personnes, quelques petits passages d'une lecture, et ainsi de suite ».

Havelock Ellis dit (1899, p. 727) : « The profound emotions of waking life, the questions and problems on which we spread our chief voluntary mental energy, are not those which usually present themselves at once to dream consciousness. It is so far as the immediate past is concerned, mostly the trifling, the incidental, the "forgotten" impressions of daily life wich reappear in our dreams. The psychic activities that are awake most intensely are those that sleep most profoundly. »

Binz (p. 45) part précisément de ces particularités de la mémoire dans le rêve pour critiquer sa propre explication : « Et le rêve naturel pose les mêmes questions. Pourquoi, au lieu de rêver toujours des souvenirs les plus récents, plongeons-nous souvent sans aucun motif reconnaissable dans un passé lointain et presque éteint ? Pourquoi, en rêve, notre conscience est-elle si souvent impressionnée par des images de souvenirs *indifférents*, et pourquoi, fortement frappé, notre cerveau reste-t-il muet et figé, lors même qu'une excitation vive a tout récemment renouvelé l'impression ? »

On voit aisément comment la bizarre préférence de la mémoire du rêve pour l'indifférent, et par conséquent l'inaperçu, dans les événements du jour devait conduire le plus souvent à méconnaître la dépendance du rêve à l'égard de la vie ordinaire ou tout au moins à rendre très difficile, dans chaque cas, la preuve de cette dépendance. C'est pourquoi Miss Calkins, dans la statistique de ses rêves (et des rêves de ses amis), trouve 11 % de rêves sans relations avec la vie de la veille. Assurément Hildebrandt a raison quand il estime que toutes nos images de rêve pourraient être expliquées génétiquement si nous consacrions chaque fois le temps et l'attention nécessaires à rechercher leur origine. A la vérité, il considère cela comme « une tâche très ingrate et très fatigante. Car il s'agit, en effet, le plus souvent de dénicher des coins les plus reculés de la mémoire toutes sortes de choses sans aucune valeur, de ramener au jour toutes sortes de moments indifférents d'un temps dès longtemps passé, que peut-être l'heure suivante avait déjà ensevelis ». Pour ma part, je regrette que cet auteur pénétrant se soit détourné de la voie dans laquelle il pouvait s'engager ainsi. Elle l'aurait immédiatement conduit au centre de l'explication du rêve.

Le comportement de la mémoire dans le rêve est certainement très significatif pour toute théorie de la mémoire. Il nous apprend que « rien de ce que nous avons possédé intellectuellement ne peut être entièrement perdu » (Scholz, p. 34). Ou, comme le dit Delbœuf, que « toute impression, même la plus insignifiante, laisse une trace inaltérable, ndéfiniment susceptible de reparaître au jour », conclusion à laquelle nous conduisent également tant de phénomènes de psychologie pathologique. Il faudra se rappeler ces extraordinaires possibilités de la mémoire dans le rêve, quand nous aurons affaire à des théories qui expliquent l'absurdité et l'incohérence du rêve par un oubli partiel de ce que nous savons pendant le jour.

On pourrait avoir l'idée de ramener le phénomène du rêve à celui de la mémoration et de voir dans le rêve la manifestation d'une activité reproductrice qui ne s'arrêterait même pas pendant la nuit et serait son propre but en quelque sorte. Des travaux comme ceux de Pilcz, selon qui on pourrait établir un rapport fixe entre le moment du rêve et son contenu, s'accorderaient avec ces vues. Nous retrouverions pendant un sommeil profond les impressions d'époques déjà lointaines; vers le matin, nos rêves nous rendraient des impressions récentes. Mais une pareille conception semble dès l'abord invraisemblable, à cause de la manière dont le rêve emploie les éléments à mémoriser. Strümpell attire avec raison l'attention sur le fait que jamais des événements vécus ne se répètent pendant les rêves. Le rêve ajoute bien des accessoires, mais le chaînon suivant manquera, il sera transformé, ou bien un fait entièrement étranger apparaîtra à sa place. Le rêve n'apporte que des fragments de copies. Cela est tellement certain que l'on peut en tirer les déductions théoriques. Il y a cependant des exceptions, un rêve reproduisant un événement d'une manière aussi complète que pourrait le faire notre mémoire pendant la veille. Delbœuf raconte qu'un de ses collègues de l'université avait refait en rêve une promenade en voiture très dangereuse au cours de laquelle il n'avait échappé que par miracle à un accident, et cela avec tous les détails qu'il avait vécus. Miss Calkins mentionne deux rêves qui reproduisaient exactement un événement du jour précédent. Je raconterai moi-même, un peu plus loin, un exemple de retour sans modification dans le rêve d'événements d'enfance (1).

III. — LES STIMULI ET LES SOURCES DU RÊVE

L'expression populaire « les rêves viennent de l'estomac » explique ce que nous entendons par les stimuli du rêve, sources du rêve. Derrière ces concepts se dissimule une théorie du rêve conçu comme conséquence d'un dérangement pendant le sommeil. Nous n'aurions rien rêvé si rien n'avait troublé notre sommeil, et le rêve est la réaction contre ce dérangement.

Les auteurs qui traitent du rêve font une large place aux causes qui le provoquent. Il est évident que le problème n'a pu se poser que du jour où le rêve est devenu objet de recherche de la part des biologistes. Les anciens, qui considéraient le songe comme envoyé par les dieux, n'avaient pas à chercher sa source dans des excitations physiques. Le rêve était envoyé par la volonté divine ou par les puissances infernales, son contenu dépendait de leur savoir ou de leurs intentions. La science, par contre, se demanda aussitôt si le stimulus du songe était toujours le même ou s'il pouvait être multiple, et dès lors la question se posa de savoir s'il appartenait à la psychologie ou à la physiologie d'expliquer les causes du rêve.

La plupart des auteurs paraissent admettre que les causes de trouble dans le sommeil, et par conséquent les sources

---

(1) J'ajoute, parce que je l'ai constaté depuis, qu'il n'est pas rare que des occupations du jour, innocentes et sans importance, reparaissent dans le rêve. On fait des malles, on cuisine, etc. Dans ces sortes de rêves on n'a pas le sentiment du souvenir, mais celui de la « réalité » : « J'ai réellement fait tout cela de jour. »

du rêve, peuvent être multiples et qu'aussi bien les stimuli somatiques que les excitations psychiques peuvent provoquer les rêves. Les opinions diffèrent beaucoup aussitôt qu'il s'agit de préférer l'une ou l'autre des sources du rêve et de les classer par ordre d'importance.

Si l'on dénombre complètement les sources des rêves, on en trouve finalement de quatre sortes. Cette division peut d'ailleurs aussi servir pour les rêves eux-mêmes :

1. Excitation sensorielle externe (objective);
2. Excitation sensorielle interne (subjective);
3. Stimuli somatiques internes (organiques);
4. Source purement psychique de la stimulation.

1. *Les stimuli sensoriels externes*

Strümpell jeune, le fils du philosophe dont l'œuvre sur le rêve nous a si souvent guidé dans ces problèmes, a communiqué l'observation (souvent citée depuis) d'un malade atteint d'anesthésie générale et d'anesthésie de la plupart des impressions sensorielles. Lorsque chez cet homme on supprimait momentanément les quelques impressions sensorielles restantes, il s'endormait. Quand nous voulons nous endormir, nous nous efforçons de nous mettre dans une situation analogue à celle de l'expérience de Strümpell. Nous fermons les yeux, qui sont, de toutes les portes des sens, les plus importantes, et nous nous efforçons d'éloigner de nos autres sens tout stimulus ou toute modification des stimuli qui agissent sur eux. Nous nous endormons ensuite, bien que notre effort ne soit jamais parfaitement réussi. Nous ne pouvons ni éloigner entièrement de nos sens tout stimulus, ni supprimer entièrement l'excitabilité de nos sens. Le fait que nous pouvons toujours être réveillés par un stimulus plus fort prouve bien « que, même pendant le sommeil, l'âme est en liaison constante avec le monde extérieur au corps ». Les stimuli sensoriels qui nous parviennent pendant le sommeil peuvent très bien devenir sources de rêves.

Il y a un grand nombre de ces stimuli depuis ceux que le sommeil apporte inévitablement avec lui ou laisse passer jusqu'au stimulus accidentel qui peut provoquer ou provoque vraiment le réveil. Une lumière plus forte peut frapper nos yeux, un bruit peut se faire entendre, un corps odorant peut impressionner notre muqueuse nasale. Nous pouvons, pendant notre sommeil, découvrir par un mouvement involontaire telle ou telle partie de notre corps et avoir ainsi une impression de froid, ou bien, en changeant de position, nous donner des sensations de pression et de contact. Une mouche peut nous piquer, un petit accident nocturne peut troubler plusieurs sens à la fois. On a réuni quantité de rêves dont le contenu correspondait si parfaitement au stimulus constaté au réveil qu'on pouvait reconnaître l'un comme source de l'autre.

Je donne ici, d'après Jessen (p. 527), une série de rêves que l'on peut ramener à des stimulations sensorielles objectives, plus ou moins accidentelles. Chaque bruit plus ou moins clairement entendu éveille des images de rêve correspondantes : le roulement du tonnerre nous transportera au milieu d'une bataille, le chant du coq peut se transformer en cri d'angoisse, le grincement d'une porte peut nous faire rêver que des voleurs entrent dans la maison. Si, la nuit, nous perdons notre couverture, nous rêverons peut-être que nous nous promenons tout nu ou que nous sommes tombé dans l'eau. Si nous sommes couché en travers de notre lit et que nos pieds dépassent, il se peut que nous rêvions que nous sommes au bord d'un abîme effroyable ou que nous tombons d'une cime escarpée. Si par hasard nous mettons la tête sous l'oreiller, un énorme rocher sera suspendu sur notre tête, prêt à nous écraser. Une hypersécrétion spermatique engendre des rêves voluptueux, des douleurs locales donnent l'idée qu'on subit de mauvais traitements, que des ennemis nous attaquent ou que l'on a été blessé.

« Meier (*Versuch einer Erklärung des Nachtwandelns*, Halle, 1758, p. 33) rêva un jour qu'il avait été attaqué par des individus qui l'avaient étendu sur le sol et lui avaient planté un piquet entre le gros orteil et l'orteil voisin. Il se réveilla aussitôt et y trouva un brin de paille. D'après Hennings (1784, p. 258), il rêva encore, un jour où il avait serré trop fort sa chemise autour de son cou, qu'on le pendait. Hoffbauer rêva, dans sa jeunesse, qu'il était tombé d'un mur élevé, et, en se réveillant, il constata que le bois de son lit s'était déboîté et qu'il était réellement tombé... Gregory raconte comment, un jour où il avait dans son lit une bouillotte d'eau chaude, il rêva qu'il faisait un voyage sur la cime de l'Etna et trouvait la chaleur du sol insupportable. Un autre, comme on lui avait mis sur la tête un vésicatoire, rêva qu'il était scalpé par les Indiens; un troisième, qui dormait avec une chemise humide, croyait être emporté par un torrent. Un malade, sentant dans son sommeil le commencement d'un accès de goutte, croyait être tombé entre les mains de l'Inquisition et mis à la torture (Macnish). »

La thèse fondée sur la ressemblance entre le stimulus et le contenu du rêve est encore renforcée si l'on parvient à obtenir, par des stimulations sensorielles préméditées, des rêves correspondants. D'après Macnish, Giron de Buzareingues avait déjà instauré des expériences de cette espèce. « Il laissa ses genoux découverts et rêva qu'il voyageait de nuit dans une chaise de poste. Il fait remarquer que tous les voyageurs connaissent ce froid aux genoux la nuit. Une autre fois, il ne se couvrit pas la tête et rêva qu'il assistait à une cérémonie religieuse en plein air. Dans le pays où il vivait, la coutume voulait que l'on gardât toujours la tête couverte, sauf précisément dans l'occasion en question. »

Maury communique des observations analogues de rêves obtenus par lui-même (une série d'autres essais ne donna pas de résultats) :

1. On lui chatouille les lèvres et le bout du nez avec une plume. — Il rêve d'une torture effroyable. On lui a mis un masque de poix sur le visage, puis on l'a arraché, de sorte que la peau a suivi.

2. On heurte des ciseaux et une paire de pincettes. — Il entend le son des cloches, puis le tocsin, et se retrouve en juin 1848.

3. On lui fait sentir de l'eau de Cologne. — Il est au Caire dans la boutique de Jean-Marie Farina. D'autres folles aventures qu'il ne peut pas raconter se rattachent à cela.

4. On le pince légèrement à la nuque. — Il rêve qu'on lui met un vésicatoire et pense à un médecin qui l'a soigné dans son enfance.

5. On approche un fer chaud de son visage. — Il rêve qu'une bande de « chauffeurs » s'est introduite dans la maison et que l'on oblige chacun à donner son argent en lui mettant les pieds sur des charbons ardents. Puis vient la duchesse d'Abrantès, dont il est le secrétaire dans son rêve.

8. On lui verse une goutte d'eau sur le front. — Il rêve qu'il est en Italie, qu'il transpire énormément et boit du vin blanc d'Orvieto.

9. On fait tomber sur lui, à diverses reprises, la lumière d'une bougie à travers un papier rouge. — Il rêve d'orage, de chaleur et se retrouve dans une tempête qu'il a éprouvée un jour, comme il traversait la Manche.

Hervey de Saint-Denis, Weygandt, etc., ont fait d'autres essais de production expérimentale de rêves.

On a fait remarquer de divers côtés « la merveilleuse habileté avec laquelle le rêve introduit dans ses créations des impressions brusques venues du monde des sens de telle sorte qu'elles y prennent l'aspect d'une catastrophe préparée dès longtemps » (Hildebrandt). « Quand j'étais jeune, raconte cet auteur, je me servais d'un réveil pour me réveiller régulièrement le matin. Il m'est arrivé des centaines de fois de constater que le son de cet instrument entrait dans un rêve qui me paraissait très long et très cohérent, comme si le rêve tout entier avait été fait exprès pour cela et avait trouvé en lui sa fin normale et inévitable et le but qui lui était naturellement assigné. »

Je citerai un peu plus loin trois de ces rêves de réveil-matin qui soulèvent encore d'autres questions.

Volkelt (p. 68) raconte : « Un compositeur rêvait un jour qu'il faisait un cours. Il voulait précisément expliquer quelque chose à ses élèves. Il achève et se tourne vers un des garçons en demandant : "As-tu compris ?" Celui-ci crie, comme un possédé : "O ja !" (Oh oui !). Fâché, il lui interdit de crier. Mais toute la classe criait déjà : "Orja !" — puis "Eurjo !" — et enfin "Feuerjo !" (Au feu !) Et il se réveilla à cause du cri "Au feu !" qui retentissait réellement dans la rue. »

Garnier (*Traité des facultés de l'âme*, 1865), cité par Radestock, rapporte que Napoléon avait été arraché, par l'explosion de la machine infernale, à un rêve, tandis qu'il dormait dans sa voiture : il se trouvait au passage du Tagliamento et entendait la canonnade autrichienne, quand l'appel : « Nous sommes minés ! » le réveilla.

Un rêve de Maury est parvenu à une grande célébrité (p. 161). Il était souffrant et couché, sa mère était assise près de lui. Il rêvait de la Terreur, traversait d'effroyables scènes de meurtre et était enfin cité devant le Tribunal Révolutionnaire. Il voyait là Robespierre, Marat, Fouquier-

Tinville et tous les tristes héros de cette effroyable époque, leur parlait, était condamné, après divers incidents qu'il ne pouvait se rappeler, et ensuite conduit au lieu d'exécution, accompagné d'une foule innombrable. Il monte sur l'échafaud, le bourreau l'attache sur la planche, elle bascule, le couteau de la guillotine tombe, il sent la tête séparée du tronc, s'éveille dans une angoisse épouvantable — et s'aperçoit que le ciel de lit était tombé et que son cou avait été réellement atteint comme par le couteau d'une guillotine.

A ce rêve se rattache une intéressante discussion de Le Lorrain et d'Egger dans la *Revue philosophique*. Elle portait sur le point de savoir s'il était réellement possible et comment il était possible au sujet, dans le court espace de temps qui sépare la perception du stimulus d'éveil du réveil, de réunir un si riche contenu dans son rêve.

Des exemples de cet ordre font apparaître les stimulations sensorielles objectives pendant le sommeil comme les sources de rêve les mieux établies. Elles constituent à peu près tout le capital de connaissances du public sur cette question. Si l'on demande à un homme cultivé, mais étranger aux études sur le rêve, comment ceux-ci apparaissent, il s'en référera assurément à quelque cas connu de lui où un rêve a été expliqué, après le réveil, par des stimuli sensoriels objectifs. L'étude scientifique ne peut pas s'en tenir là. Le fait que le stimulus sensoriel qui agit pendant le sommeil n'apparaît pas dans le rêve sous sa forme véritable, mais est représenté par d'autres qui sont avec lui dans un rapport quelconque, pose de nouvelles questions. Le rapport qui unit le stimulus du rêve au rêve lui-même est, d'après Maury (p. 72), « une affinité quelconque, mais qui n'est pas unique et exclusive ».

Voici, par exemple, trois des rêves de réveil-matin de Hildebrandt (p. 37); on ne peut s'empêcher de se demander pourquoi le même stimulus a provoqué des rêves si différents et précisément ceux-là.

« J'allai me promener par un matin de printemps et me lançai à travers les champs verdoyants jusqu'à un village voisin. Là je vois les habitants en vêtements de fête, leur livre de psaumes sous le bras, se diriger en grand nombre vers l'église. Tout juste ! c'est bien dimanche, et le service divin du matin va bientôt commencer. Je décide d'y prendre part, mais d'abord, comme j'ai un peu chaud, je vais me promener dans le cimetière qui entoure l'église. Tandis que je lis quelques inscriptions funéraires, j'entends le sonneur qui monte au clocher et vois là-haut la petite cloche du village qui va donner le signal de la prière. Elle reste immobile encore un moment, puis commence à osciller — et brusquement, ses coups retentissent, clairs et perçants, si clairs et si perçants qu'ils me réveillent. Les sons de la cloche venaient du réveil-matin.

« Deuxième combinaison. C'est une claire journée d'hiver; les routes sont couvertes de neige. J'ai accepté de prendre part à une promenade en traîneau, mais je dois attendre longtemps; enfin on vient me dire que le traîneau est devant la porte. Maintenant, ce sont les préparatifs pour monter : on met sa fourrure, on prend sa chancelière... Je suis enfin assis à ma place, mais le départ est encore retardé jusqu'au moment où les rênes donnent le signal aux chevaux qui attendent. Maintenant, ils tirent; les grelots fortement secoués commencent leur musique turque bien connue et avec une puissance telle qu'elle déchire aussitôt la trame du rêve. De nouveau, c'est le son aigu du réveil.

« Un troisième exemple encore ! Je vois une fille de cuisine qui traverse le corridor et va vers la salle à manger avec plusieurs douzaines d'assiettes empilées. Il me semble que la colonne de porcelaine, dans ses bras, est en danger de perdre l'équilibre. "Prends garde, lui dis-je, toute la charge va tomber par terre !" Naturellement, elle me répond qu'elle a l'habitude, etc., tandis que je la suis d'un regard inquiet. Tout juste, elle trébuche sur le seuil de la porte — les assiettes tombent avec bruit et se cassent en mille morceaux. Il y en a tout autour sur le plancher. Mais ce bruit ininterrompu n'est pas, comme je le remarque bientôt, un bruit d'assiettes cassées, c'est une véritable sonnerie : le réveil fait son office. »

On s'est demandé pourquoi, en rêve, notre esprit méconnaît le stimulus sensoriel objectif. Strümpell et aussi Wundt l'expliquent en disant que les stimuli qui nous arrivent pendant le sommeil présentent des caractères analogues à ceux qui, durant la veille même, aboutissent à l'illusion. Nous ne reconnaissons et n'interprétons correctement une impression sensorielle, nous ne la plaçons dans le groupe de souvenirs auquel elle appartient d'après nos précédentes expériences, que lorsque l'impression est claire, forte, assez durable, et que nous disposons d'un temps suffisant pour tout cela. Si ces conditions ne sont pas remplies, nous méconnaissons l'objet d'où l'impression vient et nous formons, sur sa nature, une illusion. « Quand quelqu'un va se promener à travers champs et perçoit indistinctement un objet éloigné, il peut le prendre pour un cheval. » A y regarder de plus près, il croira voir une vache qui se repose, et enfin cette représentation peut se préciser en celle d'un groupe d'hommes assis. Les impressions que notre esprit reçoit pendant le sommeil des stimuli externes sont de même sorte. Nous forgeons sur leur point de départ objectif des illusions, parce que l'impression a réveillé un plus ou moins grand nombre d'images mnésiques dont elle a reçu sa valeur psychique. Il est, d'après Strümpell, impossible de préciser de quelle sphère de souvenirs émanent les images réveillées et laquelle des nombreuses relations d'association possibles a été mise en œuvre. Tout cela dépend de l'arbitraire de la vie de l'esprit.

Il faut, ici, que nous choisissions. Nous pouvons convenir qu'il n'y a pas de régularité dans la formation des rêves, et renoncer dès lors à nous demander si la signification des illusions provoquées par les impressions sensorielles n'est pas liée encore à d'autres conditions. Nous pouvons aussi supposer que la stimulation sensorielle objective ne joue dans la genèse des rêves qu'un rôle accessoire; d'autres facteurs détermineraient le choix des images rappelées à la mémoire. En réalité, si l'on examine les rêves provoqués expérimentalement par Maury, on est tenté de dire que l'expérience n'explique qu'un des éléments du rêve; le reste paraît trop indépendant, trop bien organisé dans ses détails, pour qu'on puisse l'expliquer en supposant simplement que tout cela devrait s'accorder avec le facteur expérimental. On est même tenté de douter de la théorie de l'illusion et du pouvoir de provoquer les rêves qu'auraient les impressions objectives, quand on s'aperçoit que ces impressions peuvent prendre à l'occasion les significations les plus bizarres et les plus différentes. Max Simon, par exemple, raconte un rêve dans lequel il voyait des individus géants assis autour d'une table et entendait le claquement formidable de leurs mâchoires. En se réveillant, il entendit le bruit des sabots d'un cheval qui galopait devant sa fenêtre. Pour que ce bruit ait réveillé précisément des représentations provenant des voyages de Gulliver et de son séjour chez les géants de Brodbingnag — si je peux

hasarder une interprétation sans l'aide du rêveur —, ne
faut-il pas que d'autres motifs aient facilité l'évocation
d'un cercle de représentations si peu habituel (1) ?

2. *Les excitations sensorielles internes (subjectives)*

En dépit de toutes les objections, on devra convenir que
les excitations sensorielles objectives jouent un rôle durant
le sommeil et provoquent des rêves. Mais il semble, si
on songe à la nature et à la quantité de ces stimuli, qu'ils
ne puissent suffire à expliquer toutes les images de rêve.
On est ainsi amené à chercher d'autres sources, mais qui
agissent d'une manière analogue. Je ne sais où est d'abord
apparue l'idée de considérer, outre les stimulations extérieures, l'excitation interne (subjective) des appareils sensoriels; il est de fait que tous les travaux modernes sur
l'étiologie du rêve le font plus ou moins expressément.
Wundt (p. 363) déclare : « Les impressions subjectives
visuelles ou auditives, qui, pendant la veille, apparaissent
comme un chaos lumineux dans notre champ visuel obscur
ou comme des tintements ou des sifflements dans les oreilles,
les excitations subjectives de la rétine surtout, me paraissent
encore jouer un rôle essentiel dans les illusions du rêve.
Ainsi s'explique l'étrange tendance du rêve à enchanter
nos yeux par quantité d'objets semblables ou du moins
ressemblants. Nous voyons devant nous des oiseaux innombrables, quantité de papillons, de poissons, des perles
bigarrées, des fleurs, etc. La poussière lumineuse de notre
champ visuel obscur a pris des formes fantastiques, et les
points lumineux qui la composent apparaissent dans le
rêve comme autant d'images séparées dont la mobilité
de ce chaos lumineux fait autant d'objets mouvants. De là
vient, semble-t-il, la tendance du rêve à imaginer des
espèces variées d'animaux, dont la richesse de formes est
liée à l'aspect des images lumineuses subjectives. »
Considérées comme source des images de rêve, les

_____

(1) L'apparition de géants en rêve est habituellement en rapport
avec un souvenir d'enfance du rêveur. L'interprétation donnée ci-dessus
et qui souligne une réminiscence des *Voyages de Gulliver* est un bon
exemple de ce qu'une interprétation devrait ne pas être. L'interprète
d'un rêve ne devrait pas donner libre cours à sa propre spontanéité et
négliger les associations que donne le rêveur.

excitations sensorielles subjectives ont sur les excitations objectives l'avantage de ne pas dépendre des hasards extérieurs. L'explication en dispose à son gré. En revanche, elles ne se prêtent que médiocrement ou pas du tout à l'observation et à l'expérience. La principale preuve de leur capacité de provoquer des rêves est l'existence d'hallucinations hypnagogiques, décrites par J. Müller comme des « apparitions visuelles fantastiques ». Ce sont des images très vives et changeantes qui se produisent assez régulièrement chez nombre d'individus au moment où ils s'endorment, qui peuvent apparaître aussi au réveil et persister quelques instants après qu'ils ont ouvert les yeux. Maury, qui y était fortement sujet, les a étudiées d'une manière pénétrante et a soutenu qu'elles étaient en relation directe avec les images du rêve et même qu'elles leur étaient identiques (comme d'ailleurs J. Müller l'avait affirmé déjà). Il faut, dit Maury, pour qu'elles apparaissent, une certaine passivité mentale, un relâchement de l'attention (p. 59 sq.). Il suffit de tomber une seconde dans cette sorte de léthargie pour avoir, pourvu que l'on y soit prédisposé, une hallucination hypnagogique, après laquelle on peut d'ailleurs se réveiller, puis recommencer, jusqu'à ce que le sommeil véritable vienne y mettre fin. Si l'on se réveille encore au bout de peu de temps, on peut, à ce qu'affirme Maury, reconnaître que l'on a eu dans son rêve des images identiques à celles qui étaient d'abord apparues sous forme d'hallucinations hypnagogiques (p. 134). Maury vit ainsi, au moment où il s'endormait, une série de figures grotesques et grimaçantes, aux coiffures bizarres, dont l'inimaginable persistance lui pesait; après le réveil, il se rappela en avoir rêvé. Une autre fois, alors que, s'étant imposé une diète stricte, il avait faim, il eut l'image hypnagogique d'un plat et d'une main armée d'une fourchette qui y prenait des aliments. Il rêva qu'il se trouvait devant une table chargée de victuailles et entendit le bruit que faisaient les dîneurs avec leurs fourchettes. Une autre fois, ayant les yeux échauffés et douloureux, il eut l'hallucination hypnagogique de petits signes microscopiques qu'il devait déchiffrer un à un avec une grande attention; réveillé au bout d'une heure, il se rappela avoir rêvé d'un livre ouvert, imprimé en très petits caractères, qu'il avait dû lire avec peine.

Des hallucinations auditives de mots, de noms, etc.

peuvent apparaître pareillement d'une manière hypnagogique, puis se répéter dans le rêve, comme une ouverture
d'opéra présente déjà le leitmotiv de l'œuvre qui va être
représentée.

Plus récemment, G. Trumbull Ladd a fait des observations analogues. A force d'exercice, il est parvenu à se
réveiller sans ouvrir les yeux de deux à cinq minutes après
s'être endormi, et il a pu ainsi comparer les impressions
rétiniennes qui disparaissaient alors avec le souvenir de
ses images de rêve. Il affirme avoir chaque fois reconnu
entre les unes et les autres une relation intime : les points
lumineux et les lignes de la « lumière propre » de la rétine
donnaient la silhouette, le schéma des formes aperçues
pendant le rêve. Ainsi, dans un rêve, il a vu nettement des
lignes imprimées; il les lisait et les étudiait; il a pu
constater que leur disposition parallèle correspondait à
celle des points lumineux de la rétine. Pour reprendre ses
termes : la page nettement imprimée qu'il avait vue en
rêve se transformait, après son réveil, en un objet qui lui
apparaissait comme un fragment d'une feuille réellement
imprimée, mais vue comme à travers un petit trou dans une
feuille de papier, à une distance trop grande pour permettre
la vision distincte. Sans méconnaître le rôle des centres dans
la production du phénomène, Ladd pense qu'il n'est point
de rêve visuel sans excitation interne de la rétine.

Cela est surtout vrai des rêves faits dans une chambre
obscure peu de temps après que l'on s'est endormi, tandis
que les rêves du matin peuvent avoir pour cause la lumière
extérieure qui pénètre dans la chambre et frappe les yeux.
Le caractère changeant et divers à l'infini des excitations
internes explique bien le tourbillonnement des images si
fréquent en rêve. Si les remarques de Ladd sont vraies,
on ne saurait faire aux excitations subjectives une trop
large part. Les images visuelles sont, en effet, l'essentiel
de nos rêves. La contribution de nos autres sens, même
de l'ouïe, est moindre et moins constante.

3. *Les stimuli somatiques internes, organiques*

La recherche des sources internes du rêve nous conduit
à examiner l'ensemble de l'organisme. Nous ignorons, à
l'état normal, nos organes internes, mais ils peuvent

devenir source d'impressions pour nous — impressions
désagréables — lorsqu'ils sont en état d' « excitation »
ou de maladie. Ils agissent alors tout comme les stimuli
sensoriels et douloureux externes. Ce sont là des faits
connus depuis très longtemps et qui font dire à Strümpell
par exemple (p. 107) : « Dans le sommeil, la conscience que
l'esprit prend du corps est beaucoup plus profonde et
beaucoup plus large que pendant la veille; il est contraint
de recevoir et de laisser agir sur lui certaines excitations
qui proviennent de parties de son corps et de modifications
somatiques qu'il ignorait pendant la veille. » Aristote
considérait déjà comme possible que le rêve nous signalât
des maladies commençantes, que nous ne pouvions remarquer éveillés (cela à cause du grossissement de nos sensations pendant le rêve, cf. p. 12). Certains auteurs médicaux,
qui ne croyaient assurément pas à une fonction prophétique du rêve, ont estimé qu'il pouvait tout au moins
annoncer certaines maladies (cf. M. Simon, p. 31, et bien
d'autres auteurs anciens) (1).

On trouve aussi dans les temps modernes des exemples
parfaitement vraisemblables de rêves pouvant faciliter des
diagnostics. Tissié raconte, d'après Artigues *(Essai sur
la valeur séméiologique des rêves)*, l'histoire d'une femme de
43 ans qui, paraissant parfaitement bien portante, avait
depuis plusieurs années des cauchemars. Un examen
médical découvrit chez elle le début d'une affection cardiaque à laquelle elle succomba peu après. — Des troubles
caractérisés des organes internes provoquent visiblement
des rêves chez nombre de personnes. On signale de tous
côtés la fréquence des cauchemars dans les maladies du
cœur et des poumons. Ces relations ont été tellement

(1) L'Antiquité voyait dans le rêve non seulement un élément de
diagnostic (cf. Hippocrate), mais une fonction thérapeutique.
Les Grecs connaissaient l'oracle de rêve qu'ils consultaient en cas de
maladie. Le malade se rendait au temple d'Apollon ou d'Esculape. Là on
le soumettait à diverses cérémonies, on le baignait, on le frictionnait, on
l'enfumait, et, l'ayant mis ainsi en état d'exaltation, on le couchait dans
le temple sur la peau d'un bélier sacrifié. Il s'endormait et rêvait des
moyens de guérison qui lui apparaissaient soit sous leur propre forme, soit
sous la forme de symboles et d'images que les prêtres interprétaient.
Voir sur les rêves guérisseurs des Grecs : LEHMANN, I, 74 ; BOUCHÉ-
LECLERCQ ; HERMANN, *Gottesd. Allert. d. Gr.*, § 41 ; *Privataltert.*, § 38,
16 ; BÖTTINGER, *in* SPRENGELS, *Beitr. z. Gesch. d. Med.*, II, p. 163 sq. ;
W. LLOYD, *Magnetism and Mesmerism in Antiquity*, London, 1877 ;
DÖLLINGER, *Heidentum und Judentum*, p. 130.

étudiées que je me contente d'en indiquer la bibliographie (Radestock, Spitta, Maury, M. Simon, Tissié). Tissié pense même que les organes atteints donnent au contenu du rêve une marque caractéristique. Les rêves des cardiaques sont ordinairement très courts et s'achèvent par un réveil épouvanté, il y est presque toujours question de la mort dans de terribles conditions. Les malades des poumons rêvent d'étouffement, de cohue, de fuite, et nombre d'entre eux connaissent le fameux cauchemar d'étouffement que d'ailleurs Börner a pu provoquer expérimentalement en se couchant sur le visage et en couvrant son nez et sa bouche. Dans les troubles digestifs, le rêve contient des représentations de plaisir gustatif ou de répugnance. Enfin l'influence des excitations sexuelles sur le contenu de nos rêves est connue de tous; elle est le soutien le plus solide de la doctrine qui représente les rêves comme provoqués par des stimuli organiques.

On ne saurait oublier, quand on étudie la bibliographie du rêve, que certains auteurs (Maury, Weygandt) ont été amenés à s'occuper de ce problème à cause de l'influence qu'avait leur propre état de santé sur le contenu de leurs rêves. Si tous ces faits sont indubitables, le nombre d'excitations oniriques de cette origine n'est pas aussi grand qu'on pourrait le croire. Le rêve étant un phénomène qui se produit chez les bien-portants, peut-être chez tous, peut-être toutes les nuits, il ne semble pas qu'un désordre organique en soit la condition indispensable. Il ne s'agit d'ailleurs pas pour nous de savoir d'où proviennent certains rêves particuliers, mais bien quelle est la cause des rêves ordinaires chez les normaux.

Un pas de plus, et nous découvrons une source de rêves qui coule bien plus abondamment que toutes les autres et ne saurait tarir en aucun cas. S'il est établi que nos organes malades provoquent des rêves, si nous admettons que, pendant le sommeil, notre esprit, détourné du monde extérieur, prête une attention plus grande à notre vie organique, nous comprendrons bientôt que la maladie n'est pas nécessaire pour que des excitations, qui d'une manière quelconque deviennent images de rêve, parviennent à l'esprit endormi. La sensibilité générale que nous éprouvons sourdement pendant la veille et qui ne nous donne que des impressions de qualité, cette cénesthésie à laquelle, de l'avis des médecins, tous nos organes contribuent aurait, la nuit, une action énorme; elle serait, avec ses diverses composantes, la source la plus puissante et la plus ordinaire de nos représentations de rêve.

Il nous reste à chercher d'après quelles règles les stimuli organiques se transforment en images de rêve.

Nous avons indiqué ici la théorie de l'origine des rêves que préfèrent les auteurs médicaux. L'obscurité qui enveloppe l'essence de notre être, le « moi splanchnique » comme dit Tissié, et l'obscurité de l'origine du rêve se correspondaient trop bien pour qu'on n'établît pas de relations entre elles. De plus, la théorie d'après laquelle les impressions des organes de la vie végétative sont la cause de nos rêves permettait aux médecins d'unir aussi par l'étiologie le rêve et la maladie mentale, qui présentent tant de ressemblance dans leurs manifestations. Les troubles de la sensibilité générale et les stimuli provenant des organes internes jouent en effet un rôle important dans la formation des psychoses. Il ne faut donc pas s'étonner que la théorie des stimuli organiques puisse être attribuée à de nombreux auteurs qui l'avaient découverte séparément.

La théorie que Schopenhauer a développée en 1851 a servi de point de départ à de nombreux auteurs. La représentation du monde apparaît en nous parce que notre esprit place dans les formes du temps, de l'espace et de la causalité les impressions qui lui viennent du dehors. Les stimuli organiques, provenant du système sympathique, ne peuvent avoir, au plus, pendant le jour qu'une influence inconsciente sur nos dispositions. Mais ces impressions organiques s'imposent à notre attention pendant la nuit, quand l'action étourdissante des sensations du jour a cessé, de même que, la nuit, nous entendons le bruit de la source que nous ne pouvions percevoir pendant la journée. Mais l'esprit ne pourrait-il réagir à ces stimuli autrement qu'il a coutume ? Il leur donne donc la forme de l'espace et du temps, il leur fait suivre la loi de la causalité : ainsi naît le rêve.

Scherner et après lui Volkelt se sont efforcés de préciser les relations qui existent entre les stimuli organiques et les images du rêve. Nous considérerons leur conception plus en détail dans notre chapitre sur les théories du rêve.

Le psychiatre Krauss a, dans une recherche très systématique, cru pouvoir déduire l'origine du rêve, comme celle des délires et idées délirantes, d'un même élément : une sensation conditionnée organiquement. Il n'est pas d'endroit de notre organisme qui ne puisse donner lieu à un rêve ou à une représentation délirante. Ces sensations déterminées organiquement peuvent être réparties en deux groupes : 1º la tonalité générale (cénesthésie); 2º les sensations spécifiques immanentes au système de la vie végétative; on y distingue cinq groupes : *a)* sensations musculaires, *b)* sensations pneumatiques, *c)* sensations gastriques, *d)* sensations sexuelles, *e)* sensations périphériques (p. 33 du second article).

Krauss suppose que l'apparition des images de rêve à partir des stimuli organiques se passe de la manière suivante : la sensation éveillée évoque d'après une quelconque loi d'association une image parente et forme avec elle un ensemble organique. La conscience se comporte à l'égard de cet ensemble autrement qu'il n'est normal; elle ne prête aucune attention à la sensation elle-même, mais se tourne tout entière vers les images qui l'accompagnent; de là vient d'ailleurs que l'on a si longtemps méconnu ces faits (p. 11 sq.). Krauss donne à ce processus le nom de *trans-substantiation* de la sensation en image de rêve (p. 24).

Si l'influence des stimuli organiques sur la formation du rêve est aujourd'hui à peu près universellement reconnue, le problème des relations exactes entre les deux reçoit des réponses très diverses et souvent obscures. La tâche que devra remplir dans ce domaine l'interprétation du rêve sera de ramener le contenu du rêve aux stimuli organiques qui l'ont provoqué. Si l'on ne veut pas adopter les règles d'interprétation de Scherner, on se trouve souvent placé devant un fait fâcheux : les sources des stimuli organiques ne sont révélées que par le contenu du rêve.

Toutefois certaines formes de rêves que l'on peut dire « typiques », tant elles reparaissent chez de nombreuses personnes avec le même contenu, sont interprétées d'une manière à peu près concordante. Ce sont les rêves bien connus de chute d'une hauteur, de perte de dent, de vol dans les airs, ou de grand embarras parce que l'on est nu ou mal habillé. Ce dernier rêve proviendrait simplement du fait que l'on a rejeté ses couvertures. Le rêve de perte d'une dent serait dû à une stimulation dentaire qui n'est pas nécessairement morbide. Dans le rêve de vol, l'esprit interpréterait, selon Strümpell (qui ici suit Scherner), le stimulus produit par le va-et-vient respiratoire à un moment où la sensation cutanée du thorax cesse d'être consciente, ce qui contribue à donner l'illusion que l'on plane. La chute d'une hauteur serait causée par le fait qu'un bras aurait glissé ou qu'un genou se serait brusquement détendu à un moment où l'on perdait conscience de la sensation de pression cutanée; les mouvements du bras et du genou provoquent une reprise de conscience brusque qui s'incarne dans un rêve de chute (Strümpell, p. 118). La faiblesse de ces essais d'explication plausibles vient visiblement de ce que sans raison on fait apparaître ou disparaître tel ou tel groupe de sensations organiques jusqu'à ce que l'on ait composé la constellation favorable à l'explication. J'aurai plus loin l'occasion de revenir sur les rêves typiques et leur mode de production.

Max Simon s'est efforcé, en comparant une série de rêves analogues, de trouver quelques règles précisant le rapport entre les stimuli organiques et les rêves qu'ils déterminent. Il dit (p. 34) : Quand un organe qui doit normalement participer à l'expression d'un affect se trouve, pour quelque autre motif, dans un état d'excitation analogue pendant le sommeil, le rêve qui en résulte contient des représentations qui se rapportent à cet affect. Il énonce plus loin (p. 35) cette autre règle : Quand, pendant le sommeil, un organe est actif, excité ou troublé, le rêve apporte des représentations qui sont en relation avec l'exercice de la fonction de cet organe.

Mourly Vold (1896) a entrepris de prouver expérimentalement, pour un seul domaine, l'influence supposée des stimuli somatiques sur l'apparition du rêve. Il changeait la position des membres du dormeur et comparait les rêves obtenus avec ces changements. Voici les résultats qu'il donne :

1. La position d'un membre pendant le rêve correspond à peu près à sa position réelle : on rêve d'une attitude statique qui correspond à l'attitude vraie.

2. Quand on rêve du mouvement d'un membre, c'est parce qu'une des attitudes que l'on aurait pu prendre pendant ce mouvement correspond à l'attitude réelle.

3. On peut, en rêve, attribuer à une autre personne la position de ses propres membres.

4. On peut aussi rêver que le mouvement dont il s'agit est empêché.

5. Le membre qui est dans une position donnée peut

apparaître en rêve comme un animal ou un monstre; il y a dans ce cas une certaine analogie de forme entre l'un et l'autre.

6. La position d'un membre peut éveiller dans le rêve des pensées qui ont quelque rapport avec ce membre. Par exemple on rêvera que l'on compte si l'on remue ses doigts.

Je conclurais volontiers de ces résultats que la théorie de la stimulation somatique ne peut pas non plus expliquer entièrement l'apparente liberté que conservent les images évoquées dans les rêves (1).

4. *Les sources psychiques de la stimulation*

Quand nous avons traité des rapports du rêve et de la veille et de l'origine des matériaux mis en œuvre par le rêve, nous avons vu que, des plus anciens aux plus modernes, les auteurs qui ont étudié le rêve ont cru que les hommes rêvaient de ce qu'ils faisaient pendant le jour, de ce qui les intéressait pendant la veille. Cet intérêt qui se continuait de la veille au sommeil n'était pas seulement le lien psychique qui rattachait le rêve à la vie, il nous indiquait encore une source de rêves qui n'était pas à dédaigner et qui, jointe aux intérêts qui se développent pendant le sommeil, aux stimulations qui frappent le dormeur, devait suffire à expliquer l'origine de toutes les images de rêve. Mais nous avons vu aussi la contrepartie : le rêve détourne le dormeur des intérêts de la journée, et — le plus souvent — nous ne rêvons des choses qui nous ont le plus fortement impressionnés durant le jour que lorsqu'elles ont perdu pour notre vie éveillée l'intérêt de l'actualité. C'est ainsi qu'en analysant la vie du rêve nous avons eu à chaque instant l'impression qu'il ne convenait pas d'édicter des règles générales sans les restreindre par des « fréquemment », « en général », « le plus souvent », et sans annoncer des exceptions.

Si nos préoccupations de veille, jointes aux stimuli internes et externes qui nous viennent pendant le sommeil, suffisaient à expliquer l'étiologie du rêve, nous pourrions rendre compte de l'origine de tous les éléments d'un rêve;

(1) Voir plus loin des commentaires sur des comptes rendus de rêves que cet auteur a publiés plus récemment en deux importants volumes.

l'énigme serait éclaircie, et il ne nous resterait plus qu'à délimiter, dans chaque rêve, la part prise par les stimuli psychiques et celle prise par les stimuli somatiques. En réalité, on n'a encore jamais pu donner cette explication totale pour aucun rêve : ceux qui l'ont essayé ont dû laisser inexpliqués des fragments de rêve parfois très étendus. La part des intérêts du jour comme source psychique du rêve est loin d'être aussi grande que celle que l'on pourrait attendre, après l'affirmation que chacun traîne avec lui dans le sommeil ses préoccupations quotidiennes.

On ne connaît pas d'autres causes psychiques des rêves. Ainsi toutes les explications proposées par les auteurs — sauf celle de Scherner dont nous parlerons plus tard — laissent subsister une grande lacune : on ne sait comment se forment les images caractéristiques du rêve. La plupart des auteurs, embarrassés par cette question, ont eu tendance à diminuer le plus possible ce qu'ils ne pouvaient expliquer que si difficilement : le rôle joué par les facteurs psychiques dans l'instigation des rêves. Ils distinguent à la vérité *l'excitation nerveuse* et *le rêve d'association* : ce dernier trouve son origine dans la reproduction seule (Wundt, p. 365); mais ils ne peuvent résoudre la question de savoir « si ces rêves se présentent sans excitation organique à leur point de départ » (Volkelt, p. 127). Ils n'arrivent pas non plus à définir ce rêve d'association pur : « Dans le rêve d'association proprement dit, on ne peut parler d'un noyau solide. Les groupements flottants s'installent au centre même du rêve. La vie des représentations, qui est toujours indépendante de toute raison et de tout entendement, n'est plus même maintenue ici par les excitations somatiques et psychiques importantes, aussi est-elle abandonnée à sa propre activité bigarrée, à son joyeux désordre » (Volkelt, p. 118). Wundt essaie de diminuer la part du facteur psychique dans la création des rêves en affirmant que l'on a tort de voir dans les fantasmes du rêve de pures hallucinations. Il semble que la plupart des représentations du rêve soient en réalité des illusions, car elles partent de très légères impressions sensorielles qui ne disparaissent jamais dans le sommeil » (p. 359 sq.). Weygandt a fait sien ce point de vue et l'a généralisé. Il pense que les stimuli sensoriels sont la cause immédiate de toutes les représentations du rêve et que les associations reproductrices ne s'y rattachent qu'ensuite (p. 17). Tissié réduit plus encore la part des excitations d'origine psychique : « Les rêves d'origine absolument psychique n'existent pas » (p. 183), et ailleurs (p. 6) : « Les pensées de nos rêves nous viennent du dehors. »

Les auteurs qui prennent, comme Wundt, une position moyenne ont soin de faire remarquer que, dans la plupart des rêves, des stimuli somatiques et des motifs psychiques provenant des préoccupations de la journée ou d'origine ignorée agissent ensemble.

Nous verrons plus loin que l'énigme de la formation du rêve peut être résolue par la découverte d'une source de stimulation psychique insoupçonnée. En attendant, il convient de ne pas nous étonner de la part excessive que l'on a faite, dans la formation des rêves, aux stimuli qui ne proviennent pas de la vie mentale. En effet, ils sont aisés à trouver et on peut s'en assurer par des expériences; de plus, la conception somatique de l'interprétation du rêve correspond aux tendances qui dominent actuellement la psychiatrie. On insiste sans doute sur la prépondérance du cerveau dans l'organisme, mais tout ce qui pourrait indiquer une indépendance de la vie mentale à l'égard de modifications organiques démontrables, ou une spontanéité dans les manifestations de cette même vie, effraie aujourd'hui les psychiatres, comme si, en reconnaissant ces faits, on ramenait les temps de la philosophie de la nature et de l'essence métaphysique de l'âme. La méfiance des psychiatres a mis l'âme en tutelle; aucun de ses mouvements ne doit laisser deviner en elle un pouvoir propre. Une pareille attitude témoigne d'une confiance médiocre dans la solidité de l'enchaînement causal entre le corps et l'esprit. Souvent, là où le psychique paraît être la cause primaire d'un phénomène, une recherche plus profonde arrive à en découvrir les fondements organiques. Mais il ne faudrait pas dissimuler le psychique là où il est, ou semble être, l'aboutissement momentané de nos connaissances.

IV. — Pourquoi au réveil oublie-t-on les rêves ?

On sait que le rêve se dissipe au matin. On peut cependant se le rappeler. En effet, nous ne connaissons le rêve que par nos souvenirs après le réveil; mais nous croyons fort souvent que nos souvenirs sont incomplets, que la nuit était plus riche. Nous pouvons observer comment les souvenirs d'un rêve, très vifs encore le matin, s'émiettent dans le cours de la journée. Nous savons souvent *que* nous avons rêvé, mais non pas *ce que* nous avons rêvé et nous admettons si bien qu'un rêve puisse être oublié que nous ne voyons rien d'absurde dans le fait que nous ne nous rappelons rien ni du contenu ni de la réalité d'un rêve de la nuit. Il arrive par contre que des rêves persistent dans notre mémoire d'une manière exceptionnelle. J'ai analysé des rêves de mes malades qui dataient de plus de 25 ans, et je me rappelle un de mes propres rêves, d'il y a au moins 37 ans, qui n'a rien perdu de sa fraîcheur. Tout cela est étrange et difficile à comprendre d'abord.

C'est Strümpell qui a traité le plus longuement de l'oubli des rêves. Cet oubli doit être un phénomène complexe, car Strümpell ne le ramène pas à un seul motif, mais à toute une série.

Tout d'abord, les faits qui provoquent l'oubli pendant la veille agissent également pour le rêve. Nous oublions aussitôt un très grand nombre de sensations et de perceptions parce qu'elles étaient trop faibles, parce que l'excitation mentale qui s'y attachait était trop menue. C'est aussi le cas de beaucoup d'images de rêve, elles sont oubliées parce qu'elles étaient trop faibles, tandis que nous nous rappelons des images voisines plus fortes. Mais l'intensité seule ne peut décider du maintien des images de rêve. Strümpell convient, avec d'autres auteurs (Calkins), que souvent on oublie des images de rêve dont on sait qu'elles étaient très vives, tandis que l'on conserve dans sa mémoire des images beaucoup plus faibles, des ombres d'images. Il note que, pendant la veille, nous oublions aisément ce qui ne s'est passé qu'une fois, et retenons bien mieux ce que nous avons perçu à diverses reprises; or la plupart des images de rêve n'apparaissent qu'une fois (1), et cette particularité contribue sans doute à leur oubli. Une troisième cause d'oubli est plus importante. Pour que nous puissions nous rappeler des sensations, des représentations, des pensées, elles ne doivent pas demeurer isolées, mais avoir entre elles des liaisons et des associations adéquates. Il est très difficile d'apprendre

(1) On a cependant souvent remarqué des rêves qui revenaient périodiquement (cf. CHABANEIX).

les mots d'un vers si on les bouleverse. « S'ils sont rangés et s'ils se suivent correctement, les mots s'aident les uns les autres et le tout est bien compréhensible et demeure dans la mémoire aisément et longtemps. Il est aussi difficile et rare de retenir des paroles insensées que des paroles confuses et sans ordre. » Or, dans la plupart des cas, le rêve manque d'ordre et de clarté. La façon dont nos rêves sont composés empêche de les retenir, et nous les oublions parce que, le plus souvent, ils se désorganisent aussitôt. — Toutefois Radestock (p. 168) prétend avoir remarqué que les rêves les plus étranges étaient précisément ceux que nous retenions le mieux, ce qui ne s'accorde guère avec ce qui précède.

Strümpell croit découvrir dans les relations entre le rêve et la veille des facteurs d'oubli plus actifs encore. Si la conscience éveillée oublie le rêve, c'est justement parce que celui-ci ne se charge (presque) jamais de souvenirs bien ordonnés de la vie de veille, mais n'en prend que des fragments qu'il détache de leur cadre psychique habituel. Ainsi le rêve ne peut trouver place dans l'ensemble des séries psychiques qui remplissent l'esprit. Il n'a pas de repère qui le rappelle. « C'est dans ces conditions que les formations du rêve se détachent du sol de notre vie mentale et planent au-dessus comme plane dans le ciel un nuage que dissipe bientôt un souffle plus vigoureux » (p. 87).

Un autre fait agit dans le même sens. Dès le réveil, le monde des sensations accapare l'attention tout entière et bien peu d'images du rêve peuvent se maintenir. Elles s'évanouissent devant les impressions du jour nouveau comme l'éclat des astres devant la lumière du soleil.

Enfin, il faut songer que la plupart des hommes ne prêtent guère d'attention à leurs rêves. Quand un chercheur s'intéresse pendant quelque temps aux rêves, il rêve davantage, ce qui signifie sans doute qu'il se rappelle plus aisément et plus fréquemment ses rêves.

Bonatelli (cité par Benini) ajoute deux autres motifs d'oubli (ils semblent à la vérité contenus dans les précédents) : 1º le passage du sommeil à la veille produit un changement dans la cœnesthésie qui défavorise le souvenir mutuel de chacun de ces états; 2º l'ordre différent du matériel représentatif dans le rêve le rend pour ainsi dire intraduisible à la conscience éveillée.

Ainsi que Strümpell le fait remarquer lui-même, on

s'étonne, devant tous ces motifs d'oubli, que tant de rêves demeurent dans notre mémoire. L'effort continuel des auteurs pour trouver les lois de la mémoire des rêves peut être interprété comme l'aveu qu'il y a là aussi quelque chose d'énigmatique et d'inexpliqué. On a remarqué récemment, avec raison, certaines particularités du souvenir du rêve, par exemple un rêve que l'on croyait oublié le matin peut être rappelé dans la journée par une perception, qui en évoque par hasard le contenu oublié (Radestock, Tissié). Mais le rappel complet d'un rêve est sujet à caution : nos souvenirs, qui abandonnent une si grande partie du contenu du rêve, ne faussent-ils pas ce qu'ils conservent ?

Strümpell émet des doutes sur l'exactitude de la reproduction du rêve : « Il arrive qu'involontairement la conscience de veille ajoute beaucoup au souvenir du rêve : on s'imagine avoir rêvé toutes sortes de choses que ne contenait pas le rêve véritable. »

Jessen est encore plus affirmatif (p. 547) : « Quand on examine et qu'on interprète des rêves cohérents et ordonnés, il faut considérer une circonstance à laquelle on a accordé peu d'attention jusqu'ici : ils ne sont pas tout à fait véridiques, parce que, quand nous rappelons un rêve à notre mémoire, nous comblons les lacunes ou nous complétons certaines de ses images sans le remarquer ou sans le vouloir. Un rêve cohérent l'est rarement, ne l'a peut-être jamais été, autant que dans notre souvenir. Il est à peu près impossible, même à l'homme sincère, de raconter sans aucune adjonction et sans aucun embellissement un rêve étonnant qu'il a eu : la tendance de l'esprit humain à tout enchaîner est si grande que, lorsqu'il se rappelle un rêve quelque peu incohérent, il supplée involontairement à ses lacunes. »

V. Egger (1895) remarque, d'une façon tout à fait indépendante, des faits analogues : « ... L'observation des rêves a ses difficultés spéciales et le seul moyen d'éviter toute erreur en pareille matière est de confier au papier sans le moindre retard ce que l'on vient d'éprouver et de remarquer; sinon, l'oubli vient vite ou total ou partiel; l'oubli total est sans gravité; mais l'oubli partiel est perfide; car si l'on se met ensuite à raconter ce qu'on n'a pas oublié, on est exposé à compléter par l'imagination les fragments incohérents et disjoints fournis par la mémoire...; on devient artiste à son insu, et le récit périodiquement répété s'impose à la créance de son auteur, qui, de bonne foi, le présente comme un fait authentique, dûment établi selon les bonnes méthodes... »

Spitta juge de même (p. 338). Il paraît admettre que, lorsque nous nous efforçons de nous rappeler un rêve, nous mettons d'abord de l'ordre dans les éléments associés d'une manière lâche. « D'une juxtaposition, nous faisons une suite et une chaîne : nous ajoutons le lien logique qui manquait dans le rêve. »

Quelle valeur pourra donc conserver notre souvenir, alors que nous ne disposons dans le cas du rêve d'aucun contrôle objectif de la fidélité de notre mémoire et que nous ne pouvons connaître le rêve que par ce souvenir, subjectif ?

V. — Les particularités psychologiques du rêve

Quand nous considérons le rêve d'une manière scientifique, nous partons de l'hypothèse qu'il résulte de notre activité intellectuelle; cependant un rêve achevé nous apparaît comme un objet étranger, sur lequel nous revendiquons si peu notre propriété que nous disons également : « Il m'est apparu en songe », ou : « J'ai rêvé. » D'où vient cette « étrangeté psychique » du rêve ? Après ce que nous avons dit des sources du rêve, elle ne semble pas pouvoir provenir du matériel qui y est contenu : la plus grande partie de ce matériel est commune au rêve et à la veille. On peut se demander si ce ne sont pas des modifications des processus psychiques pendant le rêve qui lui donnent cet aspect étrange; on pourrait essayer d'établir ainsi des caractéristiques psychologiques du rêve.

C'est G. Th. Fechner qui a, semble-t-il, le mieux établi, dans quelques remarques de ses *Elemente der Psychophysik* (t. II, p. 250), la différence essentielle qui sépare le rêve de la veille; il en a tiré des conclusions de grande portée. Il pense que « ni le simple passage de la vie mentale au-dessous du seuil de la conscience », ni le fait que nous soustrayons notre attention aux influences du monde extérieur ne suffisent à expliquer tout ce que la vie du rêve a de particulier, d'opposé à la veille. Il croit bien plutôt que *la scène du rêve n'est pas la même que celle où se déroulent nos représentations pendant la veille.* « Si la scène de notre activité psychologique était la même pendant le sommeil et pendant la veille, le rêve ne pourrait être, à mon avis, qu'une continuation moins intense de la vie représentative de la veille, il devrait avoir même matière et même forme. Mais il en est tout autrement. »

On n'a pu savoir clairement, il est vrai, ce que Fechner entendait par ce déplacement de l'activité psychique; personne, que je sache, n'a poussé ses recherches dans le sens qu'il avait indiqué. Il semble qu'il faille exclure une explication anatomique : localisations cérébrales ou stratification histologique du cortex. Mais la pensée de Fechner nous apparaîtra sagace et féconde, si nous l'appliquons à l'appareil psychique, que nous supposerons formé d'instances successives.

D'autres auteurs se sont contentés de faire ressortir l'une ou l'autre des particularités psychologiques tangibles du rêve et d'en faire le point de départ d'explications générales.

On a remarqué avec raison qu'une des particularités essentielles du rêve apparaît dès le moment où l'on s'endort et peut être mise au nombre des phénomènes qui introduisent le sommeil. L'activité intellectuelle de la veille est faite, d'après Schleiermacher (p. 351), de *concepts* et non d'images. La pensée du rêve est presque toute faite d'*images*; on peut remarquer que le sommeil s'annonce en quelque sorte par la diminution progressive de l'activité volontaire; en même temps des représentations involontaires, qui appartiennent toutes à la classe des images, s'imposent à nous. L'impossibilité d'une activité représentative et l'émergence d'images, habituellement liée à ces états de désagrégation, sont deux caractères qui persistent dans le rêve et que son analyse psychologique nous fera accepter comme deux traits essentiels. Pour ce qui est de ces images — des hallucinations hypnagogiques —, nous savons que leur contenu même est identique à celui des images du rêve (1).

(1) H. SILBERER a montré par de beaux exemples comment, lorsqu'on est sur le point de s'endormir, les pensées abstraites elles-mêmes se transforment en images plastiques qui ont la même signification (*Jahrbuch von Bleuler-Freud*, Band I, 1909). J'aurai l'occasion de revenir sur cette remarque.

Le rêve pense donc surtout par images visuelles, mais il n'exclut pas les autres images. Il emploie aussi des images auditives, et, dans une mesure plus restreinte, des impressions provenant des autres sens. Bien des choses sont seulement pensées ou représentées par des restes d'images verbales, comme dans la veille. Toutefois, seuls les éléments qui se comportent comme des images, c'est-à-dire qui ressemblent plus à des perceptions qu'à des figures mnésiques, sont caractéristiques du rêve. Si nous laissons de côté toutes les discussions bien connues des psychiatres sur la nature de l'hallucination, nous pourrons déclarer, avec tous les auteurs informés, que le rêve « hallucine », qu'il remplace les pensées par des hallucinations. De ce point de vue, il n'y a pas de différence entre les figures visuelles et les figures auditives; on a remarqué que, lorsqu'on s'endort avec le souvenir d'une suite de sons, cette même mélodie se transforme en hallucination pendant le sommeil; si l'on se réveille à demi, ce qui peut arriver à diverses reprises, la figure mnésique, plus discrète et qualitativement différente, reparaît à la place de la mélodie.

La transformation de la représentation en hallucination n'est pas le seul point sur lequel le rêve diffère d'une pensée de veille qui pourrait lui correspondre. Le rêve organise ces images en scène, il représente les choses comme actuelles, il *dramatise* une idée, selon l'expression de Spitta (p. 145). Il faut ajouter, pour caractériser pleinement cet aspect de la vie du rêve, qu'en rêve — le plus souvent : les exceptions exigent des explications spéciales — nous ne croyons pas penser, mais vivre des événements; nous avons donc une foi entière dans nos hallucinations. Lors du réveil seulement, nous critiquons et reconnaissons que nous n'avons pas vécu ces choses, mais les avons pensées d'une manière particulière, rêvées. C'est par ce caractère que le rêve véritable se distingue de la rêverie de la veille : nous ne confondons jamais celle-ci avec la réalité.

Burdach a condensé dans les formules suivantes les caractères du rêve que nous venons de considérer (p. 476) : « Il faut ranger parmi les traits essentiels du rêve : *a)* le fait que l'activité subjective de notre esprit nous paraît objective, parce que notre perception accepte les produits de l'imagination comme des excitations sensibles; ... *b)* le fait que le sommeil supprime la maîtrise de soi; c'est pourquoi il faut, pour s'endormir, une certaine passivité... Il faut un certain abandon de la maîtrise de soi, pour que les images du sommeil apparaissent. »

Il nous faut voir maintenant comment on a essayé d'expliquer la crédulité de l'esprit vis-à-vis des hallucinations du rêve, qui ne peuvent apparaître qu'après l'organisation d'une certaine activité propre. Strümpell indique que l'esprit se comporte à cette occasion d'une manière correcte et conforme à son mécanisme. Les éléments du rêve ne sont pas de simples représentations, mais des expériences mentales véritables et réelles semblables à celles qui sont faites durant la veille par l'entremise des sens (p. 34). Pendant la veille, l'esprit se représente et pense en images verbales et en langage ; pendant le rêve, par de véritables images sensorielles (p. 35). De plus, le rêve connaît une conscience de l'espace, et, comme la veille, il situe ses sensations et ses images dans un espace extérieur (p. 36). Il faut donc convenir que l'esprit est à l'égard de ses images et de ses perceptions dans la même situation que pendant la veille (p. 43). S'il se trompe toutefois, c'est que, pendant le sommeil, le criterium qui seul peut décider de l'origine extérieure ou intérieure des perceptions sensorielles lui manque : il ne peut soumettre ses images à l'épreuve qui garantit leur réalité objective Outre cela, il néglige la différence qui existe entre des images que l'on peut changer entre elles *à volonté* et d'autres où cette volonté ne peut agir. Il se trompe parce qu'il ne peut appliquer la loi de causalité au contenu de son rêve (p. 58). Bref, l'esprit croit au monde subjectif du rêve parce qu'il s'est détourné du monde extérieur.

Delbœuf, après des développements psychologiques en partie différents, aboutit aux mêmes conclusions. Nous croyons aux images du rêve autant qu'au réel parce que nous ne pouvons comparer à d'autres impressions, parce que nous sommes détachés du monde extérieur. Mais ce n'est pas parce que nous ne pouvons pas soumettre nos impressions à l'épreuve que nous croyons à la réalité de nos hallucinations. Le rêve peut feindre ces épreuves, nous faire toucher par exemple la rose que nous voyons, et cependant nous rêvons.

Il n'y a, selon Delbœuf, d'autre criterium valable entre le rêve et la réalité de la veille que le fait du réveil — et ce n'est qu'un criterium pratique. Lorsque, me réveillant, je me vois dévêtu dans mon lit, je considère comme des

illusions tout ce que j'ai vécu entre le moment où je me suis
endormi et le moment du réveil (p. 84). Pendant le sommeil,
j'ai considéré comme vraies les images du rêve, parce que
l'on ne peut endormir aussi l'habitude de pensée qui me
fait croire à un monde extérieur auquel s'oppose mon
propre moi (1).

À côté de ces conceptions qui considèrent le détachement du monde extérieur comme déterminant de la vie
du rêve, il convient de citer quelques fines remarques du
vieux Burdach qui ramènent cette théorie à son exacte
valeur. « Le sommeil, dit Burdach, ne peut apparaître que
si l'esprit n'est pas excité par les sens..., mais l'essentiel
n'est pas tant l'absence d'excitations que l'absence d'intérêt
pour elles (2); certaines d'entre elles sont nécessaires pour
l'apaiser : le meunier ne s'endort que lorsqu'il entend le

_____

(1) HAFFNER a entrepris des recherches analogues à celles de Delbœuf.
Il voulait également expliquer l'activité intellectuelle pendant le rêve
par le changement que doivent apporter, au fonctionnement correct
d'une organisation intellectuelle intacte, des conditions anormales ; mais
il décrit autrement ces conditions. La première caractéristique du rêve
est, selon lui, l'absence du temps et de l'espace, c'est-à-dire le fait que
les représentations se libèrent de la place assignée à l'individu dans
l'ordre de nos représentations temporelles et spatiales. A cela se rattache
le second caractère essentiel du rêve, la confusion entre les hallucinations,
les produits de notre imagination et leurs diverses combinaisons, et la
perception extérieure. « Comme l'ensemble des fonctions supérieures,
en particulier la formation des concepts, des jugements et des déductions, d'une part, et notre libre auto-détermination, d'autre part, se
rattachent aux images provoquées par des excitations sensorielles qui
sont leur fond même, ces activités participent aussi de l'indiscipline des
représentations du rêve. Elles y participent, disons-nous, car, par eux-
mêmes, notre jugement et notre volonté ne sont aucunement altérés
pendant le sommeil. Nous sommes, à ce qu'il semble, aussi intelligents
et aussi libres que pendant la veille. Même en rêve, l'homme ne peut
s'insurger contre les lois de la pensée, c'est-à-dire qu'il ne saurait rendre
identique ce qui lui paraît contradictoire. Il ne peut désirer que ce
qui lui apparaît comme un bien *(sub ratione boni)*. Mais notre esprit
est, dans le rêve, égaré dans son application des lois de la pensée et
de la volonté, par la confusion qui se produit entre les représentations.
De là vient que nous pouvons en rêve accepter et commettre les actes
les plus contradictoires, tandis que nous portons les jugements les plus
subtils, que nous parvenons aux conclusions les plus logiques et que
nous prenons les résolutions les plus vertueuses et les plus saintes. Le
manque d'orientation explique le secret des envols de notre imagination
dans le rêve, le *manque de réflexion critique* et de compréhension des
autres est la principale source des extravagances démesurées qui caractérisent nos jugements, nos espérances et nos désirs dans le rêve » (p. 18).
(2) Pour CLAPARÈDE (1905), le « désintérêt » est une condition essentielle du sommeil.

bruit de son moulin, et celui qui est habitué à la lueur d'une veilleuse ne peut s'endormir dans l'obscurité » (p. 457).

« Dans le sommeil, l'esprit s'isole du monde extérieur et se retire de la périphérie... Le lien n'est toutefois pas entièrement rompu : si on ne pouvait entendre et sentir pendant le sommeil, mais seulement après le réveil, on ne serait jamais réveillé. La persistance des sensations est prouvée mieux encore par le fait que la force d'une impression n'est pas seule à nous réveiller, mais que sa valeur psychique agit aussi : un mot indifférent n'éveillera pas le dormeur, mais il s'éveillera si on l'appelle par son nom; ... dans le sommeil, l'esprit distingue donc entre les sensations. De là vient qu'on peut aussi être réveillé par l'absence de stimulus sensoriel, quand il a trait à un fait important pour nos représentations. C'est ainsi qu'on s'éveille parce qu'une veilleuse s'éteint et que le meunier est réveillé par l'arrêt de son moulin, c'est-à-dire par la cessation d'une activité sensorielle. Ceci implique que cette activité était perçue par l'esprit mais ne le dérangeait pas; c'était une activité satisfaisante ou indifférente » (p. 460 sq.).

Mais, même si nous faisons abstraction de toutes ces importantes réserves, la théorie du détachement du monde extérieur se révèle incapable de nous expliquer toutes les étrangetés du rêve. On devrait en effet pouvoir expliquer tout rêve en ramenant ses hallucinations à des représentations et ses situations à des pensées : c'est bien ce que nous faisons quand nous nous rappelons notre rêve au réveil; et cependant, même quand nous réussissons cette traduction, en partie ou tout à fait, le rêve demeure mystérieux. Aussi admet-on, en général, des transformations plus profondes du matériel des représentations de la veille. Strümpell s'efforce d'en dégager une (p. 17) : « Avec l'arrêt de ses intuitions sensibles et de la conscience normale de sa vie, l'esprit perd aussi le fond où s'enracinent ses sentiments, ses désirs, ses intérêts et ses actions. Les états psychiques : sentiments, intérêts, jugements de valeur, qui, pendant la veille, se lient aux images mnésiques, s'obscurcissent, se détachent des images; les perceptions d'objets, de personnes, de lieux, d'événements et d'actions de la vie éveillée sont reproduites isolément en grand nombre, mais aucune d'entre elles ne transporte *sa valeur psychique*; celle-ci est détachée, et les perceptions vacillent dans l'esprit, réduites à leurs seules ressources... »

Le fait que les images ont dépouillé leur valeur psychique, ramené d'ailleurs au détachement du monde extérieur, serait, d'après Strümpell, un facteur capital de l'étrangeté que présente dans nos souvenirs le rêve comparé à la vie.

On a noté que, dès le moment où nous commençons à nous endormir, nous renonçons à une de nos activités psychiques : la direction volontaire du cours de nos représentations. Ceci conduit à l'hypothèse que le sommeil s'étend aussi aux fonctions supérieures. Telle ou telle de ces fonctions peut être abolie; celles qui demeurent peuvent-elles alors continuer à travailler sans trouble, donner un rendement normal ? Sinon, ne pourrait-on pas expliquer les particularités du rêve par une baisse d'efficience psychique ? L'impression que nous avons au réveil concorde assez avec cette conception. Le rêve est incohérent, il réunit les contradictoires sans la moindre objection, admet des impossibilités, laisse de côté notre savoir le plus important de la veille, nous montre débiles moralement. Nous considérerions comme fou tout homme qui, éveillé, aurait la conduite qu'il a en rêve, qui parlerait comme on le fait en rêve ou qui voudrait nous communiquer des événements tels que ceux qui se passent en rêve. Ainsi nous croyons n'exprimer qu'un fait, lorsque nous disons que l'activité psychique est très réduite pendant le rêve et qu'en particulier les fonctions intellectuelles supérieures sont suspendues ou gravement détériorées.

Une rare unanimité — il sera ailleurs question des exceptions — se manifeste sur ce point chez les auteurs.

D'après Lemoine, l'*incohérence* des images est la seule caractéristique essentielle du rêve.

Maury l'approuve; il dit (*Le sommeil*, p. 163) : « Il n'y a pas de rêves absolument raisonnables, et qui ne contiennent quelque incohérence, quelque anachronisme, quelque absurdité. »

Hegel (cité par Spitta) dénie au rêve toute cohérence objective intelligible.

Dugas dit : « Le rêve, c'est l'anarchie psychique, affective et mentale, c'est le jeu des fonctions livrées à elles-mêmes et s'exerçant sans contrôle et sans but; dans le rêve l'esprit est un automate spirituel. »

Volkelt lui-même, qui cependant ne considère point

l'activité intellectuelle pendant le sommeil comme dépourvue de but, convient que le rêve présente « une fragmentation, une dissolution et un désordre de la vie représentative, maintenue pendant la veille par la force logique du moi central » (p. 14).

L'*absurdité* des liaisons entre les représentations du rêve a été soulignée dès longtemps, et personne n'a été plus net à cet égard que Cicéron (*De divin.*, II) : « Nihil tam praepostere, tam incondite, tam monstruose cogitari potest, quod non possimus somniare. »

Fechner dit (p. 522) : « Il semble que l'activité psychologique ait émigré du cerveau d'un homme raisonnable dans le cerveau d'un fou. »

Radestock note (p. 145) : « Il semble impossible en fait d'établir des lois fixes dans cet ensemble extravagant. Le rêve, se dérobant à la sévère police de la volonté raisonnable, qui règle le cours des représentations pendant la veille, et de l'attention, tourbillonne et dans ses jeux insensés confond tout, à la manière d'un kaléidoscope. »

Hildebrandt déclare (p. 45) : « Quels bonds merveilleux se permet le rêveur, dans ses conclusions par exemple ! Avec quelle tranquillité il renverse les vérités d'expérience les mieux connues ! Quelles contradictions risibles il supporte dans l'ordre de la nature et de la société, avant que, comme on dit, cela lui paraisse trop fort, et que la stupéfaction de tant d'absurdités le réveille. A l'occasion, nous multiplions tout bonnement : trois fois trois font vingt; nous ne nous étonnons nullement d'entendre un chien réciter des vers, de voir un mort aller lui-même vers sa tombe, de voir flotter un rocher sur l'eau; nous allons gravement, chargé d'une haute mission, vers le duché de Bernburg ou dans la principauté de Liechtenstein pour examiner la marine de guerre du pays, ou bien, peu avant la bataille de Poltawa, nous nous engageons comme volontaire dans l'armée de Charles XII. »

Binz (p. 33) indique en même temps la théorie qui se déduit de ces impressions : « Sur dix rêves, il y en a au moins neuf dont le contenu est absurde. Nous y réunissons des personnes et des choses qui n'ont aucune relation entre elles. A chaque instant, comme dans un kaléidoscope, le groupement change et il devient, s'il se peut, plus absurde encore et plus fou que précédemment; ainsi va le jeu changeant de notre cerveau à moitié endormi, jusqu'au moment où, nous réveillant, nous passons la main sur notre front et nous demandons si nous sommes encore capables de représentations et de pensées raisonnables. »

Maury (*Le sommeil*, p. 50) caractérise le rapport entre les images du rêve et les pensées de la veille par une comparaison très impressionnante pour les médecins : « La production de ces images, que, chez l'homme éveillé, fait le plus souvent naître la volonté, correspond, pour l'intelligence, à ce que sont pour la motilité certains mouvements que nous offrent la chorée et les affections paralytiques... » Au reste, il voit dans le rêve « toute une série de dégradations de la faculté pensante et raisonnante » (p. 27).

Il est à peine nécessaire d'indiquer les appréciations des auteurs qui appliquent la phrase de Maury à chacune des fonctions supérieures.

D'après Strümpell, toutes les opérations logiques qui reposent sur des rapports et des relations s'effacent dans le rêve (lors même que l'absurdité du rêve ne saute pas aux yeux) (p. 26). D'après Spitta (p. 148), les représentations, dans le rêve, paraissent se soustraire entièrement au principe de causalité. Radestock et d'autres insistent sur la faiblesse du jugement et des conclusions dans le rêve. Jodl souligne (p. 123) qu'il n'y a, dans le rêve, aucune critique, aucune correction d'une série de perceptions par la conscience globale. Il dit encore : « Toutes les variétés d'activité de la conscience apparaissent dans le rêve, mais incomplètes, inhibées, isolées les unes des autres. » Stricker (avec beaucoup d'autres) explique les contradictions entre le rêve et le contenu de notre savoir de veille par l'oubli de faits importants dans le rêve ou par la disparition des relations logiques entre les représentations (p. 98), etc.

Ces auteurs, qui jugent en général si durement le rendement psychique du rêve, conviennent cependant qu'il y subsiste quelques restes d'activité intellectuelle. Wundt, dont les théories ont fait autorité pour tant de chercheurs dans ce domaine, l'accorde expressément. On peut se demander ce que sont ces restes d'activité normale que le rêve manifeste. Tout le monde convient que la mémoire paraît être la fonction qui souffre le moins dans le rêve; bien qu'il faille expliquer une partie des absurdités du rêve par l'oubli de cette vie du rêve même, elle paraît quelquefois supérieure même à la mémoire de la veille (cf. *supra*, p. 18 sq.). D'après Spitta, c'est la vie affective *(Gemütsleben)*, intacte pendant le sommeil, qui dirige le rêve. Le mot *Gemüt* signifie pour lui « l'ensemble immuable des sentiments, essence subjective la plus profonde de l'homme » (p. 84).

Scholz (p. 37) isole dans le rêve une « transformation allégorique » *(allegorisierende Umdeutung)* agissant sur le matériel du rêve. Siebeck constate aussi dans le rêve une « activité interprétative de complétement » *(ergänzende Deutungstätigkeit*, p. 11) que l'esprit exerce sur toutes ses perceptions et intuitions.

Il est particulièrement difficile d'apprécier le rôle tenu dans le rêve par l'activité la plus élevée, celle de la conscience. On ne peut douter qu'elle subsiste : nous ne connaissons le rêve que par elle. Spitta pense toutefois que le rêve ne garde que la conscience en général et non la conscience *de soi*. Delbœuf déclare ne pouvoir comprendre cette distinction.

Les lois d'association qui unissent les représentations valent aussi pour les images du rêve, leur pouvoir apparaît même d'une manière plus nette et plus forte dans le rêve. Selon Strümpell (p. 70), « le rêve paraît se comporter ou bien d'après les lois des représentations seules ou bien d'après les lois des stimuli organiques accompagnées de représentations, c'est-à-dire sans que la réflexion et la raison, le goût esthétique et le jugement moral puissent agir sur lui ». Les auteurs dont j'indique ici les opinions paraissent se représenter la formation du rêve de la manière suivante : l'ensemble des stimulations sensorielles (provenant des diverses sources déjà indiquées) provoque d'abord dans l'esprit un certain nombre d'images qui se présentent sous la forme d'hallucinations (Wundt pense que, conséquences de stimuli internes et externes, ce sont plutôt des illusions). Celles-ci se lient entre elles d'après les lois de l'association des idées, et, d'après ces mêmes lois, évoquent de nouvelles séries de représentations (d'images). Tout cela est organisé le moins mal possible par ce qui reste d'activité intellectuelle créatrice d'ordre et de pensée (cf. Wundt et Weygandt). Toutefois on n'a pas encore pu déterminer quels motifs provoquent l'éveil d'images ne venant pas du dehors d'après telle loi d'association plutôt que d'après telle autre.

On a remarqué à diverses reprises que les associations qui unissent entre elles les diverses images étaient d'espèce très particulière et différaient de celles qui agissent pendant la veille. Volkelt dit (p. 15) : « Pendant le rêve, les représentations se poursuivent et s'accrochent d'après des ressemblances de hasard et d'après des liaisons à peine perceptibles. Tous les rêves sont traversés par ces associations parsemées et lâches. » Maury insiste sur ce caractère qui lui permet d'établir une analogie plus étroite entre le rêve et certains troubles mentaux. Il y reconnaît deux traits essentiels du « délire » : « 1º une action spontanée et comme automatique de l'esprit; 2º une association vicieuse et irrégulière des idées » (*Le sommeil,* p. 126). Il nous a laissé lui-même deux remarquables exemples de rêves où la seule assonance des mots forme le lien entre les images. Il rêva un jour qu'il entreprenait un *pèlerinage* à Jérusalem ou à La Mecque; après de nombreuses aventures, il se retrouvait chez le chimiste *Pelletier* qui, après une conversation, lui donnait une *pelle* de zinc; dans le fragment de rêve suivant, celle-ci devenait son grand sabre de bataille (p. 137). Une autre fois, il suivait en rêve une chaussée et lisait sur les bornes les *kilomètres*; il se trouvait ensuite chez un épicier qui avait une grande balance et un homme mettait des poids d'un *kilo* sur un plateau de la balance pour peser Maury; l'épicier lui disait ensuite : « Vous n'êtes pas à Paris, mais dans l'île *Gilolo.* » Suivaient plusieurs tableaux où il voyait la fleur *Lobelia,* puis le général *Lopez* dont il avait lu la mort peu de temps avant; il s'éveillait enfin, jouant au *loto* (1).

Ce mépris de l'activité psychique du rêve n'a pas été sans provoquer des objections. Sans doute la thèse opposée paraît-elle difficile à établir. Il est de peu d'importance qu'un des contempteurs du rêve (Spitta, p. 118) affirme que les mêmes lois psychologiques régissent le rêve et la veille, ou qu'un autre (Dugas) déclare : « Le rêve n'est pas déraison ni même irraison pure », tant qu'ils ne prennent pas la peine de mettre en accord cette appréciation avec l'état d'anarchie psychique et de dissolution de nos fonctions qu'ils décrivent. Mais d'autres auteurs paraissent avoir pressenti que la folie du rêve n'était pas « sans méthode », qu'elle était peut-être un déguisement, comme la folie d'Hamlet, sur laquelle on a porté ce jugement. Ces auteurs ont su éviter de juger d'après les apparences, à

---

(1) Nous expliquerons plus loin le sens de ces rêves faits de mots qui commencent de la même manière et présentent des sons analogues.

moins que les apparences que le rêve leur présentait ne fussent autres.

Ainsi, Havelock Ellis (1899), sans vouloir s'arrêter aux absurdités apparentes du rêve, le considère comme « an archaic world of vast emotions and imperfect thoughts », dont l'étude peut éclairer les premiers degrés du développement de la vie psychique. J. Sully (p. 362) défend la même conception, d'une manière encore plus large et plus pénétrante. Son témoignage mérite d'autant plus d'attention qu'il croyait, plus que nul autre psychologue, au sens caché du rêve. « *Now our dreams are a means of conserving these successive personalities. When asleep we go back to the old ways of looking at things and of feeling about them, to impulses and activities which long ago dominated us.* » Delbœuf affirme (en réalité sans apporter aucune preuve contre l'ensemble des documents qui le contredisent et, par conséquent, à tort) : « Dans le sommeil, hormis la perception, toutes les facultés de l'esprit intelligence, imagination, mémoire, volonté, moralité, restent intactes dans leur essence; seulement elles s'appliquent à des objets imaginaires et mobiles. Le songeur est un acteur qui joue à volonté les fous et les sages, les bourreaux et les victimes, les nains et les géants, les démons et les anges » (p. 222). Le marquis d'Hervey, contre lequel Maury a engagé une violente polémique, et dont, en dépit de tous mes efforts, je n'ai pu me procurer l'ouvrage, paraît avoir été le plus énergique défenseur du rendement intellectuel du rêve. Maury dit à son sujet (*Le sommeil*, p. 19) : « M. le marquis d'Hervey prête à l'intelligence, durant le sommeil, toute sa liberté d'action et d'attention et il ne semble faire consister le sommeil que dans l'occlusion des sens, dans leur fermeture au monde extérieur; en sorte que l'homme qui dort ne se distingue guère, selon sa manière de voir, de l'homme qui laisse vaguer sa pensée en se bouchant les sens; toute la différence qui sépare alors la pensée ordinaire de celle du dormeur, c'est que, chez celui-ci, l'idée prend une forme visible, objective, et ressemble, à s'y méprendre, à la sensation déterminée par les objets extérieurs; le souvenir revêt l'apparence du fait présent. » Pour Maury, « il y a une différence de plus et capitale, à savoir que les facultés intellectuelles de l'homme endormi n'offrent pas l'équilibre qu'elles gardent chez l'homme éveillé ».

Vaschide, qui nous fait connaître le livre d'Hervey plus

exactement, dit que cet auteur s'exprime de la manière suivante sur l'incohérence apparente des rêves : « L'image du rêve est la copie de l'idée. Le principal est l'idée; la vision n'est qu'accessoire. Ceci établi, il faut savoir suivre la marche des idées, il faut savoir analyser le tissu des rêves; l'incohérence devient alors compréhensible, les conceptions les plus fantasques deviennent des faits simples et parfaitement logiques » (p. 146). Et un peu plus loin (p. 147) : « Les rêves les plus bizarres trouvent même une explication des plus logiques quand on sait les analyser. »

J. Stärcke a fait remarquer qu'un vieil auteur, Wolf Davidson, qui m'était inconnu, avait défendu en 1799 une théorie analogue de l'incohérence des rêves (p. 136) : « Les bonds singuliers que l'imagination fait dans le rêve ont tous leur cause dans les lois de l'association; mais comme ces relations nous demeurent très obscures, nous croyons souvent à un bond des représentations alors qu'il n'y en a point. »

L'échelle des appréciations portées sur le rêve, considéré comme produit psychique, a une vaste étendue. Du mépris le plus profond, dont nous connaissons déjà l'expression, en passant par le pressentiment d'une valeur non découverte encore, elle va jusqu'à mettre le rêve bien au-dessus de la veille. Hildebrandt, qui résume la psychologie du rêve en trois antinomies, oppose dans la dernière les deux opinions extrêmes (p. 19) :

« Tantôt il intensifie la vie mentale jusqu'à la virtuosité, tantôt il diminue et abaisse la vie de l'esprit bien au-dessous du niveau de l'humanité.

« Pour ce qui est du premier aspect, nous savons tous par expérience que le génie du rêve déploie parfois dans la création et l'organisation une profondeur de sensibilité, une tendresse de sentiments, une clarté d'intuition, une finesse d'observation, une présence d'esprit que nous devons modestement avouer n'être pas toujours les nôtres durant la veille. Le rêve a une poésie merveilleuse, d'excellentes allégories, un humour incomparable, une ironie délicieuse. Il considère le monde dans un jour particulier qui l'idéalise, et souvent, avec un sens profond de son essence, il grandit encore l'effet de cette apparition. Il nous présente la beauté terrestre avec un éclat vraiment céleste, la grandeur dans sa plus haute majesté, ce que l'on sait effrayant sous la forme la plus horrible, le risible d'une manière indescriptiblement comique; parfois même nous sommes, après le réveil, si pleins d'une de ces impressions qu'il nous semble que le monde réel ne nous a jamais rien montré de tel. »

On en vient à se demander si ces remarques méprisantes et ces appréciations enthousiastes s'appliquent bien au même objet. Les uns auraient-ils négligé des rêves absurdes, les autres des rêves profonds et fins ? Et n'est-il pas vain de chercher à caractériser le rêve en général quand il existe des rêves si différents ? Ne suffirait-il pas de dire que tout est possible en rêve, depuis la plus profonde dégradation de la vie intellectuelle, jusqu'à une exaltation de cette même vie au-dessus du niveau de la veille ? Si commode que cette solution puisse paraître, elle a contre elle ce fait que les efforts de tous les spécialistes tendent vers une explication valable dans tous les cas, et susceptible de concilier les contradictions.

Il est certain que la valeur du rêve a été reconnue plus facilement à l'époque intellectualiste maintenant dépassée, où la philosophie possédait une suprématie que lui ont enlevée les sciences naturelles. De nos jours, nous avons peine à comprendre des affirmations telles que celles de Schubert, qui voyait dans le rêve la libération de l'esprit à l'égard de la nature, la délivrance de l'âme sortant des chaînes de la sensibilité, et d'autres jugements analogues portés par J. H. Fichte (1), par d'autres. Tous considéraient le rêve comme une exaltation de la vie de l'esprit. De nos jours, seuls les mystiques et les dévots répètent de semblables appréciations (2). La pénétration d'une pensée scientifique a agi sur l'estime portée au rêve. Ce sont précisément les auteurs médicaux qui sont le plus tentés de déprécier l'activité psychologique du rêve, tandis que les philosophes et les observateurs non professionnels, les psychologues amateurs — dont en ce domaine il ne convient pas de négliger les contributions —, maintiennent la valeur psychique du rêve; ils sont en cela plus proches du sentiment populaire. Celui qui sous-estime le fonctionnement

(1) Cf. HAFFNER et SPITTA.
(2) Le subtil mystique DU PREL, un des rares auteurs que je voudrais m'excuser de n'avoir pas cités dans les premières éditions de ce livre, dit que ce n'est point la veille, mais le rêve qui nous ouvre la métaphysique en tant que celle-ci se rapporte à l'homme (*Philosophie der Mystik*, p. 59).

psychique du rêve insiste évidemment sur une étiologie somatique; celui qui reconnaît à l'âme endormie la plus grande partie de ses aptitudes de veille n'a pas de raison de lui dénier la possibilité de provoquer ses rêves.

Parmi les activités supérieures attribuées au rêve, celle de la mémoire paraît la plus frappante; nous avons indiqué en détail les observations qui le montrent. Les anciens auteurs ont souvent loué, parmi les supériorités du rêve, le fait qu'il jouait librement dans le temps et l'espace; on voit aisément que c'est une illusion. Ce n'est là, ainsi que le remarque Hildebrandt, qu'un avantage illusoire : le rêve dispose du temps et de l'espace comme la pensée de la veille et seulement parce qu'il est une forme de la pensée. Il semble que le rêve ait sur le temps un autre avantage et qu'il en soit indépendant en un autre sens. Des rêves tels que celui de la guillotine, de Maury, sembleraient prouver que le rêve peut en un temps très court contenir plus de perceptions que notre activité psychique pendant la veille. Mais cette thèse a été combattue par de multiples arguments. Depuis les travaux de Le Lorrain et d'Egger sur « la durée apparente des rêves », il y a eu à ce sujet une discussion intéressante; elle ne semble pas d'ailleurs avoir éclairci définitivement cette question épineuse (1).

De nombreuses relations et le recueil de Chabaneix paraissent montrer d'une manière indiscutable que le rêve reprend les travaux intellectuels de la journée et peut les amener à des résultats qu'ils n'avaient pas atteints pendant le jour. Il résout des doutes et des problèmes, il peut être, pour des poètes et des compositeurs, la source de nouvelles inspirations. Mais si le fait lui-même est incontesté, son interprétation se heurte à nombre d'objections de principe (2).

Enfin la puissance divinatoire attribuée au rêve est une cause de discussions où des assurances obstinées et répétées se heurtent à des doutes difficiles à dissiper. Il convient de ne pas refuser toute réalité à ce fait, parce que, pour toute une série de cas, la possibilité d'une explication psychologique naturelle est peut-être très proche.

(1) Voir la bibliographie et une discussion critique de cette question dans TOBOWOLSKA (Thèse de Paris, 1900).
(2) Cf. la critique de Havelock ELLIS, *World of Dreams*, p. 268.

VI. — LES SENTIMENTS MORAUX DANS LE RÊVE

Des motifs que l'on ne comprendra que lorsqu'on connaîtra mes propres recherches m'ont fait traiter à part la question de savoir si nos dispositions morales et nos sentiments moraux de la veille pénètrent dans le rêve et dans quelle mesure. Sur ce point, nous retrouvons la contradiction entre auteurs qui nous a déjà frappés. Les uns garantissent que le rêve ignore les exigences de notre moralité aussi nettement que les autres y affirment la persistance de la nature morale de l'homme.

Si nous en appelons à notre expérience de toutes les nuits, elle paraît mettre hors de doute l'exactitude de la première affirmation. Jessen dit (p. 553) : « Nous ne sommes pas meilleurs ni plus vertueux pendant le sommeil; il semble bien plutôt que notre conscience se taise durant le rêve : nous n'éprouvons aucune pitié et nous commettons avec une entière indifférence et sans aucun repentir les pires crimes : vols, meurtres, assassinats. »

De même, Radestock (p. 146) : « Il convient de remarquer que dans le rêve les associations se déroulent et les représentations se lient sans que la réflexion, la raison, le goût esthétique et le jugement moral interviennent; le jugement est très faible et une entière *indifférence morale* règne. »

Volkelt note (p. 23) : « Chacun sait qu'en rêve nous avons pour tout ce qui est sexuel un manque de retenue particulier. Le rêveur qui n'a lui-même absolument aucune pudeur, aucun sentiment, aucun jugement moral, voit aussi tous les autres, et même les personnes les plus respectées, agir d'une façon qu'il n'oserait même pas imaginer pendant la veille. »

Une série d'affirmations vont s'opposer nettement à cette thèse. Selon Schopenhauer, chacun agit et parle pendant le rêve en pleine conformité avec son caractère. R. Ph. Fischer (1) dit que les sentiments subjectifs, les tendances, les affects et les passions se manifestent dans la liberté du rêve, que les particularités morales de l'individu

_____

(1) *Grundzüge des Systems der Anthropologie*, Erlangen, 1850 (cité d'après SPITTA).

s'y reflètent. Haffner écrit (p. 25) : « A quelques rares exceptions près, ... un homme vertueux l'est également en rêve; il résiste aux tentations, s'interdit la haine, l'envie, la colère et tous les vices; l'homme de péché retrouvera dans le rêve les images auxquelles il se plaît durant la veille. » Scholz affirme (p. 36) : « La vérité apparaît dans le rêve; en dépit de tous nos déguisements, en meilleur ou en pire, nous reconnaissons notre moi véritable... L'honnête homme ne peut commettre, même en rêve, un crime déshonorant, ou, si cela lui arrive, il s'en effraie comme d'une chose étrangère à sa nature. L'empereur romain qui fit exécuter un de ses sujets, parce que celui-ci avait rêvé qu'il faisait couper la tête du souverain, n'avait pas tort, s'il pensait que celui qui avait de semblables rêves devait, pendant la veille, nourrir des pensées analogues. Aussi disons-nous d'une chose qui ne saurait trouver place dans notre vie : je ne l'imaginerais même pas en rêve. »

Platon estime en revanche que les meilleurs d'entre nous ne connaissent qu'en rêve ce que d'autres font tout éveillés.

Pfaff (1), transformant un proverbe bien connu, dit : « Dis-moi ce que tu rêves, et je te dirai qui tu es. »

Le petit ouvrage de Hildebrandt que j'ai si souvent cité, et qui est la contribution au problème du songe la plus achevée et la plus riche que je connaisse, s'intéresse précisément d'une manière essentielle à la moralité du rêve. Hildebrandt pose aussi en principe que plus la vie est pure, plus le rêve est pur, et *vice versa*.

Dans le rêve l'homme conserve une nature morale : « Tandis que nous acceptons une erreur de calcul grossière, une extravagance scientifique, un anachronisme bouffon, nous continuons cependant à distinguer le bien et le mal, le juste et l'injuste, le vice et la vertu. Pour tant que nous ayons perdu durant notre sommeil de notre savoir de la journée, l'impératif catégorique kantien nous demeure, il est lié à nous, même endormi nous ne saurions nous en défaire... Cela ne peut s'expliquer que parce que la moralité est si solidement liée à la nature humaine qu'elle ne saurait être prise dans le jeu kaléidoscopique auquel se livrent,

(1) *Das Traumleben und seine Deutung*, 1868 (cité par SPITTA, p. 192).

pendant le rêve, l'imagination, l'intelligence, la mémoire et les autres facultés de ce rang » (p. 45 sq.).

Plus la discussion s'avance, plus on constate d'étranges changements et de singulières inconséquences de part et d'autre. Logiquement, tous ceux qui croient que la personnalité morale sombre dans le rêve devraient cesser de s'intéresser aux rêves immoraux. Ils ne devraient pas plus rendre le rêveur responsable de ses rêves, ni conclure de la perversité de ses rêves à celle de sa nature, qu'ils ne concluent pendant la veille de l'absurdité des rêves à la nullité intellectuelle. Les autres, ceux qui considèrent que l' « impératif catégorique » s'étend au rêve même, devraient accepter pleinement la responsabilité des rêves immoraux; il faudrait seulement leur souhaiter des rêves tels qu'ils n'eussent point à douter de leur propre vertu.

Mais il semble bien que nul ne puisse savoir avec tant de précision jusqu'à quel point il est bon ou mauvais, et que nul ne puisse nier avoir quelques rêves immoraux. Les auteurs des deux parties s'efforcent, en effet, en dépit de leurs jugements opposés sur la moralité du rêve, d'expliquer l'origine des rêves immoraux. Une nouvelle opposition se fait jour alors entre ceux qui la recherchent dans les fonctions de la vie psychique et ceux qui la recherchent dans des influences somatiques. Ainsi les faits obligent les défenseurs de la responsabilité pendant le rêve, comme ceux de l'irresponsabilité, à reconnaître que l'immoralité du rêve a une source psychique particulière.

Ceux qui croient à la persistance de la moralité se gardent toutefois d'accepter la pleine responsabilité de leurs propres rêves. Haffner dit (p. 24) : « Nous ne sommes pas responsables de nos rêves, parce que notre pensée et notre volonté manquent à ce moment des fondements sans lesquels notre vie ne peut avoir de vérité ni de réalité... C'est pourquoi une volonté ou une action de rêve ne peuvent être assimilées à un vice ou à une vertu. » Toutefois l'homme est responsable de ses rêves coupables dans la mesure où il les a indirectement provoqués. Il a, avant de s'endormir, le devoir de purifier son âme comme pendant la veille, et d'une manière toute particulière.

L'analyse de ce mélange d'acceptation et de refus de la responsabilité à l'égard du contenu moral du rêve est poussée plus avant chez Hildebrandt. Après avoir indiqué que la manière dramatique dont le rêve décrit les faits, l'entassement des réflexions les plus compliqués dans le plus petit espace de temps, la perte de sens et la confusion des images doivent être pris en considération quand on parle de l'immoralité du rêve, il déclare cependant qu'il convient de réfléchir longuement avant de rejeter toute responsabilité dans les péchés ou les fautes du rêve.

« Quand nous voulons repousser d'une manière définitive une accusation injustifiée, spécialement une accusation qui porte sur nos projets et nos intentions, nous disons : " Je n'y aurais jamais pensé même en rêve ! " Par là, sans doute, nous entendons d'une part que le domaine des rêves est le dernier pour lequel on puisse nous demander des comptes de nos pensées, parce qu'elles y sont à tel point détachées de notre être propre qu'on peut à peine les considérer comme encore nôtres; mais d'autre part, en niant expressément l'existence de ces pensées dans ce domaine, nous donnons à entendre que notre justification ne serait pas entière si elle n'allait pas jusque-là. Et je crois que nous parlons selon la vérité, bien que inconsciemment » (p. 49). « On ne peut imaginer une action de rêve dont le motif premier n'aurait pas traversé l'esprit pendant la veille, sous forme de souhait, de désir ou d'impulsion » (p. 52). Cette première impulsion, il faut le dire, le rêve ne l'a pas inventée, il n'a fait que la reproduire, l'amplifier, il a travaillé sur le peu de matière que nous lui offrions et lui a donné une forme dramatique; il a réalisé le mot de l'Apôtre : celui qui hait son frère est un assassin. Et si, après le réveil, conscient de sa force morale, on rit des tableaux de ce rêve coupable, on ne saurait rire de la matière originelle qui a servi à le former. On se sent responsable des égarements du dormeur, non de leur somme totale, mais d'un certain pourcentage. « Bref, si nous comprenons en ce sens, indiscutable, la parole du Christ : les pensées mauvaises jaillissent du cœur, nous avons peine à ne pas croire que toute faute commise pendant le rêve entraîne avec elle tout au moins un obscur minimum de culpabilité. »

Hildebrandt voit donc la source de l'immoralité des rêves dans les germes et les indices d'impulsions mauvaises qui traversent chaque jour notre conscience sous forme de tentations, et il n'hésite pas à compter ces éléments immoraux dans son appréciation de la valeur morale de la personnalité. Ce sont les mêmes pensées et la même appréciation qui de tout temps ont fait dire aux hommes pieux et aux saints qu'ils étaient de grands pécheurs (1).

Il n'est pas douteux que ces représentations-contrastes sont fréquentes chez la plupart des hommes et point seulement dans le domaine moral. Elles n'ont pas été toujours étudiées d'une manière précise. Spitta cite (p. 144) la déclaration suivante de Zeller (art. *Irre* dans l'*Allgemeine Enzyklopädie der Wissenschaften* de Ersch et Gruber) : « Il est rare qu'un esprit soit organisé si heureusement qu'il possède en tout temps une pleine puissance et que le cours continu et clair de sa pensée ne soit pas interrompu par des représentations, non seulement futiles, mais encore grotesques et absurdes; les plus grands penseurs mêmes se sont plaints de voir cette racaille de représentations, taquines et désagréables, venir troubler leurs réflexions les plus profondes et leurs travaux les plus graves et les plus sacrés. »

La signification psychologique de ces pensées-contrastes est mieux précisée par Hildebrandt qui observe que le rêve nous ouvre parfois les profondeurs et les replis de notre être qui nous sont le plus souvent fermés pendant la veille (p. 55). Kant indique semblablement, dans un passage de l'*Anthropologie,* que le rêve a sans doute pour fonction de nous découvrir nos dispositions secrètes et de nous révéler, non point ce que nous sommes, mais ce que nous serions devenus, si nous avions reçu une autre éducation. Radestock (p. 84) pense également que le rêve ne fait que nous révéler ce que nous ne voulons pas nous avouer et que nous avons tort de l'accuser de mensonge et de tromperie. J. E. Erdmann déclare : « Jamais un rêve ne m'a révélé ce qu'il fallait penser d'un homme; mais bien ce que j'en pensais et comment j'étais disposé à son égard et ce à ma plus grande surprise ». De même, J. H. Fichte dit : « Le caractère de nos rêves nous donne un reflet bien plus fidèle de l'ensemble de nos dispositions que ce que nous pourrions en savoir en nous observant longuement pendant la veille. » L'émergence de ces impulsions étrangères à notre conscience

---

(1) Il n'est pas sans intérêt pour nous de savoir quelle attitude prenait l'Inquisition à l'égard de ce problème. On trouve le passage suivant dans le *Tractatus de Officio Sanctissimæ Inquisitionis* de Thomas CAREÑA, Lyon, 1659 : « Si quelqu'un profère en rêve des paroles hérétiques, les inquisiteurs examineront sa conduite, car ce qui nous préoccupe dans la journée reparaît ordinairement dans nos rêves » (Dr EHNIGER, S. Urban, Suisse).

morale s'explique de la même manière que le fait que le rêve dispose d'images absentes ou négligées pendant la veille. Le fait a été remarqué par Benini : « Certe nostre inclinazioni che si credevano soffocate e spente da un pezzo, si ridestano; passioni vecchie e sepolte rivivono; cose e persone a cui non pensiamo mai, ci vengono dinanzi » (p. 149), et par Volkelt : « Des représentations qui ont traversé presque inaperçues la conscience éveillée, et qu'elle n'aurait peut-être jamais tirées de l'oubli, réapparaissent souvent dans le rêve, nous prévenant ainsi qu'elles demeurent dans l'esprit. » C'est ici le lieu de rappeler que, d'après Schleiermacher, le moment même où nous nous endormons s'accompagne de l'apparition de représentations (tableaux) involontaires.

On peut appeler « représentations involontaires » cette masse d'images dont l'apparition nous étonne tellement dans les rêves immoraux, comme dans les rêves absurdes. Il y a toutefois, entre les uns et les autres, une différence importante. Les représentations involontaires appartenant au domaine moral sont en contradiction avec notre manière de sentir ordinaire; les autres nous paraissent simplement étranges. Rien n'a été fait jusqu'à présent pour donner de cette différence une explication scientifique.

Quelle est la signification de l'apparition en rêve de ces représentations involontaires ? Quelles conclusions peut-on tirer, pour la psychologie de la veille et du rêve, de cette apparition nocturne de tendances morales paradoxales ? Les auteurs diffèrent aussi d'opinion sur ce point. Si l'on suit la pensée de Hildebrandt et des défenseurs de sa thèse fondamentale, on doit considérer, sans nul doute, que, même pendant la veille, les impulsions immorales possèdent une certaine puissance qui, inhibée, ne peut passer aux actes, mais que, durant le sommeil, quelque chose qui avait agi comme une inhibition et nous avait empêchés d'apercevoir ces impulsions est supprimé. Ainsi le rêve dévoilerait, sinon toute l'essence, du moins la réalité la plus profonde de l'homme, et serait un des moyens dont nous disposerions pour connaître le contenu caché de notre âme. Il faut que Hildebrandt parte de suppositions semblables pour attribuer au rêve le rôle d'un *avertisseur* qui attirerait notre attention sur nos faiblesses cachées; de même que, de l'aveu des médecins, il peut nous rendre attentifs à des maladies encore inaperçues. Spitta est guidé par des conceptions analogues, quand, parlant des excitations de la puberté par exemple, il console le rêveur et lui dit qu'il a fait tout ce qui dépendait de lui, s'il a eu, pendant la veille, une conduite parfaitement vertueuse et s'est efforcé de repousser les mauvaises pensées, de ne pas les laisser mûrir et devenir des actes. D'après ces conceptions, les représentations « involontaires » seraient celles qui auraient été « réprimées » pendant le jour, et il faudrait voir dans leur émergence un véritable phénomène psychique.

Selon d'autres auteurs, ces déductions sont injustifiées. Pour Jessen, les représentations involontaires du rêve, de la veille, de la fièvre, des délires « ont le caractère d'une activité de volition qui a été mise au repos et d'une succession plus ou moins mécanique d'images et de représentations, mues par des mouvements internes » (p. 360). Tout ce qu'un rêve immoral nous apprendrait de la vie psychique du rêveur, ce serait que d'une manière quelconque il connaissait son contenu représentatif; il ne révélerait rien de ses propres tendances. On peut se demander si Maury ne croit pas lui aussi que le rêve décompose l'activité psychique en ses éléments au lieu de la détruire au hasard. Il dit au sujet des rêves dans lesquels on franchit les bornes de la moralité : « Ce sont nos penchants qui parlent et qui nous font agir, sans que la conscience nous retienne, bien que parfois elle nous avertisse. J'ai mes défauts et mes penchants vicieux; à l'état de veille, je tâche de lutter contre eux et il m'arrive assez souvent de n'y pas succomber. Mais dans mes songes j'y succombe toujours, ou, pour mieux dire, j'agis par leur impulsion, sans crainte et sans remords... Évidemment les visions qui se déroulent devant ma pensée et qui constituent le rêve me sont suggérées par les incitations que je ressens et que ma volonté absente ne cherche pas à refouler » (*Le sommeil*, p. 113).

Si l'on pense que le rêve dévoile une disposition immorale du dormeur qui, à la vérité, existe, mais est réprimée ou cachée, on ne pourrait l'exprimer plus fortement que par ces mots de Maury (p. 115) : « En rêve l'homme se révèle donc tout entier à soi-même dans sa nudité et sa misère natives. Dès qu'il suspend l'exercice de sa volonté, il devient le jouet de toutes les passions contre lesquelles, à l'état de veille, la conscience, le sentiment d'honneur, la crainte nous défendent. » Ailleurs il trouve ces mots frappants (p. 462) : « Dans le rêve, c'est surtout·l'homme instinctif qui se révèle... L'homme revient pour ainsi dire à l'état de nature quand il rêve; mais moins les idées acquises ont pénétré dans son esprit, plus *les penchants en désaccord* avec elles conservent encore sur lui d'influence dans le rêve. » Et il donne comme exemple le fait que, dans ses rêves, il est souvent victime de la superstition même qu'il combat le plus activement dans ses écrits.

Maury diminue, il est vrai, la valeur de ces remarques si fines en ne voulant voir dans les phénomènes qu'il a si bien observés que des preuves en faveur de « l'automatisme psychologique » qui, selon lui, domine toute la vie du rêve. Cet automatisme lui paraît être le contraire de l'activité psychique.

Dans un passage de ses *Studien über das Bewusstsein*, Stricker dit : « Le rêve n'est pas fait uniquement d'illusions. Si, en rêve, on craint les voleurs, les voleurs sont sans doute imaginaires, mais la crainte est réelle. » Ainsi il attire notre attention sur ce fait qu'il y a lieu de séparer l'appréciation du développement d'affects dans le rêve du reste de son contenu. Un problème se pose alors : qu'y a-t-il de réel dans les processus psychiques du rêve ? que pouvons-nous y reprendre pour le ranger parmi les processus psychiques de la veille ?

VII. — Théories du rêve. Fonction du rêve

On appellera théorie du rêve une analyse qui s'efforce d'expliquer d'un certain point de vue le plus grand nombre possible des caractères observés et en même temps de marquer la place du rêve dans un ensemble plus vaste. Les diverses théories du rêve se distinguent les unes des autres par le fait qu'elles considèrent comme essentiel tel ou tel caractère, et disposent autour de ce caractère leurs explications.

Une théorie du rêve ne comporte pas nécessairement l'idée d'une fonction, c'est-à-dire d'une utilité ou d'une efficacité du rêve, mais nos habitudes téléologiques vont naturellement au-devant des théories qui attribuent au rêve une fonction.

Nous avons vu déjà plusieurs conceptions qui méritent plus ou moins le nom de théories du rêve. Les anciens croyaient le rêve envoyé par les dieux pour diriger les actions des hommes; c'était là une théorie complète et qui expliquait tout ce que l'on désirait savoir. Depuis que le rêve est devenu objet d'investigations biologiques, le nombre des théories s'est multiplié, mais il en est beaucoup d'incomplètes.

Si l'on ne tient compte que de l'essentiel, on peut essayer de grouper les théories du rêve, d'une manière peu rigoureuse, selon ce que chacune suppose de la nature et de la quantité de l'activité psychique :

1. *Théories qui supposent que toute l'activité psychique de la veille se retrouve dans le rêve* (Delbœuf). — Ici l'esprit n'est pas endormi; son fonctionnement demeure intact, mais, les conditions étant différentes de celles de la veille, il doit donner normalement d'autres résultats. On peut se demander si ces théories peuvent expliquer toutes les différences entre le rêve et la pensée normale par les seules conditions du sommeil. De plus, on ne voit pas comment passer de ces théories à la fonction du rêve; on ne sait pas pourquoi on rêve, pourquoi le mécanisme compliqué de notre esprit continue à jouer, lors même qu'il se trouve dans des conditions pour lesquelles il ne paraît pas fait. Les seules réactions adaptées seraient un sommeil sans rêves ou le réveil quand surviennent des stimuli qui nous dérangent.

2. *Théories qui supposent, au contraire, dans le rêve une baisse de l'activité psychique, un relâchement des liaisons, un appauvrissement du matériel utilisable.* — Selon ces théories, les caractéristiques du sommeil seraient bien différentes de celles qu'expose Delbœuf. Le sommeil s'étend sur l'esprit, il ne se contente pas de le séparer du monde extérieur, il pénètre dans son mécanisme même et le rend inutilisable pour un temps. Si je pouvais user ici d'une comparaison empruntée à la psychiatrie, je dirais que les premières théories font du rêve une sorte de paranoïa, et que pour les secondes il est une sorte de débilité ou de confusion mentales.

La théorie selon laquelle le rêve n'exprime qu'un fragment de notre vie intellectuelle paralysée par le sommeil est celle que préfèrent les écrivains médicaux et le monde scientifique en général; c'est, en somme, la théorie régnante. Il faut souligner la légèreté avec laquelle cette théorie évite le plus rude écueil de l'explication des rêves : les contrastes que l'on y rencontre. Elle considère le rêve comme une veille partielle (« une veille graduelle, partielle et en même temps très anormale », dit Herbart dans sa *Psychologie*) ; elle explique donc par une série d'états d'éveil toujours plus grand jusqu'à la veille complète toutes les variations de l'efficience du rêve, de la pleine absurdité à l'activité intellectuelle la plus concentrée.

Ceux qui ne sauraient se passer du mode d'exposition physiologique ou qui le jugent plus scientifique en trouveront l'expression dans cette description de Binz (p. 43) : « Cet état [de torpeur, *Erstarrung*] se dissipe peu à peu vers le matin. Les produits de fatigue accumulés dans l'albumen cérébral diminuent, sont décomposés ou entraînés par le courant circulatoire incessant. Ici et là quelques amas cellulaires isolés s'éveillent, cependant qu'autour tout est encore figé. Et le *travail isolé de ces groupes cellulaires* apparaît alors au sein de notre conscience embrumée, sans que puisse le contrôler cette partie du cerveau qui dirige les associations. C'est pourquoi les images créées, images qui correspondent à l'impression matérielle d'un passé récent, sont réunies étrangement et sans règle. A mesure que le nombre des cellules qui s'éveillent croît, la déraison du rêve diminue. »

On peut retrouver cette conception du rêve veille incomplète, partielle, ou du moins des traces de cette conception, chez tous les physiologistes et tous les philosophes modernes. Elle est exposée très en détail chez Maury. On a l'impression qu'il se représente l'éveil ou le sommeil successif des différentes régions anatomiques, et que chaque province anatomique lui paraît liée à une certaine fonction psychique. Je signale seulement ici que, si la théorie de l'éveil partiel venait à être confirmée, il y aurait beaucoup à faire pour la construire d'une façon plus précise.

Ainsi conçu, le rêve ne peut avoir de fonction. Binz précise d'une manière fort tranchée son rôle (p. 357) : « Comme nous le voyons, tous les faits nous portent à considérer le rêve comme un fait *organique*, toujours inutile, souvent morbide... »

Le mot « organique » employé au sujet du rêve, et souligné par l'auteur, a plus d'un sens. Il a trait tout d'abord à l'étiologie du rêve, à laquelle Binz s'intéressait particulièrement quand il étudiait les rêves expérimentaux par ingestion de toxiques. Cette sorte de théories considère, en effet, que les excitations qui produisent le rêve sont exclusivement d'origine somatique. Sous sa forme extrême, elle s'énonce-rait à peu près ainsi : Quand, écartant tous les stimuli, nous nous sommes endormi, nous n'avons plus jusqu'au matin de motif pour rêver. A ce moment, le réveil vient peu à peu, provoqué par une série de stimuli qui se reflètent en phénomènes de rêve. On ne peut plus dès lors garder son sommeil des stimuli; comme les germes de vie que déplore Méphisto, ils viennent de toutes parts vers le dor-meur, du dehors, du dedans, des régions même de son corps dont, éveillé, il ne s'était jamais préoccupé. Ainsi le sommeil est troublé; l'esprit éveillé tantôt en un point, tantôt en un autre fonctionne un moment avec sa partie éveillée, heureux de se rendormir à nouveau. Le rêve représente la réaction contre la perturbation du sommeil par le stimulus, réaction au reste pleinement superflue.

Considérer le rêve (qui cependant demeure le résultat d'une activité psychique) comme un fait somatique trahit encore une autre intention. On veut lui retirer ainsi la dignité de phénomène psychique. On pourrait dépeindre assez bien ce que les représentants des sciences exactes pensent de la valeur des rêves, par la très vieille compa-raison avec l'homme qui, ignorant la musique, laisse courir ses doigts sur les touches d'un instrument. Selon cette conception, le rêve serait entièrement dépourvu de sens : comment les doigts de cet ignorant pourraient-ils produire un morceau de musique ?

La théorie de la veille partielle a dès longtemps rencontré des contradicteurs. En 1830, Burdach objecte : « En disant que le rêve est une veille partielle, premièrement on n'ex-plique ni la veille ni le sommeil, deuxièmement on se contente de dire que dans le rêve quelques forces de l'esprit agissent, tandis que d'autres se reposent. Mais pareille inégalité se retrouve à tous les moments de notre vie... » (p. 483).

A la théorie régnante qui ne peut voir dans le rêve qu'un processus somatique, se rattache une très intéressante conception du rêve que Robert a présentée en 1866; elle est séduisante parce qu'elle attribue au rêve une fonction, une utilité. Robert prend pour base de sa théorie deux faits d'observation auxquels nous nous sommes d'ailleurs arrêté quand nous avons examiné le matériel du rêve : on rêve très souvent des menues impressions de la journée, très rarement des faits importants. Robert croit pouvoir affirmer que ce ne sont jamais les faits auxquels nous avons lon-

guement réfléchi, mais ceux-là seuls qui demeurent ina-
chevés dans notre esprit ou n'ont fait que l'effleurer qui
deviennent excitants de nos rêves (p. 10). — « De là vient
que le plus souvent on ne peut expliquer le rêve : ses causes
sont précisément *celles des impressions des sens du jour précédent,
dont le rêveur n'a pas eu pleinement connaissance.* » Pour qu'une
impression apparaisse dans le rêve, il faut, ou que son
élaboration ait été dérangée, ou qu'elle ait été trop insignifiante pour prétendre même à être élaborée.

Robert se représente donc le rêve « comme un processus
somatique d'élimination dont nous prenons connaissance
par notre réaction à lui ». *Le rêve est élimination de pensées
étouffées dans l'œuf.* « Un homme à qui on enlèverait la possibilité de rêver deviendrait fou au bout d'un certain temps,
parce qu'une masse énorme de pensées inachevées, informes
et d'impressions superficielles s'amoncellerait dans son cerveau et étoufferait les ensembles bien achevés que la mémoire
aurait pu conserver. » Le rêve joue, pour le cerveau surchargé, le rôle de soupape de sûreté. Les rêves ont un
pouvoir de soulagement, de guérison (p. 32).

Ce serait mal comprendre Robert que de lui demander
comment la représentation pendant le rêve peut soulager
l'esprit. Des deux particularités du matériel du rêve qu'il
a exposées, il conclut apparemment que, pendant le sommeil, une expulsion des impressions sans valeur s'accomplit
d'une manière quelconque par un processus somatique et que le
rêve n'est pas un processus psychique particulier, mais seulement une façon de prendre connaissance de celle-ci.
Cette élimination n'est d'ailleurs pas la seule opération qui
s'accomplisse la nuit dans l'esprit. Robert ajoute lui-même
qu'outre cela les impressions de la journée sont élaborées
et que « ce qui, parmi les pensées non assimilées, n'a pas
pu être éliminé est complété, *arrondi par des emprunts à
l'imagination* et inséré dans la mémoire sous la forme d'un
tableau fantaisiste et inoffensif » (p. 23).

Mais la théorie de Robert s'oppose nettement à la théorie
régnante pour ce qui est des sources du rêve. Celle-ci
considérait qu'il n'y a rêve que lorsque des excitations
externes ou internes viennent frapper l'esprit. Robert pense
que l'impulsion provient de l'esprit lui-même qui, surchargé,
demande à se libérer. Il estime, très logiquement ici, que les
motifs somatiques sont secondaires et ne pourraient, en
aucun cas, provoquer le rêve dans un esprit auquel la

conscience de veille n'aurait laissé aucun élément propre à former ce rêve. Il accorde seulement que les images qui, remontant des profondeurs de l'esprit, se développent dans le rêve, peuvent être influencées par les stimuli nerveux (p. 48). Si, selon Robert, le rêve n'est pas aussi dépendant des faits somatiques, ce n'est pas non plus un fait psychique : il n'a point de place parmi les phénomènes psychiques de la veille; c'est un processus somatique de chaque nuit qui apparaît au niveau de l'appareil psychique et qui a pour fonction de préserver celui-ci d'un excès de tension ou, si l'on permet cette métaphore, de purger l'esprit.

C'est sur ces mêmes caractères du rêve mis en lumière par le choix fait par le rêve de son matériel que se fonde, pour établir sa théorie, Yves Delage — et il est curieux d'observer comment une légère variation dans la conception des mêmes faits peut amener des conclusions d'une tout autre portée.

Delage a observé sur lui-même, lors de la mort d'une personne chère, que l'on ne rêve pas de ce qui a préoccupé tout le jour ou que l'on en rêve seulement quand cette préoccupation a commencé à céder à d'autres. Une enquête auprès d'autres personnes le persuada de la généralité de ce fait. Il a fait, sur les rêves des jeunes mariés, une remarque qui serait fort jolie si on pouvait prouver qu'elle est vraie dans tous les cas : « S'ils ont été fortement épris, presque jamais ils n'ont rêvé l'un de l'autre avant le mariage ou pendant la lune de miel; et s'ils ont rêvé d'amour, c'est pour être infidèles avec quelque personne indifférente ou odieuse. » Mais de quoi rêve-t-on alors ? Delage voit dans le matériel de nos rêves des fragments ou des restes d'impressions des jours précédents ou de périodes plus anciennes. Tout ce qui apparaît dans nos rêves, tout ce que nous sommes d'abord tentés de considérer comme des créations de la vie du rêve, se révèle, quand nous l'examinons de plus près, comme reproduction méconnue, comme « souvenir inconscient ». Ces éléments de représentation ont un caractère commun, ils proviennent d'impressions qui, semble-t-il, ont frappé nos sens plus que notre esprit ou dont notre attention s'est détournée peu après leur apparition. Moins une impression a été consciente, et, aussi, plus elle a été forte, plus elle a de chances de jouer un rôle dans le rêve suivant.

Il s'agit, en somme, des deux mêmes catégories : impressions secondaires, impressions inachevées, sur lesquelles se fondait la théorie de Robert; mais Delage interprète autrement. Il pense que, si elles produisent le rêve, ce n'est pas parce qu'elles sont indifférentes, mais parce qu'elles sont inachevées. Les impressions secondaires sont, en un certain sens, inachevées elles aussi; elles sont, en cette qualité, ainsi que des impressions nouvelles, comme « autant de ressorts tendus » qui se détendraient pendant le sommeil. Une impression forte qui a été par hasard entravée au cours de son élaboration ou repoussée de propos délibéré pourra prétendre dans le rêve à une place plus grande encore qu'une impression faible et à peine remarquée. L'énergie psychique emmagasinée dans la journée par inhibition et répression devient, la nuit, le ressort du rêve. Tout le psychique *réprimé* apparaît dans le rêve (1).

Malheureusement, la pensée de Delage s'arrête là; il n'accorde à toute activité psychique indépendante que le rôle le plus médiocre et rattache immédiatement sa théorie du rêve à la théorie régnante du sommeil partiel du cerveau. « En somme, le rêve est le produit de la pensée errante, sans but et sans direction, se fixant successivement sur les souvenirs qui ont gardé assez d'intensité pour se placer sur sa route et l'arrêter au passage, établissant entre eux un lien tantôt faible et indécis, tantôt plus fort et plus serré, selon que l'activité actuelle du cerveau est plus ou moins abolie par le sommeil. »

3. On peut unir en un troisième groupe *les théories qui attribuent à l'esprit pendant le rêve la capacité ou la tendance à réaliser des activités psychiques particulières,* activités qui n'existent pas ou qui n'existent qu'incomplètement pendant la veille. Ce serait là une fonction utile du rêve. De là viendrait une grande part de l'estime qu'avaient pour le rêve les anciens psychologues. Je citerai ici seulement le témoignage de Burdach, selon qui le rêve est « l'activité spontanée de l'âme, alors que, n'étant ni limitée par la force de l'individualité, ni troublée par la conscience du moi, ni dirigée par l'autodétermination, elle est jaillissement et jeu libre de ses centres sensibles » (p. 486).

_____

(1) Anatole FRANCE dit, de même, dans *Le Lys rouge* : « Ce que nous voyons la nuit, ce sont les restes malheureux de ce que nous avons négligé dans la veille. Le rêve est souvent la revanche des choses qu'on méprise ou des êtres abandonnés. »

Burdach et les autres partisans de cette opinion paraissent se représenter cette débauche de force comme un état dans lequel l'esprit se rafraîchit et reprend des forces pour le travail de la journée, comme des vacances. C'est pourquoi Burdach cite et accepte ce charmant éloge que Novalis a fait du rêve : « Le rêve est un bouclier contre la régularité, la monotonie de la vie, il est un libre divertissement de notre imagination enchaînée qui mélange alors toutes les images de la vie et interrompt le sérieux continuel de l'adulte par un joyeux amusement d'enfant; assurément, nous vieil-lirions plus vite sans les rêves; si nous ne considérons pas le rêve comme un don immédiat du ciel, du moins est-ce une exquise tâche et un amical compagnon dans le pèlerinage vers la tombe. »

Purkinje décrit d'une manière plus nette encore l'action rafraîchissante et salutaire du rêve (p. 456) : « Les rêves créateurs surtout remplissent, semble-t-il, ce rôle. Ce sont des jeux légers de l'imagination, sans lien avec les événe-ments de la journée. L'esprit ne veut pas maintenir la tension de la vie éveillée, mais s'en reposer et se détendre. Il crée donc tout d'abord des circonstances tout à fait dif-férentes de celles de la veille. La tristesse est remplacée par la joie, les soucis par l'espérance et par des images gaies et divertissantes, la haine par l'amour et l'amitié, la peur par le courage et la confiance; il calme le doute par la certitude et la foi robuste, l'attente vaine par l'accomplis-sement. Le sommeil cache, ménage, guérit des blessures que le jour aviverait. De là vient, en partie, l'action bien-faisante du temps. » Nous avons tous ressenti les bienfaits du sommeil pour l'esprit, et l'intuition obscure du peuple refuse de renoncer à croire que le rêve est un des moyens par lesquels le sommeil répand ces bienfaits.

Scherner a fait en 1861 la tentative la plus originale et la plus pénétrante pour expliquer le rêve par une activité particulière de l'esprit, qui ne pourrait se déployer libre-ment que pendant le sommeil. Le livre de Scherner est écrit dans un pompeux galimatias, son enthousiasme excessif exaspère ceux qu'il ne séduit pas; son analyse présente des difficultés telles que nous préférons nous servir de l'exposé plus clair et plus court que donne le philosophe Volkelt de la doctrine de Scherner. « De ce brouillamini mystique, de cet ondoiement somptueux et éclatant, jaillit parfois une apparence de sens pleine de suggestions, mais les voies du philosophe n'en deviennent pas plus claires pour cela. » Ainsi s'expriment sur le compte de Scherner ses propres disciples.

Scherner n'est pas de ceux qui croient que dans le rêve l'esprit conserve toutes ses facultés. Il montre comment la puissance de centralisation, l'énergie spontanée du moi sont privées de leur force nerveuse dans le rêve, comment, à cause de cette décentralisation, la connaissance, la sensibilité, la volonté et la puissance de représentation sont modifiées, et comment ce qui demeure de forces spirituelles n'a point un caractère intellectuel, mais reste simple mécanisme. En revanche, l'*imagination* grandit, se libère de la raison et de tout contrôle et domine entièrement. Elle tire, il est vrai, ses matériaux de la mémoire de la veille, mais l'édifice qu'elle construit est entièrement différent des productions de la vie éveillée, elle ne reproduit pas seulement, elle *crée*. Ses particularités se reflètent dans le rêve. Elle a une prédilection pour tout ce qui est démesuré, excessif, monstrueux. Libérée des catégories de la pensée, elle est plus souple, plus habile, plus changeante; elle sent très finement les menues nuances de notre vie affective aussi bien que nos passions violentes, et elle donne aussitôt aux faits de notre vie intérieure une forme extérieure plastique. Elle ne dispose pas, dans le rêve, de la langue des concepts; il faut qu'elle montre plastiquement ce qu'elle veut dire; et comme le concept ne peut l'affaiblir, elle peint avec toute l'abondance, la force et la grandeur de ce langage plastique. C'est pourquoi, en dépit de sa clarté, sa langue est diffuse, lourde, maladroite. La confusion est encore accrue par le fait qu'elle répugne à exprimer un objet par sa propre image. Elle choisit bien plutôt une *image étrangère*, capable d'exprimer l'aspect de l'objet auquel elle tient. C'est *l'activité symbolique de l'imagination...* Il faut remarquer de plus que l'imagination du rêve ne décrit pas les objets d'une manière complète, mais en esquisse seulement la silhouette, d'une manière très libre. De là vient qu'elle paraît inspirée. Elle ne se contente pas d'ailleurs de présenter des objets, une contrainte intérieure oblige le moi du rêve à s'y mêler plus ou moins, donc à agir. Par exemple un rêve causé par un stimulus visuel nous fait voir des pièces d'or sur la route : le rêveur les ramasse, et, content, les emporte.

Scherner croit que le matériel dont se sert l'activité

artistique du rêve est fourni surtout par les stimuli somatiques organiques, si obscurs durant le jour (cf. *supra*, p. 28).
Ainsi en ce qui concerne les sources et les causes du rêve, la
théorie par trop fantastique de Scherner et la théorie peut
être un peu trop simpliste de Wundt et des autres physiologistes, ordinairement aux Antipodes se recouvrent complètement. Mais, d'après la théorie physiologique, la réaction
mentale aux stimuli somatiques internes est épuisée quand
elle a provoqué des représentations adéquates, qui, par
association, en ont évoqué quelques autres; là prend fin
la recherche des processus psychiques. D'après Scherner,
au contraire, les stimuli somatiques ne fournissent à l'esprit
que des éléments qu'il utilise selon les projets de son
imagination. La formation du rêve commence, selon
Scherner, là où, pour d'autres, elle s'achève.

On ne peut trouver bien utile ce que l'imagination du
rêve fait des stimuli somatiques. Elle joue avec eux un
jeu agaçant, représente les organes d'où les stimuli du
rêve proviennent par des formes symboliques. Scherner
croit même (Volkelt et d'autres ne le suivent pas en ce
point) que notre imagination a dans le rêve une figure
de prédilection pour représenter l'organisme entier : ce
serait la maison. Heureusement pour ses représentations,
elle ne s'en tient pas à cela ; elle peut au contraire représenter
par des séries de maisons un seul organe, par exemple de
longues rues figureront une excitation intestinale. D'autres
fois, des parties de maisons représenteront réellement des
parties du corps. Ainsi, dans un rêve de migraine, le
plafond d'une chambre (que l'on voit couvert d'ignobles
araignées pareilles à des crapauds) représentera la tête.

D'autres objets que la maison peuvent être employés
pour symboliser tel ou tel organe : « Un poêle rempli de
flammes avec son souffle ardent symbolisera les poumons,
des caisses et des corbeilles vides représenteront le cœur,
des objets ronds en forme de sac ou en général des objets
creux figureront la vessie. Le rêveur qui ressent une excitation de ses organes sexuels trouvera sur une route la
partie supérieure d'une clarinette, d'une pipe, puis une
fourrure. La clarinette et la pipe représentent des formes analogues à celles du membre viril, la fourrure les poils pubiens.
Dans le domaine des organes sexuels féminins, l'intervalle
entre les cuisses serrées peut être symbolisé par une cour
étroite entourée de maisons, le vagin par un sentier très

étroit et très moelleux qui conduit à travers la cour et que la rêveuse doit traverser pour porter par exemple une lettre à un monsieur » (Volkelt, p. 39). Il est à noter qu'à la fin de ces rêves à stimulus organique l'imagination se démasque en quelque sorte en montrant clairement l'organe excité ou sa fonction. Ainsi le rêve « à stimulus dentaire » s'achève ordinairement par le fait que le rêveur s'arrache une dent.

L'imagination du rêve peut symboliser la substance contenue dans l'organe au lieu de s'attacher à la forme de l'organe excitant. Ainsi une excitation des intestins nous fera promener dans des rues malpropres, une excitation de la vessie, près d'eaux écumantes. Il se peut aussi que le stimulus lui-même, la nature de l'excitation qu'il produit, l'objet qu'il convoite soient représentés symboliquement ou que le moi du rêve entre en relations concrètes avec le symbole de son propre état, par exemple, quand, lors de stimuli douloureux, nous croyons lutter désespérément avec des chiens enragés ou des taureaux furieux, ou quand, dans un rêve érotique, la rêveuse se croit poursuivie par un homme nu. Si l'on fait abstraction de tout ce qui est variété de réalisation, l'activité imaginative symbolique apparaît comme la force centrale de tous les rêves. Volkelt s'est efforcé de mieux connaître cette imagination, de la situer ensuite exactement dans un système philosophique. Mais bien qu'écrit avec élégance et passion son livre est difficilement compréhensible pour ceux qui n'ont pas été initiés de bonne heure à la pleine intelligence des schèmes et des concepts philosophiques.

Il n'apparaît pas que, pour Scherner, l'imagination symbolique remplisse dans le rêve une fonction utile. L'esprit qui rêve joue avec les stimuli qui le frappent. On pourrait supposer qu'il joue mal. On pourrait aussi nous demander pourquoi nous nous occupons de la théorie de Scherner alors que ses caractères de laisser-aller et d'arbitraire sont tellement choquants. Il convient toutefois de la défendre. Cette doctrine est fondée sur les impressions d'un homme qui observait ses rêves avec beaucoup d'attention et qui paraît avoir été personnellement bien doué pour rechercher des phénomènes psychiques obscurs. De plus, elle traite d'un sujet que les hommes considèrent depuis des siècles comme énigmatique, mais riche de contenu. La science reconnaît elle-même qu'elle n'a tenté de l'élucider qu'en s'opposant à l'opinion populaire et en refusant au rêve tout contenu et toute signification. Il semble enfin, à vrai dire, que les explications du rêve échappent difficilement au fantastique. Il y a aussi un fantastique des cellules cérébrales. Le passage d'un observateur modéré et exact comme Binz (cité p. 74), décrivant comment l'aurore du réveil apparaît sur les amas cellulaires endormis du cortex, n'est guère moins fantastique et invraisemblable que les essais d'explication de Scherner. J'espère pouvoir montrer qu'il y a derrière ces derniers quelque chose de réel qui, il est vrai, n'a encore été reconnu que confusément et n'a pas le caractère de généralité auquel doit pouvoir prétendre une théorie du rêve. En tout cas, la théorie de Scherner, par son contraste avec la théorie médicale, nous montre entre quels extrêmes l'explication de la vie du rêve oscille encore de nos jours.

VIII. — RAPPORTS ENTRE LE RÊVE ET LES MALADIES MENTALES

On peut concevoir les rapports entre le rêve et les troubles mentaux sous trois formes : 1° les relations étiologiques et cliniques, comme lorsqu'un rêve remplace un état psychotique, ou lorsqu'il le précède ou le suit; 2° les modifications que le rêve subit dans la maladie mentale; 3° les relations profondes entre le rêve et les psychoses, les analogies tendant à montrer une parenté de nature. La question a été autrefois un des sujets favoris des auteurs de travaux médicaux. On en trouvera l'historique et la bibliographie dans les ouvrages de Spitta, Radestock, Maury, Tissié. On y est revenu récemment; Sante de Sanctis notamment l'a étudiée avec beaucoup de soin (1). Nous allons l'esquisser ici à grands traits.

Pour illustrer le problème des rapports étiologiques et cliniques entre le rêve et la folie on peut noter les observations suivantes. Hohnbaum (cité par Krauss) signale

_____

(1) Signalons, parmi les autres auteurs récents qui l'ont traitée, FÉRÉ, IDELER, LASÈGUE, PICHON, RÉGIS, VESPA, GIESSLER, KAZODOWSKY, PACHANTONI, etc.

que la première manifestation de la folie est souvent un rêve angoissant et que, souvent aussi, l'idée prévalente du délire est en rapport avec ce rêve. Sante de Sanctis rapporte plusieurs observations de paranoïaques dans lesquelles le rêve a été « la vraie cause déterminante de la folie ». La psychose peut se constituer d'un coup avec ce rêve morbide porteur de l'interprétation délirante; elle peut aussi se développer lentement à travers d'autres rêves où il y a oscillation et doute, croyance incomplète au délire. Dans un cas de Sanctis, le rêve initial a été suivi de légères crises hystériques d'abord et d'un état de mélancolie anxieuse ensuite. Féré, cité par Tissié, rapporte un rêve que suivit une paralysie hystérique. Le rêve est, ici, donné comme l'étiologie du trouble mental, mais on pourrait dire tout aussi bien qu'il en a été la première manifestation, que la maladie a commencé en rêve. Dans d'autres exemples, on peut déceler dans le rêve des signes morbides; quelquefois la psychose est limitée au rêve. Thomayer considère les rêves anxieux comme des équivalents épileptiques. Allison (cité par Radestock) décrit une *nocturnal insanity* dans laquelle les sujets sont en apparence tout à fait normaux pendant la journée, mais présentent la nuit des hallucinations, des accès de fureur, etc. Sanctis rapporte des observations analogues, notamment celle d'un alcoolique qui présentait un équivalent paranoïaque en rêve : il entendait des voix qui lui disaient que sa femme le trompait. Tissié note un grand nombre de cas dans lesquels des actes pathologiques, constructions délirantes ou impulsions obsessionnelles, ont eu leur origine dans le rêve. Guislain décrit un cas dans lequel le sommeil était remplacé par de brefs accès de folie intermittente.

Il n'est pas douteux que le médecin devra envisager, à côté de la psychologie du rêve, une psychopathologie du rêve.

Lors de la guérison de maladies mentales, on constate quelquefois que, alors que le fonctionnement psychique est normal pendant le jour, le rêve est encore troublé. C'est Gregory qui, d'après Krauss, aurait le premier attiré l'attention là-dessus. Macario (cité par Tissié) raconte l'histoire d'un maniaque qui, huit jours après sa guérison, présentait encore en rêve la fuite des idées et les impulsions passionnelles de la maladie.

On a peu étudié jusqu'à présent les modifications que

subit le rêve dans les psychoses chroniques. Par contre le problème de la parenté entre le rêve et la maladie mentale a été envisagé dès longtemps. C'est Cabanis qui, d'après Maury, l'aurait étudié le premier, dans ses *Rapports du physique et du moral*, suivi bientôt de Lélut, de J. Moreau (de Tours), de Maine de Biran. Il est probable que les premiers travaux sur cette question sont beaucoup plus anciens. Radestock commence son étude par un choix de dictons sur l'analogie entre le rêve et la folie. Kant dit quelque part : « Le fou est un dormeur éveillé »; Krauss : « La folie est un rêve pendant que les sens sont éveillés. » Schopenhauer appelle le rêve une courte folie et la folie un long rêve. Hagen voit dans le délire un rêve amené, non par le sommeil, mais par une maladie. Wundt, dans sa *Psychologie physiologique*, déclare : « En fait, le rêve nous permet de connaître par nous-mêmes presque tous les états que l'on observe dans les asiles. »

Voici, d'après Spitta (dont le point de vue est proche de celui de Maury), les ressemblances de détail sur lesquelles on peut se fonder : « 1º suppression ou ralentissement de la conscience du moi, d'où ignorance de notre état comme tel, donc impossibilité de s'étonner, manque de conscience morale; 2º modification de la perception sensorielle; mais, tandis que le rêve l'abaisse, la folie en général l'exalte; 3º liaison des représentations uniquement selon les lois de l'association et de la reproduction, donc création automatique de séries, absence de proportion entre les représentations (exagérations, extravagances); comme corollaire de tout cela : 4º modification (quelquefois inversion) de la personnalité et du caractère (perversité). »

Radestock y ajoute quelques traits encore, notamment un matériel analogue : « La plupart des hallucinations et des illusions se rapportent à la vue, à l'ouïe et à la cœnesthésie. L'odorat et le goût sont, comme en rêve, rarement intéressés. Le délire fébrile tout comme le rêve amène des souvenirs d'un passé lointain oublié à l'état de veille et de santé. L'analogie entre le rêve et les psychoses prend sa pleine valeur du fait qu'elle s'étend aux détails de la mimique et de l'expression du visage.

« A ceux qui souffrent physiquement et intellectuellement, le rêve donne ce que la réalité leur refuse : le bien-être, le bonheur. Ainsi apparaissent chez le malade mental les tableaux attirants de bonheur, de grandeur, de noblesse et de richesse. Le fond des délires est bien souvent cette possession prétendue de biens et la réalisation imaginaire des désirs, et leur non-réalisation l'une des causes psychiques de la folie. Le délire de la mère qui a perdu un enfant aimé est fait de joie maternelle; l'homme qui a eu des revers de fortune pense qu'il est extrêmement riche; la jeune fille abandonnée se croit tendrement aimée. »

(Ce passage de Radestock n'est qu'un abrégé d'un développement subtil de Griesinger [p. 111], qui montre clairement que *l'accomplissement de désirs* est un trait commun des représentations du rêve et des psychoses. Mes propres recherches m'ont montré depuis que c'est là la clef d'une théorie psychologique du rêve et des psychoses.)

« Ce qui caractérise essentiellement et le rêve et la folie, ce sont les associations d'idées baroques et la faiblesse du jugement. » Dans l'un comme dans l'autre, nous surestimons nos propres inventions qu'un jugement sensé nous fait apparaître comme absurdes. Au cours kaléidoscopique des images du rêve correspond la fuite des idées de la psychose. A l'un et à l'autre manque une évaluation du temps. La dissociation de la personnalité en rêve — où notre propre savoir se partage entre deux sujets dont l'un, « l'étranger », est censé corriger le vrai moi — équivaut tout à fait à la division de la personnalité dans la paranoïa hallucinatoire. Le rêveur lui aussi entend ses propres idées exprimées par des voix étrangères. Même pour les idées délirantes durables on peut trouver un équivalent dans les rêves pathologiques qui reviennent d'une manière stéréotypée (rêves obsédants). Les malades guéris de leur délire disent souvent que toute leur maladie leur apparaît maintenant comme un mauvais rêve, ils disent aussi quelquefois que, pendant leur maladie, ils ont eu le sentiment d'être en train de rêver, comme cela arrive pendant les rêves.

On ne sera pas surpris, après tout ce qui précède, que Radestock résume sa pensée et celle de bien d'autres auteurs en disant que « la folie, phénomène pathologique, n'est qu'une exagération d'un phénomène normal et périodique : le rêve » (p. 228).

Krauss a précisé la parenté entre le rêve et la folie, en la fondant non plus sur cette analogie purement extérieure, mais sur l'étiologie (ou plutôt sur l'étude des sources d'excitation). L'élément fondamental commun aux deux est, d'après lui, nous l'avons vu plus haut, l'impression conditionnée organiquement, la sensation provoquée par des stimuli somatiques, la cénesthésie qui repose sur l'ensemble des organes (cf. Peisse, cité par Maury, p. 52).

Cette ressemblance indéniable, jusque dans les détails, entre le rêve et la maladie mentale, est le principal appui de la théorie médicale du rêve, théorie d'après laquelle le rêve est un phénomène inutile, voire nuisible, et l'expression d'une baisse de l'activité psychique.

On sait de reste combien nos connaissances sur la nature des troubles mentaux sont vagues ; ce ne sont point elles qui pourront nous aider à trouver l'explication définitive du rêve. Mais il n'est peut-être pas téméraire d'espérer qu'une nouvelle conception du rêve pourra apporter quelque lumière sur le mécanisme intime des désordres mentaux et d'affirmer ainsi qu'en nous efforçant de révéler les secrets du rêve nous contribuons à l'explication des psychoses.

POST-SCRIPTUM (1909)

Je dois expliquer pourquoi je n'ai pas continué l'examen de la bibliographie du rêve entre la première et la seconde édition de ce livre. Les motifs qui m'avaient fait entreprendre cet historique étaient épuisés, continuer ce travail m'aurait demandé beaucoup de peine et rapporté bien peu de profit. Ces neuf ans en effet n'ont apporté ni éléments d'information, ni points de vue qui fussent neufs ou importants en la matière. Mon travail n'a été ni évoqué, ni pris en considération dans les ouvrages parus depuis ; naturellement les spécialistes surtout l'ont ignoré ; ils ont ainsi donné un exemple éclatant de l'aversion des hommes de science pour les connaissances nouvelles. « Les savants ne sont pas curieux », dit Anatole France. Si on a droit à la revanche en matière scientifique, je crois être fondé à négliger à mon tour tout ce qui a paru depuis mon livre. Les quelques comptes rendus qui ont paru dans des journaux scientifiques sont si pleins d'incompréhension et de malentendus que je ne saurais répondre aux critiques autrement qu'en les priant de relire ce livre. Peut-être devrais-je simplement dire : de le lire.

Les travaux des médecins qui ont adopté le traitement psychanalytique contiennent un grand nombre de rêves qui ont été interprétés d'après mes directions. Les conclusions de ces travaux, dans la mesure où elles ne sont pas pure confirmation des miens, figurent dans l'exposé général de ma conception.

J'ai ajouté à la fin du livre une seconde liste bibliographique qui contient les publications les plus importantes parues depuis la première édition. L'ouvrage très riche de Sante de Sanctis sur les rêves, qui, peu après son apparition, a été traduit en allemand, a été publié presque en même temps que ma *Traumdeutung*, de telle sorte que je n'ai pu en prendre connaissance, non plus que son auteur du mien. Depuis, j'ai pu constater que ce patient travail est tellement dépourvu d'idées qu'il ne suggère même pas au lecteur l'existence des problèmes que je traite.

Je ne mentionnerai que deux publications proches de mes recherches. Un jeune philosophe, H. Swoboda, a entrepris d'étendre aux phénomènes psychiques la découverte de la périodicité biologique (séries de 23 et 28 jours) due à Wilhelm Fliess. Il a essayé, dans un travail plein d'imagination, d'appliquer cette théorie au rêve (1). Disons tout de suite que la signification des rêves n'y trouvera pas son compte. Le contenu des rêves serait dû au retour des souvenirs qui pour la première ou la *n*ième fois ont terminé dans la nuit correspondante une période biologique. J'ai cru comprendre après une communication personnelle de l'auteur qu'il ne prenait plus sa théorie au sérieux. Il semble que je me sois trompé. J'indiquerai plus loin quelques observations en rapport avec la construction de Swoboda; elles ne m'ont pas apporté de résultat décisif.

J'ai été beaucoup plus heureux de rencontrer par hasard, dans un domaine où je ne la cherchais certes pas, une conception du rêve qui concorde entièrement avec la mienne. Les conditions de date excluent l'hypothèse d'une influence venue de mon livre. Je suis d'autant plus heureux de pouvoir saluer le penseur qui, indépendamment de moi, est arrivé à des conclusions voisines. Il s'agit d'un livre de Lynkeus : *Phantasien eines Realisten*, dont la 2e édition a paru en 1900 (2).

_____

(1) H. SWOBODA, *Die Perioden des menschlichen Organismus*, 1904.
(2) Cf. mon article : *Josef Popper-Lynkeus und die Theorie des Traumes* (1923). [N. d. T.] : cf. le passage cité *infra*, p. 266.

POST-SCRIPTUM (1914)

Les pages précédentes ont été écrites en 1909. Depuis, la situation s'est modifiée. Ma contribution à l'interprétation des rêves n'est plus négligée. Mais cette situation nouvelle rend la continuation de l'exposé bibliographique encore plus difficile. La *Traumdeutung* a apporté une série de problèmes nouveaux et d'affirmations nouvelles que différents auteurs ont envisagés de diverses manières. Je ne puis indiquer ces travaux sans dire en même temps mes propres vues auxquelles ils se rapportent. J'ai introduit les plus importantes de ces recherches dans l'exposé qui suit.

CHAPITRE II

LA MÉTHODE D'INTERPRÉTATION
DES RÊVES

Le titre que j'ai donné à mon livre indique quelle est la tradition d'idées sur le rêve dont j'aimerais me réclamer. Je me suis proposé de montrer que les rêves sont susceptibles d'être interprétés, et, si je contribue à éclaircir quelques-unes des questions traitées plus haut, ce ne sera là qu'un profit accessoire, un à-côté du problème essentiel que j'ai à résoudre. En admettant que les rêves peuvent être interprétés, je vais à l'encontre de la théorie régnante, à l'encontre de toutes les théories du rêve, sauf celle de Scherner. En effet, « interpréter un rêve » signifie indiquer son « sens », le remplacer par quelque chose qui peut s'insérer dans la chaîne de nos actions psychiques, chaînon important semblable à d'autres et d'égale valeur.

Ainsi que nous avons pu le constater, les théories scientifiques du rêve ne laissent nulle place au problème de l'interprétation, puisque, pour elles, le rêve n'est point un acte mental, mais un processus somatique révélé seulement par certains signes psychiques. Le point de vue du sens commun a toujours été autre. Fort de son droit à l'inconséquence, il accorde que le rêve est incompréhensible et absurde, mais n'ose lui refuser une signification. Guidé par un pressentiment obscur, il semble admettre que le rêve a un sens, mais un sens caché, qu'il se substitue à un autre processus de pensée, et qu'il n'est, pour comprendre ce sens caché, que de savoir exactement comment s'est faite la substitution.

L'humanité s'est de tout temps efforcée d' « interpréter » les rêves et a utilisé pour cela deux méthodes essentiellement différentes. Le premier procédé considère le contenu du rêve comme un tout et cherche à lui substituer un contenu intelligible et en quelque sorte analogue. C'est l'interprétation *symbolique*. Elle échoue devant les rêves qui ne sont pas seulement incompréhensibles, mais encore confus. L'explication que, dans la Bible, Joseph donne du songe de Pharaon est un bon exemple de ce procédé : les sept vaches maigres dévorant les sept vaches grasses sont une prédiction symbolique des sept années de famine en Egypte qui dévoreront tout ce que les années d'abondance auront accumulé de réserves. La plupart des rêves artificiels créés par les poètes sont destinés à être ainsi interprétés symboliquement : ils rendent la pensée de l'auteur sous un déguisement où notre expérience découvre les caractères de nos propres rêves (1). La notion que le rêve a trait surtout à l'avenir, qu'il en révèle l'aspect, est un résidu de la valeur prophétique qu'on lui accordait autrefois. Elle fait qu'ensuite on transporte au futur le sens symbolique trouvé.

On ne saurait enseigner la manière de trouver ce sens symbolique. Le succès dépend de l'ingéniosité, de l'intuition immédiate, c'est pourquoi l'interprétation symbolique des songes a pu s'élever à la dignité d'un art qui exigeait des dons particuliers (2).

Le second procédé populaire d'analyse des rêves n'a pas de telles prétentions. On pourrait l'appeler *méthode de dé-*

---

(1) En lisant une nouvelle du poète W. JENSEN, intitulée *Gradiva*, je découvris plusieurs rêves artificiels très correctement construits et aisés à interpréter ; on aurait pu croire qu'ils n'avaient pas été inventés, mais rêvés réellement. A mes questions, le poète répondit qu'il ignorait mes théories. J'ai considéré cet accord entre mes recherches et la création d'un poète comme une preuve de l'exactitude de mon analyse du rêve. (Cf. *Der Wahn und die Träume in W. Jensens « Gradiva »*, fascicule I des *Schriften zur angewandten Seelenkunde*, publiées sous ma direction, 1906, 2ᵉ éd. 1912).

(2) Selon ARISTOTE, le meilleur commentateur de rêves est celui qui saisit le mieux les ressemblances, car les images du rêve sont comme des reflets dans l'eau que le mouvement brouille, et celui-là trouve le mieux qui, dans l'image brouillée, sait reconnaître la vérité (BÜCHSENSCHÜTZ, p. 65).

chiffrage, car il traite le rêve comme un écrit chiffré où chaque signe est traduit par un signe au sens connu, grâce à une clef fixe. Je suppose que j'ai rêvé d'une lettre, puis d'un enterrement, etc.; j'ouvre une « clef des songes », et je trouve qu'il faut traduire lettre par dépit, et enterrement par fiançailles. Il me reste alors à construire, en partant de ces mots essentiels, une relation que de nouveau je considérerai comme future. Artémidore de Daldis donne, dans son écrit sur l'interprétation des rêves, une variante intéressante de cette méthode de déchiffrage (1). Le caractère purement mécanique de la traduction est ici en quelque façon corrigé; il est tenu compte, non seulement du contenu du rêve, mais encore de la personnalité et des circonstances de la vie du rêveur : tel détail a une autre signification pour l'homme riche, l'homme marié, l'orateur, que pour le pauvre, le célibataire, le marchand. La caractéristique de ce procédé est que l'interprétation ne porte pas sur l'ensemble du rêve, mais sur chacun de ses éléments, comme si le rêve était un conglomérat où chaque fragment doit être déterminé à part.

---

(1) ARTÉMIDORE DE DALDIS, né, semble-t-il, au début du IIe siècle de notre ère, nous a laissé l'exposé le plus complet et le plus consciencieux sur l'interprétation des songes dans le monde gréco-romain. Il s'est attaché surtout, ainsi que le montre GOMPERZ, à fonder l'analyse des rêves sur l'observation et l'expérience, et il a tenu à séparer nettement son art d'autres pratiques, trompeuses. Le fondement de son art d'interprétation est, d'après l'exposé de GOMPERZ, comme pour la magie, le principe d'association. Un élément du rêve signifie ce qu'il évoque. Bien entendu, ce qu'il évoque chez l'interprète. Mais un même élément du rêve peut rappeler à l'interprète des choses diverses et surtout évoquer chez chacun des souvenirs différents, d'où arbitraire et insécurité inévitables. La technique que j'exposerai dans les pages qui suivent diffère de celle des Anciens par ce fait essentiel qu'elle charge du travail d'interprétation le rêveur lui-même. Elle tient compte de ce que tel élément du rêve suggère non pas à l'interprète mais au rêveur. Il semble bien, d'après les observations récentes du missionnaire TFINKDJI (*Anthropos*, 1913), que les oniromanciens modernes de l'Orient utilisent assez largement la collaboration du rêveur. Voici ce que cet auteur écrit au sujet des devins chez les Arabes de Mésopotamie. « Pour interpréter exactement un songe, les oniromanciens les plus habiles s'informent de ceux qui les consultent, de toutes les circonstances qu'ils regardent comme nécessaires pour la bonne explication... En un mot, nos oniromanciens ne laissent aucune circonstance leur échapper et ne donnent pas l'interprétation désirée avant d'avoir parfaitement saisi et reçu toutes les interrogations désirables. » Parmi celles-ci se trouvent toujours des questions précises sur les proches parents (père et mère, femme, enfants), ainsi que la formule rituelle : *habuistine in hac nocte copulam conjugalem ante vel post somnium ?* « L'idée dominante dans l'interprétation des songes consiste à expliquer le rêve par son opposé. »

Ce sont très certainement les rêves discordants et confus qui ont fait naître l'idée de la méthode de déchiffrage (1).

Les deux procédés populaires d'analyse du rêve sont évidemment tout à fait inutilisables pour la recherche scientifique. La méthode symbolique est d'une application limitée, on ne peut en faire un système général. La méthode de déchiffrage dépend tout entière de la clef, « clef des songes », et rien ne garantit celle-ci. On serait tenté de donner raison aux philosophes et aux psychiatres et d'écarter le problème de l'interprétation des rêves comme faux problème (2).

Mais j'ai pu faire un pas en avant. J'ai été amené à constater qu'il s'agissait une fois de plus d'un de ces cas, assez fréquents, où la vieille et tenace croyance populaire serait la vérité de plus près que nos doctrines actuelles. Je prétends que le rêve a une signification et qu'il existe une méthode scientifique pour l'interpréter. Voici comment je suis arrivé à cette méthode.

J'étudie depuis plusieurs années, dans un but thérapeutique, un certain nombre de processus psychopathiques tels que les phobies hystériques, les obsessions, etc. Je m'y suis attaché notamment depuis qu'une importante

(1) Le Dr Alf. ROBITSEK a attiré mon attention sur ce fait que les clefs des songes orientales, dont les nôtres ne sont que de misérables plagiats, expliquent le sens des éléments du rêve d'après l'assonance ou la ressemblance des mots. Le caractère incompréhensible des substitutions dans nos clefs des songes populaires est dû à ce que la traduction fait disparaître toutes ces ressemblances. (Voir, au sujet de l'extraordinaire importance des jeux de mots et calembours dans les vieilles civilisations orientales, les ouvrages de Hugo WINCKLER). Le plus bel exemple d'interprétation que nous ait légué l'Antiquité repose sur un jeu de mots. ARTÉMIDORE raconte (p. 255) : « Il me paraît qu'Aristandre a donné une très heureuse explication à Alexandre de Macédoine, alors que celui-ci ayant cerné et assiégé Tyr s'impatientait et, dans un moment de trouble, avait eu le sentiment qu'il voyait un satyre danser sur son bouclier. Il se trouva qu'Aristandre était alors dans les environs de Tyr et dans la suite du roi. Il décomposa le mot satyre en σά et Τύρος — et obtint que le roi s'étant occupé du siège plus activement prît la ville » (Ἐχ- Τύρος = à toi Tyr). Au reste, le rêve est si intimement lié à l'expression verbale que, comme le remarque avec raison FERENCZI, toute langue a sa langue de rêve. En règle générale, un rêve est intraduisible, et je croyais intraduisible aussi un livre comme celui-ci. Néanmoins le Dr A. A. BRILL, de New York, et d'autres, après lui, ont réussi à traduire la *Traumdeutung*.

(2) Ce livre était terminé, lorsque j'ai reçu un travail de STUMPF qui essaie de démontrer également que le rêve a un sens et qu'il peut être interprété. Mais l'interprétation est fondée sur une symbolique d'allégories qui ne se prête pas à la généralisation.

communication de J. **Breuer** a montré que, pour ces phénomènes psychologiques considérés en tant que symptômes morbides, l'explication va de pair avec la guérison (1).

Quand on a pu découvrir dans l'esprit du malade les sources d'une telle production pathologique, elle cesse et le malade est délivré. L'impuissance de nos méthodes thérapeutiques classiques et le caractère énigmatique de ces états morbides m'ont déterminé à suivre jusqu'au bout la voie tracée par Breuer, en dépit de toutes les difficultés. J'exposerai ailleurs en détail comment s'est formée la technique et quels en ont été les résultats. C'est au cours de ces études psychanalytiques que j'ai été amené à m'occuper de l'interprétation des rêves. Les malades que j'obligeais à me communiquer tout ce qui leur passait par la tête sur un sujet déterminé me racontaient leurs rêves. Ils m'ont appris ainsi que l'on pouvait insérer le rêve dans la suite des états psychiques que l'on retrouve dans nos souvenirs en partant de l'idée pathologique. De là à traiter le rêve comme les autres symptômes et à lui appliquer la méthode élaborée pour ceux-là il n'y avait qu'un pas.

La méthode exige une certaine préparation du malade. Il faut obtenir de lui à la fois une plus grande attention à ses perceptions psychiques et la suppression de la critique, qui ordinairement passe au crible les idées qui surgissent dans la conscience. Pour qu'il puisse observer et se recueillir, il est bon de le mettre dans une position de repos, les yeux fermés; pour qu'il élimine toute critique, il est indispensable de faire des recommandations formelles. On lui explique que le succès de la psychanalyse en dépend : il faut qu'il fasse attention, il faut qu'il observe et communique tout ce qui lui vient à l'esprit, qu'il se garde bien de refouler une idée parce qu'elle lui paraît sans importance, hors du sujet ou absurde. Il faut qu'il soit tout à fait impartial vis-à-vis de ses propres idées, car c'est précisément sa critique qui, en temps ordinaire, l'empêche de trouver l'explication d'un rêve, d'une idée obsessionnelle, etc.

Au cours de mes travaux de psychanalyse, j'ai observé que l'attitude psychique d'un homme qui réfléchit est très différente de celle d'un homme qui observe ses propres réflexions. L'activité psychique est plus intense pendant

---

(1) BREUER et FREUD, *Studien über Hysterie*, Wien, 1895 4. Aufl., 1922 (*Ges. Werke*, Bd. I).

la réflexion que pendant l'auto-observation même la plus attentive; l'aspect concentré, le front ridé de celui qui réfléchit, en opposition avec le repos mimique de celui qui s'observe, en sont une preuve. Il y a concentration de l'attention dans les deux cas, mais dans la réflexion il y a, de plus, une critique. Cette critique fait éliminer une partie des idées apparues après perception, elle coupe court à d'autres pour ne pas suivre leur cheminement, fait que d'autres enfin ne parviennent même pas à franchir le seuil de la conscience et soient réprimées avant d'être perçues. Dans l'auto-observation, par contre, le seul effort à faire est de réprimer la critique; quand on y est parvenu, quantité d'idées, qui, sinon, seraient demeurées insaisissables, surgissent à la conscience. On arrive, grâce à l'ensemble des faits nouveaux ainsi acquis pour l'auto-observation, à expliquer les idées pathologiques et les images du rêve. Comme on le voit, il s'agit, en somme, de reconstituer un état psychique qui présente une certaine analogie avec l'état intermédiaire entre la veille et le sommeil et sans doute aussi avec l'état hypnotique, au point de vue de la répartition de l'énergie psychique (de l'attention mobile). Au moment où l'on s'endort, les « représentations non voulues » apparaissent à la surface, parce qu'une certaine action volontaire (et sans doute aussi critique) est relâchée. On donne habituellement, comme cause de ce relâchement, la fatigue. Les représentations non voulues qui surgissent se transforment en images visuelles et auditives (1) (voir les remarques de Schleiermacher et d'autres, p. 37). Dans l'état que nous allons utiliser pour l'analyse des rêves et des idées pathologiques, on renonce avec intention à cette activité critique et on utilise l'énergie psychique économisée ainsi (ou une fraction de cette énergie) pour suivre avec attention des pensées non voulues, qui surgissent et qui gardent leurs caractères représentatifs, contrairement à ce qui se passe au moment où l'on s'endort. *Les représentations « non voulues » deviennent ainsi « voulues ».*

Nombre de sujets ont peine à prendre l'attitude d'esprit nécessaire pour accueillir toutes les idées qui semblent surgir d'elles-mêmes, en renonçant à la critique habituelle.

---

(1) H. SILBERER, qui a observé cette transformation de représentations en images visuelles, en a tiré des précisions importantes pour l'étude du rêve (*Jahrbuch f. psychoanalyt. Forschungen*, I et II, 1909).

Les « pensées non voulues » déclenchent une résistance très vive qui tend à les empêcher d'émerger. Si nous en croyons Schiller, grand penseur autant que grand poète, il se produit pendant la création poétique un état analogue. Dans un passage de sa correspondance avec Körner, relevé grâce à Otto Rank, Schiller répond aux lamentations de son ami sur sa faible fécondité littéraire : « Il me semble que la racine du mal est dans la contrainte que ton intelligence impose à ton imagination. Je ne puis exprimer ma pensée que par une métaphore. C'est un état peu favorable pour l'activité créatrice de l'âme que celui où l'intelligence soumet à un examen sévère, dès qu'elle les aperçoit, les idées qui se pressent en foule. Une idée peut paraître, considérée isolément, sans importance et en l'air, mais elle prendra parfois du poids grâce à celle qui la suit; liée à d'autres, qui ont pu paraître comme elle décolorées, elle formera un ensemble intéressant. L'intelligence ne peut en juger si elle ne les a pas maintenues assez longtemps pour que la liaison apparaisse nettement. Dans un cerveau créateur tout se passe comme si l'intelligence avait retiré la garde qui veille aux portes : les idées se précipitent pêle-mêle, et elle ne les passe en revue que quand elles sont une masse compacte. Vous autres critiques, ou quel que soit le nom qu'on vous donne, vous avez honte ou peur des moments de vertige que connaissent tous les vrais créateurs et dont la durée, plus ou moins longue, seule distingue l'artiste du rêveur. Vous avez renoncé trop tôt et jugé trop sévèrement, de là votre stérilité » (lettre du 1er décembre 1788).

En réalité, il n'est pas très difficile de retirer ainsi la garde qui veille aux portes de la raison, comme dit Schiller, et de se mettre dans l'état d'auto-observation sans critique. La plupart de mes malades y arrivent dès le premier essai, moi-même je le fais facilement, surtout si j'écris toutes les idées qui me viennent, ce qui est un grand secours. La somme d'énergie psychique libérée par la chute de l'activité critique et utilisée pour l'auto-observation varie selon le thème, objet de l'attention.

Dès les premiers essais d'application de cette méthode, on s'aperçoit qu'il faut diriger l'attention non pas sur le rêve considéré comme un tout, mais sur les différentes parties de son contenu. Quand je demande à un malade non exercé : « A quoi vous fait penser ce rêve ? », il ne découvre, en règle générale, rien dans le champ de sa conscience. Par contre, si je lui présente son rêve morceau par morceau, il me dit, pour chaque fragment, une série d'idées, que l'on pourrait appeler les « arrière-pensées » de cette partie du rêve. Cette première condition d'application montre que la méthode d'interprétation que je pratique s'écarte de la méthode populaire d'interprétation symbolique célèbre dans la légende et dans l'histoire et se rapproche de la méthode de déchiffrage. Elle est, comme celle-ci, une analyse « en détail » et non « en masse »; comme celle-ci elle considère le rêve dès le début comme un composé, un « conglomérat » de faits psychiques.

Au cours de mes psychanalyses de névrotiques, j'ai eu l'occasion d'interpréter plusieurs milliers de rêves, mais je n'utiliserai pas ici ces observations. Tout d'abord, il s'agit là de rêves de malades, qui n'autorisent pas d'emblée des conclusions concernant les rêves de normaux; puis, et surtout, le thème, objet de ces rêves, est toujours l'histoire morbide qui est à la base de leur névrose. Il en résulte qu'il faudrait pour chaque rêve un très long récit préliminaire et une discussion sur l'essence et les conditions étiologiques des psychonévroses. Ce sont là des questions peu étudiées et qui nous réservent beaucoup de surprises, elles ne pourraient que nous détourner de notre sujet. Je pense tout au contraire que la solution du problème du rêve pourra servir de prolégomènes à l'étude des problèmes plus difficiles de la psychologie des névroses. Mais si je renonce ainsi aux rêves des névropathes, qui constituent le fond de mes observations, je ne puis être trop difficile dans le choix des autres. Il me reste, en effet, quelques rêves qui m'ont été racontés par hasard par des amis ou que j'ai trouvés comme exemples dans la bibliographie. Malheureusement il me manque l'analyse de tous ces rêves, et sans elle je ne puis trouver le sens. En effet, mon procédé n'est pas aussi facile que la méthode populaire de déchiffrage, qui permet de traduire le rêve d'après une clef constante; je serais bien plutôt porté à dire que le même contenu peut avoir un sens différent chez des sujets différents et avec un contexte différent.

Ces remarques font comprendre comment j'ai été amené à l'étude de mes propres rêves. C'est là, chez un sujet à peu près normal, un matériel riche, facile à utiliser, et qui a trait à de multiples occurrences de la vie quotidienne. On me dira que de telles « auto-analyses » méritent peu de confiance. Sans doute laissent-elles la porte ouverte à l'arbitraire. Mais je pense que les conditions de l'auto-observation sont plus favorables que celles de l'observation des autres, et, de toute manière, il est permis d'essayer de voir jusqu'où on peut aller dans l'interprétation des rêves au moyen de l'auto-analyse. J'ai d'ailleurs à vaincre d'autres difficultés d'ordre plus « interne ». On éprouve une pudeur bien compréhensible à dévoiler tant de faits intimes de sa vie personnelle et on craint les interprétations malveillantes des étrangers. Mais il faut s'élever au-dessus de cela. « Tout psychologiste, écrit Delbœuf, est obligé de faire l'aveu même de ses faiblesses, s'il croit par là jeter du jour sur quelque problème obscur. » Et si je me résigne à ce que le lecteur soit attiré d'abord par les indiscrétions que je suis obligé de commettre, je veux espérer que cette curiosité fera bientôt place à un intérêt profond pour les problèmes psychologiques que je compte élucider (1).

Je vais donc examiner un de mes propres rêves et exposer à son sujet ma méthode d'interprétation. Tout rêve de cette sorte nécessite un récit préliminaire. Je demande au lecteur de vouloir bien pour un moment faire siennes mes préoccupations et participer aux menus événements de ma vie : un tel transfert augmente considérablement l'intérêt pour le sens caché du rêve.

RÉCIT PRÉLIMINAIRE

Dans le courant de l'été 1895, j'ai eu l'occasion de soigner par la psychanalyse une jeune femme de mes amies, très liée également avec ma famille. L'on conçoit que ces relations complexes créent chez le médecin, et surtout chez le psychothérapeute, des sentiments multiples. Le prix qu'il attache au succès est plus grand, son autorité est

---

(1) Je dois ajouter, pour préciser ce que j'ai dit plus haut, que je n'ai presque jamais donné l'interprétation complète d'un de mes rêves. Sans doute ai-je été sage de ne pas trop faire confiance à la discrétion de mes lecteurs.

moindre. Un échec peut compromettre une vieille amitié
avec la famille du malade. Le traitement a abouti à un succès
partiel : la malade a perdu son anxiété hystérique, mais non
tous ses symptômes somatiques. Je ne savais pas très bien
à ce moment quels étaient les signes qui caractérisaient la
fin du déroulement de la maladie hystérique et j'ai indiqué
à la malade une solution qui ne lui a pas paru acceptable.
Nous avons interrompu le traitement dans cette atmosphère
de désaccord, à cause des vacances d'été. Quelque temps
après, j'ai reçu la visite d'un jeune confrère et ami qui était
allé voir ma malade — Irma — et sa famille à la campagne.
Je lui ai demandé comment il avait trouvé Irma, et il ma
répondu : « Elle va mieux, mais pas tout à fait bien. » Je
dois reconnaître que ces mots de mon ami Otto, ou peut-
être le ton avec lequel ils avaient été dits, m'ont agacé.
J'ai cru y percevoir le reproche d'avoir trop promis à la
malade, et j'ai attribué, à tort ou à raison, l'attitude par-
tiale présumée d'Otto à l'influence de la famille de la
malade, qui, je le croyais du moins, n'avait jamais regardé
mon traitement d'un œil favorable. Au reste l'impression
pénible que j'avais éprouvée ne s'est pas précisée dans mon
esprit et je ne l'ai pas exprimée. Le soir même, j'ai écrit
l'observation d'Irma pour pouvoir la communiquer en
manière de justification à notre ami commun le Dr M...
qui était alors la personnalité dominante de notre groupe.
La nuit (probablement vers le matin), j'ai eu le rêve suivant,
que j'ai noté dès le réveil.

RÊVE DU 23-24 JUILLET 1895 (1)

*Un grand hall — beaucoup d'invités, nous recevons. — Parmi
ces invités, Irma, que je prends tout de suite à part, pour lui
reprocher, en réponse à sa lettre, de ne pas avoir encore accepté
ma « solution ». Je lui dis : « Si tu as encore des douleurs, c'est
réellement de ta faute. » — Elle répond : « Si tu savais comme j'ai
mal à la gorge, à l'estomac et au ventre, cela m'étrangle. » — Je
prends peur et je la regarde. Elle a un air pâle et bouffi ; je me*

(1) C'est le premier rêve que j'aie soumis à une analyse détaillée.

dis : n'ai-je pas laissé échapper quelque symptôme organique ? Je l'amène près de la fenêtre et j'examine sa gorge. Elle manifeste une certaine résistance comme les femmes qui portent un dentier. Je me dis : pourtant elle n'en a pas besoin. — Alors elle ouvre bien la bouche, et je constate, à droite, une grande tache blanche, et d'autre part j'aperçois d'extraordinaires formations contournées qui ont l'apparence des cornets du nez, et sur elles de larges eschares blanc grisâtre. — J'appelle aussitôt le Dr M..., qui à son tour examine la malade et confirme... Le Dr M... n'est pas comme d'habitude, il est très pâle, il boite, il n'a pas de barbe... Mon ami Otto est également là, à côté d'elle, et mon ami Léopold la percute par-dessus le corset ; il dit : « Elle a une matité à la base gauche », et il indique aussi une région infiltrée de la peau au niveau de l'épaule gauche (fait que je constate comme lui, malgré les vêtements)... M... dit : « Il n'y a pas de doute, c'est une infection, mais ça ne fait rien ; il va s'y ajouter de la dysenterie et le poison va s'éliminer. » Nous savons également, d'une manière directe, d'où vient l'infection. Mon ami Otto lui a fait récemment, un jour où elle s'était sentie souffrante, une injection avec une préparation de propyle, propylène... acide propionique... **triméthylamine** *(dont je vois la formule devant mes yeux, imprimée en caractères gras)... Ces injections ne sont pas faciles à faire... il est probable aussi que la seringue n'était pas propre.*

Ce rêve frappe par un trait parmi d'autres. On voit tout de suite à quels événements de la journée il se rattache et de quel sujet il traite. Le récit préliminaire nous a renseignés là-dessus. Les nouvelles que m'a communiquées Otto sur l'état de santé d'Irma, l'histoire de la maladie que j'ai rédigée tard dans la nuit ont continué à me préoccuper pendant le sommeil. Malgré cela personne ne pourrait comprendre la signification du rêve après une simple lecture du récit préliminaire et du rêve lui-même. Moi-même je ne la connais pas. Je suis surpris par les symptômes morbides dont Irma se plaint à moi en rêve, ce ne sont pas ceux pour lesquels je l'ai soignée. L'idée absurde d'une injection avec de l'acide propionique, les encouragements du Dr M... me font sourire. La fin du rêve me paraît plus obscure et plus touffue que le commencement. Pour comprendre la signification de tout cela, je me décide à faire une analyse détaillée.

Le hall — beaucoup d'invités, nous recevons. Nous habitions
cette année-là à Bellevue une maison isolée sur l'une des
collines qui se rattachent au Kahlenberg. Cette maison, qui
avait été bâtie pour être un local public, avait des pièces
extraordinairement hautes en forme de hall. Le rêve a eu
lieu à Bellevue quelques jours avant l'anniversaire de ma
femme. La veille, ma femme avait dit qu'elle s'attendait à
recevoir à son anniversaire plusieurs amis, entre autres Irma.
Mon rêve anticipe sur cet événement : c'est l'anniversaire
de ma femme, et nous recevons, dans le grand hall de
Bellevue, une foule d'invités et parmi eux Irma.

*Je reproche à Irma de n'avoir pas encore accepté la solution ;
je lui dis : « Si tu as encore des douleurs, c'est de ta faute. »*
J'aurais pu lui dire cela éveillé, je le lui ai peut-être dit. Je
croyais alors (j'ai reconnu depuis que je m'étais trompé) que
ma tâche devait se borner à communiquer aux malades la
signification cachée de leurs symptômes morbides; que je
n'avais pas à me préoccuper de l'attitude du malade : acceptation ou refus de ma solution, dont cependant dépendait
le succès du traitement (cette erreur, maintenant dépassée,
a facilité ma vie à un moment où, en dépit de mon inévitable
ignorance, il fallait que j'eusse des succès). La phrase que
je dis en rêve à Irma me donne l'impression que je ne veux
surtout pas être responsable des douleurs qu'elle a encore :
si c'est la faute d'Irma, ce ne peut être la mienne. Faut-il
chercher dans cette direction la finalité interne du rêve ?

*Plaintes d'Irma ; maux de gorge, de ventre et d'estomac, sen-
sation de constriction.* Les douleurs d'estomac faisaient partie
des symptômes présentés par ma malade, mais elles étaient
peu marquées; elle se plaignait surtout de sensations de
nausées et de dégoût. Les maux de gorge, les maux de
ventre, les sensations de constriction jouaient chez elle un
rôle minime. Ce choix de symptômes du rêve me surprend,
je ne me l'explique pas pour le moment.

Elle a un air pâle et bouffi. Ma malade était toujours rose.
Je suppose qu'ici une autre personne se substitue à elle.

Je m'effraie à l'idée que j'ai pu négliger une affection organique.
Cette crainte est aisée à comprendre chez un spécialiste qui
a affaire à peu près uniquement à des nerveux et qui est

amené à mettre sur le compte de l'hystérie une foule de symptômes que d'autres médecins traitent comme des troubles organiques. Cependant il me vient, je ne sais pourquoi, un doute quant à la sincérité de mon effroi. Si les douleurs d'Irma ont une origine organique, leur guérison n'est plus de mon ressort : mon traitement ne s'applique qu'aux douleurs hystériques. Souhaiterais-je une erreur de diagnostic pour n'être pas responsable de l'insuccès ?

Je l'amène près de la fenêtre, pour examiner sa gorge. Elle manifeste une certaine résistance comme les femmes qui ont de fausses dents. Je me dis : elle n'en a pourtant pas besoin. Je n'ai jamais eu l'occasion d'examiner la cavité buccale d'Irma. L'événement du rêve me rappelle qu'il y a quelque temps j'ai eu à examiner une gouvernante qui au premier abord m'avait donné une impression de beauté juvénile et qui, quand il s'est agi d'ouvrir la bouche, s'est arrangée de manière à cacher son dentier. A ce cas se rattachent d'autres souvenirs d'examens médicaux et de menus secrets dévoilés à cette occasion et gênants à la fois pour le malade et pour le médecin. — *Elle n'en a pas besoin*, semble être au premier abord un compliment à l'adresse d'Irma, mais j'y pressens une autre signification. Quand on s'analyse attentivement, on sent si on a épuisé les pensées amassées sous le seuil de la conscience. La manière dont Irma se tient près de la fenêtre me rappelle brusquement un autre événement. Irma a une amie intime pour qui j'ai une très vive estime. Un soir où j'étais allé lui rendre visite, je l'ai trouvée, comme dans mon rêve, debout devant la fenêtre, et son médecin, ce même Dr M..., était en train de dire qu'elle avait de fausses membranes diphtériques. Le Dr M... et les fausses membranes vont bien apparaître l'un et l'autre dans la suite du rêve. Je songe à présent que j'étais arrivé ces derniers mois à la conclusion que cette dame était également hystérique. D'ailleurs Irma elle-même me l'avait dit. Mais que sais-je au juste de son affection ? Ceci seulement : c'est qu'elle éprouve la sensation de constriction hystérique tout comme l'Irma de mon rêve. J'ai donc remplacé en rêve ma malade par son amie. Je me rappelle maintenant m'être souvent imaginé que cette dame pourrait m'appeler pour la guérir de son mal. Mais dans ces moments mêmes, cela me paraissait invraisemblable, car elle est très réservée. Elle se raidit, comme dans le rêve. Une autre explication serait *qu'elle n'en a pas besoin*; elle s'est montrée jusqu'à présent assez forte pour dominer ses états nerveux sans aide étrangère. Restent quelques traits que je ne peux rapporter ni à Irma ni à son amie : pâle, bouffie, fausses dents. Les fausses dents me rappellent la gouvernante dont j'ai parlé, mais j'ai tendance à m'en tenir aux *mauvaises dents*. Je me rappelle alors une autre personne à qui cela peut s'appliquer. Je ne l'ai jamais soignée, je ne souhaite pas avoir à le faire : elle est gênée avec moi et doit être une malade difficile. Elle est habituellement pâle et, à un moment, dans une bonne période, elle était bouffie (1).

J'ai donc comparé ma malade Irma à deux autres personnes qui ont toutes deux manifesté quelque résistance contre le traitement. Pourquoi, dans mon rêve, lui ai-je substitué son amie ? Sans doute parce que je souhaitais cette substitution; l'amie m'est plus sympathique ou je la crois plus intelligente. Je trouve Irma sotte parce qu'elle n'a pas accepté ma solution. L'autre serait plus intelligente, elle suivrait donc mieux mes conseils. *La bouche s'ouvre bien alors :* elle me dirait plus qu'Irma (2).

Ce que je vois dans la gorge : une tache blanche et des cornets couverts d'eschares. La tache blanche me fait penser à la diphtérie et par là à l'amie d'Irma; elle me rappelle aussi la grave maladie de ma fille aînée, il y a deux ans, et toute l'angoisse de ces mauvais jours. Les eschares des cornets sont liées à des inquiétudes au sujet de ma propre santé. J'avais, à la même époque, utilisé fréquemment la cocaïne pour combattre un gonflement douloureux de la muqueuse nasale; il y a quelques jours, on m'a appris qu'une malade qui avait appliqué le même traitement avait une nécrose étendue de la muqueuse. D'autre part, en recommandant, dès 1885, la cocaïne, je m'étais attiré de sévères reproches. Enfin un très cher ami, mort dès avant 1895, avait hâté sa fin par l'abus de ce remède.

---

(1) C'est à cette troisième personne également qu'il convient de rapporter les maux de ventre au sujet desquels je ne me suis pas encore expliqué. Il s'agit de ma propre femme. Les maux de ventre me rappellent une occasion où je m'aperçus clairement de sa pudeur. Je conviens que je ne suis pas très aimable dans ce rêve pour Irma et pour ma femme ; peut-être voudra-t-on considérer comme circonstance atténuante le fait que je les compare en somme à la malade idéale facile à traiter.

(2) J'ai le sentiment que l'analyse de ce fragment n'est pas poussée assez loin pour qu'on en comprenne toute la signification secrète. Si je poursuivais la comparaison des trois femmes, je risquerais de m'égarer. Il y a dans tout rêve de l'inexpliqué ; il participe de l'inconnaissable.

J'appelle vite le Dr M... qui à son tour examine la malade.
Ceci peut répondre simplement à la place que le Dr M...
tient parmi nous. Mais « vite » est assez frappant pour exiger
une explication spéciale. Cela me rappelle un événement
pénible de ma vie médicale. J'avais provoqué, chez une de
mes malades, une intoxication grave en prescrivant d'une
manière continue un médicament qui à ce moment-là
était considéré comme anodin : le sulfonal; et j'ai appelé
en hâte à l'aide mon confrère, plus âgé et plus expéri-
menté. Un détail me persuade qu'il s'agit bien de ce
cas. La malade qui a succombé à l'intoxication portait
le même prénom que ma fille aînée. Jusqu'à présent je
n'avais jamais songé à cela; cela m'apparaît maintenant
comme une punition du ciel. Tout se passe comme si
la substitution de personnes se poursuivait ici dans un
autre sens : cette Mathilde-ci pour l'autre; œil pour œil,
dent pour dent. Il semble que j'aie recherché toutes les
circonstances où je pourrais me reprocher quelque faute
professionnelle.

Le Dr M... est pâle, imberbe, il boite. Il est exact que sa
mauvaise mine a souvent inquiété ses amis. Mais les deux
autres traits doivent appartenir à quelque autre personne. Je
songe brusquement à mon frère aîné imberbe qui vit à
l'étranger; le Dr M... du rêve lui ressemble en gros, autant
qu'il m'en souvienne. J'ai reçu il y a quelques jours la nouvelle qu'il boitait, par suite d'une atteinte arthritique de la
hanche. Il doit y avoir une raison pour que dans mon rêve
j'aie fondu ces deux personnes. Je me rappelle en effet
en avoir voulu à tous deux pour le même motif. L'un
et l'autre avaient repoussé une proposition que je leur
avais faite.

*Mon ami Otto est à présent à côté de la malade et mon ami
Léopold l'examine et trouve une matité à la base gauche.* Mon
ami Léopold est également médecin, c'est un parent
d'Otto. Il se trouve que tous deux exercent la même spé-
cialité, ce qui fait qu'ils sont concurrents et qu'on les
compare souvent l'un à l'autre. Ils ont été tous deux mes
assistants pendant plusieurs années, alors que je dirigeais
une consultation publique pour maladies nerveuses de
l'enfance. Il s'y est souvent produit des faits analogues à
ceux du rêve. Pendant que je discutais le diagnostic avec
Otto, Léopold avait examiné l'enfant à nouveau et appor-
tait une contribution intéressante et inattendue qui per-

mettait de trancher le débat. Il y avait entre les deux cousins la même différence de caractère qu'entre l'inspecteur Bräsig et son ami Karl. L'un était plus brillant, l'autre lent, réfléchi, mais profond. Lorsque j'oppose dans mon rêve Otto au prudent Léopold, c'est apparemment pour faire valoir ce dernier. C'est en somme ce que j'ai fait avec Irma, malade indocile, et son amie plus intelligente. Je remarque à présent l'une des voies de l'association des idées dans mon rêve : de l'enfant malade à l'hôpital des enfants malades. La matité à la base gauche doit être le souvenir d'un cas où la solidité de Léopold m'avait particulièrement frappé. J'ai l'impression aussi qu'il pourrait s'agir d'une affection métastatique ou que c'est peut-être encore une allusion à la malade que je souhaiterais avoir à la place d'Irma. Cette dame en effet, autant que j'en peux juger, feint d'être atteinte de tuberculose.

Une région infiltrée de la peau au niveau de l'épaule gauche. Je sais immédiatement qu'il s'agit de mon propre rhumatisme de l'épaule que je ressens régulièrement chaque fois que j'ai veillé tard. Le groupement même des mots dans le rêve prête à équivoque : *que je sens comme lui* doit signifier : je *ressens* dans mon propre corps. Par ailleurs je songe que l'expression « région infiltrée de la peau » est bizarre. Mais nous connaissons l'infiltration au sommet gauche en arrière, elle a trait aux poumons et par conséquent de nouveau à la tuberculose.

Malgré les vêtements. Ce n'est qu'une incidente. Nous faisions, bien entendu, déshabiller les enfants que nous examinions à l'hôpital; on est obligé de procéder autrement en clientèle avec les malades femmes. Ces mots marquent peut-être l'opposition. On disait d'un médecin très connu qu'il procédait toujours à l'examen physique de ses malades à travers les vêtements. La suite me paraît obscure. A parler franchement, je n'ai pas envie de l'approfondir.

Le Dr M... dit : « C'est une infection, mais ça ne fait rien. Il va s'y ajouter de la dysenterie et le poison va s'éliminer. » Cela me paraît ridicule au premier abord, mais je pense qu'il y a lieu de l'analyser attentivement comme le reste. A y regarder de plus près, on y découvre un sens. J'avais trouvé chez ma malade une angine diphtérique. Je me rappelle avoir discuté lors de la maladie de ma fille des relations entre la diphtérie locale et la diphtérie généralisée; l'atteinte locale est le point de départ de l'infection générale. Pour Léopold, la matité serait un foyer métastatique et la preuve d'une infection générale. Pour moi, je ne crois pas que ces sortes de métastases apparaissent lors de la diphtérie. Elles me feraient plutôt penser à la pyohémie.

Cela ne fait rien. C'est une consolation. L'enchaînement me paraît être le suivant : Le dernier fragment du rêve attribue les douleurs de la malade à une affection organique grave. Il semble que j'aie voulu par là dégager ma responsabilité : on ne peut demander à un traitement psychique d'agir sur une affection diphtérique. Mais en même temps j'ai un remords d'avoir chargé Irma d'une maladie aussi grave pour alléger ma responsabilité. C'est cruel. J'ai besoin d'être rassuré sur l'issue, et il me paraît assez malin de mettre cette consolation précisément dans la bouche du Dr M... Je dépasse ici le rêve, et cela demanderait à être expliqué. — Mais pourquoi cette consolation est-elle si absurde ?

Dysenterie. Quelque vague idée théorique d'après laquelle les toxines pourraient s'éliminer par l'intestin. Voudrais-je par là me moquer du Dr M..., de ses théories tirées par les cheveux, de ses déductions et inférences extraordinaires en matière de pathologie ? Je songe, à propos de la dysenterie, à un autre événement encore. J'ai eu l'occasion de soigner il y a quelques mois un jeune homme atteint de troubles intestinaux bizarres, chez qui des confrères avaient diagnostiqué « de l'anémie avec sous-alimentation ». J'ai reconnu qu'il s'agissait d'un cas d'hystérie, mais je n'ai pas voulu lui appliquer mon traitement psychique et je l'ai envoyé faire une croisière. Il y a quelques jours, j'ai reçu de lui une lettre désespérée venant d'Egypte, me disant qu'il avait eu un nouvel accès, considéré par le médecin comme dysentérique. Je suppose qu'il y a là une erreur de diagnostic d'un confrère peu informé qui se laisse abuser par des accidents hystériques, mais je ne puis m'empêcher de me reprocher d'avoir exposé mon malade à ajouter peut-être à son affection hystérique du tube digestif une maladie organique. De plus, dysenterie assone avec diphtérie, mot qui n'est pas prononcé dans le rêve.

C'est bien cela : je me moque du Dr M... et de son pronostic consolant : il va s'y ajouter de la dysenterie. Je me rappelle, en effet, qu'il m'a raconté, en riant, il y a des années, un fait analogue sur un de nos confrères. Il avait été appelé par celui-ci en consultation auprès d'un malade atteint très gravement et il se crut obligé de faire remarquer au confrère, très optimiste, que le malade avait de l'albumine dans l'urine. Le confrère ne se troubla pas et répondit tranquillement : « *Cela ne fait rien*, mon cher confrère, l'albumine s'éliminera ! » — Il n'est donc pas douteux que ce fragment du rêve est une raillerie à l'adresse des confrères qui ignorent l'hystérie. Mon hypothèse est d'ailleurs aussitôt confirmée : je me demande brusquement : le Dr M... sait-il que les symptômes constatés chez sa malade (l'amie d'Irma), qu'on avait mis sur le compte de la tuberculose, sont des symptômes hystériques ? A-t-il reconnu cette hystérie ou s'y est-il laissé prendre ?

Mais quelles raisons puis-je avoir de traiter si mal un ami ? La raison en est simple. Le Dr M... accepte aussi peu ma « solution » concernant Irma qu'Irma elle-même.

Je me suis donc vengé en rêve de deux personnes déjà : d'Irma par le « Si tu souffres encore, c'est de ta faute », et du Dr M... en lui mettant dans la bouche des paroles de consolation absurdes.

Nous savons d'une manière immédiate d'où vient l'infection. Ce savoir immédiat en rêve est très remarquable. Un instant avant, nous l'ignorions, puisque l'existence de l'infection n'a été prouvée que par Léopold.

Mon ami Otto lui a fait, un jour où elle s'était sentie souffrante, une injection (1) [*sous-cutanée*]. En fait, Otto m'avait raconté que, pendant son bref séjour dans la famille d'Irma, il avait été appelé dans un hôtel voisin, auprès d'une personne qui s'était sentie malade brusquement, et qu'il lui avait fait une piqûre. Les piqûres me rappellent d'autre part mon malheureux ami qui s'était intoxiqué avec de la cocaïne. Je lui avais conseillé ce remède pour l'usage interne pendant sa cure de démorphinisation; mais il s'est fait immédiatement des piqûres.

Avec une préparation de propyle... propylène... acide propionique. A quoi cela peut-il correspondre ? Le soir où j'ai

---

(1) [N. d. T.] : « injection » sans qualificatif signifie en allemand très habituellement — signifiait surtout à l'époque où fut écrit ce livre — injection sous-cutanée. Le mot ayant des implications diverses, **nous n'avons pas cru pouvoir lui substituer le mot français plus courant « piqûre ».**

écrit l'histoire de la maladie d'Irma, ma femme a ouvert
un flacon de liqueur sur lequel on pouvait lire le mot
« ananas » (1) : et qui était un cadeau de notre ami Otto.
Otto a, en effet, l'habitude de faire des cadeaux à tout
propos. Ça lui passera, espérons-le, quand il se mariera.
Le flacon ouvert dégagea une telle odeur de rikiki que je
me refusai à y goûter. Ma femme dit : « Nous le donnerons
aux domestiques », mais moi, plus prudent encore et plus
humain, je l'en détournai en lui disant : « Il ne faut pas les
intoxiquer non plus. » L'odeur de rikiki (odeur amylique)
a déclenché dans mon esprit le souvenir de toute la série :
méthyle, propyle, etc., et abouti dans le rêve aux composés
propyliques. J'ai fait évidemment une substitution, j'ai
rêvé le propyle après avoir senti l'amyle, mais c'est, pourrait-on dire, une substitution de l'ordre de celles qui sont
permises en chimie organique.

Triméthylamine. Je vois la formule chimique de cette
substance, ce qui prouve que je fais un grand effort de
mémoire, et cette formule est imprimée en caractères gras,
comme si on avait voulu la faire ressortir tout particulièrement. A quoi me fait maintenant penser la triméthylamine sur laquelle mon attention est éveillée de la sorte ?
A un entretien avec un autre ami (2) qui, depuis des années,
est au courant de tous mes travaux dès leur début, comme
moi des siens. Il m'avait communiqué ses idées sur la
chimie des processus sexuels et dit notamment qu'il avait
cru constater, parmi les produits du métabolisme sexuel,
la présence de la triméthylamine. Cette substance me fait
ainsi penser aux faits de sexualité ; j'attribue à ces faits
le plus grand rôle dans la genèse des affections nerveuses que je veux guérir. Irma est une jeune veuve. Pour
excuser l'échec de mon traitement, je suis tenté de le
mettre sur le compte de cette situation, que son entourage
voudrait voir cesser. Comme ce rêve est d'ailleurs curieux !
L'amie d'Irma, qui se substitue à elle, est également une
jeune veuve.

Je devine pourquoi la formule de la triméthylamine
a pris tant d'importance. Elle ne rappelle pas seulement le
rôle dominant de la sexualité, mais aussi quelqu'un à qui
je songe avec bonheur quand je me sens seul de mon avis.

(1) Ananas assone avec le nom de famille de ma malade Irma.
(2) [Fliess.]

Cet ami, qui joue un si grand rôle dans ma vie, vais-je le rencontrer dans la suite des associations du rêve ? Oui : il a étudié tout particulièrement le retentissement des affections des fosses nasales et de leurs annexes et publié des travaux sur les relations curieuses entre les cornets et les organes sexuels chez la femme. (Les trois formations contournées dans la gorge d'Irma.) Je lui ai même demandé d'examiner Irma, pour savoir si ses maux d'estomac n'étaient pas d'origine nasale. Lui-même souffre de suppuration nasale, ce qui me préoccupe beaucoup. C'est à cela que fait sans doute allusion le mot pyohémie qui me revient à l'esprit en même temps que les métastases du rêve.

Ces injections ne sont pas faciles à faire. Ceci est indirectement un reproche de légèreté contre mon ami Otto. J'ai dû penser à quelque chose d'analogue dans l'après-midi quand ses paroles et son air m'ont fait croire qu'il avait pris parti contre moi. J'ai dû me dire : comme il est influençable, comme il a peu de sens critique ! — La phrase me fait penser également à l'ami mort qui avait décidé trop vite de se faire des piqûres de cocaïne. L'on se rappelle que je ne lui avais pas du tout conseillé de faire des piqûres. Le reproche d'avoir employé ces substances à la légère, que je fais à Otto, me rappelle, par contrecoup, la malheureuse histoire de Mathilde, où je suis coupable moi-même. J'ai évidemment réuni ici des exemples de scrupules professionnels, mais aussi de laisser-aller.

Il est probable aussi que la seringue n'était pas propre. Encore un reproche à l'adresse d'Otto, mais qui est d'une autre origine. J'ai rencontré hier par hasard le fils d'une vieille dame, âgée de 82 ans, à qui je fais deux piqûres de morphine par jour. Elle est actuellement à la campagne, et on m'a dit qu'elle souffrait d'une phlébite. J'ai pensé immédiatement qu'il devait s'agir d'une infection due à la propreté insuffisante de la seringue. Je songe avec satisfaction qu'en deux ans je ne lui ai pas occasionné un seul abcès : je veille très attentivement à l'asepsie de la seringue, je suis très scrupuleux à ce point de vue. La phlébite me fait penser à ma femme, qui a souffert de varices pendant une de ses grossesses; puis surgissent dans ma mémoire les circonstances très semblables où se sont successivement trouvées ma femme, Irma et Mathilde, dont j'ai relaté plus haut la mort. L'analogie de ces événements a fait que j'ai substitué dans mon rêve ces trois personnes l'une à l'autre.

* * *

Voilà donc l'analyse de ce rêve achevée (1). Pendant ce travail, je me suis défendu autant que j'ai pu contre toutes les idées que me suggérait la confrontation du contenu du rêve avec les pensées latentes qu'il enveloppait; ce faisant, la « signification » du rêve m'est apparue. J'ai marqué une intention que le rêve réalise et qui doit être devenu le motif du rêve. Le rêve accomplit quelques désirs qu'ont éveillés en moi les événements de la soirée (les nouvelles apportées par Otto, la rédaction de l'histoire de la maladie). La conclusion du rêve est que je ne suis pas responsable de la persistance de l'affection d'Irma et que c'est Otto qui est coupable. Otto m'avait agacé par ses remarques au sujet de la guérison incomplète d'Irma; le rêve me venge : il lui renvoie le reproche. Il m'enlève la responsabilité de la maladie d'Irma, qu'il rapporte à d'autres causes (énoncées très en détail). Le rêve expose les faits tels que j'aurais souhaité qu'ils se fussent passés; *son contenu est l'accomplissement d'un désir, son motif un désir.*

Tout cela saute aux yeux. Mais les détails mêmes du rêve s'éclairent à la lumière de notre hypothèse. Je me venge, non seulement de la partialité et de la légèreté d'Otto (en lui attribuant une conduite médicale inconsidérée : l'injection), mais encore du désagrément que m'a causé la liqueur qui sentait mauvais, et je trouve en rêve une expression qui unit les deux reproches : une injection avec une préparation de propylène. Mais cela ne me suffit pas, je poursuis ma vengeance : j'oppose à Otto son concurrent plus solide. C'est comme si je lui disais : « Je l'aime mieux que toi. » Mais Otto n'est pas seul à porter le poids de ma colère. Je me venge aussi de la malade indocile en mettant à sa place une autre plus intelligente et plus sage. Je ne pardonne pas non plus son opposition au Dr M... et je lui fais comprendre, par une allusion transparente, qu'il se conduit dans cette affaire comme un ignorant (il va s'y ajouter de la dysenterie, etc.). J'en appelle même, il me semble, à un autre ami plus informé (celui qui m'a parlé de la triméthylamine), de même que j'en ai appelé

(1) On imagine bien que je n'ai pas communiqué ici tout ce qui m'est venu à l'esprit pendant le travail d'interprétation.

d'Irma à son amie, d'Otto à Léopold. Mes trois adversaires remplacés par trois personnes de mon choix, je suis délivré du reproche que je crois n'avoir pas mérité.

D'ailleurs le rêve montre surabondamment l'inanité de ces reproches. Ce n'est pas moi qui suis responsable des douleurs d'Irma, mais elle-même qui n'a pas voulu accepter ma solution. Les douleurs d'Irma ne me regardent pas, car elles sont d'origine organique et ne peuvent être guéries par un traitement psychique. Les souffrances d'Irma s'expliquent par son veuvage (triméthylamine), et je ne peux rien changer à cet état. Les souffrances d'Irma ont été provoquées par la piqûre imprudente d'Otto, faite avec une substance non appropriée; je n'en aurais jamais fait de pareille. Les souffrances d'Irma viennent d'une piqûre faite avec une seringue malpropre, comme la phlébite chez la vieille dame dont j'ai parlé; il ne m'arrive jamais rien de tel. Il est vrai que ces explications, qui concourent toutes à me disculper, ne s'accordent pas ensemble et même s'excluent. Tout ce plaidoyer (ce rêve n'est pas autre chose) fait penser à la défense de l'homme que son voisin accusait de lui avoir rendu un chaudron en mauvais état. Premièrement, il lui avait rapporté son chaudron intact. Deuxièmement, le chaudron était déjà percé au moment où il l'avait emprunté. Troisièmement, il n'avait jamais emprunté de chaudron à son voisin. Mais tant mieux, pourvu qu'un seulement de ces trois systèmes de défense soit reconnu plausible, l'homme devra être acquitté.

On trouve dans le rêve d'autres thèmes encore, dont le rapport avec ma défense au sujet de la maladie d'Irma est moins clair : la maladie de ma fille, celle d'une malade qui portait le même prénom, les effets nocifs de la cocaïne, l'affection du malade en voyage en Egypte, les inquiétudes au sujet de la santé de ma femme, de mon frère, du Dr M..., mes propres malaises, l'inquiétude pour l'ami absent atteint de suppurations du nez. Mais si j'embrasse tout cela d'un coup d'œil, je peux le réunir en un seul groupe de pensées que j'étiquetterais : inquiétudes au sujet de la santé (la mienne ou celle des autres, scrupules de conscience médicale). Je me rappelle l'obscure impression pénible que j'ai ressentie lorsque Otto m'a apporté des nouvelles d'Irma. Je voudrais retrouver après coup dans ce groupe de pensées la marque de cette impression fugitive. Otto m'avait dit en somme : Tu ne prends pas assez au sérieux tes devoirs médicaux, tu n'es pas consciencieux, tu ne tiens pas ce que tu promets. Le groupe des pensées du rêve est alors venu à mon aide et m'a permis de démontrer combien je suis consciencieux et combien la santé des miens, de mes amis et de mes malades me tient à cœur. Remarquons que l'on trouve dans cet ensemble aussi des souvenirs pénibles qui tendent plutôt à confirmer l'accusation d'Otto qu'à me disculper. Il y a là une apparence d'impartialité, mais qui n'empêche qu'on reconnaît aisément le rapport entre le contenu large sur lequel le rêve repose et le thème plus étroit, objet du désir : non-responsabilité au sujet de la maladie d'Irma.

Je ne prétends nullement avoir entièrement élucidé le sens de ce rêve, ni que mon interprétation soit sans lacunes.

Je pourrais m'y attarder, rechercher de nouvelles explications, résoudre des énigmes qu'il pose encore. Je vois nettement les points d'où l'on pourrait suivre de nouvelles chaînes d'associations; mais des considérations dont nous tenons tous compte quand il s'agit de nos propres rêves m'arrêtent dans ce travail d'interprétation. Que ceux qui seraient portés à me blâmer pour cette réserve essaient d'être eux-mêmes plus explicites. Je m'en tiendrai pour le moment à la notion nouvelle qu'a apportée cette analyse : Quand on applique la méthode d'interprétation que j'ai indiquée, on trouve que le rêve a un sens et qu'il n'est nullement l'expression d'une activité fragmentaire du cerveau, comme on l'a dit. *Après complète interprétation, tout rêve se révèle comme l'accomplissement d'un désir.*

CHAPITRE III

LE RÊVE EST UN ACCOMPLISSEMENT
DE DÉSIR

Quand on a suivi un étroit sentier et que l'on arrive brusquement sur une hauteur, d'où l'on découvre en diverses directions des perspectives très vastes, on s'arrête et on se demande de quel côté on se tournera d'abord. C'est le sentiment que nous éprouvons après avoir surmonté notre première interprétation de rêve. Nous nous trouvons dans la pleine lumière d'une découverte soudaine.

Le rêve n'est pas un chaos de sons discordants issus d'un instrument frappé au hasard, il n'est pas dépourvu de sens, il n'est pas absurde; pour l'expliquer, il n'est pas nécessaire de supposer le sommeil d'une partie de nos représentations et l'éveil d'une autre. C'est un phénomène psychique dans toute l'acception du terme, c'est l'accomplissement d'un désir. Il doit être intercalé dans la suite des actes mentaux intelligibles de la veille : l'activité intellectuelle qui le construit est une activité élevée et compliquée.

Mais cette notion suscite toute une série de questions. Si le rêve, après analyse, se révèle comme un désir accompli, d'où vient l'aspect étrange et surprenant de cet accomplissement ? Quelle modification ont subie nos pensées pour aboutir au rêve tel que nous nous le rappelons au réveil ? A quelles règles a obéi cette transformation ? D'où vient le contenu représentatif qui a été élaboré en rêve ? D'où viennent certains caractères qui nous frappent quand nous analysons un rêve, tels que la contradiction (voir l'exemple du chaudron, p. 111) ? Le rêve peut-il nous apprendre du nouveau sur notre vie psychique, peut-il corriger les notions et les croyances de la veille ? Nous allons laisser toutes ces questions de côté pour le moment. Nous avons appris que le rêve représente un désir comme accompli. Il convient de nous demander si c'est là un caractère général du rêve ou un cas particulier : le contenu du rêve que nous venons d'analyser (le rêve au sujet d'Irma). En effet, à supposer même que tout rêve ait un sens et une valeur psychologiques, il pourrait se faire que ce sens fût différent dans les différents rêves. Notre premier rêve a été l'accomplissement d'un désir, un autre sera peut-être l'accomplissement d'une crainte, un troisième une réflexion, un quatrième un simple souvenir. La question qui se pose est en somme la suivante : Y a-t-il beaucoup de rêves de désir, n'y a-t-il que des rêves de désir ?

Ce caractère des rêves est souvent si apparent que l'on se demande comment le langage des rêves n'a pas été compris dès longtemps. Prenons comme exemple un rêve que je puis provoquer à volonté, qui est en quelque sorte une expérience. Quand j'ai mangé le soir des sardines, des olives ou quelque autre hors-d'œuvre salé, j'ai soif la nuit et je me réveille. Mais j'ai d'abord un rêve, toujours le même : je bois. J'aspire l'eau à grands traits, elle a un goût exquis, je la savoure comme un homme épuisé, je me réveille et dois réellement boire. La raison de ce rêve si simple est la soif que je sens bien au réveil.

La sensation fait naître le désir de boire et le rêve montre ce désir réalisé. Il remplit un rôle que je puis expliquer de la manière suivante. J'ai un sommeil profond et il est rare que je sois réveillé par un besoin. Si je réussis à apaiser ma soif en rêvant que je bois, je n'ai plus à me réveiller pour boire réellement. C'est donc un *rêve de commodité*. Comme souvent dans la vie, le rêve remplace l'action. Malheureusement, il est plus difficile d'étancher par un rêve une soif réelle qu'une soif de vengeance, comme lorsqu'il s'agissait de mon ami Otto ou du Dr M..., mais l'intention est la même. Récemment, j'ai eu ce même rêve avec une variante. J'ai eu soif avant de m'endormir et j'ai bu le verre d'eau qui était sur ma table de nuit. Quelques heures plus tard, au milieu de la nuit, j'ai eu soif de nouveau. Il était peu commode de boire cette fois, il fallait me lever et prendre le verre d'eau qui se trouvait sur la table de nuit de ma femme. J'eus un rêve qui convenait aux circonstances : Ma femme me donnait à boire dans un vase, une urne étrusque que j'avais rapportée d'un voyage en Italie et que j'avais donnée depuis. Mais le goût de l'eau était si salé (à cause de la cendre sans doute) que je me réveillai. On remarquera combien ce rêve est un effort vers la commodité. Comme son unique but est d'accomplir un désir, il est pleinement égoïste. L'amour de sa propre commodité est difficile à concilier avec les égards pour les autres. La présence de l'urne funéraire est sans doute également l'accomplissement d'un désir. Je regrette de n'avoir plus ce vase, de même qu'il m'est désagréable de ne pouvoir atteindre le verre d'eau qui est à côté de ma femme. De plus, l'urne funéraire va avec la sensation croissante de goût salé, qui, je le sais, m'obligera à me réveiller (1).

Quand j'étais jeune, j'avais souvent des rêves de cette sorte. J'ai toujours eu l'habitude de travailler tard dans la nuit et j'avais beaucoup de mal à me lever le matin. Je rêvais souvent que j'étais levé et devant ma table de toilette. Au bout d'un certain temps, j'étais bien obligé de constater que je n'étais pas encore levé, mais j'y avais gagné un moment de sommeil. Un de mes jeunes confrères, qui comme moi aime dormir, a fait ce rêve de paresse sous une forme particulièrement amusante. Il habitait assez près de l'hôpital où il allait tous les matins, et sa logeuse avait ordre de le réveiller de bonne heure, mais elle avait toutes les peines du monde à y parvenir. Un matin, il dormait d'un sommeil particulièrement profond. Elle cria : « Monsieur Pepi, levez-vous, faut que vous alliez à l'hôpital ! »

---

(1) WEYGANDT a bien vu cet aspect des rêves de soif. Il écrit (p. 11) : « La sensation de soif est mieux perçue que toutes les autres : elle provoque toujours la représentation de son apaisement. Les modes selon lesquels le rêve apaise la soif sont multiples et liés aux souvenirs les plus récents. Ce qu'on retrouve assez souvent, c'est, ici comme en bien d'autres cas, un sentiment de déception ; on est surpris que l'action des soi-disant rafraîchissements se soit révélée aussi faible. » Ce que Weygandt ne voit pas, c'est le sens général de cette réaction du rêve à une excitation. — Le fait que certaines personnes, qui ont soif la nuit, se réveillent sans avoir rêvé n'est pas en opposition avec mon expérience personnelle, il prouve seulement qu'elles dorment mal. — Cf. ISAÏE, XXIX, 8 : « Comme celui qui a faim rêve qu'il mange, puis s'éveille l'estomac vide, et comme celui qui a soif rêve qu'il boit, puis s'éveille épuisé et languissant... »

Le dormeur rêva qu'il était à l'hôpital, dans une chambre, couché dans un lit, avec au-dessus de sa tête une pancarte sur laquelle on pouvait lire : Pepi H., étudiant en médecine, 22 ans, et il se disait en rêve : « Puisque je suis déjà à l'hôpital, je n'ai plus besoin d'y aller. » Il se retourna et continua à dormir. Il avait ainsi reconnu franchement le motif de son rêve.

Voici un autre rêve dont la stimulation agit également pendant le sommeil. Une de mes malades, qui avait subi une opération à la mâchoire, opération qui avait mal réussi, devait porter sur l'ordre de ses médecins, jour et nuit, au niveau de sa joue malade, un appareil réfrigérant. Mais elle avait l'habitude de l'arracher dès qu'elle était endormie. Un jour on m'a prié de lui faire des observations à ce sujet : elle avait de nouveau jeté son appareil par terre. La malade me répondit : « Cette fois vraiment je n'y peux rien, ça a été la suite d'un rêve que j'ai eu la nuit. Je rêvais que j'étais à l'Opéra, dans une loge, et je suivais la représentation avec beaucoup d'intérêt. A la clinique, il y avait M. Karl Meyer, qui se plaignait de terribles maux de tête. Je me suis dit : puisque moi je ne souffre pas, je n'ai pas besoin d'appareil, aussi l'ai-je jeté. » Ce rêve de la pauvre malade est comme une réalisation de l'expression consacrée : « Il y a des plaisirs plus rares. » Le rêve offre un de ces plaisirs. M. Karl Meyer, à qui la dormeuse attribuait ses propres douleurs, était, de tous les jeunes gens dont elle pouvait se rappeler, celui qui lui était le plus indifférent.

Il est tout aussi facile de découvrir l'accomplissement de désirs dans un certain nombre d'autres rêves chez des gens bien portants. Un ami qui connaît ma théorie et qui l'a communiquée à sa femme me dit un jour : « Il faut que je te dise que ma femme a rêvé hier qu'elle a eu ses règles. Tu sauras sans doute ce que cela signifie. » Bien sûr je le sais. Si cette jeune femme a rêvé qu'elle avait ses règles, c'est parce qu'elle ne les avait pas eues ce mois-là. J'imagine bien qu'elle aurait volontiers joui quelque temps encore de sa liberté avant les misères de la maternité. C'était au fond une manière habile d'annoncer sa première grossesse. Un autre ami m'écrit que sa femme a rêvé récemment de taches de lait sur sa chemise. C'est encore une annonce de grossesse, mais pas de première grossesse cette fois : la jeune mère souhaite avoir plus de lait pour son second enfant que pour son premier.

Une jeune femme, qui a été retenue au chevet de son enfant, souffrant de maladie infectieuse, pendant des semaines et séparée du monde, rêve, après la guérison de l'enfant, qu'elle se trouve dans une soirée où elle rencontre entre autres Alphonse Daudet, Paul Bourget et Marcel Prévost, qui sont très aimables avec elle et lui disent des choses très amusantes. Les deux premiers auteurs ressemblent aux portraits qu'elle connaît d'eux; Marcel Prévost, dont elle n'a jamais vu de photographie, ressemble à l'employé du service de désinfection qui, la veille, avait procédé au nettoyage de la chambre du petit malade et qui a été la première visite depuis de longues semaines. On peut traduire ce rêve sans difficulté : Il serait grand temps de faire quelque chose de plus amusant que de soigner éternellement des malades.

Ces quelques exemples suffiront peut-être pour montrer que l'on trouve fréquemment, dans des circonstances variées, des rêves que l'on ne peut comprendre que comme des accomplissements de désirs et où cet aspect est très apparent. Ce sont le plus souvent des rêves brefs et simples, qui tranchent d'une manière heureuse sur les grands rêves confus et surchargés qui ont surtout attiré l'attention des auteurs. Il est utile d'étudier de près ces rêves simples. On trouve les formes les plus élémentaires de ces rêves chez les enfants, dont l'activité psychique est moins compliquée que celle des adultes. La psychologie de l'enfant est appelée à rendre à la psychologie de l'adulte les mêmes services que la morphologie et l'embryologie des animaux inférieurs à l'étude des animaux placés plus haut dans l'échelle. Malheureusement, jusqu'à présent, on n'a guère utilisé la psychologie de l'enfant dans ce sens.

Les rêves des jeunes enfants sont souvent des réalisations naïves. De ce point de vue, ils sont moins intéressants que les rêves d'adultes. On n'y trouve pas d'énigmes, mais ils sont un argument inappréciable pour prouver que l'essence du rêve est l'accomplissement d'un désir. Voici quelques exemples de rêves de mes propres enfants.

J'ai noté, à la suite d'une excursion de Aussee à Hallstadt (été 1896), deux rêves, l'un chez ma fillette, qui avait à ce moment-là 8 ans 1/2, l'autre chez un garçon de 5 ans et 3 mois. Je signale que nous habitions cet été-là sur une colline à côté d'Aussee, d'où, par temps clair, on avait une vue splendide sur le Dachstein. A la longue-vue on pouvait bien reconnaître le refuge de Simony. Les petits ont souvent essayé de le regarder, je ne sais avec quel résultat. Avant l'excursion, j'expliquai aux enfants que Hallstadt était au pied du Dachstein. Ils étaient ravis de faire cette promenade. De Hallstadt nous sommes allés dans la vallée d'Eschern, dont le paysage changeant les a émerveillés.

Seul le petit garçon de cinq ans est peu à peu devenu grognon. Chaque fois qu'un nouveau sommet apparaissait, il demandait : « Est-ce le Dachstein ? » et j'étais obligé de lui répondre : « Non, c'est un avant-mont. » Après avoir répété plusieurs fois cette question, il se tut complètement il ne voulut pas monter le chemin à degrés qui conduisait à la cascade. Je pensai qu'il était fatigué. Le lendemain matin, il vint à moi, frais et reposé, et il me raconta : « Cette nuit j'ai rêvé que nous étions allés au refuge de Simony. » Je compris alors. Quand je lui avais parlé du Dachstein, il avait cru qu'on allait faire pendant l'excursion l'ascension de cette montagne, dont il avait tant entendu parler quand on regardait avec la longue-vue. Quand il s'est aperçu qu'il ne verrait que des avant-monts et la cascade et qu'il devrait s'en contenter, il a été déçu et il est devenu triste. Le rêve l'a dédommagé de sa déception. J'ai essayé d'avoir quelques détails du rêve; ils étaient très pauvres : « On monte pendant six heures, par un chemin à degrés » : c'est ce qu'il avait entendu dire.

La petite fille de 8 ans 1/2 avait, pendant cette promenade, également formé des vœux que le rêve devait accomplir. Nous avions amené avec nous à Hallstadt le fils de nos voisins, âgé de 12 ans, cavalier accompli, qui avait, selon toute apparence, conquis le cœur de la petite bonne femme. Le lendemain matin, elle nous raconta le rêve suivant : « Crois-tu, j'ai rêvé qu'Emile était à nous, qu'il vous appelait Papa et Maman et qu'il dormait avec nous, dans la grande chambre comme nos garçons. Là-dessus Maman arrive dans la chambre et jette sous nos lits de grosses tablettes de chocolat enveloppées de papier bleu et vert. » Les frères, à qui je n'ai apparemment pas transmis l'art d'interpréter les songes, déclarèrent, tout comme nos auteurs : « Ce rêve est absurde. » La petite fille défendit une partie de son rêve (au point de vue de la théorie des névroses, il est intéressant de savoir laquelle) : « Qu'Emile soit tout à fait à nous, ça c'est idiot, mais pour les tablettes de chocolat, non. »

C'était précisément cette dernière partie que je trouvais obscure. La maman m'a donné les éléments de l'explication. En revenant de la gare à la maison, les enfants se sont arrêtés devant un distributeur automatique; ils auraient voulu avoir de ces tablettes, entourées de papier d'argent, qu'ils savaient, par expérience, s'y trouver. La maman avait estimé, avec raison, que cette journée avait réalisé assez de désirs et elle avait laissé celui-ci pour le rêve. Cette petite scène m'avait échappé. Je compris sans peine la partie du rêve que ma fille avait écartée. J'avais entendu moi-même comment notre gentil invité avait, sur la route, engagé les enfants à attendre que Papa et Maman arrivent. Le rêve de la petite avait fait de ces relations temporaires une adoption durable. Son bon petit cœur ne concevait pas d'autre forme de vie en commun que celle qu'elle menait avec ses frères, et que le rêve réalisait. Il était impossible de savoir, sans interroger l'enfant, pourquoi les tablettes de chocolat avaient été jetées sous les lits.

Des amis m'ont raconté un rêve tout à fait semblable à celui de mon petit garçon. Il s'agissait cette fois d'une petite fille de huit ans. Son père avait fait, avec plusieurs enfants, une promenade à Dornbach, afin de leur montrer la Rohrerhütte, mais il avait rebroussé chemin parce qu'il était trop tard, et il avait promis aux enfants de la leur montrer à une autre occasion. Au retour on passa devant une plaque qui indiquait le chemin du Hameau. Les enfants demandèrent à aller au Hameau, et on leur promit, comme précédemment, de le faire un autre jour. Le lendemain matin, la petite fille, âgée de huit ans, a déclaré à son père avec satisfaction : « Papa, j'ai rêvé aujourd'hui que tu étais allé avec nous à la Rohrerhütte et au Hameau. » Dans son impatience, elle avait, par avance, réalisé en rêve la promesse de son père.

Ma petite fille, quand elle était âgée de 3 ans et 3 mois, a fait un rêve tout aussi clair. Il avait été inspiré par la beauté du paysage de l'Aussee. L'enfant avait, pour la première fois, fait un voyage sur le lac, et le temps de la promenade lui avait paru très court. Elle ne voulait pas quitter le bateau à l'embarcadère et pleurait à chaudes larmes. Le lendemain matin elle raconta : « Cette nuit j'ai fait une promenade sur le lac. » Il faut espérer que cette fois la promenade aura été assez longue.

Mon fils aîné, alors âgé de huit ans, réalisait déjà en rêve les rêveries de la veille. Il montait avec Achille dans un char, Diomède conduisait le char. Les jours précédents, comme de juste, il s'était passionné pour les légendes grecques que l'on avait données à sa sœur aînée.

Si l'on veut bien m'accorder que les mots dits par les enfants pendant le sommeil font partie du rêve, je pourrai communiquer l'un des rêves les plus récents de ma collection. Ma plus petite fille, âgée à ce moment de 19 mois, avait eu un matin des vomissements et avait été mise à la diète pour toute la journée. Dans la nuit qui a suivi ce jour de jeûne, on l'entendit crier, au milieu d'un sommeil agité : « *Anna F.eud, f.aises, g.osses f.aises, flan, bouillie !* » Elle employait alors son nom pour exprimer la prise de possession. Son menu comprenait apparemment tout ce qui lui avait paru désirable. Le fait qu'elle y avait mis des fraises sous deux formes était une manifestation contre la police sanitaire domestique; elle avait remarqué, en effet, que la bonne avait mis son indisposition sur le compte d'une grande assiettée de fraises; elle prenait en rêve sa revanche de cette appréciation inopportune (1).

Quand nous disons que l'enfance est heureuse parce qu'elle ne connaît pas encore le besoin sexuel, nous oublions quelle source permanente de déceptions, de renoncement et, partant, de rêves est pour elle l'autre grand besoin vital (2). Voici un autre exemple : Mon petit neveu, âgé de 22 mois, est chargé de me souhaiter ma fête et de m'apporter, comme cadeau, un panier de cerises, qui sont alors des primeurs encore. La chose lui paraît dure, il répète : « Les cerises sont d'dans », et il ne peut pas se décider à donner la corbeille. La nuit lui apportera une compensation. Jusqu'à présent, il racontait à sa mère chaque matin qu'il avait rêvé du « soldat blanc » (un officier de la garde couvert

(1) Peu de jours après, la grand-mère eut un rêve analogue à celui de sa petite-fille (elles avaient 70 ans à elles deux). Elle avait été obligée de se mettre à la diète pendant un jour, à la suite de troubles causés par un rein flottant. La nuit elle rêva, se retrouvant sans doute fraîche jeune fille, qu'elle avait été invitée à déjeuner et à dîner et qu'on lui avait servi des mets recherchés.

(2) Une étude plus attentive de l'âme de l'enfant nous apprend qu'en réalité les tendances sexuelles, sous leur forme infantile, jouent dans l'activité psychique de l'enfant un rôle considérable et qui n'a été que trop méconnu. Cela nous fait quelque peu douter du « bonheur de l'enfance » tel que les adultes le concevront plus tard. (Voir mes *Drei Abhandlungen zur Sexualtheorie*, 1905 ; *Ges. Werke*, Bd. V).

de son manteau) qu'il avait un jour admiré dans la rue. Au lendemain du douloureux sacrifice, il se réveille tout heureux et déclare, confiant dans son rêve : « *He(r)man mangé toutes les cerises !* » (1).

Je ne sais pas de quoi rêvent les animaux. Un proverbe

(1) Il convient de signaler que les petits enfants commencent à avoir assez tôt des rêves plus compliqués et moins clairs et qu'en revanche on trouve chez les adultes, dans certaines circonstances, des rêves simples, d'aspect infantile. J'ai montré combien les rêves d'enfants de 4 à 5 ans sont déjà riches de pensées imprévues ; j'en ai rapporté des exemples (Analyse der Phobie eines fünfjährigen Knaben, *Jahrbuch von Bleuler-Freud*, I, 1909). JUNG en rapporte d'autres (Ueber Konflikte der kindlichen Seele, *ibid.*, II, 1910).

On trouvera des analyses de rêves d'enfants chez H. von HUG-HELLMUTH, PUTNAM, RAALTE, SPIELREIN, TAUSK ; d'autres chez BAN-CHIERI, BUSEMANN, DOGLIA et surtout chez WIGAM qui insiste sur le caractère d'accomplissement de désir. Chez les adultes, les rêves de type infantile apparaissent surtout quand les sujets se trouvent placés dans des conditions de vie inhabituelles. Voici ce que dit NORDENSKJÖLD de l'équipage qui a hiverné avec lui (*Antartic*, 1904, t. I, p. 336) : « Nos rêves n'ont jamais été aussi fréquents et vivants que pendant cette période et ils trahissaient nos pensées les plus intimes. Ceux-là mêmes d'entre nos camarades qui n'avaient jusqu'alors rêvé que très exceptionnellement avaient tous les matins de longues histoires à raconter, et nous nous communiquions ainsi mutuellement nos derniers exploits dans le monde de l'imagination. C'était toujours notre ancienne vie, qui maintenant était si loin de nous, mais elle était peuplée d'événements de notre vie actuelle. Ainsi un de nos camarades avait fait ce rêve, très caractéristique : il était sur les bancs de l'école, et on l'avait chargé, en guise de devoir, d'écorcher des petits chiens de mer préparés tout exprès pour la leçon. Le plus souvent nos rêves tournaient autour de la nourriture et de la boisson. L'un de nous se distinguait par ses rêves de banquet, et il était parfaitement heureux quand il pouvait nous annoncer le matin, qu'il "avait fait un dîner de trois services". Un autre rêvait de tabac, de montagnes de tabac, un autre d'un bateau qui allait toutes voiles dehors à travers la mer libre. Un rêve encore mérite d'être mentionné : le facteur arrivait avec le courrier et nous expliquait longuement les causes de son retard. Il avait mal distribué ses lettres et il avait eu toutes les peines du monde à les avoir à nouveau. Il était question, bien entendu, dans nos rêves de beaucoup de choses encore, mais ce qui m'avait frappé, aussi bien dans mes propres rêves que dans ceux qu'on me racontait, c'était le manque d'imagination. Il aurait été très intéressant au point de vue psychologique de les noter tous. On comprendra sans peine combien tous nous aspirions au sommeil qui nous apportait la réalisation de nos plus vifs désirs. » — DU PREL note (p. 231) : « Pendant un voyage en Afrique, Mungo Park, mourant de soif, rêvait sans cesse des vallées et des prairies ruisselantes de sa patrie. Trenck, torturé par la faim, se voyait à la Sternschanze de Magdebourg, entouré de mets choisis, et George Back, qui prit part à la première expédition de Franklin, rêva également, à un moment où il allait mourir d'inanition, de repas abondants. »

que m'a appris un de mes auditeurs croit le savoir. Il dit :
« De quoi rêve l'oie ? De maïs » (1). Toute la théorie du
rêve accomplissement de désir tient dans ces mots (2).
Remarquons en terminant que nous aurions pu arriver à
notre conclusion sur le sens caché des rêves par une voie
bien plus courte, si nous avions seulement interrogé les
maximes. La sagesse populaire parle quelquefois, il est vrai,
des rêves avec mépris, — il semble qu'elle veuille donner
raison à la science quand elle dit « tout songe mensonge ».
Le plus souvent cependant, pour elle, le rêve est comme la
bonne fée. Quand la réalité surpasse nos espérances, nous
disons : « Je n'aurais jamais osé rêver cela. »

---

(1) *Wovon träumt die Gans ? Von Kukuruz.* — Un proverbe hongrois,
que rapporte FERENCZI, affirme : « Le cochon rêve de glands, l'oie de
maïs. » Un proverbe juif dit : « De quoi rêve la poule ? De millet »
(*Sammlung jüd. Sprichw. u. Redensarten*, herausg. v. BERNSTEIN,
2. Aufl., p. 116).

(2) Je ne prétends point être le premier qui ait vu dans le désir
l'origine du rêve. (Voir là-dessus le début du chapitre suivant.) Ceux que
l'origine de cette conception intéresse en trouveront des traces dans
l'Antiquité chez HÉROPHILE, médecin qui vivait sous Ptolémée Ier.
HÉROPHILE distingue, selon BÜCHSENSCHÜTZ (p. 33), trois espèces de
rêves : les rêves envoyés par les dieux, les rêves naturels qui naissent
quand l'âme se fait une image de ce qui pourrait lui arriver de salutaire
et de ce qui va se passer, et les rêves mixtes qui naissent d'eux-mêmes,
par juxtaposition d'images, quand nous voyons ce que nous souhaitons.
J. STÆRCKE relève, dans le choix d'exemples de SCHERNER, un rêve
que l'auteur lui-même a considéré comme une réalisation de désir (p. 239).
SCHERNER dit : « L'imagination réalisa aussitôt le vœu que la dormeuse
avait caressé pendant la veille, parce qu'il était très vivant dans son
esprit. » Ce rêve se trouve parmi les rêves affectifs *(Stimmungsträume)*,
à côté de rêves de langueur amoureuse et d'humeur chagrine. Comme on
le voit, SCHERNER ne fait pas jouer au désir d'autre rôle dans le rêve qu'à
n'importe quel autre état psychique de la veille ; il était donc loin
d'établir une relation entre le désir et l'essence même du rêve.

CHAPITRE IV

LA DÉFORMATION DANS LE RÊVE

Si j'affirme ainsi que la signification de *chaque* rêve est un accomplissement de désir et qu'il n'est pas d'autres rêves que des rêves de désir, je sais que je me heurterai à une opposition irréductible. On m'objectera : le fait qu'il y a des rêves que l'on doit interpréter comme des vœux accomplis n'est pas nouveau, toute une série d'auteurs l'ont signalé dès longtemps (cf. Radestock [p. 137-138], Volkelt [p. 110-111], Purkinje [p. 456], Tissié [p. 70], M. Simon [p. 42, sur les rêves d'inanition du baron Trenck pendant son emprisonnement] et Griesinger [p. 111]) (1). Mais dire qu'il n'y a que des rêves d'accomplissement de désir est une généralisation injustifiée que l'on peut réfuter sans peine. Trop de rêves enferment un contenu pénible, sans trace de réalisation d'un désir.

L'auteur qui s'oppose le plus nettement à notre conception est peut-être le philosophe pessimiste Ed. v. Hartmann. Voici ce qu'il dit dans sa *Philosophie de l'inconscient* (IIe partie) (2) : « Pour ce qui est du rêve, il apporte dans le sommeil toutes les misères de la vie éveillée et ne laisse de côté que ce qui pourrait réconcilier avec la vie les hommes cultivés : la joie de la science et de l'art. »

Des observateurs moins sombres font également ressortir

_____

(1) PLOTIN disait déjà : « Quand nos désirs sont émus, l'imagination survient qui nous donne l'illusion de posséder leur objet » (DU PREL, p. 276).
(2) P. 344 de l'éd. allemande (Stereotypausgabe).

que le désagréable et la douleur sont plus fréquents en rêve que l'agréable et le plaisir (cf. Scholz, p. 33 ; Volkelt, p. 80). Sarah Weed et Florence Hallam, qui ont étudié leurs propres rêves, ont essayé de donner à cette prédominance du désagréable une expression statistique. D'après elles, 28,6 % des rêves seulement sont agréables et 58 % pénibles. En dehors de ces rêves, qui continuent pendant le sommeil les états affectifs pénibles de la veille, il y a encore les cauchemars, rêves d'angoisse, où ce sentiment, le plus affreux de tous, nous secoue jusqu'à ce que nous nous réveillions. Et c'est précisément chez les enfants, chez qui nous avons trouvé les rêves de désir non voilés, que ces cauchemars sont le plus fréquents (cf. Debacker, *Terreurs nocturnes des enfants*, 1881).

Il semblerait que ces cauchemars sont en contradiction avec la loi d'accomplissement de désir que nous avons cru pouvoir déduire des exemples des chapitres précédents et qu'ils rendent absurde notre tentative de généralisation.

Il n'est cependant pas difficile de répondre à ces objections, en apparence si convaincantes. Il suffit de se rappeler que notre théorie s'appuie sur un examen, non du contenu manifeste du rêve, mais du contenu de pensée que le travail d'interprétation découvre derrière le rêve. Nous opposons au *contenu manifeste* le *contenu latent*. Il est vrai qu'il existe des rêves dont le contenu manifeste est pénible, mais a-t-on jamais essayé d'analyser ces rêves, de découvrir leur contenu latent ? Sinon, toutes les objections tombent, car n'est-il pas possible aussi que des rêves pénibles et des cauchemars se révèlent, en fait, après interprétation, comme des rêves d'accomplissement de désir (1) ?

---

(1) On ne saurait croire avec quel entêtement lecteurs et critiques se refusent à cet examen et laissent de côté la différence fondamentale entre le contenu manifeste et le contenu latent. — Par contre, personne n'est plus près de moi sur ce point que J. SULLY, dans un passage de son article : *Dreams as a revelation* ; on voudra bien ne pas en sous-estimer l'importance parce qu'il n'est cité qu'ici : « It would seem then, after all, that dreams are not the utter nonsense they have been said to be by such authorities as Chaucer, Shakespeare and Milton. The chaotic aggregations of our nightfancy have a significance and communicate new knowledge. *Like some letter in cipher, the dream inscription when scrutinised closely loses its first look of balderdash and takes on the aspect of a serious, intelligible message. Or, to vary the figure slightly, we may say that, like some palimpsest, the dream discloses beneath its worthless surface-characters traces of an old and precious communication* » (p. 364).

Il est souvent utile au cours d'une recherche, quand la solution d'un problème présente des difficultés, de passer à l'examen du problème suivant; on casse plus facilement deux noix l'une contre l'autre. Nous n'allons pas essayer de résoudre d'emblée la question de savoir comment des rêves pénibles ou des cauchemars peuvent accomplir des désirs; nous allons nous attacher d'abord à un autre problème qui découle également de ce que nous avons vu jusqu'à présent : Pourquoi des rêves indifférents, qui à l'analyse se révèlent comme des rêves d'accomplissement de désir, n'expriment-ils pas ce désir clairement ? Le rêve de l'injection faite à Irma, que nous avons longuement exposé, n'avait rien de pénible, il nous est apparu après interprétation comme l'accomplissement très net d'un désir. Mais pourquoi une analyse était-elle nécessaire, pourquoi le rêve ne découvre-t-il pas aussitôt son sens ? En fait, le rêve de l'injection faite à Irma ne donnait pas au premier abord l'impression d'exaucer un souhait du rêveur. Le lecteur l'aura constaté; je ne le savais pas moi-même avant d'en faire l'analyse. Si nous nommons ce fait : la *déformation* dans le rêve, une seconde question se posera aussitôt : d'où provient cette déformation du rêve ?

On pourrait à première vue imaginer diverses réponses. Celle-ci par exemple : il serait impossible, durant le sommeil, de trouver l'expression qui correspondrait aux pensées du rêve. Mais l'analyse de certains rêves nous oblige à donner de cette déformation une autre explication. C'est ce que je vais montrer d'après un autre de mes rêves. Il m'obligera à nouveau à un certain nombre d'indiscrétions, mais ce sacrifice personnel sera compensé par un éclaircissement complet du problème.

Récit préliminaire : Au printemps 1897, j'appris que deux professeurs de notre Université avaient proposé de me conférer le grade de *professor extraordinarius*. Cette nouvelle me surprit et me fit un vif plaisir : deux hommes éminents, qui n'étaient point de mes amis, reconnaissaient ainsi publiquement ma valeur. Mais je me dis aussitôt que je ne devais pas me faire d'illusion. Le ministère avait, dans les dernières années, refusé de nombreuses propositions de cet ordre, et bien des collègues plus âgés que moi, qui avaient rendu au moins autant de services, attendaient vainement leur nomination. Il n'y avait pas de raison pour que je fusse mieux traité. Je résolus donc d'en prendre

mon parti. Je ne crois pas être ambitieux, j'ai assez de
clientèle et n'ai pas besoin d'un titre pour en avoir davantage. Il ne s'agissait pas au reste de savoir si je trouvais
les raisins trop verts : il était clair que je ne les pouvais
atteindre.

Un soir, un collègue de mes amis, qui précisément était
dans le même cas que moi et depuis plus longtemps, vint
me voir. Dans notre société, le titre de professeur fait du
médecin un demi-dieu pour ses malades; moins résigné
que moi, il se présentait de temps à autre aux bureaux du
ministère pour demander où en était sa nomination.
Il en revenait précisément. Il me raconta que cette fois il
avait mis le directeur au pied du mur et lui avait demandé
s'il était vrai que des motifs confessionnels empêchaient
sa nomination. On lui avait répondu qu'évidemment
— étant données les tendances actuelles — son Excellence
ne pourrait de quelque temps, etc. « Du moins, conclut
mon ami, je sais où j'en suis. » Cela ne m'apprenait rien de
nouveau, mais devait m'engager à me résigner plus encore.
On pouvait m'opposer, en effet, les mêmes motifs confessionnels.

Le lendemain, je fis le rêve suivant, dont la forme même
était curieuse. Il se composait de deux pensées et de deux
images, disposées de telle sorte que, dans chaque couple,
pensée et image s'expliquaient mutuellement. Je n'indique
que la première moitié du rêve, l'autre ne nous intéresse
pas ici.

I. *Mon ami R... est mon oncle. — J'ai pour lui une grande
tendresse.*

II. *Je vois son visage devant moi un peu changé. Il paraît
allongé, on voit très nettement une barbe jaune qui l'encadre.*

Ensuite viennent les deux autres parties. Une pensée et
une image de nouveau, je passe.

Voici comment je procédai pour interpréter ce rêve.

Quand il me revint à l'esprit dans le cours de l'après-
midi, j'en ris d'abord et je dis : « Ce rêve est absurde. »
Mais je ne pouvais l'écarter, il me poursuivit tout le jour.
Enfin, vers le soir, je me fis des reproches : « Si, lors
de l'interprétation d'un rêve, un de tes malades te disait
simplement : " c'est absurde ", tu le lui reprocherais et tu
penserais qu'il y a derrière ce rêve quelque histoire désagréable qu'il préfère ne pas s'avouer. Agis de même avec
toi. Ton idée que le rêve est absurde trahit sans doute une

résistance intérieure à l'interprétation. Ne te laisse pas détourner. » Je me mis donc à l'interpréter.

R... *est mon oncle.* Qu'est-ce que cela peut bien vouloir dire ? Je n'ai eu qu'un oncle, l'oncle Joseph (1). C'est une triste histoire. Il s'était laissé entraîner, il y a quelque trente ans, à des spéculations qui le menèrent trop loin. Il fut puni. Mon père, dont le chagrin rendit en peu de jours les cheveux gris, disait souvent que l'oncle Joseph n'était pas un mauvais homme, mais une tête faible ; c'était son expression. Si donc mon ami R... est mon oncle Joseph, j'entends par là : R... est une tête faible. J'ai peine à le croire et cela m'est très désagréable. Pourtant la figure aux traits allongés et à la barbe jaune que je vois dans mon rêve le confirme. Mon oncle avait bien une figure longue, entourée d'une belle barbe blonde. Mon ami R... était très brun, mais quand les bruns commencent à grisonner, ils expient la splendeur de leur jeunesse. Leur barbe noire devient brun rouge, puis jaunâtre, grise enfin. Mon ami R... en est là, moi aussi d'ailleurs et je le remarque avec ennui. La figure que je vois en rêve est à la fois celle de mon ami R... et celle de mon oncle, c'est une image générique à la manière de Galton qui, on le sait, faisait photographier plusieurs figures sur la même plaque pour dégager les caractères de famille. Il n'y a donc pas de doute, j'ai bien pensé que mon ami R... était une tête faible, comme mon oncle Joseph.

Je ne peux encore imaginer dans quel but j'ai établi un rapprochement qui m'indigne. Il ne peut aller bien loin. Mon oncle avait commis un crime, mon ami R... est irréprochable, il n'a jamais encouru qu'une amende, pour avoir, avec sa bicyclette, renversé un écolier. Est-ce à cela que je pense ? Ce serait ridicule. Mais une autre conversation sur le même thème avec mon collègue N... me revient à l'esprit. Je rencontrai N... dans la rue ; lui aussi a été proposé comme professeur, il savait quel honneur on m'avait fait et me félicita. Je lui dis : « Quelle plaisanterie ! Vous ne savez que trop bien par vous-même quelle est la valeur de ces

---

(1) Il est curieux que, pendant la veille, mes souvenirs se réduisent pour faciliter l'analyse. J'ai connu cinq de mes oncles, j'en ai beaucoup aimé et admiré un. Mais dès l'instant où j'ai surmonté la résistance contre l'interprétation du rêve, je me dis : Je n'ai eu qu'un oncle, celui précisément dont il est question dans le rêve.

sortes de propositions ! » Là-dessus, lui, sans y attribuer peut-être grande importance : « On ne peut pas savoir. Il y a quelque chose de particulier contre moi. Ne savez-vous pas qu'une fois j'ai été dénoncé à la justice. Je n'ai pas besoin de vous dire que l'on a arrêté l'enquête; c'était une vulgaire tentative de chantage; et j'eus même bien de la peine à empêcher que l'on punît la dénonciatrice. Mais l'on utilise peut-être cela contre moi au ministère pour ne pas me nommer. Vous, vous êtes irréprochable. » Voilà le criminel trouvé, et aussi le sens et la tendance de mon rêve. Mon oncle Joseph représente les deux collègues qui n'ont pas été nommés professeurs, l'un parce que tête faible, l'autre parce que criminel. Je sais maintenant pourquoi j'ai besoin de cette construction. Si des motifs confessionnels suffisent à expliquer que l'on n'ait point nommé mes amis R... et N..., ma propre nomination est bien douteuse; mais si je puis attribuer cette opposition à d'autres motifs qui ne me touchent pas, rien ne m'empêche d'espérer. Mon rêve fait de R... une tête faible, de N... un criminel; je ne suis ni l'un ni l'autre, il n'y a donc plus de communauté entre nous; je peux donc compter être nommé professeur, et j'échappe au sentiment pénible de devoir m'appliquer ce que le directeur a dit à R...

Il faut que j'interprète ce rêve plus complètement. Je ne suis pas encore tranquille, je ne peux prendre mon parti de la légèreté qui m'a fait rabaisser deux collègues honorables pour me faire un chemin. Mon malaise s'est un peu atténué : je sais quelle est la valeur du témoignage dans le rêve. Je suis prêt à affirmer publiquement que R... n'est pas une tête faible, que N... a été victime d'un chantage. Je ne crois pas non plus qu'Irma ait été gravement malade à la suite d'une injection de propylène faite par Otto; ici comme là, mon rêve exprimait seulement le *désir qu'il en fût ainsi*. La supposition qui réalise mon désir est moins absurde dans le second rêve que dans le premier, elle utilise plus adroitement des faits matériels; elle ressemble à une de ces calomnies bien faites où « il y a tout de même quelque chose de vrai »; je sais, pour mon ami R..., qu'un de ses collègues a autrefois voté contre lui, et quant à mon ami N..., c'est lui-même qui m'a fourni des armes contre lui. Et cependant, je le répète, le rêve ne me paraît pas entièrement expliqué.

Je songe maintenant que le rêve contient une indication

que jusqu'à présent je n'ai pas interprétée. Dès que je me suis aperçu que R... était mon oncle, j'ai éprouvé pour lui une ardente tendresse. D'où vient ce sentiment? Je n'ai évidemment jamais rien ressenti de pareil pour mon oncle Joseph. Il y a de longues années que R... m'est cher, mais si je m'en venais lui exprimer une tendresse du genre de celle que j'éprouve pour lui dans le rêve, il serait assurément étonné. Ma tendresse pour lui me paraît fausse et exagérée. Cette exagération se retrouve, quoique en sens opposé, dans le peu d'estime que je fais de sa valeur intellectuelle en le confondant avec mon oncle Joseph. Je commence à deviner. Cette tendresse n'appartient pas au contenu latent du rêve, aux pensées qu'il recouvre, elle leur est opposée, elle a pour rôle d'empêcher l'interprétation. C'est bien cela. Je me rappelle ma résistance à cette interprétation, combien j'ai souhaité ne pas la faire, déclarant que ce rêve était absurde. Mon expérience psychanalytique m'a appris comment de tels refus doivent être interprétés. Ils n'ont pas de valeur explicative, mais manifestent nos affects. Quand une petite fille n'a pas envie de manger une pomme qu'on lui offre, elle la déclare amère, sans même y avoir goûté. Quand mes malades se conduisent comme la petite, je sais qu'il s'agit de représentations qu'ils veulent *refouler*. Il en est de même pour mon rêve : je ne tiens pas à l'interpréter, parce que l'interprétation contient quelque chose contre quoi je regimbe. Mon interprétation achevée, je sais de quoi il s'agissait : je me regimbais contre l'idée que R... était une tête faible. La tendresse que j'éprouvais pour lui ne provenait pas du contenu latent du rêve, mais de ma résistance. Si le contenu latent de mon rêve est ainsi déformé, déformé en son contraire, c'est que la tendresse m'est ici utile. En d'autres termes, la *déformation* est voulue, elle est un procédé de *dissimulation*. Les pensées de mon rêve étaient injurieuses pour R...; pour que je ne le remarque pas, elles sont remplacées par l'opposé, la tendresse.

On peut considérer cette notion comme ayant une valeur générale. Ainsi que nous l'avons vu dans le chapitre III, il y a des rêves non voilés de désir. Là où l'accomplissement du désir est méconnaissable, déguisé, on peut affirmer qu'il y a eu une tendance à se défendre contre lui, il n'a pu s'exprimer que déformé.

Je vais essayer de chercher un parallèle, dans la vie

sociale, à cet événement de notre vie intérieure. Où trouver
une telle déformation des actes psychiques dans la vie
sociale sinon dans les relations de deux hommes dont l'un
détient un certain pouvoir que l'autre doit ménager;
celui-ci déguisera sa pensée. Notre politesse de tous les
jours est une forme de dissimulation. Quand j'interprète
mes rêves pour le lecteur, je suis obligé de les déformer. Le
poète connaît les mêmes contraintes : « Pourtant le meilleur de ce que tu connais ne peut être dit à ces garçons » (1).
L'écrivain politique se trouve dans une situation analogue
quand il veut dire des vérités désagréables aux puissants.
S'il exprime ouvertement son opinion, on l'étouffera,
après s'il s'agit de paroles, avant s'il recourt à l'impression.
L'écrivain redoute la *censure*, c'est pourquoi il modère et
il déforme l'expression de sa pensée. Selon la force et la
susceptibilité de cette censure, il devra, ou bien éviter
certaines formes d'attaques seulement, ou bien se contenter
d'allusions et ne pas dire clairement de quoi il s'agit, ou
bien dissimuler sous un déguisement innocent des révélations subversives; il parlera de mandarins alors qu'il
songera aux fonctionnaires de son pays. Plus la censure
sera sévère, plus le déguisement sera complet, plus les
moyens de faire saisir au lecteur le sens véritable seront
ingénieux (2).

(1)   *Das Beste was du wissen kannst,*
           Darfst du den Buben doch nicht sagen.
                      (GŒTHE, *Faust*, I.)

(2) Mme H. v. HUG-HELLMUTH a communiqué en 1915 (*Internat.
Zeitschr. f. ärztl. Psychoanalyse*, III) un rêve qui justifie mieux qu'aucun
autre ma terminologie. La transposition du rêve agit dans son exemple
comme la censure des lettres : elle « éteint » les passages qui lui paraissent
subversifs. La censure des lettres « caviarde » ces passages, la censure du
rêve les remplace par un murmure incompréhensible. Il faut savoir que
la rêveuse est une dame haut placée, très bien élevée, âgée de cinquante
ans, veuve d'un officier supérieur mort depuis 12 ans et mère de grands
fils dont l'un se trouve alors sur le front.

Elle rêve de « service d'amour ». *Elle va à l'hôpital n° 1 et dit au poste à
l'entrée qu'elle doit parler au médecin-chef... (elle prononce un nom qui lui
est inconnu), parce qu'elle doit prendre du service à l'hôpital. Mais elle
prononce le mot service d'une façon telle que le sous-officier comprend
aussitôt qu'il s'agit de service d'amour. Comme c'est une femme âgée, après
quelque hésitation, il la laisse passer. Mais, au lieu d'arriver auprès du
médecin-chef, elle arrive dans une grande pièce sombre où se trouvent beaucoup d'officiers et de médecins militaires debout ou assis, autour d'une
longue table. Elle présente sa requête à un médecin-major qui la comprend*

L'analogie qu'on retrouve jusque dans le détail entre la censure et la déformation du rêve autorise l'hypothèse de conditions analogues. Nous sommes ainsi conduits à admettre que deux grandes forces concourent à la formation du rêve : les tendances, le système. L'une construit le désir qui est exprimé par le rêve, l'autre le censure et par suite de cela déforme l'expression de ce désir. On peut se demander en quoi consiste le pouvoir grâce auquel cette seconde instance exerce sa censure. Si l'on songe que les pensées latentes du rêve ne sont pas conscientes avant l'analyse, mais que nous nous rappelons d'une manière consciente le contenu manifeste du rêve, on ne sera pas loin d'admettre que la seconde instance a pour rôle de permettre l'accès de la conscience. Rien du premier système ne pourrait parvenir à la conscience avant d'avoir franchi la seconde instance, et la seconde instance ne laisserait passer aucun de ces futurs états de conscience, sans exercer son droit et lui imposer les modifications qui lui conviennent. Ces notions supposent une conception particulière de « l'essence » de la conscience. Le fait de devenir conscient est pour moi un acte psychique particulier, distinct et indépendant de l'apparition d'une pensée ou d'une représenta-

---

au bout de peu de mots. Elle s'entend dire, en rêve : « *Moi et de nombreuses autres femmes et jeunes filles de Vienne sommes prêtes pour les soldats, hommes de troupe et officiers, sans distinction...* » (Ici, un murmure.) *Mais les visages gênés ou ricanants des officiers lui montrent que tout le monde a bien compris. La dame continue :* « *Je sais que notre résolution peut paraître singulière, mais c'est très sérieux. On ne demande pas au soldat, sur le champ de bataille, s'il veut ou non mourir.* »

Suit un silence pénible de quelques minutes. Le médecin-major passe son bras autour de sa taille et dit : « *Chère madame, supposez qu'il faille réellement...* » (murmure). *Elle échappe à son bras en pensant : il est comme les autres..., et répond :* « *Mon Dieu ! je suis une vieille femme et je ne me trouverais peut-être même pas en situation... D'ailleurs il faudrait poser une condition : on aurait égard à l'âge de façon qu'une femme âgée et un tout jeune garçon...* (murmure) ; *ce serait effrayant.* » *Le médecin-major :* « *Je comprends très bien.* » *Quelques officiers, au nombre desquels s'en trouve un qui l'avait autrefois demandée en mariage, éclatent de rire. Elle demande à être conduite au médecin-chef qu'elle connaît, pour tout régler. Elle s'aperçoit alors avec consternation qu'elle ignore son nom. Toutefois le médecin-major lui indique avec beaucoup de politesse et de considération un tout petit escalier tournant en fer qui conduit directement à l'étage supérieur. En montant, elle entend dire à un officier :* « *C'est une résolution formidable ! Jeune ou vieille, elle mérite tout notre respect !* » *Elle monte cet escalier interminable, avec le sentiment de faire simplement son devoir.*

Ce même rêve reparaît deux autres fois en quelques semaines avec des changements tout à fait négligeables et dépourvus de signification.

tion. La conscience m'apparaît comme un organe des sens qui perçoit le contenu d'un autre domaine. On peut montrer que la psychopathologie ne saurait se refuser à admettre ce principe fondamental. Mais nous le développerons plus longuement un peu plus tard.

Si j'applique ce que je viens de dire des deux instances psychiques et de leurs relations avec la vie consciente au « rêve de l'oncle », je constate une analogie complète entre la tendresse que j'éprouve dans le rêve pour mon ami R... et ce qui se passe parfois dans la vie politique. Supposons un État où un souverain jaloux de son pouvoir lutte contre une opinion publique agitée. Le peuple se révolte contre un fonctionnaire qui lui déplaît et exige son renvoi. Pour ne pas laisser voir qu'il doit compter avec l'opinion populaire, le souverain conférera au fonctionnaire une haute distinction que rien ne motivait. C'est ainsi que ma seconde instance, commandant le seuil de la conscience, gratifie R... d'un débordement de tendresse parce que la tendance du premier système était d'en faire une tête faible, cela en vue d'intérêts particuliers auxquels les désirs de ce système étaient fortement liés (1).

Nous avons ici le sentiment que l'interprétation des rêves pourrait nous donner sur la structure de l'esprit des notions que jusqu'à présent nous avons vainement attendues de la philosophie. Mais laissons là ce sujet, et, maintenant que nous avons élucidé le déguisement du rêve, retournons à notre point de départ. Nous nous étions demandé comment on pouvait considérer des rêves à contenu pénible comme accomplissant un désir. Nous voyons que cela est possible s'il y a eu déformation, si le contenu pénible n'est que le travestissement de ce que nous souhaitions. Tenant compte des deux instances psychiques, nous dirons : les rêves pénibles contiennent bien des faits pénibles à la *deuxième*

---

(1) Ces rêves hypocrites ne sont pas rares. Au moment où je m'occupais d'un certain problème scientifique, j'eus plusieurs nuits de suite un rêve légèrement embrouillé où je me réconciliais avec un ami quitté depuis longtemps. A la quatrième ou cinquième fois, je parvins enfin à saisir le sens de ce rêve. Il m'encourageait à laisser là ce qui me restait d'égards pour la personne en question, à me libérer d'elle complètement, et il s'était hypocritement déguisé en son contraire. J'ai publié un « rêve d'Œdipe » hypocrite où la pensée du rêve remplaçait par une tendresse manifeste les impulsions hostiles et les souhaits de meurtre *(Typisches Beispiel eines verkappten Œdipustraumes)*. Je décrirai plus loin (chapitre VI : Le travail du rêve) une autre variété du rêve hypocrite.

instance, mais ces faits renferment l'accomplissement d'un désir de la *première*. Ils sont rêves de désir dans la mesure où tout rêve jaillit de la première instance, la seconde ne se comportant pas à l'égard du rêve d'une façon créatrice et n'exerçant qu'une action défensive (1). Si nous jugeons seulement la contribution de la seconde instance, nous ne comprendrons jamais ceux-là. Nous retrouverons toutes les énigmes constatées jusqu'à présent par les auteurs dans le domaine du rêve.

Il faut que l'analyse dévoile le sens caché de chaque rêve qui est d'accomplir un désir. Je choisis quelques rêves à contenu pénible et vais essayer de les analyser. Ce sont, en partie, des rêves d'hystériques, ils exigent de longs récits préliminaires et parfois une intrusion dans les processus psychiques de l'hystérie. Mais je ne peux éviter ces circonstances, bien qu'elles rendent l'exposé des faits plus difficile.

Ainsi que je l'ai déjà indiqué, quand je traite un psychonévrosé, ses rêves deviennent régulièrement le sujet de nos entretiens. Je dois lui donner alors toutes les explications psychologiques grâce auxquelles je parviens moi-même à comprendre son cas, et je subis à cette occasion des critiques impitoyables : des spécialistes ne seraient pas plus durs. Régulièrement, mes malades se refusent à admettre le principe d'après lequel tous les rêves seraient l'accomplissement de désirs. Voici quelques exemples de rêves que l'on m'a opposés comme preuve du contraire.

« Vous dites toujours, déclare une spirituelle malade, que le rêve est un désir réalisé. Je vais vous raconter un rêve qui est tout le contraire d'un désir réalisé. Comment accorderez-vous cela avec votre théorie ? Voici le rêve :

« *Je veux donner un dîner, mais je n'ai pour toutes provisions qu'un peu de saumon fumé. Je voudrais aller faire des achats, mais je me rappelle que c'est dimanche après-midi et que toutes les boutiques sont fermées. Je veux téléphoner à quelques fournisseurs, mais le téléphone est détraqué. Je dois donc renoncer au désir de donner un dîner.* »

Je réponds naturellement que seule l'analyse peut décider du sens de ce rêve; j'accorde toutefois qu'il semble à première vue raisonnable et cohérent et paraît tout le contraire

_____

(1) Nous rencontrerons également des cas où le rêve exprime un désir de cette seconde instance.

de l'accomplissement d'un désir. « Mais de quel matériel provient ce rêve ? Vous savez que les motifs d'un rêve se trouvent toujours dans les faits des jours précédents. »

Analyse. — Le mari de ma malade est boucher en gros; c'est un brave homme, très actif. Il lui a dit quelques jours avant qu'il engraissait trop et voulait faire une cure d'amaigrissement. Il se lèverait de bonne heure, ferait de l'exercice, s'en tiendrait à une diète sévère et n'accepterait plus d'invitations à dîner. Elle raconte encore, en riant, que son mari a fait, à la table des habitués du restaurant où il prend souvent ses repas, la connaissance d'un peintre qui voulait à tout prix faire son portrait, parce qu'il n'avait pas encore trouvé de tête aussi expressive. Mais son mari avait répondu, avec sa rudesse ordinaire, qu'il le remerciait très vivement mais était persuadé que le peintre préférerait à toute sa figure un morceau du derrière d'une belle jeune fille (1). Ma malade est actuellement très éprise de son mari et le taquine sans cesse. Elle lui a également demandé de ne pas lui donner de caviar. — Qu'est-ce que cela peut vouloir dire ?

En réalité elle souhaite depuis longtemps avoir chaque matin un sandwich au caviar, mais elle se refuse cette dépense. Naturellement, elle aurait aussitôt ce caviar, si elle en parlait à son mari. Mais elle l'a prié au contraire de ne pas le lui donner, de manière à pouvoir le taquiner plus longtemps avec cela.

(Cela me paraît tiré par les cheveux. Ces sortes de renseignements insuffisants cachent pour l'ordinaire des motifs que l'on n'exprime pas. Songeons à la manière dont les hypnotisés de Bernheim accomplissant une mission posthypnotique l'expliquent, quand on leur en demande la raison, par un motif visiblement insuffisant, au lieu de répondre : « Je ne sais pas pourquoi j'ai fait cela. » Le caviar de ma malade sera un motif de ce genre. Je remarque qu'elle est obligée de se créer, dans sa vie, un désir insatisfait. Son rêve lui montre ce désir comme réellement non comblé. Mais pourquoi lui fallait-il un tel désir ?)

(1) Cf. l'expression : *dem Maler sitzen* (s'asseoir pour le peintre = poser), et les vers connus de GŒTHE :

> *Und wenn er keinen Hintern hat,*
> *Wie kann der Edle sitzen ?*

(Et si le noble n'a pas de derrière, comment s'assiéra-t-il ?)

Ce qui lui est venu à l'esprit jusqu'à présent n'a pu servir à interpréter le rêve. J'insiste. Au bout d'un moment, comme il convient lorsqu'on doit surmonter une résistance, elle me dit qu'elle a rendu visite hier à une de ses amies; elle en est fort jalouse parce que son mari en dit toujours beaucoup de bien. Fort heureusement, l'amie est mince et maigre, et son mari aime les formes pleines. De quoi parlait donc cette personne maigre ? Naturellement de son désir d'engraisser. Elle lui a aussi demandé : « Quand nous inviterez-vous à nouveau ? On mange toujours si bien chez vous. »

Le sens du rêve est clair maintenant. Je peux dire à ma malade : « C'est exactement comme si vous lui aviez répondu mentalement : " Oui da ! je vais t'inviter pour que tu manges bien, que tu engraisses et que tu plaises plus encore à mon mari ! " J'aimerais mieux ne plus donner de dîner de ma vie ! " Le rêve vous dit que vous ne pourrez pas donner de dîner, il accomplit ainsi votre vœu de ne point contribuer à rendre plus belle votre amie. La résolution, prise par votre mari, de ne plus accepter d'invitation à dîner, pour ne pas engraisser, vous avait, en effet, indiqué que les dîners dans le monde engraissent. » Il ne manque plus qu'une concordance qui confirmerait la solution. On ne sait encore à quoi le saumon fumé répond dans le rêve. « D'où vient que vous évoquez dans le rêve le saumon fumé ? » — « C'est, répond-elle, le plat de prédilection de mon amie. » Par hasard, je connais aussi cette dame et je sais qu'elle a vis-à-vis du saumon fumé la même conduite que ma malade à l'égard du caviar.

Ce même rêve comporte une autre interprétation plus délicate. On pourrait même estimer que celle-ci est rendue nécessaire par une circonstance accessoire. Les deux explications ne se contredisent pas, mais se recouvrent et sont un bel exemple du double sens que le rêve, comme toutes les autres structures psychopathologiques, présente habituellement. Nous savons qu'à l'époque de son rêve du désir non comblé notre malade s'efforçait dans la réalité de refuser de combler un de ses désirs (le sandwich au caviar). L'amie avait aussi exprimé un vœu, celui d'engraisser, et il n'y aurait rien d'étonnant à ce que notre malade eût rêvé qu'un souhait de son amie ne s'accomplit pas. Elle souhaite bien en effet que le désir de son amie (le désir d'engraisser) ne soit pas accompli. Mais, au lieu de cela, elle rêve qu'elle-même voit un de ses désirs non accompli. Le rêve acquiert un sens nouveau, s'il n'y est point question d'elle mais de son amie, si elle s'estime à la place de celle-ci, ou, en d'autres termes, si elle s'est *identifiée* avec elle.

Je pense que c'est là ce qu'elle fait, et que le signe de cette identification est qu'elle s'est donné dans la vie réelle un désir qu'elle se refuse de combler.

Quel est le sens de l'identification hystérique ? Il convient, pour l'expliquer, de pénétrer quelque peu dans ce sujet. L'identification est un facteur très important dans le mécanisme de l'hystérie. C'est grâce à ce moyen que les malades peuvent exprimer par leurs manifestations morbides les états intérieurs d'un grand nombre de personnes et non pas seulement les leurs, ils peuvent souffrir en quelque sorte pour une foule de gens et jouer à eux seuls tous les rôles d'un drame. On dira : c'est là l'imitation hystérique bien connue, l'aptitude qu'ont les hystériques à imiter tous les symptômes qui les impressionnent chez les autres : une sympathie qui va jusqu'à la reproduction, pourrait-on dire. Mais on n'aura fait par là qu'indiquer la voie suivie par le processus psychique de l'imitation hystérique ; autre chose est le processus lui-même. Celui-ci est un peu plus compliqué que l'imitation hystérique telle qu'on se plaît à la représenter ; ainsi qu'un exemple va le prouver, il répond à des déductions inconscientes. Si un médecin a mis avec d'autres patientes, dans une chambre de clinique, une malade qui présente une certaine espèce de tremblement, il ne sera pas étonné d'apprendre, un matin, que cet accident hystérique a été imité. Il se dira simplement : les autres l'ont vu, l'ont imité, c'est de la contagion mentale. Oui, mais la contagion mentale se produit à peu près de la manière suivante. Les malades savent en général plus de choses sur le compte les unes des autres que le médecin n'en peut savoir sur chacune d'elles, et elles se préoccupent encore les unes des autres après la visite du médecin. L'une d'entre elles a-t-elle eu sa crise aujourd'hui, les autres sauront bientôt qu'une lettre de chez elle, un rappel de son chagrin d'amour ou d'autres choses semblables en ont été cause. Leur compassion s'émeut et elles font inconsciemment le raisonnement suivant : Si ces sortes de motifs entraînent ces sortes de crises, je peux aussi avoir cette sorte de crise, car j'ai les mêmes motifs. Si c'étaient là des conclusions conscientes, elles aboutiraient sans doute à l'*angoisse* de voir survenir cette même crise. Mais les choses se passent sur un autre plan psychique et aboutissent à la réalisation du symptôme redouté. L'identification n'est donc pas simple imitation, mais *appropriation* à cause d'une étiologie identique; elle exprime un « tout comme si » et a trait à une communauté qui persiste dans l'inconscient.

L'identification est le plus souvent utilisée dans l'hystérie comme l'expression d'une communauté sexuelle. L'hystérique s'identifie de préférence, mais pas exclusivement, avec des personnes avec qui elle a été en relations sexuelles ou qui ont des relations sexuelles avec les mêmes personnes qu'elle. La langue est d'ailleurs responsable de cette conception. Deux amoureux sont « un ». Le fantasme hystérique, comme le rêve, se contente, pour identifier, du fait que l'on songe à des relations sexuelles, sans que, d'ailleurs, celles-ci soient réelles. Une malade ne fait donc que se conformer aux règles de la pensée hystérique, quand elle exprime sa jalousie contre son amie (jalousie qu'elle sait d'ailleurs injustifiée) en se mettant à sa place dans le rêve et en s'identifiant avec elle par la création d'un symptôme (celui du désir qu'elle se refuse). On aimerait énoncer ce processus de la manière suivante : elle se met à la place de son amie dans le rêve, parce que celle-ci se met à sa place auprès de son mari, parce qu'elle voudrait prendre, dans l'estime de son mari, la place de son amie (1).

Une autre de mes malades, la plus spirituelle de toutes mes rêveuses, a démontré d'une manière plus simple encore comment le non-accomplissement d'un désir peut indiquer l'accomplissement d'un autre. Je lui avais expliqué un jour que le rêve était l'accomplissement d'un désir; le lendemain elle rêvait qu'elle partait à la campagne avec sa belle-mère. Je savais combien elle s'était débattue pour ne point passer l'été auprès de sa belle-mère, je savais aussi que peu de jours avant elle s'était délivrée de cette terreur en louant une maison de campagne très éloignée du lieu où sa belle-mère résidait. Le rêve annulait la solution tant désirée, n'était-ce pas là précisément le contraire de ma théorie ? Assurément, on pouvait, pour comprendre

(1) Je regrette moi-même ces intercalations de fragments sur la psychopathologie de l'hystérie : leur caractère fragmentaire et leur manque de suite font qu'ils ne sont que médiocrement explicatifs. S'ils peuvent toutefois montrer combien sont étroites les relations entre le rêve et les psychonévroses, ils auront atteint le but que je leur ai assigné.

ce rêve, s'en tenir à sa conclusion : d'après ce rêve, j'avais
tort; *elle désirait que j'aie tort, ce rêve lui montrait donc son
désir comme accompli.* Mais le désir que j'aie tort, s'il se
réalisait au sujet de la maison de campagne, avait trait, en
réalité, à un autre objet plus sérieux. Vers le même moment,
j'avais conclu, à partir du matériel qu'elle offrait à l'analyse, qu'il devait s'être passé quelque chose d'important
pour sa maladie dans une certaine période de sa vie. Elle
l'avait nié parce qu'elle n'en trouvait pas de traces dans
sa mémoire. Nous reconnûmes peu après que j'avais eu
raison. Son désir que je puisse avoir tort qui, dans le rêve,
prenait l'aspect d'un départ à la campagne avec sa belle-
mère, répondait donc au désir très normal que la chose
soupçonnée alors ne se fût jamais passée.

Je me suis permis d'interpréter sans analyse et par une
simple supposition le menu fait suivant, arrivé à un ami
qui avait été mon camarade de classe pendant nos huit
années de lycée. Un jour, dans un petit cercle, il m'avait
entendu exposer cette opinion nouvelle : tous les rêves
seraient des accomplissements de désir; il rentra chez lui et
rêva qu'il avait perdu tous ses procès — il était avocat —
et il s'en plaignit à moi. Je me tirai de là en disant : on ne
peut pas gagner tous les procès, mais je pensai en moi-même :
J'ai été pendant huit ans le premier de la classe, tandis
qu'il avait une place quelconque dans la moyenne; il
serait bien étonnant qu'à cette époque-là il n'eût jamais
souhaité que je dise une fois une bonne ânerie.

Une de mes malades m'a rapporté un autre rêve, d'un
caractère plus sombre, et qui lui paraissait contredire la
théorie du rêve-désir. « Vous savez, me dit cette jeune
fille, que ma sœur n'a plus qu'un fils : Charles; elle a perdu
le plus âgé, Otto, alors que j'habitais encore chez elle.
Otto était mon chéri, je l'avais élevé moi-même. J'aime
bien le petit, sans doute, mais je suis bien loin de tenir à
lui comme à celui qui est mort. J'ai rêvé cette nuit que
*je voyais Charles mort devant moi. Il était étendu dans son petit
cercueil, les mains jointes. Il y avait des cierges tout autour.
C'était exactement comme lors de la mort du petit Otto.* Vous
savez combien j'en ai été émue. Qu'est-ce que cela signifie?
Vous me connaissez, je ne suis pas assez méchante pour
souhaiter que ma sœur perde son unique enfant. Le rêve
signifierait-il que je préférerais la mort de Charles à celle
d'Otto, qui m'a été si cher? »

Je lui assurai que cette dernière interprétation était inexacte. Après quelque réflexion, je pus lui donner la signification réelle du rêve, qu'elle confirma d'ailleurs. Je le pus parce que je connaissais toute la vie de la rêveuse.

Orpheline de bonne heure, la jeune fille avait été élevée dans la maison de sa sœur, beaucoup plus âgée qu'elle; elle y avait rencontré, parmi les amis de la maison, l'homme qui avait fait sur son cœur une impression durable. Il sembla d'abord que cette inclination à peine avouée aboutirait à un mariage, mais sa sœur, sans que l'on pût trop savoir pourquoi, l'empêcha. Après cette rupture, l'homme aimé de ma malade avait évité la maison. Elle-même, quelque temps après la mort du petit Otto, sur qui elle avait reporté toute sa tendresse, était devenue indépendante. Mais elle n'avait pu se dégager de son inclination pour l'ami de sa sœur. Sa fierté lui ordonnait de l'éviter, elle n'avait pu cependant aimer aucun des prétendants qui s'étaient présentés depuis. Quand on annonçait quelque part une conférence de celui qu'elle aimait (c'était un professeur et un littérateur), elle se trouvait infailliblement dans l'auditoire; elle saisissait d'ailleurs toutes les occasions de le voir de loin dans les lieux publics. Je me rappelai qu'elle m'avait dit la veille que le professeur allait à un certain concert et qu'elle irait aussi pour le voir encore une fois. C'était la veille du rêve; le concert avait lieu le jour où elle me raconta le rêve. Je pus donc interpréter le rêve aisément et je lui demandai si elle se rappelait un fait qui s'était passé lors de la mort du petit Otto. Elle répondit aussitôt : « Certainement, le professeur, qu'on n'avait plus vu depuis longtemps, est revenu, et je l'ai vu près du cercueil du petit Otto. » C'était précisément ce que j'attendais. J'interprétai donc le rêve de la manière suivante. « Si l'autre petit garçon mourait, la même chose aurait lieu. Vous passeriez la journée chez votre sœur, le professeur viendrait assurément présenter ses condoléances et vous le reverriez dans les mêmes circonstances qu'alors. Le rêve indique simplement ce désir de le revoir contre lequel vous luttez intérieurement. Je sais que vous avez dans votre poche le billet pour le concert de ce soir. Votre rêve est un rêve d'impatience, il a hâté de quelques heures l'événement de ce soir. »

Elle avait visiblement choisi, pour dissimuler son désir, une situation dans laquelle ces sortes de souhaits sont habituellement réprimés; on est si plein de son deuil qu'on ne peut penser à l'amour. Et il est cependant bien possible que, même dans la situation réelle que le rêve copiait fidèlement, elle n'ait pu, auprès du cercueil de l'enfant qu'elle aimait si fort, réprimer ses sentiments de tendresse pour celui qu'elle n'avait plus vu depuis si longtemps.

Un rêve analogue, d'une autre malade, s'expliqua d'une façon assez différente. Cette dame, qui avait eu autrefois l'esprit vif et le caractère gai, manifestait encore ces qualités par les idées qui lui venaient à l'esprit pendant le traitement. Au cours d'un long rêve, elle vit sa fille unique, âgée de quinze ans, étendue morte dans une boîte. Elle avait bonne envie d'en tirer une objection contre la théorie du rêve-désir, mais la boîte lui fit supposer qu'il fallait comprendre autrement ce rêve (1). Lors de l'analyse, il lui vint à l'esprit que, la veille au soir, en société, on avait parlé du mot anglais *box* et de ses nombreuses traductions possibles en allemand : boîte, loge, caisse, gifle, etc. *(Schachtel, Loge, Kasten, Ohrfeige)*. D'autres fragments de ce même rêve permirent de deviner qu'elle avait saisi la parenté de l'anglais *box* et de l'allemand *Büchse* et qu'elle s'était rappelé que *Büchse* est aussi une manière vulgaire de nommer les organes sexuels féminins. En tenant compte de ses connaissances d'anatomie topographique, on pouvait donc admettre que l'enfant dans la boîte représentait un embryon dans la matrice. Parvenue à ce point de l'explication, elle ne nia pas que l'image du rêve correspondît vraiment à un de ses souhaits. Comme nombre de jeunes femmes, elle n'avait été nullement heureuse quand elle s'était trouvée enceinte et elle avait souhaité plus d'une fois la mort du bébé; dans une crise de colère, après une scène violente avec son mari, elle avait même frappé son ventre, pour atteindre l'enfant. L'enfant mort accomplissait donc bien un de ses désirs, mais un désir oublié depuis quinze ans, et on ne peut guère s'étonner que, lors de réalisations aussi tardives, le désir ne soit plus reconnu. Trop de choses ont changé depuis.

Quand nous parlerons des rêves typiques, nous retrouverons le groupe auquel appartiennent ces deux derniers

_____

(1) Il en est de ceci comme du saumon fumé dans le rêve du dîner manqué.

rêves : ceux où il est question de la mort de parents aimés. Je montrerai alors par de nouveaux exemples que, si peu souhaité que soit leur contenu, tous ces rêves doivent être interprétés comme des rêves de désir. Ce n'est pas à un malade, mais à un juriste de mes amis, fort intelligent, que je dois le rêve qui suit. Il me l'avait raconté pour m'empêcher de généraliser trop hâtivement ma théorie des rêves de désir. « *J'ai rêvé*, me dit-il, *que j'arrivais devant ma maison avec une dame à mon bras. Une voiture fermée stationnait. Un homme vient à moi, et, m'ayant montré qu'il appartient à la police, me somme de le suivre. Je ne lui demande que le temps de mettre un peu d'ordre dans mes affaires.* — Croyez-vous vraiment que j'aie souhaité d'être mis en prison ? » — « Assurément non, dois-je concéder. Savez-vous sous quelle inculpation ? » — « Oui, je crois, pour infanticide. » — « Infanticide ? Vous savez pourtant qu'il n'y a qu'une mère qui puisse s'en rendre coupable ! » — « C'est vrai » (1). — « Et dans quelles conditions avez-vous fait ce rêve, que s'était-il passé la veille au soir ? » — « J'aimerais mieux ne pas vous le raconter, c'est un peu particulier. » — « Il faut pourtant que je le sache ou que je renonce à interpréter le rêve. » — « Alors, soit. Je n'avais pas passé la nuit chez moi, mais auprès d'une dame à laquelle je tiens beaucoup. Quand nous nous sommes réveillés, le matin, il s'est de nouveau passé quelque chose entre nous. Je me suis rendormi et j'ai rêvé ce que vous savez. » — « C'est une femme mariée ? » — « Oui. » — « Et vous ne voulez pas avoir d'enfant ? » — « Non, non, cela pourrait nous trahir. » — « Vous n'avez donc pas avec elle un coït normal ? » — « J'ai soin de me retirer à temps. » — « Ne dois-je pas supposer que vous avez fait cela plusieurs fois dans la nuit et que vous n'êtes pas absolument sûr d'y avoir réussi le matin ? » — « C'est bien possible. » — « Alors, votre rêve accomplit un désir. Il vous donne la certitude de n'avoir pas engendré d'enfant, ou, ce qui est à peu près la même chose, d'avoir tué un enfant. Je peux vous indiquer aisément les intermédiaires. Rappelez-vous que nous avons parlé il y a quelques jours des misères du mariage et de

---

(1) Il arrive souvent qu'un rêve est raconté d'une manière incomplète, et qu'on n'en retrouve que pendant l'analyse les fragments oubliés. Ces fragments retrouvés ensuite donnent presque toujours la clef de l'interprétation. Voir ce que nous disons plus loin de l'oubli des rêves.

l'inconséquence qui permettait d'agir de manière à éviter la fécondation et punissait comme un crime toute tentative de suppression, quand la semence et l'ovule s'étaient rencontrés et que le fœtus était formé. Nous avions ensuite pensé à la controverse médiévale sur le moment où l'âme entrait dans le fœtus; à partir de ce moment seulement il y avait meurtre. Assurément aussi vous connaissez le poème effrayant où Lenau met sur le même rang l'infanticide et le fait d'éviter la conception. » — « Il est singulier que j'aie pensé à Lenau, comme par hasard, cet après-midi. » — « C'est encore un écho de votre rêve. Et je vous indiquerai encore dans votre rêve un petit accomplissement de désir accessoire. Vous arrivez devant votre maison avec la dame à votre bras. Vous l'amenez donc chez vous (*heim-führen* : épouser), vous l'épousez, au lieu qu'en réalité vous avez passé la nuit chez elle. Le fait que l'accomplissement de votre désir, qui forme le fond du rêve, se déguise sous une forme si désagréable, a peut-être plus d'un motif. Vous avez pu voir, dans mon travail sur l'étiologie de la névrose d'angoisse, que je considère le *coitus interruptus* comme une des causes essentielles de l'apparition de l'angoisse névrotique. Le fait que des actes successifs de cette sorte vous auraient laissé un sentiment désagréable, qui serait un des éléments de votre rêve, serait en accord avec mes vues. Vous vous servez aussi de cette impression pour vous dissimuler l'accomplissement du désir. Mais nous n'avons pas expliqué le fait de l'infanticide. Comment pouvez-vous commettre un crime aussi spécifiquement féminin ? » — « Je dois vous avouer que je me suis trouvé mêlé il y a quelques années à une affaire de cette espèce. Je fus cause qu'une jeune fille se délivra, par un avortement, des conséquences de ses relations avec moi. Je n'avais naturellement rien à voir avec la manière dont elle avait réalisé son projet, mais je fus, pendant longtemps, en proie à une angoisse bien compréhensible de voir l'affaire découverte. » — « Je comprends, ce souvenir vous était encore une raison de redouter d'avoir mal réussi votre acte. »

Un jeune médecin qui entendit raconter ce rêve à mon cours dut en être particulièrement frappé, car il se hâta de le rêver à nouveau, mais en transposant ses pensées sur un autre thème. Il avait remis, peu de jours avant, sa déclaration de revenus qui était parfaitement exacte, car il

avait peu de chose à déclarer. Il rêva qu'un de ses amis
venait le voir après une séance de la commission d'impôts
et le prévenait que toutes les autres déclarations avaient
été acceptées sans observation, mais que la sienne avait
éveillé une méfiance générale et qu'il aurait à subir de ce
fait une amende importante. Le rêve présente l'accomplissement d'un désir à peine dissimulé : passer pour un médecin
qui gagne beaucoup d'argent. Il rappelle l'histoire bien
connue de cette jeune fille à qui l'on déconseillait d'agréer
un prétendant parce que c'était un homme violent et
qu'assurément, une fois marié, il la battrait. Elle répondit :
« Que ne me bat-il déjà ! » Son désir d'être mariée était
si vif qu'elle acceptait les coups par-dessus le marché et
même les souhaitait.

Si je réunis sous le titre de *rêves contraires au désir (Gegen-
wunschträume)* les rêves très fréquents qui paraissent
démentir ma doctrine, puisqu'ils contiennent le refus
d'un désir, soit des événements visiblement peu désirables,
on s'aperçoit qu'ils peuvent être ramenés à deux motifs,
dont un que je n'ai pas encore évoqué, bien qu'il joue un
rôle important dans la vie des hommes comme dans leurs
rêves. L'une des forces pulsionnelles de ces rêves est le
désir que j'aie tort. Ces rêves se produisent régulièrement
au cours du traitement lorsque le malade me résiste, et
je peux compter avec une entière certitude que je provo-
querai un rêve de cette sorte en exposant au malade la
doctrine d'après laquelle le rêve est un accomplissement de
désir (1). Je dois même supposer qu'il en sera ainsi pour
nombre de mes lecteurs ; ils se refuseront en rêve un de
leurs désirs rien que pour contenter leur désir de me voir
dans mon tort. Le dernier rêve de malade que je communiquerai présente ce même caractère.

Une jeune fille, qui, pour continuer à suivre mon traitement, a dû lutter contre la volonté des siens et contre
les conseils de tous ceux que sa famille avait appelés à la
rescousse parce qu'ils avaient de l'autorité sur elle, rêve :
*On lui défend, à la maison, de venir encore chez moi ; elle en
appelle alors à la promesse que je lui ai faite de la soigner gratui-*

---

(1) Des rêves contraires au désir de cette sorte m'ont été communiqués
à maintes reprises par mes auditeurs pendant ces dernières années. Ils
étaient une réaction à leur première rencontre de la théorie du désir
dans le rêve.

tement au besoin, et je lui réponds : « Je ne saurais avoir de ménagements dans une question d'argent. »

Il n'est réellement pas facile de trouver ici un accomplissement de désir, mais dans tous les cas de cette sorte la solution d'une seconde énigme aide à trouver celle de la première. D'où viennent les mots qu'elle met dans ma bouche ? Naturellement je ne lui ai jamais rien dit de pareil, mais un de ses frères, celui-là justement qui a le plus d'influence sur elle, a été assez aimable pour émettre cette opinion sur mon compte. Le but de son rêve est donc de donner raison à son frère; elle ne le désire d'ailleurs pas seulement en rêve, c'est le contenu de sa vie et le motif de sa maladie.

Un rêve qui, au premier abord, paraît présenter pour la théorie du désir des difficultés particulières a été rêvé et interprété par un médecin (Aug. Stärcke) : « *J'ai et j'aperçois à la dernière phalange de mon index gauche une affection syphilitique primaire.* » Le contenu de ce rêve est si complètement indésirable qu'on est naturellement porté à renoncer à toute analyse. Si on la fait cependant, on apprend que « l'affection primaire » *(Primäraffekt)* signifie *prima affectio* (premier amour) et que l'horrible ulcère, comme le dit Stärcke, « représente l'accomplissement d'un désir qui avait une grande charge affective » (1).

Le second motif des rêves contraires au désir est si près de nous que nous risquons fort de ne pas le voir, ainsi que je l'ai fait pendant longtemps. Il y a, dans la constitution sexuelle d'un grand nombre d'hommes, des composantes masochistes, nées de la transformation de tendances agressives et sadiques en leur contraire. On nomme ces sortes d'hommes masochistes « idéaux », lorsqu'ils ne cherchent point leur plaisir dans la douleur corporelle, mais dans l'humiliation et dans les chagrins. On voit clairement que ces sortes de personnes peuvent avoir des rêves contraires au désir, des rêves de souffrance, qui ne sont cependant pour elles que des accomplissements de désir, l'apaisement de tendances masochistes. Voici un rêve de cette sorte : Un jeune homme, qui, il y a quelques années, a beaucoup tourmenté son frère aîné, pour lequel il éprouvait une inclination homosexuelle — et qui maintenant a complètement changé de caractère —, a un rêve qui se

compose de trois parties : I. *Comment son frère aîné le
taquine.* II. *Comme deux adultes en relations homosexuelles se
font des grâces.* III. *Son frère a vendu l'entreprise qu'il se promettait de diriger plus tard.* Il se réveille de ce dernier rêve
avec des sentiments très pénibles, et c'est cependant un
rêve de désir masochiste, qui pourrait être traduit de la
manière suivante : c'est bien fait pour moi, si mon frère
a fait cette vente pour me punir de toutes les peines que
je lui ai causées.

J'espère que les réflexions et les exemples que je viens de
présenter suffiront — provisoirement — pour faire admettre
que les rêves à contenu pénible se résolvent en rêves
d'accomplissement de désir (1). Je pense que personne ne
sera tenté d'attribuer au hasard le fait que l'interprétation
de ces rêves tombe chaque fois sur des sujets dont on ne
parle pas volontiers ou auxquels on ne pense pas volontiers. Le sentiment pénible que ces rêves éveillent est sûrement identique à la répugnance qui nous empêche — efficacement d'ordinaire — d'aborder ou d'évoquer ces sortes
de sujets, répugnance que chacun de nous doit surmonter
quand il est obligé de s'y arrêter. Mais ce sentiment de
déplaisir qui réapparaît dans le rêve n'exclut pas l'existence d'un désir; il y a chez tout homme des désirs qu'il
ne voudrait pas communiquer aux autres et des désirs
qu'il ne voudrait même pas s'avouer à lui-même. Nous
pouvons établir une relation entre le caractère désagréable
de tous ces rêves et le fait de la déformation du rêve, et
conclure que le rêve est déformé de cette façon et que
l'accomplissement du désir y est travesti d'une manière
tellement méconnaissable à cause d'une répugnance, d'une
intention de refoulement contre le sujet du rêve ou contre
le désir qu'il traduit.

Ainsi la déformation du rêve nous apparaît nettement
comme le fait de la censure. Nous tiendrons compte de
tout ce que l'analyse des rêves pénibles nous a appris, si
nous transformons de la manière suivante notre formule
sur l'essence du rêve : *Le rêve est l'accomplissement (déguisé)
d'un désir (réprimé, refoulé)* (2).

----

(1) Je préviens que ce sujet n'est pas épuisé. J'y reviendrai.
(2) Un de nos grands poètes contemporains, qui, à ce que l'on m'a dit,
ne veut entendre parler ni de psychanalyse ni d'interprétation des rêves,
C. SPITTELER, a cependant trouvé lui-même une formule presque identique pour exprimer l'essence du rêve : « apparition déplacée de désirs

Restent maintenant les rêves d'angoisse, variété de rêves à contenu pénible qu'on est le moins porté à considérer comme rêves de désir. Je puis en traiter ici très brièvement : ils ne nous dévoilent pas un nouvel aspect du problème du rêve; il n'y a là à comprendre que l'angoisse névrotique.

L'angoisse que nous éprouvons en rêve n'est expliquée qu'en apparence par le contenu du rêve. Lorsque nous l'interprétons, nous remarquons qu'il n'explique pas plus l'angoisse du rêve que les représentations auxquelles est liée une phobie n'expliquent l'angoisse de celle-ci. Il est exact, par exemple, qu'on peut tomber d'une fenêtre et qu'on a raison, quand on se penche, d'être prudent, mais on ne peut comprendre pourquoi la phobie correspondante s'accompagne de tant d'angoisse et poursuit le malade lors même qu'il n'en voit aucun motif. La même explication convient à la phobie et au rêve d'angoisse. L'angoisse est

---

et souhaits réprimés qui surgissent sous une fausse apparence et sous un faux nom » (Meine frühesten Erlebnisse, *Suddeutsche Monatshefte*, octobre 1913).

J'indique ici, en anticipant sur ce qui va suivre, comment Otto RANK a élargi et modifié la formule donnée plus haut : « Le rêve, sur la base et avec l'aide d'un matériel sexuel qui provient de l'enfance, et est refoulé, représente comme réalisés des désirs actuels, et aussi, en règle générale, érotiques ; il les représente sous une forme voilée et symboliquement travestie. » (Ein Traum der sich selbst deutet, *Jb. psychoanal. psychopathol. Forschung* (1910), **2**, 465). Je n'ai jamais dit que je faisais mienne cette formule de RANK. La forme raccourcie du texte me suffit. Mais, le simple fait d'avoir mentionné les modifications de RANK a suffi pour déchaîner des accusations sans nombre que « la psychanalyse affirme que tous les rêves ont un contenu sexuel ».

Si on donne à cette phrase son sens véritable, elle montre avec quelle légèreté agissent les critiques et comment les opposants s'empressent de fermer les yeux devant l'explication la plus claire qui ne sert pas leurs tendances agressives.

N'ai-je pas, en effet, quelques pages plus haut (p. 117 et sq.), mentionné la variété des désirs dont les rêves des enfants sont l'accomplissement (désir de participer à une excursion, de faire de la voile sur le lac, de rattraper un repas manqué, etc.) ; n'ai-je pas discuté (p. 121, n. 1) des rêves de faim ; p. 114, des rêves stimulés par la soif ou par les besoins d'excrétion, ou de simples rêves de commodité (p. 114) ?

RANK, lui-même, n'affirme rien de façon absolue. Les mots qu'il emploie sont : « et aussi, en règle générale, érotiques », ce qui peut être amplement vérifié en ce qui concerne les rêves de la plupart des adultes. Il en serait autrement si le terme « sexuel » était pris au sens où les psychanalystes l'emploient actuellement, au sens d' « Eros ». Mais il ne s'agit pas pour mes détracteurs de savoir si tous les rêves sont créés par des forces pulsionnelles « libidinales » (au contraire de « destructrices »).

seulement *soudée* aux représentations qui l'accompagnent, elle est issue d'une autre source.

La relation intime qui existe entre l'angoisse du rêve et l'angoisse des névroses fait que je puis renvoyer ici, pour l'explication de la première, à l'explication de la seconde. J'ai exposé autrefois, dans un petit travail sur la névrose d'angoisse (*Neurologisches Zentralblatt*, 1895, *Ges. Werke*, Bd. I), que l'angoisse névropathique provenait de la vie sexuelle et correspondait à une libido détournée de sa destination et qui n'avait pas trouvé d'emploi. Depuis lors, cette formule s'est de plus en plus révélée exacte. On peut en déduire que les cauchemars sont des rêves avec un contenu sexuel dont la libido s'est transformée en angoisse. J'aurai plus loin l'occasion de justifier cette affirmation en analysant quelques rêves de névropathes. J'examinerai, en complétant la théorie du rêve, les conditions du cauchemar et leur compatibilité avec la théorie du rêve accomplissement de désir.

CHAPITRE V

LE MATÉRIEL ET LES SOURCES DU RÊVE

La première question que nous nous sommes posée, après avoir constaté, par l'analyse du rêve de l'injection faite à Irma, que le rêve était un accomplissement de désir, a été celle de savoir s'il s'agissait là d'un caractère général. Durant ce travail d'interprétation, d'autres questions se sont présentées à notre esprit. Maintenant que le premier point est élucidé, nous pouvons aborder ces problèmes, quitte à perdre de vue un instant le motif de l'accomplissement du désir, dont l'étude n'est nullement achevée.

Nous savons, grâce à notre travail d'interprétation, que nous pouvons découvrir dans les rêves un contenu *latent*, bien plus significatif que leur contenu *manifeste*. Nous devons nous hâter de réexaminer un par un les divers problèmes que pose le rêve et de chercher à résoudre par là des énigmes et des contradictions qui, aussi longtemps que l'on n'a connu que le contenu manifeste du rêve, ont paru insolubles.

Nous avons exposé, dans notre premier chapitre, les opinions des auteurs qui se sont occupés du rêve sur les relations entre le rêve et la veille et sur l'origine du matériel du rêve. Rappelons ici trois particularités de la mémoire du rêve, souvent observées, jamais expliquées :

1. Le rêve montre une claire préférence pour les impressions du jour précédent (Robert, Strümpell, Hildebrandt, Weed et Hallam);

2. Le rêve choisit d'après d'autres principes que notre

mémoire éveillée, il ne se rappelle pas l'essentiel et l'important, mais l'accessoire et ce à quoi nous n'avons pas prêté attention;

3. Le rêve dispose de nos impressions d'enfance et même de menus faits de cette époque qui nous paraissent encore une fois vulgaires et que, pendant la veille, nous croyions oubliés depuis longtemps (1).

Ces particularités dans le choix des éléments du rêve ont été bien entendu tirées d'observations faites sur le contenu manifeste du rêve.

I. — Le récent et l'indifférent dans le rêve

Si, recherchant l'origine des éléments du rêve, j'examine ce que me fournit ma propre expérience, j'affirmerai d'abord que tout rêve est lié aux événements *du jour qui vient de s'écouler*. Rêves personnels, rêves étrangers, tous confirment cette expérience. Sachant cela, je peux commencer l'interprétation de tout rêve en m'informant des événements du jour qui a amené le rêve; c'est en bien des cas le chemin le plus court. Pour les deux rêves que je viens de soumettre à une analyse précise (rêve de l'injection faite à Irma, rêve de l'oncle à la barbe jaune), leurs rapports avec la veille sont si frappants qu'il n'est pas nécessaire de les indiquer plus longuement. Mais, afin de montrer combien ces relations sont générales, je vais examiner de ce point de vue un fragment du journal de mes rêves. Je ne communique de chaque rêve que ce qui est nécessaire pour en découvrir la source.

1. Je rends une visite dans une maison d'où l'on ne me laisse partir qu'avec difficulté, etc.; pendant ce temps une dame *m'attend*.

Source : Conversation, la veille au soir, avec une parente qui doit *attendre* des fournitures qu'elle a commandées, etc.

---

(1) L'explication fournie par ROBERT, et d'après laquelle le rêve serait destiné à décharger notre mémoire des impressions de peu de valeur de la journée, tombe quand on songe que le rêve contient quantité de souvenirs indifférents et qui proviennent de notre enfance. Ou alors il faudrait conclure que le rêve remplit très mal sa tâche.

2. J'ai écrit une *monographie* sur une certaine (obscur) espèce de plantes.

Source : J'ai vu le matin, à la devanture d'une librairie, une *monographie* sur l'espèce Cyclamen.

3. Je vois deux dames dans la rue, *la mère et la fille*, la dernière est ma malade.

Source : Une malade en traitement m'a dit l'après-midi combien sa *mère* faisait de difficultés à ce qu'elle continuât son traitement.

4. Je m'abonne à un périodique, qui coûte *20 fl.* par an, dans la librairie de S. et R.

Source : Ma femme m'a rappelé la veille que je lui devais encore *20 fl.* d'argent de la semaine.

5. Je reçois une *convocation* du comité social-démocrate, qui me considère comme un de ses membres.

Source : J'ai reçu des *convocations* du comité électoral libéral et du bureau de l'Union humanitaire dont je suis réellement membre.

6. Un homme sur un *rocher escarpé*, au milieu de la mer, à la manière de Böcklin.

Source : Dreyfus à l'*île du Diable*, en même temps nouvelles d'un de mes parents d'Angleterre, etc.

On pourrait se demander si le rêve a toujours trait aux événements du jour précédent ou s'il peut aussi utiliser des impressions provenant d'une période un peu plus étendue du passé le plus récent

Ceci n'a pas grande importance, mais je crois que seul le dernier jour (1) agit. Chaque fois que j'ai cru découvrir l'origine du rêve dans une impression vieille de deux ou trois jours, un examen plus précis m'a prouvé que cette impression avait été évoquée la veille. Ainsi une évocation de l'événement s'était glissée entre sa date et le jour du rêve, et, de plus, on pouvait dire à quelle occasion le souvenir de l'ancienne impression avait été renouvelé. Par contre, je n'ai pu trouver entre l'impression et sa réapparition dans le rêve un intervalle régulier et ayant une signification biologique (comme les 18 heures dont parle H. Swoboda) (2).

---

(1) [N. d. T.] : « *Traumtag* » m. à mot : Jour du rêve.
(2) Ainsi que je l'ai indiqué dans le premier chapitre, p. 88, H. Swoboda a transporté dans la vie psychique les intervalles biologiques de 23 et de 28 jours, découverts par Fliess. Swoboda croit, en

Havelock Ellis, qui a, lui aussi, examiné cette question, convient que, « en dépit de son attention », il n'a pu trouver dans ses rêves cette périodicité. Il raconte un rêve dans lequel, se trouvant en Espagne, il voulait gagner une certaine localité : Daraus, Varaus ou Zaraus. Réveillé, il ne put se rappeler un pareil nom et ne pensa plus au rêve. Plusieurs mois plus tard, il découvrit que ce nom de Zaraus était bien celui d'une station entre Saint-Sébastien et Bilbao; il y était passé en chemin de fer 250 jours avant le rêve (p. 227).

particulier, que ces intervalles sont décisifs pour l'apparition des éléments du rêve. Si cela était démontré, rien d'essentiel ne serait changé dans l'interprétation des songes, mais on trouverait là une source nouvelle de leur matériel. J'ai fait récemment quelques recherches sur mes propres rêves, pour éprouver cette théorie de la périodicité; j'ai choisi pour cela naturellement des faits frappants et dont je pouvais préciser la date avec certitude.

I. *Rêve du 1/2 octobre 1910.*

(Fragment)... *Quelque part en Italie. Trois filles me montrent de petits objets précieux comme dans une boutique d'antiquaire, en même temps elles s'assoient sur mes genoux. En regardant un des objets, je dis : « C'est moi qui vous l'ai donné. » Je vois clairement, en disant cela, un petit masque de profil avec les traits aigus de Savonarole.*

Quand ai-je vu pour la dernière fois un portrait de Savonarole ? D'après mon livre de voyage, j'étais à Florence les 4 et 5 septembre; je pensai à montrer à mes compagnons de voyage le portrait du moine fanatique incrusté dans le pavé de la Piazza Signoria où il fut brûlé, et je crois le leur avoir montré le 5, au matin. De ce moment au jour du rêve se sont écoulés 28 jours, une « période femelle » selon Fliess. Malheureusement pour cet exemple, je dois rappeler que j'ai vu le jour même du rêve, et pour la première fois depuis mon retour, un excellent collègue, aux regards si sombres que je le surnomme Rabbi Savonarole depuis des années déjà. Il m'a présenté un malade blessé dans un accident de chemin de fer sur la ligne de Pontebba où j'étais passé huit jours avant, et il a ramené ainsi ma pensée à mon récent voyage en Italie. L'apparition de Savonarole dans mon rêve s'explique par la visite de mon collègue ce jour-là, et l'intervalle de 28 jours perd sa portée.

II. *Rêve du 10/11 octobre.*

Je fais de nouveau de la chimie au laboratoire de l'Université. Le Pr L... m'invite à le suivre dans un autre endroit et me précède dans le corridor. Son attitude est singulière, il tend la tête en avant et il porte devant lui, en élevant la main, une lampe ou quelque autre instrument comme pénétrant (?) [scharfsinnig] *(perçant* [scharfsichtig] *?). Nous arrivons ensuite sur une place libre...* (le reste est oublié).

Ce qu'il y a de frappant dans ce rêve, c'est la manière dont le Pr L... porte devant lui la lampe (ou la loupe), les yeux fixés au loin. Il y a bien des années que je n'ai plus vu L..., mais je sais bien que ce n'est qu'un personnage de remplacement : il remplace Archimède qui est représenté à Syracuse, près de la source d'Aréthuse, de cette même façon; il tient ainsi son miroir ardent et il fixe l'armée des assiégeants. Quand ai-je vu ce monument pour la première (et dernière) fois ? D'après mes notes,

Je pense donc que chacun de nos rêves est provoqué par un événement après lequel nous « n'avons pas encore dormi une nuit ».

Si nous excluons le jour qui a précédé le rêve, les impressions du passé proche n'ont pas plus de rapport avec le contenu du rêve que les souvenirs d'un passé ancien. Le rêve peut prendre son matériel dans n'importe quelle époque de notre vie, pourvu qu'une chaîne d'idées les relie aux événements du jour du rêve (aux impressions « récentes »).

c'était le 17 septembre au soir, et il s'est écoulé, depuis cette date jusqu'au jour du rêve, 23 jours, une « période mâle » d'après Fliess.

Malheureusement, cette connexion paraît moins s'imposer quand on interprète le rêve. Le rêve a été motivé par la nouvelle, reçue ce jour-là, que la clinique où jusqu'alors on avait bien voulu me permettre de faire mes cours serait prochainement transférée dans un autre local. Je considérai ce nouveau local comme très incommode et me dis que ce serait désormais comme si je n'avais plus de salle où faire mes cours. J'avais été ainsi amené à penser aux débuts de mon enseignement ; à cette époque-là, jeune privat-docent, je n'avais réellement pas de salle, et, quand j'en demandais, les professeurs titulaires tout-puissants ne me faisaient pas toujours très bon accueil. J'allai voir L..., qui était doyen à ce moment, et que je considérais comme mon protecteur. Il me promit son aide, mais je n'en entendis plus parler. Dans mon rêve, c'est Archimède qui me donne πoῦ στῶ et qui me conduit lui-même dans le nouveau local.

On reconnaîtra aisément que le besoin de vengeance et les idées de grandeur n'ont pas été étrangers aux pensées du rêve. Sans ces motifs, il est probable qu'Archimède ne me serait pas apparu cette nuit-là. Je ne sais si l'impression récente et forte que m'avait produite la statue de Syracuse n'aurait pas pu être évoquée au bout d'un laps de temps différent.

III. *Rêve du 2/3 octobre 1910.*

(Fragment)... *Quelque chose au sujet du Pʳ Oser, qui a lui-même établi mon menu. Ce fait me tranquillise tout à fait...* (le reste est oublié).

Ce rêve correspond à un trouble digestif du jour. Je me suis demandé si je ne devrais pas voir un collègue qui me prescrirait un régime. Le fait que je m'adresse à Oser, mort dans le courant de l'été, se rattache à la mort tout à fait récente (1ᵉʳ octobre) d'un autre professeur d'université, pour qui j'avais beaucoup de considération. Quand Oser est-il mort et quand ai-je appris sa mort ? D'après l'indication du journal, il est mort le 22 août. J'étais alors en Hollande où l'on m'envoyait régulièrement la *Wiener Zeitung*, et je dois avoir lu la nouvelle de sa mort le 24 ou le 25 août. Cet intervalle ne correspond plus à aucune période, il comprend 39 ou 40 jours. Je ne peux me rappeler avoir, dans l'intervalle, parlé d'Oser ou pensé à lui.

Ces sortes d'intervalles que ne saurait utiliser la théorie de la périodicité sont beaucoup plus fréquents dans mes rêves que les intervalles réguliers. La seule relation qui demeure constante est celle que j'ai déjà indiquée dans le texte : les impressions de la veille immédiate reparaissent dans le rêve.

Mais pourquoi donner aux impressions récentes cette préférence ? Nous pourrons faire des hypothèses sur ce point quand nous aurons analysé de près un des rêves dont il a été question plus haut. Je choisis le rêve de la monographie botanique.

Contenu du rêve : *J'ai écrit la monographie d'une certaine plante. Le livre est devant moi, je tourne précisément une page où est encarté un tableau en couleur. Chaque exemplaire contient un specimen de la plante séchée, comme un herbier.*

Analyse. — J'ai vu dans la matinée, à la devanture d'une librairie, un livre récemment paru, intitulé : *L'espèce Cyclamen;* c'était probablement une monographie de cette plante.

Les cyclamens sont la *fleur préférée* de ma femme. Je me reproche de ne penser que rarement à lui *apporter des fleurs,* comme elle le souhaite. A propos d'*apporter des fleurs,* je me rappelle une histoire que j'ai racontée récemment dans un cercle d'amis. Je voulais prouver par là mon hypothèse que nos oublis réalisent ordinairement les vues de notre inconscient et permettent de découvrir les dispositions secrètes de celui qui oublie. Une jeune femme était habituée à recevoir, lors de son anniversaire, des fleurs de son mari. Ce signe de tendresse manqua une fois; elle pleura. Le mari ne savait comment expliquer ses larmes quand elle lui dit : « C'est mon anniversaire. » Il se frappe alors le front, s'écrie : « Pardonne-moi, je l'avais complètement oublié », et veut courir chercher des fleurs. Mais cela ne la console pas, car elle voit dans l'oubli de son mari une preuve qu'elle ne tient plus dans ses pensées la même place qu'autrefois. Cette dame L... a rencontré ma femme il y a deux jours, lui a dit qu'elle se portait bien et lui a demandé de mes nouvelles. Elle a été ma cliente il y a quelques années.

Autre fait. J'ai bien fait autrefois quelque chose comme la *monographie* d'une plante : c'était un travail sur la *coca,* il a attiré l'attention de *K. Koller* sur les propriétés anesthésiantes de la cocaïne. J'avais moi-même indiqué cette utilisation, mais n'avais pas approfondi la question. Là-dessus, je songe que, dans la matinée du jour qui a suivi le rêve (je n'ai trouvé que le soir le temps de l'interpréter), j'avais pensé à la cocaïne au cours d'une sorte de fantasme diurne. Si jamais j'avais un glaucome, j'irais à Berlin, pour me faire opérer incognito chez un de mes amis par un médecin qu'il m'a recommandé. Le médecin, qui ne saurait pas à qui il a affaire, dirait, une fois de plus, combien ces opérations sont devenues aisées depuis que l'on emploie la cocaïne, et je ne trahirais en aucune manière la part que j'ai eue à cette découverte. A ce fantasme se mêlaient des pensées sur le désagrément qu'il y a pour un médecin à demander à des collègues une aide médicale pour lui-même. Je pourrais payer, comme n'importe qui, l'oculiste de Berlin, qui ne me connaît pas. — A présent que je me rappelle ce rêve diurne, je remarque qu'il recouvre les souvenirs d'un événement précis. En effet, peu de temps après la découverte de *Koller*, mon père fut atteint de glaucome. Il fut opéré par mon ami, *l'oculiste Königstein*; le Dr *Koller* l'anesthésia à la cocaïne et fit remarquer à cette occasion que les trois personnes qui avaient participé à l'introduction de la cocaïne dans ce domaine se trouvaient réunies là.

Je me demande maintenant quand j'ai pensé pour la dernière fois à cette histoire. C'est il y a quelques jours, en recevant le volume commémoratif édité par des élèves reconnaissants pour le jubilé de leur professeur et directeur de laboratoire. On citait, parmi les titres de gloire du laboratoire, la découverte des propriétés anesthésiantes de la *cocaïne* par *Koller*. Je remarque brusquement que mon rêve se rattache à un des événements de la veille. J'ai accompagné jusque chez lui précisément le Dr *Königstein*, et notre conversation portait sur un fait qui, chaque fois qu'on y fait allusion, m'émeut vivement. Comme je me tenais avec lui dans l'entrée de la maison, le Pr *Gärtner* (1) passa avec sa jeune femme. Je ne pus m'empêcher de les féliciter tous deux de leur mine *florissante*. Or le Pr Gärtner est un des auteurs du volume commémoratif dont je viens de parler, et sa vue pouvait bien me le rappeler. Pour d'autres raisons, il a été question, dans ma conversation avec le Dr Königstein, de cette Mme L... dont je viens de raconter la désillusion le jour de son anniversaire.

Je vais essayer d'indiquer les autres faits qui ont pu déterminer le contenu du rêve. La monographie renferme un spécimen de la *plante séchée*, à la manière d'un *herbier*. A l'herbier se rattache un de mes souvenirs de lycéen. Le proviseur de notre lycée réunit un jour les élèves des classes supérieures pour leur confier l'herbier de l'établissement qu'ils devaient examiner et nettoyer. On y avait trouvé de petits vers *(Bücherwurm)*. Il ne paraît pas avoir eu grande

(1) [N. d. T.] : *Gärtner* = jardinier.

confiance en moi, car il ne m'a confié que peu de feuilles.
Je me rappelle qu'il y avait là des Crucifères. Je ne me suis
jamais beaucoup occupé de botanique. Lors de mon examen
de botanique, j'eus une Crucifère à déterminer, et je ne la
reconnus pas. Cela se serait mal passé si mes connaissances
théoriques ne m'avaient tiré d'affaire. Des Crucifères je
passe aux Composées. L'artichaut est une Composée, et
celle que je pourrais peut-être appeler ma *fleur préférée*.
Meilleure que moi, ma femme me rapporte souvent du
marché cette fleur de prédilection.

Je *vois devant moi* la monographie que j'ai écrite. Ceci
n'est pas sans motif. Un de mes amis, très visuel, m'a écrit
hier de Berlin : « Je pense beaucoup à ton livre sur les
rêves. Je le *vois devant moi*, achevé, et je le feuillette. »
Combien je lui ai envié ces qualités de voyant ! Si je pouvais,
moi aussi, le voir achevé devant moi.

Le tableau en couleur qui est encarté. Lorsque je faisais ma
médecine, je ne voulais étudier que dans des *monographies*.
En dépit de mes ressources assez réduites, je recevais plusieurs journaux médicaux dont les *tableaux en couleur* me
ravissaient. J'étais fier d'être si consciencieux. Quand je
commençai moi-même à publier, je dus dessiner les tableaux
qui accompagnaient mes travaux, et je sais que l'un d'entre
eux parut si misérable qu'un collègue, pourtant bienveillant,
se moqua de moi à ce sujet. A cela s'ajoute, je ne sais trop
comment, un souvenir de ma petite enfance. Mon père
s'amusa un jour à abandonner à l'aînée de mes sœurs et à
moi un livre avec des *images en couleur* (description d'un
voyage en Perse). J'avais alors cinq ans, ma sœur n'avait
pas trois ans, et le souvenir de la joie infinie avec laquelle
nous arrachions les feuilles de ce livre (feuille à feuille,
comme s'il s'était agi d'un *artichaut*) est à peu près le seul
fait que je me rappelle de cette époque comme souvenir
plastique. Plus tard, quand je fus étudiant, j'eus une *passion*
pour les livres. Je voulais les collectionner, en avoir beaucoup (c'était, comme le besoin d'étudier dans des monographies, une passion que l'on peut comparer à la passion
des cyclamens et des artichauts dans la pensée du rêve). Je
devins un *Bücherwurm* (rat de bibliothèque, littéralement :
ver de livre).

Depuis que je médite sur ma vie, j'ai toujours rapporté
cette « première passion » à cette impression d'enfance,
ou plutôt, j'ai reconnu que cette scène d'enfance était

un « souvenir-écran » pour ma bibliophilie de plus tard (1).
Naturellement, j'ai appris de bonne heure que nos passions
entraînent bien des maux. A 17 ans, j'avais un compte
sérieux chez le libraire et aucun moyen de le payer. Mon
père ne considérait pas comme une excuse le fait que mes
passions n'eussent pas eu de pire objet. L'évocation de ce
souvenir me ramène aussitôt à la conversation que j'ai eue
avec mon ami le Dr Königstein. Il y était en effet question
de reproches analogues à ceux d'alors : je cédais trop à
mes fantaisies.

Pour des motifs étrangers au sujet, je ne continuerai pas
l'interprétation de ce rêve, mais j'en indiquerai simplement
la direction. Le travail d'interprétation m'a fait évoquer à
diverses reprises ma conversation avec le Dr *Königstein*.
Quand je me rappelle de quoi il a été question, le sens du
rêve me paraît clair. Toutes les pensées amorcées au sujet
des fantaisies de ma femme, de mes propres fantaisies, de la
cocaïne, des difficultés que présentent les traitements entre
médecins, de ma prédilection pour les monographies, de ma
négligence pour certaines branches comme la botanique,
tout cela se continue et trouve un motif dans notre entretien
très multiple. Ce rêve a de nouveau, comme celui de l'injection faite à Irma, le caractère d'une justification, d'un
plaidoyer; on peut dire qu'il continue le même sujet et
l'enrichit de nouveaux éléments apparus dans l'intervalle
des deux rêves. L'expression indifférente en apparence du
rêve a elle-même un sens. Cela signifie : je suis l'homme qui
a fait sur la cocaïne un travail de valeur, un travail fécond
— de même que je disais alors : je suis un étudiant laborieux;
dans les deux cas la conclusion est : je peux me permettre
cela. Je peux arrêter ici l'interprétation, puisque je n'ai
communiqué ce rêve que pour donner un exemple des
relations entre le contenu du rêve et les événements actifs
de la veille. Aussi longtemps que je n'ai considéré que le
contenu manifeste du rêve, je n'ai saisi qu'un des rapports
entre le rêve et les impressions de la journée; après analyse,
j'ai trouvé dans un autre fait de cette même journée une
seconde source du rêve. Le premier est une impression
secondaire, indifférente. Je vois dans une devanture un
livre dont le titre me frappe à peine et dont le contenu ne

(1) Cf. mon travail : Ueber Deckerinnerungen, in *Monatsschrift f.
Psychiatrie u. Neurologie*, 1899.

m'intéresse pas. Le second fait a une haute valeur psychique. J'avais beaucoup parlé, pendant une heure, avec mon ami l'oculiste, je lui avais dit des choses importantes pour nous deux et qui ont réveillé en moi de multiples souvenirs; j'en avais été très ému. De plus, cette conversation était restée inachevée, parce que des amis étaient survenus. Quel rapport y a-t-il entre ces deux impressions de la journée, et quel rapport entre elles et le rêve qui a suivi ?

Je ne trouve dans le contenu du rêve qu'un rappel de l'impression indifférente, je peux donc affirmer que le rêve recueille de préférence des événements secondaires de la vie. L'interprétation, au contraire, me ramène sans cesse aux événements importants et qui m'avaient ému à juste titre. Si je juge, comme il convient, le sens du rêve d'après le contenu latent que révèle l'analyse, je découvre brusquement des notions nouvelles et importantes. L'énigme du rêve qui ne retiendrait de la vie de la veille que des incidents sans valeur disparaît; et avec elle la thèse d'après laquelle le rêve ne continue point la vie de la veille et ne peut, pour cette raison, mettre en œuvre que des futilités. C'est le contraire qui est vrai : les pensées de nos rêves sont dominées par notre préoccupation de vie éveillée et nous ne prenons la peine de rêver qu'à ce qui a absorbé notre pensée pendant le jour.

Le fait que notre rêve, ainsi suscité par des événements importants, est cependant tissé d'impressions du jour indifférentes s'explique, ici encore, par la déformation. Cette déformation peut être ramenée, nous l'avons vu plus haut, à un pouvoir psychique qui agit à la manière d'une censure. Le souvenir de la monographie sur le cyclamen sert d'allusion à la conversation avec mon ami, comme, dans le rêve du souper manqué, l'amie était remplacée par l'allusion du saumon fumé. On peut, il est vrai, se demander quelles associations ont pu faire que la monographie devînt une allusion à ma conversation avec le Dr Königstein : on ne voit pas le moyen terme au premier abord. Dans l'exemple du souper manqué, la relation apparaît aussitôt : le saumon fumé est le plat préféré de l'amie, c'est donc une des représentations que celle-ci peut évoquer chez la rêveuse. Dans l'exemple de mon propre rêve, il s'agit de deux impressions bien différentes et qui ne paraissent pas avoir d'autre point commun que de s'être succédé dans la même journée. J'ai vu la monographie le matin, la conversation a eu lieu vers le soir. Mais nous savons que des relations qui n'apparaissent pas tout d'abord se dégagent après coup, quand on compare le contenu représentatif des deux impressions. J'ai déjà attiré l'attention sur les chaînons intermédiaires, par des italiques dans le récit de l'analyse. Je n'ai d'abord rattaché à la monographie que l'idée de la fleur préférée de ma femme, du bouquet oublié de Mme L... Je ne crois pas que ces idées auraient suffi pour provoquer un rêve. Il est dit dans Hamlet :

« *There needs no ghost, my lord, come from the grave
To tell us this.* »

Mais l'analyse m'a rappelé que notre conversation avait été interrompue par M. *Gärtner*, que j'avais trouvé sa femme *florissante*. Je me rappelle brusquement, après coup, qu'une de mes malades, qui répond au beau nom de *Flora*, a été un instant le sujet de notre conversation. Très probablement, ces chaînons intermédiaires botaniques ont rattaché l'un à l'autre les deux événements de la journée, celui qui m'était indifférent et celui qui m'avait ému. D'autres relations pouvaient encore exister, la cocaïne pouvait à bon droit relier l'idée du Dr Königstein à celle de la monographie botanique que j'ai écrite, elle rendait plus intime la fusion des deux sphères de représentations, si bien qu'une partie du premier événement pouvait être une allusion au second.

Je sais bien que l'on considérera cette explication comme arbitraire ou artificielle. Que serait-il arrivé si le Pr Gärtner et sa jeune femme florissante n'étaient point survenus ? Si la malade dont il avait été question s'était appelée Anna au lieu de Flora ? La réponse est facile. Si ces chaînes d'idées n'avaient pas été possibles, d'autres auraient pris leur place. Il est aisé d'établir ces sortes de relations. Nous le savons grâce aux énigmes et aux jeux d'esprit. Leur domaine est illimité. Je dirai plus : s'il n'avait pas été possible de forger suffisamment de chaînons entre ces deux événements de la journée, le rêve aurait eu un autre aspect. Quelque autre incident indifférent, tel que nous en rencontrons et que nous en oublions chaque jour des quantités, aurait pris la place de la monographie, se serait rattaché au contenu de la conversation et l'aurait représenté dans le rêve. Il semble bien, puisque la monographie a joué ce rôle, qu'elle ait été l'incident le mieux approprié. Il ne faut pas s'émerveiller, comme Hänschen Schlau dans Lessing, que « seuls les riches sur la terre aient le plus d'argent ».

Le processus psychologique grâce auquel un incident insignifiant arrive à se substituer à des faits psychiquement significatifs peut paraître singulier et discutable. Nous expliquerons, dans un chapitre ultérieur, les particularités de cette opération incorrecte en apparence. Qu'il nous suffise ici d'en examiner les résultats ; d'innombrables observations lors de nos analyses de rêves nous ont contraint à les admettre. Il semble, à voir ce processus, que tout se passe comme s'y il avait un *déplacement* — disons : de l'accent psychique — sur le trajet de l'association. La « charge psychique » passe des représentations qui étaient au début fortement investies à d'autres dont la tension est faible. Celles-ci peuvent ainsi franchir le seuil de la conscience. Ces sortes de déplacements ne sauraient nous étonner quand il s'agit d'un apport de charge affective ou, d'une façon plus générale, de phénomènes moteurs. La tendresse de la vieille fille pour les animaux, la passion du vieux garçon pour ses collections, l'ardeur du soldat à défendre un morceau d'étoffe bigarrée, le drapeau, le bonheur que donne à l'amoureux une pression de main un instant prolongée, ou la fureur d'Othello pour un mouchoir perdu voilà des exemples frappants de déplacements psychiques qui nous paraissent inattaquables. Mais que, par les mêmes procédés et d'après les mêmes principes, il puisse s'établir une distinction entre ce qui arrive à notre conscience et ce qui en reste exclu, donc une détermination de ce que nous pensons, cela nous apparaît comme pathologique, et nous déclarons qu'il y a une faute de raisonnement quand cela survient dans la vie de la veille. Disons aussitôt ici, quitte à indiquer plus tard comment nous sommes parvenu à ce résultat, que le processus psychique de déplacement que nous avons reconnu dans le rêve n'est pas morbide, mais est un processus normal différent ; un processus de nature plus *primaire*.

Le fait que le rêve contient des résidus d'événements peu importants nous apparaît donc comme une déformation (par déplacement). Rappelons que cette déformation résulte d'une censure entre deux instances psychiques. Nous supposerons dès lors que l'analyse nous montrera la véritable source du rêve, sa source psychiquement significative dans la vie de la veille, et cela bien que l'accent en ait été déplacé et porté sur une source indifférente. Nous prenons ainsi le contre-pied de la théorie de Robert. Le fait qu'il voulait expliquer n'existe pas; il a commis une méprise, il a omis de remplacer le contenu apparent du rêve par son sens réel. De plus, on peut lui objecter ceci : si réellement la tâche du rêve était de libérer notre mémoire des « scories » des souvenirs de la journée par un travail psychique d'une espèce particulière, notre sommeil serait beaucoup plus tourmenté et soumis à un travail beaucoup plus rude que ne paraît l'être notre vie même de la veille. Le nombre des impressions indifférentes de la journée, dont nous devrions protéger notre mémoire, est visiblement incommensurable; la nuit n'y suffirait pas. Il paraît beaucoup plus vraisemblable que l'oubli des impressions indifférentes va de soi et sans intervention active de notre pouvoir psychique.

Il ne faut pas pour cela repousser en bloc les indications de Robert. Nous n'avons pas en effet expliqué pourquoi une des impressions indifférentes de la journée (plus exactement de la dernière journée) contribue régulièrement au rêve. On ne voit pas toujours immédiatement quel rapport il a pu y avoir entre cette impression et la source véritable du rêve dans l'inconscient. Il semble que ce rapport ne se soit établi qu'après coup et pendant le travail même du rêve, pour servir au déplacement souhaité. Il doit donc y avoir une contrainte qui oblige à établir une liaison précisément avec cette impression récente bien qu'indifférente. Celle-ci doit y être appropriée d'une manière quelconque. Sinon les pensées du rêve pourraient tout aussi bien transporter leur accent sur un composant de leur propre sphère représentative.

Les expériences suivantes pourront nous mettre sur la voie de l'explication. Quand une journée nous a apporté deux événements capables de provoquer des rêves, le rêve réunit en un tout les allusions à ces événements. Une sorte de *contrainte l'oblige à les combiner en un ensemble.* En voici un exemple : Je montai, un après-midi d'été, dans un wagon de chemin de fer où je rencontrai deux de mes amis, qui ne se connaissaient pas. L'un était un collègue influent, l'autre appartenait à une famille distinguée dont j'étais le médecin. Je les présentai, mais, pendant tout ce long trajet, chacun s'entretint plus spécialement avec moi, de sorte que je fus en conversation tantôt avec l'un, tantôt avec l'autre. Je demandai à mon collègue de recommander un de nos amis communs, qui débutait comme médecin. Il me répondit qu'il connaissait la valeur de celui-ci, mais que ses manières discrètes lui rendraient bien difficile l'accès des maisons distinguées. Je répondis : « C'est bien pour cela qu'il faut le recommander. » Je demandai à l'autre voyageur comment se portait sa tante — c'était la mère d'une de mes malades —, qui était alors alitée et gravement atteinte. La nuit suivante je rêvai que le jeune ami pour qui j'avais sollicité une recommandation se trouvait dans un salon élégant, et prononçait, avec les manières d'un homme du monde, devant une société choisie, où j'avais réuni tous les gens riches et distingués que je connaissais, l'oraison funèbre de la vieille dame, tante du deuxième voyageur (qui pour mon rêve était déjà morte). (Je dois avouer que je n'étais pas en très bons rapports avec cette dame.) Ainsi mon rêve avait relié deux impressions de la journée et en avait composé une situation unique.

D'après beaucoup d'expériences analogues, je peux poser en principe qu'il y a dans le travail du rêve une sorte de nécessité qui unit tous les stimuli qui en sont la source en un tout (1).

Reste à se demander si l'instigateur du rêve que l'analyse nous révèle doit être chaque fois un événement récent (et significatif), ou si un fait de vie intérieure, par exemple le souvenir d'un événement qui a pour nous une valeur psychique, peut jouer ce rôle. D'après de nombreuses analyses, c'est bien là le cas. Le motif qui provoque le rêve peut être un fait de notre vie intérieure que le travail de notre pensée durant le jour nous a rappelé.

Le moment est venu de résumer en un schéma les diverses conditions qui nous feront reconnaître des sources de rêves. Ce peuvent être :

a) Un événement de notre vie psychique récent et important qui est directement représenté dans le rêve (2);

b) Plusieurs faits **vécus** récents et significatifs que le rêve unit en un tout (3);

---

(1) La tendance du travail du rêve à unir tout ce qui sollicite en même temps son intérêt a déjà été signalée par plusieurs auteurs : ainsi DELAGE (p. 41), DELBŒUF (« Rapprochement forcé », p. 236).

(2) Rêve de l'injection faite à Irma ; rêve de l'ami qui est mon oncle.

(3) Rêve de l'oraison funèbre prononcée par le jeune médecin.

c) Un ou plusieurs faits vécus récents et importants, représentés dans le rêve par la mention d'un événement simultané, mais indifférent (1);

d) Un fait de vie intérieure important (souvenir, suite de pensées), qui est représenté dans le rêve *toujours* par la mention d'une impression récente, mais indifférente (2).

On voit que dans l'interprétation du rêve il y a une condition qui se retrouve toujours : une partie du contenu du rêve doit reproduire une impression récente de la veille. Elle peut appartenir au groupe des représentations qui entoure l'instigateur actuel du rêve — ou en être une partie essentielle ou une partie peu importante —, ou venir de quelque impression indifférente, qui s'est trouvée mise en rapport avec l'instigateur du rêve par des relations plus ou moins nombreuses. La pluralité apparente des conditions résulte uniquement de ce qu'un déplacement a ou n'a pas eu lieu. On remarquera ici que cette alternative nous permet d'expliquer les contrastes dans le rêve avec autant de facilité qu'en offre, à la théorie médicale du rêve, la série présumée des éveils, depuis l'éveil partiel jusqu'à l'éveil complet des cellules cérébrales (cf. *supra*, p. 74).

Pour ce qui est de cette série, on remarquera, de plus, que l'événement qui a une valeur psychique, mais qui n'est pas récent (une suite de pensées, un souvenir), peut être remplacé par un élément récent, mais indifférent au point de vue psychique, qui entrera plus aisément dans la formation du rêve; à condition : 1º que le contenu du rêve puisse se rattacher à l'événement récent; et 2º que l'instigateur du rêve soit un processus ayant une valeur psychique. Les deux conditions n'ont été remplies par la même impression que dans un seul cas *(a)*. Si, en outre, on se rappelle que ces mêmes impressions indifférentes, utilisées par le rêve tant qu'elles sont récentes, ne peuvent plus l'être dès qu'un ou plusieurs jours sont passés, il faudra admettre que la fraîcheur d'une impression lui confère, au point de vue de la formation du rêve, une certaine valeur psychique égale à la valeur des souvenirs ou des suites de pensées ayant un accent affectif. Nous verrons plus loin, dans nos discussions psychologiques,

1) Rêve de la monographie botanique.
2) Les rêves de la plupart de mes malades pendant le temps de l'analyse sont de cette espèce.

d'où vient l'importance des impressions récentes dans la formation du rêve (1).

Il faut noter aussi que des transformations importantes peuvent se produire, la nuit, dans nos souvenirs et nos représentations sans que nous en ayons conscience. On a tout à fait raison de penser que « la nuit porte conseil ». Remarquons que nous venons ici de passer de la psychologie du rêve à celle du sommeil; cela nous arrivera plus d'une fois encore (2).

Mais voici une objection qui menace de renverser nos dernières conclusions. Si des impressions indifférentes ne peuvent apparaître dans le rêve qu'autant qu'elles sont récentes, d'où vient que nous y trouvions des éléments de périodes antérieures de notre vie, qui, à l'époque où ils étaient récents, n'avaient, selon le mot de Strümpell, aucune valeur psychique et qui devraient être oubliés depuis longtemps, des éléments qui ne sont ni récents ni psychiquement significatifs ? On peut écarter complètement cette objection si l'on tient compte des résultats de la psychanalyse chez les névropathes. Elle nous apprend que le déplacement, qui aux éléments psychiques importants en substitue d'autres, indifférents (dans le rêve comme dans la pensée), a eu lieu justement à. ces mêmes périodes antérieures et s'est depuis fixé dans la mémoire. Ces faits, indifférents à l'origine, ne le sont plus, depuis que le déplacement leur a donné la valeur prise aux éléments importants

(1) Voir, dans le chapitre VII, ce qui a trait au transfert.

(2) O. Pötzl a apporté une contribution importante au rôle des faits récents dans la formation du rêve, dans un travail très suggestif (Experimentell erregte Traumbilder in ihren Beziehungen zum indirekten Sehen, *Zeitschr. für die ges. Neurologie und Psychiatrie*, XXXVII, 1917). Pötzl fit dessiner par plusieurs sujets ce qu'ils avaient vu d'une image au tachistoscope. Il voulut ensuite savoir ce qu'avaient été leurs rêves dans la nuit suivante et leur en fit dessiner certaines parties. Il reconnut d'une manière indubitable que des fragments de l'image exposée, que les sujets n'avaient pas retenus d'abord, avaient contribué à la formation du rêve, tandis que des détails consciemment perçus et remémorés dans le dessin fait juste après la présentation n'apparaissaient pas dans le contenu manifeste. Le matériel traité par le travail du rêve a été utilisé pour former le rêve, d'une manière « arbitraire », ou plus exactement, autocrate *(selbstherrlich)*. Les suggestions de Pötzl vont bien au-delà d'une interprétation des rêves telle que je l'étudie ici. Je dois cependant signaler combien cette nouvelle manière d'étudier expérimentalement la formation des rêves s'éloigne de la technique grossière d'autrefois, alors que l'on se contentait d'introduire dans le rêve des stimuli qui venaient troubler le sommeil.

au point de vue psychique. Ce qui est resté réellement indifférent ne peut plus être reproduit dans le rêve.

On conclura avec raison, des explications qui précèdent, qu'il n'y a à mon avis pas de sources de rêves indifférentes, donc pas de rêves « innocents ». Je le pense d'une manière absolue, en faisant une seule exception pour les rêves des enfants et pour de courtes réactions de rêve à des sensations nocturnes. Sauf cela, tout ce à quoi nous rêvons ou bien a manifestement une signification psychologique, ou bien est déformé et ne peut être jugé qu'après interprétation : on en aperçoit alors la signification cachée. Le rêve ne s'occupe jamais de vétilles, nous ne laissons pas troubler notre sommeil pour si peu (1). Les rêves innocents en apparence sont pleins de « malice » quand on les interprète, ils ont, si on peut dire, quantité d'idées de derrière la tête. Ceci étant de nouveau matière à controverse, je saisis volontiers l'occasion de montrer à l'œuvre la déformation du rêve; je vais soumettre à l'analyse une série de rêves « innocents » de ma collection.

I. Une jeune femme intelligente et fine, réservée, du type de l' « eau qui dort », raconte : « *J'ai rêvé que j'arrivais trop tard au marché et que je ne trouvais plus rien chez le boucher et chez la marchande de légumes.* » Voilà assurément un rêve innocent; mais un rêve ne se présente pas de cette manière; je demande un récit détaillé. Le voici : *Elle allait au marché avec sa cuisinière, qui portait le panier. Le boucher lui a dit, après qu'elle lui eût demandé quelque chose : « On ne peut plus en avoir », et il a voulu lui donner autre chose en disant : « C'est bon aussi. » Elle a refusé et est allée chez la marchande de légumes. Celle-ci a voulu lui vendre des légumes d'une espèce singulière, attachés en petits paquets, mais de couleur noire. Elle a dit : « Je ne sais pas ce que c'est, je ne prends pas ça. »*

Il est aisé de rattacher ce rêve aux événements de la journée. Elle était réellement allée au marché trop tard et n'avait plus rien trouvé. On est tenté de dire : *la boucherie était déjà fermée.* Mais n'y a-t-il pas là — ou plutôt dans l'expression inverse — une manière très vulgaire d'indiquer

_____

(1) Havelock ELLIS, le plus aimable des critiques de la *Traumdeutung*, écrit (p. 169) : « Voilà le point où beaucoup d'entre nous seront en désaccord avec Freud. » Mais Havelock ELLIS n'a pas fait d'analyses de rêves et il n'imagine pas combien les jugements portés d'après le contenu manifeste du rêve sont peu justifiés.

une négligence dans l'habillement d'un homme (1) ? La rêveuse n'a d'ailleurs pas employé ces mots, elle les a peut-être évités... Essayons d'interpréter les détails du rêve.

Quand, dans un rêve, quelque chose a le caractère d'un discours, est dit ou entendu au lieu d'être pensé — on le distingue ordinairement sans peine —, cela provient de discours de la vie éveillée. Sans doute, ceux-ci sont traités comme de la matière brute, on les fragmente, on les transforme un peu, surtout on les sépare de l'ensemble auquel ils appartenaient (2). Le travail d'interprétation peut partir de ces sortes de discours. D'où viennent donc les paroles du boucher : « *On ne peut plus en avoir* » ? Je les ai prononcées moi-même, en lui expliquant, quelques jours avant, que nous *ne pouvions plus avoir* (évoquer) les événements de notre première enfance comme tels, mais qu'ils nous étaient rendus par des « transferts » et des rêves lors de l'analyse. C'est donc moi qui suis le boucher, et elle repousse ce « transfert » d'anciennes manières de penser et de sentir. — D'où viennent les paroles qu'elle prononce dans le rêve : « *Je ne sais pas ce que c'est, je ne prends pas ça* » ? L'analyse doit diviser cette phrase. Elle-même, la veille, au cours d'une discussion, a dit à sa cuisinière : « *Je ne sais pas ce que c'est* », mais elle a ajouté « Soyez correcte, je vous prie. » Nous saisissons ici le déplacement : des deux phrases employées contre sa cuisinière, elle n'a gardé dans le rêve que celle qui était dépourvue de sens; celle qu'elle a refoulée correspondait seule au reste du rêve. On dira : « Soyez correct, je vous prie » à quelqu'un qui a osé faire des suggestions inconvenantes, et a oublié de « fermer sa devanture ».

L'exactitude de notre interprétation est prouvée par son accord avec les allusions qui sont au fond de l'incident de la marchande de légumes. Un légume allongé que l'on vend en bottes (elle a ajouté ensuite qu'il était allongé), un légume noir, cela peut-il être autre chose que la confusion, produite par le rêve, de l'asperge et du radis noir ? Je n'ai besoin

_____

(1) [N. d. T.] : référ. à l'argot viennois : « *Du hast deine Fleischbank offen* » (litt.) : « La devanture de ta boucherie est ouverte » (c.-à-d. : « Ta braguette n'est pas boutonnée »).

(2) Au sujet des discours, voir le chapitre sur l'élaboration du rêve. Seul de tous les auteurs, DELBŒUF paraît avoir reconnu l'origine des discours du rêve. Il les compare à des clichés (p. 226).

d'interpréter l'asperge pour personne, mais l'autre légume me paraît aussi une allusion (1) à ce même thème sexuel que nous avons deviné dès le début, quand nous voulions symboliser tout le récit par la phrase : la boucherie est fermée. Nous n'avons pas besoin ici de découvrir tout le sens de ce rêve; il suffit d'avoir démontré qu'il est plein de signification et n'est nullement innocent (2).

II. Voici un autre rêve innocent de cette même malade. Il contraste, d'une certaine manière, avec le précédent. *Son mari demande : Ne faudrait-il pas faire accorder le piano ? Elle: Ce n'est pas la peine, il faut d'abord le faire recouvrir.* C'est de nouveau la répétition d'un événement réel du jour précédent. Son mari a bien demandé cela et elle a répondu de cette manière. Mais pourquoi en rêve-t-elle ? Elle dit bien que ce piano est une boîte *dégoûtante* qui donne un *mauvais son,* que son mari l'avait déjà avant son mariage (3), etc., mais la solution nous sera donnée par la phrase : « *Ce n'est pas la peine.* » Elle l'a dite hier comme elle était en visite chez une amie. On l'engageait à enlever sa jaquette, elle s'y est refusée en disant : « *Ce n'est pas la peine,* je m'en vais tout de suite. » Je pense alors qu'hier, pendant l'analyse, elle a brusquement porté la main à sa jaquette dont un bouton venait de s'ouvrir. C'était comme si elle avait dit : « Je vous en prie, ne regardez pas de ce côté, *ce n'est pas la peine.* » Ainsi elle remplace boîte par poitrine (boîte : *Kasten,* poitrine : *Brust-kasten*), et l'interprétation du rêve nous ramène à l'époque de sa formation : elle commençait alors à être mécontente de ses formes. Si nous prenons garde au « *dégoûtant* », au « *mauvais ton* » et si nous nous rappelons combien de fois dans le rêve et les expressions

(1) [N. d. T.] : allusion intraduisible : *Rettich* (raifort) = *Schwarzer rette dich* (Noir, sauve-toi !).

(2) A ceux qui voudraient l'approfondir, je ferai remarquer que ce rêve recouvre un fantasme : conduite provocante de ma part, défense de la sienne. On sait combien les médecins ont à subir d'accusations de cette sorte de la part de femmes hystériques, chez qui ces fantasmes ne sont point déformés et présentés comme rêves, mais apparaissent sans dissimulation et sous forme de constructions morbides. Ce rêve a correspondu au début du traitement psychanalytique de la malade. Je compris plus tard qu'il reproduisait le trauma initial d'où provenait sa névrose. D'autres personnes, qui avaient subi dans leur enfance des attentats à la pudeur et en souhaitaient le retour dans leurs rêves, m'ont souvent donné l'occasion d'observer les mêmes phénomènes.

(3) Ainsi que l'analyse nous le montrera, elle dit le contraire de ce qu'elle pense.

à double sens les petits hémisphères du corps féminin remplacent les grands, l'analyse nous ramène plus loin encore dans l'enfance.

III. J'interromps cette série par le rêve court et innocent d'un jeune homme. Il a rêvé qu'*il remettait son pardessus d'hiver, ce qui est terrible.* Le froid brusquement revenu est probablement le prétexte de ce rêve. A y regarder de plus près, on estimera toutefois que les deux parties du rêve s'accordent mal, car il n'y a rien de terrible à porter un vêtement épais et lourd quand il fait froid. Malheureusement pour l'innocence de ce rêve, la première chose qui vient à l'esprit lors de l'analyse est le souvenir d'une dame qui lui a dit hier en confidence que son dernier enfant devait la vie à un condom déchiré. Il reconstruit ainsi ses pensées : un condom mince est dangereux, un condom épais mauvais. Le condom peut à bon droit être nommé pardessus, on le met en effet par-dessus. S'il arrivait à ce célibataire ce que la dame lui a raconté, ce serait terrible pour lui.

Revenons maintenant à notre rêveuse innocente.

IV. *Elle place une bougie dans le chandelier ; la bougie est cassée, de sorte qu'elle tient mal. Les petites filles de l'école disent qu'elle est maladroite ; mais la maîtresse dit que ce n'est pas sa faute.*

L'occasion, dans ce cas encore, était réelle; elle a bien mis hier une bougie dans le chandelier; mais celle-ci n'était pas cassée. La symbolique ici est transparente. La bougie est un objet qui excite les organes génitaux féminins; si elle est cassée, de sorte qu'elle ne tient pas bien, cela indique l'impuissance de l'homme *(ce n'est pas sa faute).* Mais comment cette jeune femme, élevée avec soin et tenue loin de toute chose laide, peut-elle connaître cet emploi de la bougie ? Il se trouve qu'elle peut dire à quelle occasion elle l'a appris. Lors d'une promenade en canot sur le Rhin, elle a vu passer un bateau chargé d'étudiants qui hurlaient avec une joie toute particulière la chanson : « Quand la reine de Suède, les volets fermés, avec des bougies d'Apollon... » Elle n'avait pas entendu ou n'avait pas compris le dernier mot, son mari dut le lui expliquer. Ces vers sont remplacés dans le rêve par le souvenir innocent d'une commission qu'elle avait faite maladroitement quand elle était pensionnaire, et cela précisément parce que les volets étaient fermés. La relation entre l'onanisme et l'impuissance va de soi. L'Apollon du contenu latent du rêve réunit celui-ci à un autre il où était question de la vierge Pallas. Rien de tout cela n'était innocent.

V. Pour qu'on ne s'exagère pas la facilité avec laquelle on peut expliquer le rêve par les circonstances de la vie du dormeur, je cite encore un rêve de cette même dame. Il paraît aussi très innocent. « *J'ai rêvé*, dit-elle, *quelque chose que j'avais réellement fait dans la journée. Une petite malle était tellement pleine de livres que j'avais peine à la fermer. Je l'ai rêvé comme cela s'était réellement passé.* » La rêveuse, ici, fait elle-même remarquer l'accord du rêve et de la réalité. Tous les jugements de cette sorte, toutes les remarques faites à propos du rêve, lors même qu'ils pénètrent dans la vie éveillée, appartiennent au contenu latent, nous le verrons par d'autres exemples. On nous affirme donc que ce que le rêve raconte s'est bien passé pendant la journée. Il serait trop long d'indiquer comment on a eu l'idée d'appeler l'anglais à son aide pour interpréter ce rêve. Bref, il s'agit de nouveau d'une petite boîte *(box)* (cf. p. 138, le rêve de l'enfant mort dans la boîte), qui a été tellement remplie qu'on n'y peut plus rien introduire. Cette fois du moins rien de coupable.

Dans tous ces rêves « innocents » on voit nettement comment des raisons sexuelles ont provoqué la censure. Mais ce thème est tellement essentiel que nous devons le réserver pour plus tard.

II. — Le matériel d'origine infantile, source du rêve

Avec tous les auteurs qui se sont occupés de cette question (y compris Robert), nous avons reconnu que nous pouvions retrouver dans nos rêves des impressions d'époques déjà anciennes de notre vie, impressions que, pendant la veille, notre mémoire ne paraît pas se rappeler. C'est là la troisième des particularités que présente le contenu du rêve. Il est évidemment difficile de savoir si ce cas est fréquent, puisqu'on ne peut reconnaître après le réveil l'origine de ces éléments. La preuve qu'il s'agit ici d'impressions d'enfance doit être fournie par des moyens objectifs, et il est assez rare que nous en ayons à notre disposition. Une histoire particulièrement probante nous est racontée par Maury. Il s'agit d'un homme qui se décida un jour, après vingt ans d'absence, à revenir dans son pays natal. Dans la nuit qui précéda le départ, il rêva qu'il se trouvait dans une contrée complètement inconnue et qu'il rencontrait, sur la route, un inconnu avec lequel il s'entretenait. Revenu dans son pays, il put se rendre compte du fait que cette contrée inconnue se trouvait tout près de sa ville natale et que l'inconnu de son rêve était un ami encore vivant de son père. C'était bien là une preuve convaincante qu'il avait vu dans son enfance l'homme et la région. Ce rêve doit être interprété comme un rêve d'impatience, tout comme celui de la jeune fille qui a dans sa poche le billet de concert (p. 139), de l'enfant à qui son père a promis une excursion au Hameau, etc. On ne saurait d'ailleurs découvrir, sans l'aide de l'analyse, les motifs qui ont poussé le rêveur à retrouver précisément ces impressions de son enfance.

Un de mes auditeurs, qui se vantait de n'avoir que très rarement des rêves déformés, me raconta un jour avoir rêvé quelque temps auparavant *que son ancien précepteur était dans le lit de la bonne* qui avait été à la maison durant son enfance et jusqu'à ce qu'il eût onze ans. Dans son rêve, il voyait encore le cadre de cette scène. Vivement intéressé, il raconta son rêve à son frère aîné qui lui garantit en riant la réalité de cette scène. Lui, qui avait alors six ans, se rappelait fort bien tout cela. Les amoureux avaient l'habitude d'enivrer l'aîné des garçons avec de la bière quand les circonstances étaient favorables à une rencontre nocturne. Le petit de trois ans — notre rêveur —, qui dormait dans la chambre de la bonne, n'était pas considéré comme gênant.

On peut encore garantir avec certitude, et sans avoir recours à l'interprétation, qu'un rêve contient des éléments infantiles quand il est de l'espèce « récurrente », c'est-à-dire quand, ayant d'abord été rêvé dans l'enfance, il reparaît constamment, de temps en temps, pendant le sommeil de l'adulte. Bien que je ne connaisse pas moi-même de semblables rêves, je peux en citer quelques exemples. Un médecin d'une trentaine d'années m'a raconté que, depuis son enfance jusqu'à maintenant, il avait vu souvent apparaître dans ses rêves un lion jaune qu'il pouvait décrire avec beaucoup de précision. Il découvrit un jour le lion de son rêve : c'était un bibelot de porcelaine, mis de côté depuis longtemps; sa mère lui dit alors que c'était là le

jouet qu'il aimait le plus dans sa petite enfance. Lui-même
ne se rappelait pas ce détail.

Si, après avoir examiné le contenu manifeste du rêve, on
se tourne vers les pensées que l'analyse seule découvre, on
s'aperçoit avec étonnement que les événements de notre
enfance agissent aussi dans des rêves dont le contenu ne
l'aurait pas laissé supposer. Je dois au collègue qui m'a
fourni le rêve du « lion jaune » un exemple de rêve de cette
dernière sorte. Il est particulièrement instructif. Après avoir
lu le récit de l'expédition de Nansen au Pôle Nord, il rêva
qu'il appliquait, dans le désert glacé, un traitement élec-
trique au hardi explorateur pour essayer de le guérir d'une
sciatique douloureuse. Lors de l'analyse de ce rêve, il
retrouva une histoire de son enfance sans laquelle le rêve
était incompréhensible. Comme il avait trois ou quatre ans,
il entendit un jour les grandes personnes parler de voyages
de découvertes et il demanda ensuite à son père si cette
maladie était bien dangereuse. Il avait sans doute confondu
voyages *(Reisen)* avec douleurs *(Reissen)*. Les railleries
taquines de ses frères l'empêchèrent d'oublier sa confusion.

C'est un cas analogue qui se présente, lorsque, dans
l'analyse du rêve de la monographie sur l'espèce Cyclamen,
je rencontre un souvenir de jeunesse : mon père laissant
son petit garçon de cinq ans déchirer un livre avec des
gravures en couleurs. On doutera peut-être que ce souvenir
ait vraiment contribué à former le rêve, on avancera peut-
être que c'est le travail d'analyse qui a établi ce rapport après
coup. Mais la richesse et l'entrecroisement des associations
garantissent la première interprétation : Cyclamen — fleur
préférée — plat préféré — artichaut; effeuiller comme un
artichaut, feuille à feuille (cette tournure était familière à
chacun parce qu'elle était alors fréquemment employée à
l'occasion du partage de l'empire chinois) — herbier — ver
de livre (rat de bibliothèque) dont les livres sont l'aliment
préféré. Je peux garantir de plus que le sens ultime du rêve,
que je n'ai pas rapporté ici, était en relation étroite avec le
contenu de cette scène de mon enfance.

L'analyse d'une autre série de rêves nous montre que le
désir même qui les a provoqués, et que le rêve accomplit,
provient de notre enfance, si bien que nous avons la surprise de retrouver *dans le rêve l'enfant qui survit, avec ses
impulsions.*

Je place ici l'interprétation du rêve dont nous avons déjà

tiré beaucoup d'enseignements : *Mon ami R... est mon oncle* (p. 126). Nous avions poussé l'analyse assez loin pour y saisir clairement le désir d'être nommé professeur, et nous nous étions expliqué la tendresse du rêve pour R... comme une création de mon opposition et de ma révolte contre ce qu'il y avait d'injurieux pour mes deux collègues dans la pensée même du rêve. Le rêve m'appartenait : je pouvais donc déclarer que cette analyse ne me satisfaisait pas. Je savais combien, pendant la veille, j'estimais mes deux collègues; mon désir de ne point partager leur destinée et d'être nommé ne me paraissait pas suffire pour expliquer la différence entre le jugement que je portais sur eux pendant mon rêve et mon appréciation ordinaire. Un pareil besoin de porter un titre manifesterait chez moi une ambition maladive, que je ne me connais pas et dont je crois être bien éloigné. Je ne sais pas ce que pensent de moi, à ce sujet, ceux qui me connaissent : j'ai peut-être été ambitieux; mais il me semble que cette ambition aurait eu d'autres objets que le titre et le rang de *professor extra-ordinarius*.

D'où peut donc venir l'ambition que le rêve m'attribue ? Je pense brusquement à ce que l'on m'a raconté si souvent dans mon enfance : lors de ma naissance, une vieille paysanne avait prophétisé à ma mère, fière de son premier enfant, que ce serait un grand homme. Ces sortes de prophéties doivent être fréquentes, il y a tant de mères remplies d'espoir, tant de vieilles paysannes et tant de vieilles femmes qui n'ayant plus de pouvoir dans le présent s'en dédommagent en se tournant vers l'avenir. De plus, ces sortes de prédictions doivent rapporter au prophète. Ma soif de grandeur viendrait-elle de là ? Mais je me rappelle une impression reçue quand j'étais déjà grand garçon et qui se prêterait mieux à l'explication. Mes parents m'avaient emmené un soir, alors que j'avais déjà onze ou douze ans, dans un des cafés du Prater. Ils virent un homme qui allait de table à table et, pour quelques sous, improvisait des vers sur le thème qu'on lui donnait. Ils m'envoyèrent appeler le poète à notre table, et celui-ci, reconnaissant de la commission, improvisa aussitôt quelques vers pour moi et prédit que je serais un jour ministre. Je me rappelle fort bien l'impression que me produisit cette seconde prophétie. C'était l'époque du ministère bourgeois. Peu de jours avant, mon père avait rapporté à la maison les portraits des

Dʳˢ Herbst, Giskra, Unger, Berger, etc., et nous avions illuminé en l'honneur de ces messieurs. Il y avait même des juifs parmi eux; tout petit juif laborieux portait dès lors, dans son sac d'écolier, un portefeuille ministériel. Ce sont probablement les impressions reçues à cette époque qui m'avaient d'abord orienté vers le droit. Ce ne fut qu'au dernier moment que je me décidai pour la médecine. Un médecin ne saurait devenir ministre. — Revenons maintenant à mon rêve. Je vois bien que, d'un présent un peu sombre, il m'a ramené au temps joyeux et plein d'espoir du ministère bourgeois et s'est efforcé de réaliser mes souhaits d'alors. Je malmène mes deux collègues savants et respectables parce qu'ils sont juifs; je traite l'un de tête faible, l'autre de criminel, tout comme si j'étais le ministre. Je me suis mis à la place du ministre. Quelle vengeance ! Son Excellence refuse de me nommer *professor extraordinaruis*, je me mets à sa place dans mon rêve.

J'ai pu remarquer à une autre occasion que le souhait qui provoque le rêve, lors même qu'il est actuel, est bien renforcé par des impressions profondes venues de notre enfance. Il s'agit d'une série de rêves qui trahissent le désir d'aller à Rome. Longtemps encore je devrai me contenter de satisfaire ce désir par mes rêves, parce que, à l'époque où je peux voyager, il me faut, pour des raisons de santé, éviter d'aller à Rome (1). Je rêve un jour que, de la fenêtre du wagon, je vois le Tibre et le pont Saint-Ange; puis le train se remet en marche, et je pense que je ne suis pas descendu dans la ville. Ce que j'ai vu dans mon rêve était composé d'après une gravure connue que j'avais aperçue la veille, en passant, dans le salon d'un de mes clients. Une autre fois, on me mène sur une colline et on me montre Rome à moitié cachée par la brume et encore si éloignée que je m'étonne de la voir si clairement. Le contenu de ce rêve est plus riche que je ne l'indique ici. On y reconnaît aisément le cliché : « voir de loin la terre promise ». La ville que j'avais vue au loin dans les nuages est Lubeck; la colline, Gleichenberg. Dans un troisième rêve je suis enfin à Rome, comme le rêve l'indique. Mais je suis déçu, ne voyant pas de ville : *Un petit fleuve aux eaux sombres ; d'un*

_____

(1) J'ai appris depuis qu'il suffit d'un peu de courage pour réaliser ces vœux considérés longtemps comme irréalisables et suis alors devenu un pèlerin inlassable de Rome.

côté des rochers noirs, de l'autre des prairies avec de larges fleurs blanches. Je remarque un M. Zucker (que je connais peu) *et décide de lui demander la route de Rome.* Il est clair que je cherche vainement à voir en rêve une ville que je n'ai jamais pu voir tout éveillé. Si je décompose l'image du rêve en ses éléments, les fleurs blanches indiquent Ravenne, que je connais bien et qui eut quelque temps rang de capitale. C'est dans les marais de Ravenne que nous avons trouvé, au milieu d'eaux noires, de magnifiques nénuphars; le rêve les place dans une prairie, comme les narcisses de notre Aussee, parce qu'il nous fut difficile de les atteindre dans l'eau. Le rocher sombre, si proche de l'eau, rappelle la vallée de la Tepl près de Karlsbad. Le souvenir de Karlsbad me permet d'ailleurs d'expliquer pourquoi je demande mon chemin à M. Zucker. Il y a, à la base du matériel d'où provient le rêve, deux de ces joyeuses anecdotes juives qui renferment tant de profonde et parfois d'amère sagesse et que nous citons si volontiers dans nos lettres et dans nos conversations. L'une est l'histoire du pauvre juif qui s'est glissé sans billet dans le rapide de Karlsbad; on l'attrape, on le chasse du train chaque fois qu'on le contrôle et on le traite de plus en plus mal. Un ami qui le rencontre à une des stations de cette voie douloureuse lui demande où il va, et il répond : « A Karlsbad, si ma constitution peut le supporter. » L'autre est celle du juif qui ne sait pas le français et à qui on persuade malignement, de demander à Paris, le chemin de la rue de Richelieu. Aller à Paris fut longtemps un de mes soùhaits, et la joie que j'éprouvai en mettant le pied sur le pavé de Paris me parut une garantie de la réalisation d'autres vœux. Demander son chemin est une allusion directe à Rome, car on sait que tout chemin mène à Rome. De plus, le nom de Zucker nous ramène à Karlsbad, où nous envoyons tous ceux qui sont atteints de diabète (1), maladie constitutionnelle. L'occasion de ce rêve me fut sans doute fournie par un de mes amis de Berlin qui me proposa de nous retrouver à Prague pour Pâques. Nous devions, entre autres, parler de choses se rapportant au sucre et au diabète.

Un quatrième rêve me ramène encore à Rome. Devant moi, un coin de rue; je m'étonne d'y voir tant de plaques portant des inscriptions en allemand. Peu de jours avant,

(1) [N. d. T.] : *Zuckerkrankheit* = m. à mot : maladie du sucre.

j'avais écrit à mon ami que Prague ne serait peut-être pas,
pour des visiteurs allemands, un séjour bien agréable. Mon
rêve exprimait à la fois le désir de le rencontrer à Rome
et non dans une ville de Bohême et le souhait (celui-ci
provenait sans doute de mes années d'études) que la langue
allemande fût mieux accueillie à Prague. Je dois d'ailleurs
avoir compris le tchèque jusqu'à trois ans : je suis né dans
un petit village de Moravie dont la population était slave.
J'ai retenu sans peine un petit couplet enfantin en langue
tchèque, entendu quand j'avais 17 ans; je pourrais le dire
aujourd'hui encore, bien que je ne sache pas ce qu'il signifie.
Ce rêve a donc bien des rapports avec les impressions de
mes premières années.

Lors de mon dernier voyage en Italie, passant devant le
lac de Trasimène, après avoir vu le Tibre et avoir dû tris-
tement rebrousser chemin à 80 km de Rome, je compris
quelles impressions d'enfance avaient renforcé ma nostalgie
de la ville éternelle. Je pensai précisément que l'année suivante je pourrais passer par Rome en allant à Naples, et une
phrase que j'avais sans doute lue dans un de nos classiques
me revint (1) : « Qui sait lequel arpenta sa maison le plus
impatiemment lorsqu'il conçut le projet d'aller à Rome,
d'Annibal le guerrier ou de Winckelmann le vice-recteur ? »
J'avais suivi les traces d'Annibal : il ne m'avait pas été
donné de voir Rome : lui aussi était allé en Campanie alors
qu'on l'attendait à Rome. Annibal, avec qui je me trouvais
cette ressemblance, avait été le héros favori de mes années
de lycée; quand nous avions étudié les guerres puniques,
ma sympathie, comme celle de beaucoup de garçons de cet
âge, était allée non aux Romains, mais au Carthaginois.
Dans les classes supérieures, quand je compris quelles
conséquences aurait pour moi le fait d'être de race étrangère
et quand les tendances antisémites de mes camarades
m'obligèrent à prendre une position nette, j'eus une idée
plus haute encore de ce grand guerrier sémite. Annibal et
Rome symbolisèrent à mes yeux d'adolescent la ténacité
juive et l'organisation catholique. La signification qu'a
prise depuis, dans nos esprits, le mouvement antisémite a
contribué à fixer les pensées et les sentiments de cette
époque. Ainsi le souhait d'aller à Rome est devenu dans la
vie du rêve le voile et le symbole de plusieurs autres souhaits

---

(1) L'auteur en question est sûrement Jean-Paul.

très ardents, à la réalisation desquels il faut travailler avec la constance et l'obstination du Carthaginois et dont l'accomplissement paraît être aussi peu favorisé par la destinée que le fut le désir d'Annibal.

J'arrive enfin à l'événement de ma jeunesse qui agit encore aujourd'hui sur tous ces sentiments et tous ces rêves. Je devais avoir dix ou douze ans quand mon père commença à m'emmener dans ses promenades et à avoir avec moi des conversations sur ses opinions et sur les choses en général. Un jour, pour me montrer combien mon temps était meilleur que le sien, il me raconta le fait suivant : « Une fois, quand j'étais jeune, dans le pays où tu es né, je suis sorti dans la rue un samedi, bien habillé et avec un bonnet de fourrure tout neuf. Un chrétien survint; d'un coup il envoya mon bonnet dans la boue en criant : « Juif, descends du trottoir ! » — « Et qu'est-ce que tu as fait ? » — « J'ai ramassé mon bonnet », dit mon père avec résignation. Cela ne m'avait pas semblé héroïque de la part de cet homme grand et fort qui me tenait par la main. A cette scène, qui me déplaisait, j'en opposais une autre, bien plus conforme à mes sentiments, la scène où Hamilcar (1) fait jurer à son fils, devant son autel domestique, qu'il se vengera des Romains. Depuis lors Annibal tint une grande place dans mes fantasmes.

Je crois pouvoir faire remonter à une époque plus ancienne encore de mon enfance ma passion pour le général carthaginois; il ne s'agissait, en somme, ici que du transfert d'un sentiment déjà formé. Un des premiers livres qui tomba entre mes mains quand je sus lire fut l'*Histoire du Consulat et de l'Empire* de Thiers; je me rappelle que je collais sur le dos de mes soldats de bois de petits écriteaux portant les noms des maréchaux de l'Empire et qu'alors déjà Masséna (dont le nom ressemble à celui du patriarche juif Manassé (2)) était mon préféré. (Cette préférence pouvait aussi s'expliquer par le fait que j'avais la même date de naissance, j'étais né juste un siècle après.) Napoléon, de même qu'Annibal, avait passé les Alpes. Il se pourrait d'ailleurs que cet idéal guerrier dût son origine aux relations

---

(1) Dans la 1ʳᵉ édition j'avais écrit ici Hasdrubal, erreur étrange que j'ai expliquée dans la *Psychopathologie de la vie quotidienne* (*Psychopathologie des Alltagsleben*, *Ges. Werke*, IV, 243, 245).

(2) Du reste, on a des doutes quant à l'origine juive de ce maréchal.

tantôt amicales et tantôt belliqueuses que j'eus jusqu'à trois ans avec un garçon d'un an plus âgé que moi et aux désirs que cette relation a inspirés au plus faible des deux.

Plus on analyse les rêves, plus on découvre de traces d'événements d'enfance qui ont joué dans le contenu latent le rôle de source de rêves.

Nous avons vu (p. 27) que bien rarement le rêve reproduit des souvenirs d'une manière telle qu'ils apparaissent sans abréviation ni changement dans son contenu manifeste. Il y a cependant quelques exemples de ce fait, et je pourrais en ajouter d'autres, qui se rapporteraient à des scènes de vie infantile. Un de mes malades vit un jour en rêve un fait d'ordre sexuel à peine transposé qu'il reconnut aussitôt comme un souvenir fidèle. Eveillé, il n'en avait jamais perdu complètement le souvenir, mais ce souvenir était très obscurci et ne put être ranimé que par l'analyse. A l'âge de 12 ans, le rêveur était allé voir un de ses camarades alité; celui-ci avait fait, sans doute par hasard, un mouvement qui l'avait découvert. A la vue des organes de son ami, pris d'une impulsion, il s'était défait et avait saisi le pénis de l'autre. Le camarade le regarda avec surprise, il eut honte de son geste et partit, très gêné. Vingt-trois ans après, un rêve renouvela cette scène avec tous les sentiments qui l'avaient accompagnée, mais il la transforma en même temps : le rêveur y avait un rôle passif et non actif, et son camarade y était remplacé par une personne qui appartenait à sa vie actuelle.

En général, la scène de notre enfance n'est représentée dans le contenu manifeste du rêve que par allusion et on ne peut l'y retrouver que grâce à l'interprétation. Des exemples de cette sorte sont médiocrement probants, parce que nous manquons le plus souvent de garant pour ces événements d'enfance; quand ils datent de notre extrême jeunesse, nous ne les reconnaissons pas. Le travail psychanalytique découvre, heureusement, toute une série de facteurs dont la concordance paraît certaine; nous pouvons donc conclure de nos rêves que de tels événements se sont réellement passés dans notre enfance. Peut-être les fragments de rêve ayant trait à l'enfance, que je vais extraire de leur ensemble pour les interpréter, produiront-ils peu d'effet, d'autant que je ne communiquerai pas tous les faits sur lesquels se fonde mon interprétation. Les voici cependant :

I. Tous les rêves d'une de mes malades ont un caractère de « course »; elle court pour arriver à temps, pour ne pas manquer le train, etc. Dans un de ses rêves, *elle doit rendre visite à une amie ; sa mère lui a dit de prendre une voiture, de n'y pas aller à pied ; elle court et elle tombe continuellement.* Les éléments retrouvés par l'analyse permettent de reconnaître le souvenir de courses d'enfants *(Kinderhetzereien)*. Elle explique ce rêve en rappelant la phrase que les enfants s'amusent à dire si vite qu'elle a l'aspect d'un seul mot : « Die Kuh rannte bis sie fiel » (la vache courut jusqu'à ce qu'elle tombât) : c'est encore une variété de course. Toutes ces courses innocentes entre petites amies sont remémorées parce qu'elles en remplacent d'autres, qui le sont moins.

II. Une autre malade fait le rêve suivant : *Elle se trouve dans une grande pièce où il y a toutes sortes de machines. C'est ainsi qu'elle se représente un établissement orthopédique. Elle entend dire que je dispose de très peu de temps et que je la traiterai en même temps que cinq autres. Elle se révolte et ne veut pas s'étendre dans le lit — ou l'objet en tenant lieu — qui lui est indiqué. Elle se tient dans un coin et attend que je lui dise que ce n'est pas vrai. Les autres se moquent d'elle, disant qu'elle fait des simagrées. — Il lui semble en même temps qu'elle doit dessiner un grand nombre de carrés.*

La première partie de ce rêve se rattache à son traitement et est un transfert sur moi; la seconde est une allusion à une scène d'enfance; c'est l'évocation du lit qui rattache les deux fragments. L'établissement orthopédique est le rappel d'une phrase dans laquelle j'avais comparé le traitement, quant à sa nature et quant à sa durée, à un traitement *orthopédique*. Je lui avais dit dès le début que je disposerais d'abord de *peu de temps* pour elle, mais que plus tard je pourrais lui consacrer une heure tous les jours. Ceci réveilla en elle une susceptibilité très ancienne, trait caractéristique des enfants prédisposés à l'hystérie. Ils ont un besoin insatiable d'affection. Ma malade était la plus jeune de six enfants (d'où : avec cinq autres) et, comme telle, la chérie de son père. Mais elle paraît avoir trouvé que ce père tant aimé lui consacrait encore trop *peu de temps* et d'affection. — Voici pourquoi elle attend que je dise : « Ce n'est pas vrai. » Un petit apprenti tailleur lui avait apporté une robe et elle l'avait payée. Elle demanda ensuite à son mari si, au cas où l'enfant perdrait l'argent, elle devrait payer à nouveau. Pour la taquiner, il dit oui (taquinerie dans le rêve), et elle demanda encore, *attendant qu'il dît enfin* que ce *n'était pas vrai*. On peut donc imaginer que dans le contenu latent du rêve elle se pose cette question : si je lui consacre deux fois plus de temps, devra-t-elle me payer deux fois plus ? Cette pensée est avare, « dégoûtante ». (La malpropreté de l'enfance est très souvent représentée en rêve par l'avarice, le mot « dégoûtant » sert de transition.) Mais si l'attente « jusqu'à ce que je dise que ce n'est pas vrai » représente ce mot, *se tenir dans le coin, ne pas vouloir se mettre au lit* sont les autres fragments d'une scène de son enfance : elle avait sali son lit, et, pour la punir, on l'avait *mise au coin*, en lui disant que son père ne l'aimerait plus, que ses frères se moqueraient d'elle, etc. — Les petits carrés viennent des leçons de calcul qu'elle donne à sa petite nièce; elle lui enseigne, je crois, comment on peut, dans neuf carrés, inscrire des nombres d'une façon telle qu'en quelque sens qu'on les additionne leur somme soit 15.

III. Rêve d'un homme. *Il voit deux garçons qui se battent. Il conclut, des objets qui se trouvent autour d'eux, que ce sont des fils de tonneliers ; l'un des garçons a jeté l'autre à terre, celui-ci a des pendants d'oreille avec des pierres bleues. Il se précipite la canne haute sur le brutal, pour le châtier. L'enfant se réfugie vers une femme, comme si c'était sa mère ; elle est debout près d'une palissade. C'est une femme de journalier, elle tourne le dos au rêveur. Elle se retourne enfin et lui jette un regard effrayant. Épouvanté, il s'enfuit. On voyait la chair rouge de la paupière inférieure qui avançait sous les yeux.*

Ce rêve a fortement mis en valeur quelques circonstances du jour précédent. Il a réellement vu la veille dans la rue deux enfants dont l'un jetait l'autre à terre. Comme il y allait pour rétablir l'ordre, ils ont pris la fuite tous deux. Un autre rêve, dans l'analyse duquel il a employé l'expression : « se débonder », explique pourquoi c'étaient des *enfants de tonnelier*. Il a observé que les prostituées portent le plus souvent des pendants d'oreille *garnis de pierres bleues*. Une chanson populaire sur deux garçons dit : « L'autre garçon s'appelait Marie » (c'était une fille). — La femme debout : Après la scène des deux garçons, il est allé se promener le long du Danube et il a profité

de la solitude pour uriner contre *une palissade*. Un peu
plus loin, le long du chemin, une vieille dame bien mise
lui sourit aimablement et lui tendit sa carte de visite. — La
femme se tenant dans son rêve comme lui au moment où
il urinait, il est clair qu'il s'agit d'une femme qui urine;
de là viennent *le regard effrayant* et la *chair rouge*, qui ne peut
indiquer que le sexe béant, dans cette posture; cela réapparaît dans ses souvenirs comme il l'avait vu dans son enfance,
mais cette fois sous l'aspect de *chair morte*, de blessure.
Le rêve réunit les deux cas où le petit garçon avait pu
voir le sexe des petites filles : quand elles étaient *jetées
par terre* et quand elles *urinaient*; comme il résulte de la
suite de ce rêve, il se rappelait avoir été *châtié* ou menacé
par son père à cause de la curiosité qu'il avait manifestée
à ces occasions.

IV. Le rêve suivant est celui d'une jeune femme; il
réunit, péniblement d'ailleurs, quantité de souvenirs
d'enfance.

*Elle sort en hâte pour faire des commissions. Sur le Graben,
elle tombe sur les genoux, s'écroule. Beaucoup de personnes,
en particulier beaucoup de cochers de fiacre, se rassemblent autour
d'elle, mais personne ne l'aide à se relever. Elle fait beaucoup
d'efforts, mais en vain. Il faut enfin qu'elle ait réussi à se lever,
car on la met dans un fiacre qui doit la ramener à la maison;
par la fenêtre, on lui jette un grand panier plein de choses lourdes,
comme en prennent les ménagères pour aller au marché.*

C'est la malade qui dans ses rêves court toujours comme
lorsqu'elle était enfant. Le premier tableau du rêve doit
être le souvenir d'un cheval qu'elle aura vu tomber;
le mot : *s'écroule* est une allusion aux courses. Jeune, elle
montait à cheval, et il y a plus longtemps encore elle était
sans doute elle-même le cheval. C'est une chute qui est
un de ses premiers souvenirs d'enfance : le fils du concierge,
âgé de 17 ans, avait été saisi dans la rue d'une crise d'épilepsie et on l'avait ramené à la maison en voiture. Elle en
avait seulement entendu parler, mais la représentation
d'accès épileptiques, de *chutes*, avait joué un grand rôle
dans ses fantasmes et avait plus tard influé sur la forme de
ses accès hystériques. Quand une femme rêve de chutes,
cela a régulièrement un sens sexuel, elle est une « *femme qui
tombe* »; on ne saurait douter de l'exactitude de cette interprétation pour ce rêve, puisqu'elle tombe sur le Graben,

qui est à Vienne le « corso » de la prostitution. Le *panier* a plus d'un sens. Il rappelle en tant que tel tous les « paniers » qu'elle a donnés à ses adorateurs (*einen Korb geben* = donner un panier = repousser une déclaration d'amour) et aussi tous ceux qu'elle croit avoir reçus plus tard. Dans le même sens, *personne ne l'aide à se relever*, ce qu'elle-même interprète comme une marque de mépris. Puis ce panier de ménagère rappelle divers fantasmes que l'analyse a déjà découverts : elle a fait un mariage bien au-dessous de son rang, elle est maintenant obligée d'aller elle-même au marché, etc. Enfin ce panier pourrait évoquer une domestique. Parmi ses souvenirs d'enfance, nous trouvons celui d'une cuisinière qui a été renvoyée parce qu'elle volait. Elle était *tombée à genoux* en suppliant. La malade avait alors 12 ans. Aussi le souvenir d'une femme de chambre qu'on a renvoyée parce qu'elle avait des relations avec le *cocher* de la maison, qu'elle a d'ailleurs épousé plus tard. Ces souvenirs nous indiquent d'où proviennent dans le rêve les cochers (qui, contrairement à ce qui s'était passé, n'aident pas la femme tombée). Reste à expliquer le panier *lancé*, et lancé *par la fenêtre*. Cela la fait penser aux paquets expédiés par chemin de fer, aux petites fenêtres sur la campagne, à de menues impressions de séjour à la campagne : comment un monsieur lançait des prunes bleues à une dame par la fenêtre de sa chambre; comment sa petite sœur avait eu peur parce qu'un imbécile qui passa t avait regardé dans la chambre *par la fenêtre*. Enfin surgit un souvenir obscur du temps où elle avait dix ans, souvenir d'une bonne qui, à la campagne, avait eu, avec un domestique de la maison, des relations que l'enfant avait remarquées; on les avait *expédiés, jetés dehors* (le rêve remplace par l'inverse : jeté dedans); divers chemins nous avaient déjà rapprochés de cette histoire. A Vienne on désigne le paquet, la malle d'une bonne du nom de « sept *prunes* » : « ramasse tes sept prunes et va-t-en ! » (fais ton paquet et va-t-en).

J'ai recueilli un très grand nombre de rêves de malades dont l'analyse nous ramène à des impressions d'enfance qu'ils se rappellent à peine et qui datent souvent de leurs trois premières années. Mais on ne saurait, sans plus, en tirer des conséquences qui vaillent pour le rêve en général; il s'agit toujours de névropathes, d'hystériques et il se pourrait que le rôle joué dans le rêve par les scènes de leur enfance dépendît de la nature de la névrose et non de l'essence même du rêve. En revanche, quand j'interprète mes propres rêves — et aucun symptôme pathologique ne m'y engage — je tombe toujours à l'improviste sur quelque scène d'enfance et je m'aperçois qu'elle forme le fond de toute une série de rêves. J'ai déjà donné des exemples de ce fait et j'en donnerai encore à l'occasion. Je ne saurais achever ce chapitre mieux qu'en indiquant quelques-uns de mes rêves qui prennent leur source dans des événements récents unis à des scènes d'enfance dès longtemps oubliées.

I. Après un voyage, quand je me suis couché fatigué et affamé, les grandes nécessités de la vie se font sentir pendant le sommeil. Je rêve : *Je vais dans une cuisine pour me faire préparer un entremets. Il y a là trois femmes. L'une est l'hôtesse, elle tourne quelque chose dans ses mains, paraît faire des Knödel (1). Elle répond que je n'ai qu'à attendre qu'elle ait fini* (il n'est pas sûr qu'elle parle). *Je m'impatiente et m'en vais, fâché. Je mets un pardessus, mais le premier que j'essaie est trop long pour moi. Je l'enlève, un peu surpris qu'il soit garni de fourrure. Le second a une longue queue avec des dessins turcs. Un étranger, qui a une longue figure et une petite barbe en pointe, survient et m'empêche de le mettre, en déclarant que c'est le sien. Je lui montre qu'il est couvert de broderies turques. Il demande : En quoi les turqueries (traîne, dessins...) vous regardent-elles ?... Mais nous sommes ensuite très amis.*

Lors de l'analyse de ce rêve, je me rappelle inopinément le premier roman que j'ai lu, quand j'avais à peu près 13 ans. Je l'avais commencé à la fin du premier volume. Je n'ai jamais su ni le titre ni l'auteur, mais je me rappelle très bien la conclusion. Le héros devient fou et crie sans arrêt les trois noms de femmes qui ont été le bonheur et le malheur de sa vie. Un de ces noms est *Pélagie*. Je ne sais trop en quoi cela aidera mon analyse. Ces trois femmes font surgir dans mon esprit les trois Parques qui filent les destinées humaines, et je sais que l'une des trois, l'hôtesse du rêve, est la mère qui donne la vie et aussi (c'est mon cas) la première nourriture au vivant. Le sein de la femme évoque à la fois la faim et l'amour. On sait l'anecdote du jeune homme, grand admirateur de la beauté féminine,

---

(1) [N. d. T.] : boulettes de farine ou de semoule. Plat très courant en Autriche ; garnies de viande, on les appelle *Fleischknödel.*

qui, un jour où on parlait de la belle nourrice qu'il avait eue étant petit, regretta de n'avoir pas mieux profité de l'occasion. J'ai coutume d'expliquer par cette anecdote « l'après-coup » dans le mécanisme des psychonévroses. Donc, une des Parques frotte ses mains comme si elle voulait faire des *Knödel*. Occupation singulière pour une Parque ! Il faut trouver une explication. Elle est dans un autre souvenir de ma première enfance. Quand j'avais six ans et que ma mère me donnait mes premières leçons, elle m'enseignait que nous avions été faits de terre et que nous devions revenir à la terre. Cela ne me convenait pas, j'en doutai. Ma mère frotta alors les paumes de ses mains (tout à fait comme pour faire des *Knödel*, mais elle n'avait pas pris de pâte), et elle me montra les petits fragments d'*épiderme* noirâtres qui s'en étaient détachés comme une preuve que nous étions faits de terre. Je fus stupéfait par cette démonstration *ad oculos* et je me résignai à ce que plus tard j'appris à formuler : « tu dois rendre ta vie à la nature » (1). C'est donc bien réellement vers les Parques que je vais, dans la cuisine, comme bien souvent, quand j'avais faim étant enfant, j'allai vers ma mère, qui, près du foyer, me demandait d'attendre que le déjeuner fût prêt. Et les *Knödel* maintenant ? Un de mes professeurs d'Université, celui à qui je dois mes connaissances histologiques (épiderme), accusait une personne du nom de *Knödl (Knödel)* d'avoir *plagié* ses œuvres. Plagier, s'approprier ce qui appartient aux autres, conduit à la seconde partie du rêve où je suis traité comme le voleur qui, à un moment donné, prenait nos pardessus à la Faculté. J'ai écrit le mot plagiat sans dessein, parce qu'il s'offrait à moi; je remarque à présent qu'il doit faire partie du contenu latent du rêve, car il peut servir à réunir les diverses parties de son contenu manifeste. La chaîne d'association : *Pélagie — plagiat — Plagiostomes* (2) *(requins) — vessie natatoire*, réunit le roman lu autrefois à l'affaire Knödl et aux pardessus qui signifient clairement un instrument des techniques sexuelles

---

(1) Les deux sentiments qui se font jour dans cette scène, stupéfaction et résignation à l'inévitable, s'étaient retrouvés quelques jours avant dans un rêve qui m'avait rappelé pour la première fois cet événement de mon enfance.

(2) Je songe aux Plagiostomes peu volontiers, ils me font penser à une circonstance fâcheuse où je m'étais couvert de ridicule devant le professeur en question.

(cf., p. 60, le rêve de kilo-loto, de Maury). Ce lien sans doute est absurde et forcé, mais je n'aurais pu l'établir une fois éveillé s'il n'avait pas été préparé par le travail du rêve. Il semble que la nécessité d'établir des relations entre les mots ne respecte *rien*, puisque le cher nom de Brücke (*Brücke* = pont; *Wortbrücke* = mot-pont, mot de liaison) ne sert, on vient de le voir, qu'à me rappeler l'Institut d'Université où j'ai passé l'époque la plus heureuse de ma vie d'élève encore sans besoins (1) : ceci en contraste total avec les désirs qui me tourmentent *(plagen)* pendant mon rêve. Enfin surgit dans mon souvenir un autre de mes maîtres, dont le nom assone de nouveau avec un nom d'aliment, *Fleischl* (*Fleisch* = viande, comme Knödl de *Knödel*, boulette), et je me rappelle encore une scène triste où jouaient un rôle des *parcelles d'épiderme* (la mère — hôtesse), le trouble mental (le roman) et un des produits de la pharmacopée *(lateinische Küche)* qui apaisent la *faim* : la cocaïne.

Je pourrais continuer à suivre la piste que ma pensée avait parcourue et expliquer entièrement le fragment du rêve qui manque à l'analyse. Je ne le ferai pas ici, parce que j'aurais trop à parler de moi-même. Je me borne à indiquer un des fils qui, à travers le chaos du rêve, mènent aux pensées qui sont à sa base. L'étranger au long visage et à la barbe en pointe qui m'empêche de mettre mon pardessus ressemble à un marchand de Spalato, chez qui ma femme a acheté très cher des étoffes *turques*. Il s'appelait Popovic, nom équivoque (2), qui a inspiré à l'humoriste Stettenheim la boutade : « Il me dit son nom et me serra la main en rougissant. » Il faut remarquer qu'il y a encore là un jeu de mots sur un nom, ainsi que pour Pélagie, Knödl, Brücke, Fleischl. Ces sortes de jeux sont de ceux auxquels se livrent les enfants mal élevés; si je m'y livre, c'est une sorte de revanche, car mon nom a été un nombre incalculable de fois l'objet de ces plaisanteries médiocrement spiri-

---

1) Cf. :   *So wird's Euch an der Weisheit* Brüsten
             Mit jedem Tage mehr gelüsten.

(Et chaque jour au *sein* de la sagesse vous trouverez plus de *volupté*.)

                                                    (GŒTHE, *Faust*, I.)

(2) [N. d. T.] : *Popo,* dans l'allemand familier (spécialement à l'usage des enfants), signifie : organes sexuels féminins.

tuelles (1). Gœthe remarqua un jour combien on est susceptible pour son nom, on a grandi avec lui comme avec
sa peau; ce fut quand Herder construisit sur le nom de
Gœthe, les vers :

 « Toi qui naquis des dieux, des Goths ou de la boue...
 Ainsi vous-mêmes, images des dieux, n'êtes que poussière » (2).

Je remarque que la digression sur l'emploi abusif des
noms propres n'est destinée qu'à préparer ce regret, mais
laissons cela. — L'achat fait à Spalato me rappelle comment,
à Cattaro, j'ai manqué un autre achat parce que j'ai été trop
hésitant; j'ai ainsi perdu de bonnes occasions (cf. l'occasion
perdue auprès de la nourrice, p. 182). Ainsi une des pensées
du rêve que la faim suggérait au rêveur était : « Il ne faut
rien laisser échapper, il faut prendre ce que l'on peut avoir,
alors même que cela devrait entraîner quelque faute; il ne
faut manquer aucune occasion, la vie est trop courte, la
mort inévitable. » Comme cette pensée a en même temps
une signification sexuelle, que le désir ne veut pas s'arrêter
devant la faute, ce *carpe diem* doit craindre la censure et se
cacher derrière un rêve. A cela s'ajoutent toutes les pensées opposées, les souvenirs du temps où une nourriture
spirituelle suffisait, toutes les interdictions et les menaces de
maladies spéciales.

II. Un second rêve exige un plus long prologue.
Je suis allé à la gare de l'Ouest, voulant partir en vacances
pour Aussee. Je sors sur le quai pour le train d'Ischl, qui
part avant le mien. Je vois là le comte Thun, qui, de nouveau,
va à Ischl voir l'empereur. En dépit de la pluie, il est venu
en voiture découverte, il est entré par la porte des trains
de banlieue et a repoussé, d'un geste de la main, sans plus,
le contrôleur, qui, ne le connaissant pas, lui demandait son
billet. Le train parti, je suis obligé de rentrer dans la salle
d'attente surchauffée et suis ennuyé de rester là. Je passe
mon temps à regarder si quelqu'un réussira à se faire réserver
un compartiment par faveur, bien décidé alors à protester

---

(1) [N. d. T.] : *Freud* signifie : joie.

(2)   *Der du von Göttern abstammst, von Goten oder vom Kote...*
       So seid ihr Götterbilder auch zu Staub.

(Des trois termes du jeu de mots, un seul apparaît en français.)

bruyamment et à réclamer la même chose. Entre-temps, je me chantonne quelque chose que je reconnais ensuite comme l'air des *Noces de Figaro* :

> « S'il veut la danse Monsieur le Comte *(bis)*
> Le guitariste ce sera moi » (1).

(Un autre n'aurait peut-être pas reconnu l'air.)

J'avais été toute la soirée d'humeur impertinente, batailleuse, je m'étais moqué du garçon de restaurant et du cocher, sans les blesser, je l'espère du moins; maintenant j'ai en tête toute espèce de pensées hardies et révolutionnaires, en harmonie avec les paroles de Figaro et avec la comédie de Beaumarchais que j'ai vu jouer à la Comédie-Française. Je pense à la phrase sur les grands seigneurs qui se sont donné la peine de naître, au droit du seigneur que le comte Almaviva veut exercer sur Suzanne, aux railleries que nos méchants journaux d'opposition font sur le nom du comte Thun (*Tun :* action) l'appelant le comte Nichtsthun (*Nichtstun :* inaction). Je ne l'envie réellement pas, il fait en ce moment quelque rude démarche auprès de l'empereur; c'est moi qui suis le véritable comte Nichtsthun : je pars en congé. A cela s'ajoutent quantité de joyeux projets de vacances. Arrive un monsieur que je connais, parce qu'il représentait le gouvernement lors des examens de médecine; les services qu'il y avait rendus lui avaient valu l'aimable surnom de Commissaire coronfleur du gouvernement (*Regierungsbeischläfer*). Il décline son titre et demande un demi-compartiment en première; j'entends les employés se demander : où placerons-nous le monsieur qui a une demi-première ? Encore un passe-droit; je paie, moi, place entière. On me donne d'ailleurs aussi un compartiment, mais dans une voiture qui n'a pas de couloir, de sorte que je ne disposerai pas d'un w.-c. pendant la nuit. Je me plains sans succès et, en matière de vengeance, propose que du moins on pratique un trou dans le plancher de ce compartiment pour le cas où les voyageurs en auraient besoin. Je suis réveillé d'ailleurs vers 3 heures moins le quart

(1)   *Will der Herr Graf ein Tänzelein wagen,*
                      Tänzelein wagen,
             Soll er's nur sagen,
             Ich spiel'ihm eins auf.

du matin, par un besoin impérieux, au milieu du rêve
suivant :

*Foule. Rassemblement d'étudiants. Un comte (Thun ou Taaffe)
parle. On lui demande de parler des Allemands. Avec un mouvement ironique, il déclare que le tussilage est leur fleur préférée,
et il met à sa boutonnière quelque chose comme une feuille déchirée,
un squelette de feuille roulé, en réalité. Je m'emporte, je m'emporte donc* (1), *mais je suis tout étonné d'avoir ces dispositions.*
Puis, d'une manière moins nette : *Il me semble que je suis dans
l'Aula de l'Université, les portes sont gardées et il faut s'échapper.
Je me fraie un chemin à travers une série de chambres bien amé-
nagées, des appartements officiels, semble-t-il ; les meubles sont
recouverts d'une étoffe dont la couleur est entre le marron et le
violet ; j'arrive enfin dans un couloir où une femme de charge,
une vieille dame assez forte, est assise. J'évite de lui parler. Elle
paraît croire que j'ai le droit de passer par là, car elle me demande
si elle doit m'accompagner avec la lampe. Je lui dis ou lui indique
qu'elle doit rester sur l'escalier et je me trouve très malin d'éviter
ainsi son contrôle. Enfin je suis en bas et je trouve un étroit sentier
qui monte à pic, je le suis.*

De nouveau moins nette. *Il semble que j'aie maintenant une
deuxième tâche à remplir. Je dois sortir de la ville, comme tout
à l'heure je devais sortir de la maison. Je prends un fiacre et me
fais conduire à une gare. Je dis au cocher qui me reproche de le
surmener :* « *Je ne peux évidemment pas faire avec vous le trajet
du train.* » *Tout se passe, en effet, comme si j'avais accompli avec
lui déjà une partie du parcours qu'on fait ordinairement par le
train. Les gares sont gardées, je me demande si je dois aller à
Krebs ou à Znaim, mais je pense que la Cour s'y trouvera et je
me décide pour Graz ou quelque chose d'analogue. Je suis maintenant dans le wagon, il ressemble à un wagon du train de ceinture ;
j'ai, à ma boutonnière, un objet long, bizarrement tressé ; attachées
à cela, des violettes d'un violet brun d'une étoffe raide. Les gens
en sont très surpris.* La scène s'arrête là.

*Je me trouve de nouveau devant la gare, mais je suis avec un
vieux monsieur ; j'ai trouvé un plan pour n'être pas reconnu et
ce plan est déjà réalisé. Ici penser et faire sont une même chose.
Le vieux monsieur est aveugle ou borgne tout au moins, et je lui
tends un urinal (que nous devions acheter ou que nous avons*

---

(1) Je laisse là cette répétition qui paraît s'être introduite par distrac-
tion dans le texte du rêve ; l'analyse montre, en effet, qu'elle a sa raison
d'être.

acheté à la ville). Je suis donc son infirmier, je dois lui tendre l'urinal parce qu'il est aveugle. Le chef de train nous laissera passer sans faire attention. Je vois d'une manière plastique l'attitude de l'homme et son pénis en miction. Ici réveil avec envie d'uriner.

Le rêve produit l'impression d'une manière de rêverie qui nous ramènerait en 1848. Le souvenir de cette année avait été rappelé par le jubilé de 1898; de plus, j'avais, au cours d'une excursion dans la *Wachau*, visité Emmersdof (1) où je croyais à tort, que *Fischhof*, qui dirigea des mouvements d'étudiants, était enterré. Quelques traits du contenu apparent du rêve se rapportent à lui. Une association d'idées me conduit ensuite en Angleterre, dans la maison de mon frère, qui avait l'habitude de répéter à sa femme, en plaisantant : « *Fifty years ago* » (d'après le titre d'un poème de Tennyson). Là-dessus les enfants rectifiaient toujours : « *Fifteen years ago*. » Mais cette rêverie, qui paraît se rapporter aux pensées évoquées par la vue du comte Thun, est, comme la façade de certaines églises italiennes, sans rapport organique avec le bâtiment qui se trouve derrière; pis encore, elle présente des lacunes, des confusions, certains fragments du contenu réel du rêve transparaissent en bien des endroits. Le premier tableau est construit à l'aide de plusieurs scènes que je peux retrouver. L'attitude arrogante du comte, dans le rêve, je l'ai vue au lycée quand j'avais quinze ans. Nous avions organisé une conspiration contre un professeur ignorant et peu aimable; l'âme du complot était un de nos camarades qui parut depuis avoir pris pour modèle le roi *Henri VIII*. Ce fut à moi de frapper le grand coup, et ce fut une discussion sur l'importance du Danube pour l'Autriche *(Wachau)* qui servit de prétexte à une révolte ouverte. Un des conjurés, le seul de nos camarades qui fût d'origine aristocratique (nous l'avions surnommé la *Girafe*, à cause de son extraordinaire longueur), prié de parler, se tenait devant notre tyran, le professeur d'*allemand*, comme le comte dans mon rêve. Les explications sur la fleur favorite, le fait que l'on met à sa boutonnière quelque chose qui paraît être une fleur (ceci rappelle les orchidées que j'ai apportées ce jour-là à une amie et aussi une rose

(1) Cette fois il s'agit d'une erreur, non d'un lapsus. Je n'ai appris que plus tard que cet Emmersdorf n'avait rien à voir avec le lieu du même nom où s'était réfugié le chef révolutionnaire Fischof.

de Jéricho) évoquent irrésistiblement la scène que le drame de Shakespeare place à l'origine de la guerre des Deux Roses *(rose rouge et rose blanche)*; c'est le nom d'Henri VIII qui a provoqué cette réminiscence. De plus, il n'y a pas loin des roses aux œillets rouges et aux œillets blancs (Deux petits couplets me viennent à l'esprit, l'un est allemand : « Rosen, Tulpen, Nelken, alle Blumen welken »; l'autre espagnol : « Isabelita, no llores que se marchitan las flores »; celui-ci vient de *Figaro.*) A Vienne, les œillets blancs sont l'insigne des *antisémites*, les œillets rouges l'insigne des *social-démocrates*. Je me rappelle une provocation antisémite pendant un voyage en chemin de fer à travers la Saxe *(Anglo-saxon)*. La troisième scène, qui a servi à former le premier tableau du rêve, date des premières années de ma vie d'étudiant. On discutait, dans un groupe d'étudiants *allemands*, les relations de la philosophie et des sciences naturelles. J'étais alors un blanc-bec tout plein des doctrines matérialistes et je défendis ce point de vue d'une manière fort exclusive. Un de mes camarades, plus âgé et plus réfléchi, et qui depuis a montré qu'il savait conduire les hommes et organiser les masses (qui par ailleurs porte un nom d'animal), combattit mon point de vue; il dit que lui aussi, fils prodigue, avait gardé les cochons dans sa jeunesse et était revenu, repentant, dans la maison paternelle. Je *m'emportai* (comme dans le rêve), je fus grossier *(saugrob* = grossier comme une truie), et répondis que, depuis que je savais qu'il avait gardé les *cochons*, je ne m'*étonnais* plus de sa façon de parler. (Dans le rêve je m'*étonne* de mes dispositions nationalistes.) Indignation générale; on me demanda de retirer mes paroles, je refusai. L'offensé eut trop de bon sens pour traiter cela comme une *provocation* et laissa aller les choses.

Les autres éléments de cette scène proviennent de couches plus profondes. Pourquoi le comte choisit-il le tussilage ? Si j'interroge mes associations d'idées, je trouve : *Huflattich* (tussilage) — *Lattich* — *Salat* — *Salathund* (« chien de la salade » = « chien du jardinier » : le chien qui ne concède pas à d'autres ce que cependant lui-même ne mange pas). Il y a ici comme une collection d'injures : *girafe (Giraffe, Affe* = singe), *cochon, truie, chien*; je sais comment je pourrais encore y joindre *âne* et railler ainsi un de nos maîtres de l'Université. D'autre part, je traduis, je ne sais si c'est exact, *huflattich* (tussilage) par *pissenlit*, mot que j'ai appris en lisant *Germinal* (on y envoie les enfants chercher cette salade). Le nom du *chien* rappelle la grande fonction (comme celui de la salade la petite). Nous trouvons là l'inconvenance sous trois aspects, car c'est dans ce même *Germinal*, qui évoque abondamment la révolution future, que l'on trouve un tournoi d'un genre particulier, il s'agit de la production de gaz ordinairement appelé *flatus* (1). Et je remarque maintenant comment le chemin **était** dès longtemps préparé pour ce flatus. Il avait été question de *fleurs*, puis, à travers les vers *espagnols*, d'*Isabelita*, d'*Isabelle* et de *Ferdinand*, d'*Henri VIII*. On sait qu'après sa victoire sur l'Armada, l'Angleterre fit graver une médaille qui portait l'inscription : *Flavit et dissipati sunt* (2). J'avais pensé à mettre cette inscription en guise d'épigraphe un peu railleuse en tête du chapitre Thérapeutique, si jamais je publiais un ouvrage un peu étendu sur mes théories et ma thérapeutique de l'hystérie.

Je ne peux expliquer aussi clairement le second tableau de mon rêve, parce que la censure ne le permettrait pas. Je me mets ici à la place d'un grand **personnage**, qui, pendant la révolution, a aussi eu affaire à un aigle *(Adler)* et a souffert d'*incontinentia alvi*, et je crois que **je** n'aurais pas *le droit ici de passer* la censure, bien que la plus grande partie de cette histoire m'ait été racontée par un collègue « conseiller de cour » *(Aula, consiliarius aulicus)*. La série des chambres *(Zimmer)* traversées dans le rêve provient du wagon-salon de son Excellence où j'avais pu jeter un coup d'œil; elle évoque aussi, comme si souvent dans le rêve, des femmes *(Frauenzimmer)*, ici des filles publiques (3). La femme de charge est une vieille dame spirituelle chez qui j'ai été reçu et qui m'a raconté quantité de jolies histoires; mon rêve la remercie mal de son bon accueil. La marche avec la lampe est un souvenir de Grillparzer; il avait noté un joli souvenir analogue et plus tard l'avait

---

(1) Ce n'est pas dans *Germinal*, mais dans *La Terre*. Je remarque cette erreur après l'analyse. Il faut noter les lettres identiques dans *Huflattich* et *flatus*.

(2) Un biographe non sollicité, le Dr Fritz Wittels, m'a reproché d'avoir omis le nom de Jéhovah de cette devise. Sur la médaille anglaise, le nom du Dieu est écrit en hébreu, sur un nuage à l'arrière-plan ; de sorte qu'il peut être vu soit comme partie du dessin, soit comme partie de l'inscription.

(3) [N. d. T.] : cf. sur ce point, p. 302, n. 3.

utilisé dans *Héro et Léandre* (*Vagues de la mer* et de l'amour — l'Armada et la *tempête* (1).

Je ne donnerai pas l'analyse détaillée des deux autres fragments du rêve, j'y prendrai seulement les éléments utiles pour reconstituer les deux scènes de mon enfance à cause desquelles je l'ai choisi. On se doutera avec raison que cette réserve m'est imposée par des faits d'ordre sexuel; mais ce n'est pas tout. Souvent nous nous avouons à nous-mêmes ce que nous dissimulons aux autres; mais c'est ici la censure intérieure qui ne me laisse pas connaître le contenu réel du rêve. Je dois donc indiquer que l'analyse de ces trois fragments permet d'y reconnaître des vantardises qui proviennent d'une manie de grandeur depuis longtemps réprimée dans ma vie de veille. Cela apparaît même dans le contenu manifeste du rêve (*je me trouve malin*), et on le comprend fort bien, si on songe à l'état d'esprit qui était le mien la veille au soir. Cette vantardise s'étend à tous les domaines. S'il est question de Graz, c'est à cause de la phrase usuelle : « *Combien coûte Graz ?* » que l'on dit quand on se croit très riche. Si l'on songe à Rabelais, on placera aussi au nombre des vantardises tout ce que nous avons découvert de la première partie du rêve.

Voici les faits qui ont trait aux deux scènes de mon enfance que j'ai évoquées. J'ai acheté, pour ce voyage, une malle *neuve* dont la couleur *brun-violet* apparaît dans le rêve plusieurs fois (violettes de cette couleur faites en étoffe raide, à côté d'un objet qu'on appelle *Mädchenfänger* [« attrape-filles »]; meubles des appartements officiels).

Tous les enfants croient que, lorsqu'ils mettent quelque chose de *neuf*, les gens *sont surpris*. On m'a raconté la scène suivante de mon enfance. Le souvenir est d'ailleurs remplacé par celui du récit. Il paraît que vers deux ans je mouillais encore mon lit de temps à autre. Un jour où l'on me faisait des reproches à ce sujet, j'avais voulu *rassurer* mon père en lui promettant que je lui achèterais un beau lit *neuf*, *rouge*,

---

(1) H. SILBERER, dans un travail important (*Phantasie und Mythos*, 1910), a essayé d'utiliser cette partie du rêve pour montrer que le travail du rêve essaie de rendre non seulement son contenu latent, mais encore les processus psychiques qui l'ont formé. (« Le phénomène fonctionnel ».) Mais il me paraît n'avoir pas compris à cette occasion que je considère comme matériel de pensée pareil aux autres les processus psychiques qui organisent le rêve. Dans ce rêve de vanité, je suis visiblement fier d'avoir découvert ces processus.

à la ville voisine. (C'est pourquoi dans le rêve, *nous avons acheté ou dû acheter* l'urinal à la ville; on doit tenir ce que l'on a promis.) (Il faut remarquer d'ailleurs la juxtaposition de l'urinal, symbole mâle, et de la malle, symbole féminin = *box*.) Toute la folie de grandeur de l'enfant est contenue dans cette promesse. Nous avons déjà indiqué, dans l'interprétation d'un autre rêve (cf. p. 140), le rôle des accidents urinaires de l'enfant. La psychanalyse des névroses nous a permis de reconnaître une liaison intime entre l'énurésie et l'ambition.

Je me rappelle ensuite un petit fait domestique qui s'est passé quand j'avais sept ou huit ans. Un soir, avant de me coucher, j'eus l'inconvenance de satisfaire un besoin dans la chambre à coucher de mes parents et en leur présence. Mon père me réprimanda et dit notamment : « On ne fera rien de ce garçon. » Cela dut m'humilier terriblement, car mes rêves contiennent de fréquentes allusions à cette scène; elles sont régulièrement accompagnées d'une énumération de mes travaux et de mes succès, comme si je voulais dire : « Tu vois bien que je suis tout de même devenu quelqu'un. » Cette scène explique la dernière image du rêve; naturellement, les rôles y sont échangés, par vengeance. L'homme âgé, mon père sans doute — le fait qu'il est borgne doit se rapporter à son glaucome (1) —, urine maintenant devant moi, comme moi jadis devant lui. Le glaucome rappelle la cocaïne qui l'aida à supporter l'opération : il semble que, par là, j'aie tenu ma promesse. D'autre part, je me moque de lui parce qu'il est aveugle, parce que je dois lui tendre le verre, et je fais quantité d'allusions à mes notions toutes nouvelles au sujet de l'hystérie, dont je suis très fier (2).

(1) Autre interprétation : il est borgne comme Odin, le père des dieux. (*La consolation d'Odin.*) — *La consolation* vient de ma promesse d'enfant : je lui achèterai un lit neuf.

(2) Ajoutons ici encore quelques éléments de l'interprétation. — Le verre rappelle l'histoire du paysan qui essaie toute une série de verres de lunettes chez l'opticien, et qui ne sait pas lire (jeu de mots sur *Bauernfänger* [filou], *Mädchenfänger* [coureur]). — La manière dont est traité le père tombé en enfance évoque la conduite des paysans dans *La Terre* de Zola. — Il y a comme une contrepartie du souvenir d'enfance dont j'ai parlé plus haut dans la triste satisfaction de voir un père, dans sa vieillesse, salir son lit comme un enfant : c'est pourquoi dans le rêve je suis son infirmier. — « *Penser et faire sont une même chose* » rappelle un drame très révolutionnaire d'Oscar Panizza dans lequel Dieu le Père, vieillard paralysé, est fort maltraité. Vouloir et acte y sont une même chose, et il faut que l'archange, une sorte de Ganymède, l'empêche

On peut dire, il est vrai, que, si ces deux scènes de miction de mon enfance sont liées à mon désir de grandeur, leur évocation, pendant le voyage vers Aussee, a été favorisée par cette circonstance accessoire que le compartiment ne possédait pas de w.-c. et que je devais bien compter en être gêné pendant le voyage, ce qui d'ailleurs se produisit le matin. Je m'éveillai alors avec une sensation de besoin. On pourrait sans doute voir là le motif véritable du rêve, mais je crois qu'il faut interpréter autrement ce processus : ce sont les pensées du rêve qui ont provoqué le besoin. Il est très rare qu'un besoin quelconque trouble mon sommeil et cela surtout à l'heure où je me suis réveillé (2 heures 3/4 du matin); de plus, lors d'autres voyages, faits dans des compartiments plus commodes, je n'ai presque jamais éprouvé ce besoin après un réveil matinal. D'ailleurs la question peut rester en suspens.

L'expérience analytique m'a montré que des rêves même dont le sens paraît d'abord complet, parce qu'on trouve aisément leurs sources et les désirs qui les ont provoqués, peuvent mettre sur la trace de pensées importantes qui remontent à notre première enfance. Je me demande donc s'il n'y aurait pas là une caractéristique qui serait une condition essentielle du rêve. Si l'on généralisait cette idée, le

de jurer et de maudire, parce que ses malédictions seraient aussitôt accomplies. — Faire des plans est un reproche à l'adresse de mon père, il date d'un âge où ma critique a commencé à se faire jour. D'une façon plus générale, l'attitude rebelle et frondeuse symbolise la révolte contre l'autorité paternelle. On dit que le prince est le père du peuple. Le père est l'autorité la plus ancienne, la première, il est pour l'enfant l'autorité unique. Tous les autres pouvoirs sociaux se sont développés à partir de cette autorité primitive (avec la seule réserve du matriarcat). — « Penser et faire sont une même chose » est une allusion à l'explication des symptômes hystériques. L'urinal se rapporte à la même question. Il y a un procédé bien connu des Viennois, sous le nom de *Gschnas*, qui consiste à construire des objets d'aspect rare et précieux avec des éléments vulgaires et de préférence comiques. Ainsi des armures à l'aide de casseroles, de bouchons de paille, etc. ; nos artistes aiment beaucoup mêler ces sortes de plaisanteries à leurs soirées. J'ai remarqué que les hystériques font la même chose. A côté d'événements réels, ils construisent inconsciemment des fantasmes horribles ou extravagants, et la matière leur en est fournie par les incidents les plus insignifiants et les plus ordinaires. Les symptômes de la maladie sont liés à ces fantasmes, non point aux souvenirs d'événements réels, futiles ou sérieux. Cette explication m'a permis de résoudre beaucoup de difficultés et j'en ai été très content. Il est possible que j'y aie fait allusion lorsque j'ai rêvé à l'urinal : en effet, on m'a raconté qu'à la dernière soirée de *Gschnas* on s'était servi de cet objet d'hôpital pour fabriquer la coupe de Lucrèce Borgia.

contenu manifeste de chaque rêve serait lié aux événements récents, son contenu latent aux plus anciens événements de notre vie. L'analyse de l'hystérie me permet de montrer que ce passé est resté actuel dans le présent. Mais cette supposition peut paraître discutable, je reviendrai donc plus loin sur le rôle probable des événements de la première enfance dans la formation du rêve (cf. chapitre VII).

Des trois particularités de la mémoire du rêve indiquées au début de ce chapitre, nous en avons expliqué une : la préférence accordée aux impressions secondaires, en la ramenant à la déformation. Les deux autres : le rôle des événements récents et l'importance des faits de notre enfance, nous les avons constatées, mais nous n'avons pu les rattacher à la motivation du rêve. Nous nous rappellerons ces difficultés et nous en chercherons l'explication soit dans la psychologie du sommeil, soit dans celle, plus générale, de la structure de l'appareil psychique : par l'interprétation du rêve nous pourrons l'apercevoir comme par un volet entrouvert.

Il faut que je souligne ici un des résultats des analyses que nous venons de faire. Fréquemment le rêve paraît avoir plusieurs significations. Non seulement il accomplit plusieurs désirs; mais un sens, l'accomplissement d'un désir, peut en cacher d'autres, jusqu'à ce que, de proche en proche, on tombe sur un désir de la première enfance. Ici encore, on peut se demander si, au lieu de « fréquemment », il ne faudrait pas dire « toujours » (1).

III. — LES SOURCES SOMATIQUES DU RÊVE

Quand on essaie d'expliquer à un homme instruit quels problèmes posent les rêves et qu'on lui demande d'où proviennent les rêves à son avis, on remarque, à l'ordinaire, qu'il se croit sûr d'une partie tout au moins de la solution.

(1) La superposition des significations du rêve offre un problème des plus épineux, mais aussi des plus intéressants de l'interprétation. Si on la néglige, on se trompe aisément et on risque de faire, sur l'essence même du rêve, des hypothèses fausses. Mais on a fait très peu de recherches sur ce point. Seuls les rêves urinaires ont été étudiés à ce point de vue par O. RANK qui en a bien vu la « stratification symbolique » régulière.

Il pense aussitôt à l'importance qu'ont une digestion difficile ou dérangée (« les rêves viennent de l'estomac »), des états passagers du corps et de menus faits qui dérangent notre sommeil. Il ne paraît même pas supposer que, tous ces facteurs étant considérés, il reste encore quelque chose à expliquer.

Nous avons précisé dans notre premier chapitre (p. 38 sq.) le rôle que la littérature scientifique accordait aux sources somatiques de stimulation dans la formation du rêve; il suffira donc de le rappeler ici. Nous avons vu que l'on distinguait trois sortes de sources somatiques : les stimuli sensoriels objectifs (venant des objets extérieurs); les états d'excitations internes (subjectifs) des organes des sens; les stimuli somatiques provenant de l'intérieur de l'organisme. Nous avons vu que les auteurs étaient portés à faire peu de cas, ou même à ne pas admettre du tout de sources psychiques du rêve (p. 44). Un examen des affirmations émises par ces auteurs quant au caractère somatique des sources de stimulation nous a montré que l'importance des excitations sensorielles objectives, stimuli accidentels pendant le sommeil ou stimuli inévitables même pour un esprit endormi, était garantie par de nombreuses observations et confirmée par l'expérience (p. 30); que le rôle des excitations subjectives des organes des sens paraissait démontré par le retour des images hypnagogiques; enfin que l'action des excitations somatiques internes sur les images et représentations du rêve, si elle ne pouvait être totalement prouvée, semblait être confirmée par le rôle joué par les états d'excitation des organes digestifs, urinaires et sexuels.

Les stimulations nerveuses et les stimulations organiques, sources somatiques du rêve, seraient donc, d'après nombre d'auteurs, les seules sources du rêve.

Mais nous avons vu, d'autre part, que cette théorie peut paraître, sinon inexacte, du moins insuffisante. Ses défenseurs eux-mêmes, malgré toute la sécurité que leur donnent leurs observations, surtout celles des stimulations extérieures et accidentelles, conviennent que le riche contenu représentatif du rêve ne peut être déduit des seules stimulations nerveuses externes. Miss Calkins a examiné de ce point de vue, pendant six semaines, ses rêves et ceux d'une autre personne et elle n'a trouvé dans ces deux séries d'observations que 13,2 % et 6,7 % de cas où l'on pût

montrer l'élément de perception sensorielle extérieure;
deux cas seulement pouvaient être ramenés à des sensations
organiques. La statistique nous garantit donc ce que nous
avions soupçonné en jetant sur notre expérience personnelle un coup d'œil rapide.

On s'est quelquefois contenté de considérer le « rêve
à stimulation nerveuse » comme une variété inférieure facile
à étudier. Spitta divisait les rêves en rêves dus à une stimulation nerveuse et rêves d'association. La solution était
peu satisfaisante tant qu'on ne pouvait montrer le rapport
qui unissait les sources somatiques du rêve à son contenu
représentatif.

A côté de l'objection statistique, apparaît ainsi une
nouvelle difficulté : celle d'expliquer les rêves ainsi provoqués. Les représentants de la doctrine organique doivent
nous expliquer : d'abord pourquoi, dans le rêve, le stimulus
externe n'apparaît pas sous sa forme propre, mais est
toujours méconnu (cf. les rêves liés à la sonnerie du réveil,
p. 33); ensuite pourquoi la réaction de l'esprit à ce stimulus
méconnu est tellement variable. Strümpell répond à cela
que, pendant le sommeil, l'esprit, détourné du monde
extérieur, ne saurait comprendre le sens véritable des
stimuli sensoriels objectifs et se trouve contraint, par les
impulsions mal déterminées qui l'entraînent en tous sens,
de créer des illusions (p. 108) : « Dès qu'un stimulus
nerveux extérieur ou intérieur a fait apparaître, pendant le
sommeil, une sensation, un complexe de sensations, un
sentiment, ou, de façon plus générale, un processus psychique quelconque, ce processus appelle des images, traces
de l'expérience de la veille, c'est-à-dire d'anciennes perceptions, soit nues, soit pourvues d'une charge psychique.
Il rassemble un nombre plus ou moins grand de ces images,
et c'est leur réunion qui donne à l'impression née du
stimulus nerveux une valeur psychique. Ici encore, on
peut dire, selon l'expression courante pour la vie de la
veille, que dans le sommeil l'esprit interprète les impressions
créées par les stimuli nerveux. Le résultat de cette interprétation est ce que l'on appelle le rêve dû à une stimulation
nerveuse, c'est-à-dire un rêve dont les parties constituantes
sont déterminées par les lois de reproduction auxquelles
est soumis un stimulus nerveux lorsqu'il se déroule sur le
plan psychique. »

Wundt s'exprime d'une manière à peu près identique.

Les représentations du rêve proviendraient, d'après lui, en grande partie de stimuli sensoriels, en particulier cœnes-thésiques; c'est pourquoi ce sont des illusions fantasma-tiques, bien plus souvent que de pures représentations mnésiques devenues hallucinations. Le rapport entre le contenu du rêve et les stimuli d'où il provient donne à Strümpell l'occasion de la comparaison suivante (p. 84) : « C'est comme si un homme qui ignorerait entièrement la musique laissait courir ses dix doigts sur les touches d'un piano. » Ainsi le rêve ne serait pas un phénomène intel-lectuel, né de motifs psychiques, mais la conséquence d'un stimulus physiologique, qui s'exprimerait en symptômes psychiques, parce que l'appareil sur lequel agit ce stimulus ne posséderait pas d'autres moyens d'expression. C'est une hypothèse de même ordre que celle qu'a utilisée Meynert pour expliquer les obsessions : on se rappelle sa fameuse comparaison du tableau de chiffres dans lequel certains nombres seraient mis en relief.

Bien que la doctrine de la stimulation somatique du rêve jouisse de la faveur publique et paraisse séduisante, il est aisé d'en montrer le point faible. Chaque stimulus somatique qui nécessite, durant le sommeil, la formation d'illusions peut être l'objet d'un nombre d'interprétations incalculable, il peut donc être figuré dans le rêve par un nombre incalculable de représentations (1). La doctrine de Strümpell et de Wundt ne saurait nous dire pour quel motif telle stimulation externe a été traduite dans le rêve par telle représentation; elle ne peut expliquer « le choix singulier que font souvent les stimuli, au cours de leur activité » (Lipps, *Grundtatsachen des Seelenlebens*, p. 170). On peut faire d'autres objections à l'hypothèse essentielle de cette doctrine (d'après laquelle pendant le sommeil l'esprit ne saurait reconnaître la véritable nature des stimuli sensoriels objectifs). Burdach a montré que l'esprit est parfaitement capable de reconnaître les impressions senso-rielles qui l'atteignent pendant le sommeil et d'y réagir convenablement : certaines impressions qui paraissent

---

(1) Il suffit de lire les deux volumes, publiés par Mourly Vold, de comptes rendus précis et détaillés de rêves provoqués expérimenta-lement, pour voir que les conditions de l'expérience n'expliquent à peu près pas le contenu des différents rêves — et que d'ailleurs ces sortes d'expériences n'aident que très peu à comprendre le problème du rêve.

importantes à l'individu parviennent à échapper à la négligence du sommeil (la nourrice et l'enfant); on est bien plus sûrement réveillé par son propre nom que par une impression auditive quelconque, ce qui suppose que l'esprit distingue même alors entre les sensations (cf. p. 54). Burdach suppose que ce n'est pas la *capacité d'interpréter* les impressions des sens qui fait défaut pendant le sommeil, mais l'*intérêt* pour ces mêmes impressions. Les arguments employés par Burdach en 1830 se retrouvent identiques chez Lipps en 1883, quand il combat la théorie de la stimulation somatique. L'esprit nous apparaît dès lors comme le dormeur de l'anecdote qui, lorsqu'on lui demande : « dors-tu ? », répond « non », et lorsqu'on ajoute : « alors prête-moi donc un billet », se retranche aussitôt derrière un « je dors ».

On peut démontrer par d'autres voies encore l'insuffisance de la théorie somatique. L'observation montre que, dès l'instant où l'on rêve, des stimuli externes, même quand ils apparaissent dans le contenu du rêve, ne déterminent pas un rêve nouveau. On peut réagir de différentes façons à un contact ou à une pression pendant le rêve. On peut ne pas s'en apercevoir et constater en s'éveillant que l'on avait une jambe découverte ou un bras serré; la pathologie nous donne de nombreux exemples d'excitations diverses et fortes, sensitives ou motrices, demeurées indifférentes pendant le sommeil. On peut deviner la sensation dans le sommeil, la sentir malgré le sommeil, comme cela arrive dans le cas d'excitations douloureuses, sans la mêler au rêve. On peut aussi se réveiller, pour écarter le stimulus (1). Enfin, quelquefois, le stimulus nerveux peut provoquer un rêve; mais, on le voit, ce n'est qu'une des réactions possibles. Ce ne serait pas le cas *si le rêve ne pouvait provenir que de stimuli somatiques*.

D'autres auteurs, Scherner, et Volkelt après lui, ont bien vu les insuffisances de cette théorie. Ils ont essayé de déterminer plus exactement l'espèce d'activité psychique qui fait jaillir, des stimulations somatiques, les images bigarrées du rêve, ils ont donc cherché à considérer

---

(1) Cf. K. LANDAUER, Handlungen des Schlafenden (*Zeitschr. f. d. ges. Neurologie u. Psychiatrie*, XXXIX, 1918). Tous les observateurs ont pu constater chez les dormeurs des conduites adaptées. Le dormeur n'est pas absolument « stupide », il peut agir logiquement et avec volonté.

l'essence du rêve comme psychique. Scherner, qui a donné de l'activité psychique impliquée dans la formation des rêves une description très profondément sentie, très poétique et très vivante, a cru avoir trouvé le principe selon lequel l'esprit réagit aux stimuli.

D'après Scherner, l'imagination, délivrée des chaînes de la veille, agirait dans le rêve de manière à représenter symboliquement la nature de l'organe d'où vient la stimulation et l'espèce de cette stimulation. Il y aurait là une sorte de clef des songes qui pourrait servir de préface à leur interprétation. « L'image du chat indique un état d'esprit pénible, l'image d'un gâteau clair et lisse la nudité corporelle. L'imagination du rêve représente le corps humain tout entier comme une maison, chaque organe comme une partie de la maison. Quand on rêve parce que l'on a mal aux dents, la bouche est représentée par un vestibule élevé et le passage du pharynx à l'œsophage par un escalier. Quand on a mal à la tête, la position élevée de la tête est représentée par un plafond très haut et couvert d'horribles araignées qui ressemblent à des crapauds » (p. 39). « Le rêve dispose, pour un même organe, de symboles nombreux; les poumons seront, à cause de la respiration, symbolisés par un poêle rempli de flammes et dont on entend le ronflement; le cœur par des caisses vides, des corbeilles; la vessie par des objets ronds, en forme de bourse, ou, d'une manière générale, par des objets creux. Un fait a une importance particulière : il est fréquent qu'à la fin du rêve nous nous représentions clairement l'organe excité ou sa fonction et cela dans notre propre corps. Ainsi à la fin d'un rêve de maux de dents on s'arrache une dent » (p. 35).

Ce mode d'interprétation des songes n'a guère rencontré de faveurs; on l'a trouvé extravagant, on a même hésité à lui concéder le peu de justesse auquel il peut prétendre, à mon avis. Comme on l'a vu, il reprend l'interprétation du rêve au moyen d'une *symbolique*, à la manière des Anciens, mais il restreint cette interprétation au corps de l'homme. Le défaut de technique scientifique claire pour cette interprétation rend malaisée l'application de la doctrine de Scherner. L'interprétation paraît arbitraire, d'autant qu'un même stimulus peut être représenté de diverses manières; Volkelt refusait déjà la représentation du corps par une maison. De plus, on est choqué, parce que le travail du rêve apparaît comme une occupation inutile et dépourvue de but : l'esprit se contente de rêvasser au sujet des excitations qui l'occupent, au lieu de s'en libérer.

Mais voici de plus une grave objection. Ces stimuli somatiques existent toujours; on accorde que l'esprit y est plus accessible pendant le sommeil que pendant la veille; on ne comprend donc pas pourquoi nous ne rêvons pas continuellement la nuit, toutes les nuits, de tous nos organes. Si l'on veut répondre à cela qu'il faut, pour provoquer des rêves, que nos yeux, nos oreilles, nos dents, notre intestin nous envoient des excitations spéciales, on se trouve devant une nouvelle difficulté : il faut démontrer que cet accroissement de stimuli existe objectivement, ce n'est possible que dans un petit nombre de cas. Si un rêve de vol symbolise le mouvement de nos poumons, ce rêve devrait, comme le remarque Strümpell, se produire beaucoup plus souvent ou correspondre à une respiration plus active. Il y a une troisième possibilité, la plus vraisemblable de toutes : à de certains moments, des motifs particuliers nous amèneraient à prêter attention à des sensations viscérales qui existent toujours; mais ceci nous entraînerait au-delà de la théorie de Scherner.

Les explications de Scherner et de Volkelt ont le mérite d'attirer notre attention sur une série de caractères du contenu du rêve qui ont besoin d'être expliqués et qui nous réservent peut-être des découvertes. Il est exact que le rêve contient des représentations symboliques d'organes et de fonctions : l'eau indique souvent une excitation de la vessie, l'organe sexuel de l'homme est représenté par un bâton tenu en l'air ou par une colonne, etc. Quand, au lieu d'être ternes, comme il arrive souvent, nos rêves présentent un champ visuel mouvant et des couleurs éclatantes, il faut bien les interpréter comme des rêves à stimulus visuel; si un rêve contient du tapage, des bruits de voix, il faut faire sa part à l'illusion auditive. Le rêve de Scherner où deux rangées de petits garçons blonds sont en face l'une de l'autre sur un pont, se saisissent mutuellement, puis reprennent leur première position, jusqu'à ce que le dormeur s'assoie sur le pont et arrache une longue dent de sa mâchoire, le rêve de Volkelt où deux rangées de tiroirs jouent un rôle analogue et qui s'achève aussi par une dent arrachée, bien d'autres encore rapportés par d'autres auteurs, nous empêchent de rejeter

la théorie de Scherner comme stérile. Mais il faudra que
nous trouvions une autre explication du symbolisme qui
paraît contenu dans ces rêves à stimulus dentaire.

Aussi longtemps que j'ai exposé la théorie des sources
somatiques, j'ai laissé de côté les arguments découverts
au cours de mes analyses de rêves. Si, par un procédé que
les autres auteurs n'ont pas employé, nous pouvons
prouver que le rêve a sa valeur propre au point de vue
psychique, que son motif est un désir, et qu'il trouve son
matériel immédiat dans les événements de la journée, toute
autre doctrine qui aura négligé ces faits et qui aura vu dans
le rêve une réaction psychique inutile et énigmatique à des
stimuli somatiques sera condamnée par là même. Ou
bien il faudrait admettre un fait invraisemblable; il y
aurait deux sortes de rêves distincts, je n'aurais connu que
les uns, les anciens auteurs n'auraient connu que les autres.

Il reste à introduire dans notre doctrine les faits sur
lesquels s'appuie la théorie courante de la stimulation
somatique.

Nous avons fait un premier pas dans ce sens, quand nous
avons posé en principe que le travail du rêve était contraint
d'élaborer toutes les excitations simultanées et d'en faire
une unité (p. 160). Nous avons vu que, lorsque deux ou
plusieurs événements marquants de la veille nous étaient
demeurés dans l'esprit, les désirs qui en étaient issus
étaient unis dans un même rêve, et aussi que l'on retrouvait
dans le matériel du rêve des impressions chargées de
valeur psychique à côté de faits indifférents de la veille,
à condition toutefois que des représentations les unissant
pussent s'établir entre les deux. Ainsi le rêve apparaît comme
une réaction à tout ce qui existe simultanément et actuellement dans l'âme endormie. Nos analyses du matériel
du rêve nous y ont fait reconnaître jusqu'à présent une
collection de résidus psychiques, des traces mnésiques
auxquels (à cause de la préférence accordée au récent et à
l'infantile) nous avons dû attribuer le caractère d'actualité,
sans d'ailleurs pouvoir préciser davantage. Nous n'aurons
pas grand-peine maintenant à prédire ce qui arrivera, si,
pendant le sommeil, un matériel neuf sous forme de
sensations vient s'ajouter à ces souvenirs devenus actuels.
Ces excitations prendront de l'importance dans le rêve
parce qu'elles sont actuelles; elles seront unies aux autres
faits psychiques actuels pour former les éléments néces-

saires à l'organisation du rêve. Autrement dit, les stimuli qui surviennent pendant le sommeil sont élaborés dans le sens de l'accomplissement de notre désir conjointement avec les restes psychiques diurnes. Cette réunion *n'est pas essentielle*, nous avons vu que l'on pouvait imaginer plusieurs manières de se comporter, pendant le sommeil, à l'égard des stimuli somatiques. Les cas où cette réunion s'est faite sont ceux où l'on a pu trouver un fonds d'images pour le contenu du rêve, pouvant représenter à la fois les deux espèces de sources, psychique et somatique.

L'essence du rêve n'est pas modifiée quand un matériel somatique s'ajoute aux sources psychiques; il reste accomplissement de désir, quel que soit le mode d'expression que le matériel actuel donne à ce désir.

Je ferais volontiers une place ici à une série de particularités qui font que l'importance des stimuli externes varie dans le rêve. Je pense que ce qui détermine le comportement pendant le sommeil, à l'égard d'une stimulation objective quelque peu marquée, c'est, dans chaque cas particulier, l'action des facteurs individuels, physiologiques et accidentels. Le rapport entre la profondeur du sommeil, habituelle ou accidentelle, et l'intensité du stimulus fera que celui-ci tantôt sera réprimé assez pour ne point gêner le sommeil, tantôt pourra l'interrompre; dans certains cas enfin, il pourra entrer dans la trame du rêve et sera ainsi neutralisé. Il en résulte que, selon l'aspect habituel de ces « constellations », les stimuli externes agiront plus ou moins selon les individus. Pour moi, qui suis un excellent dormeur et qui tiens essentiellement à ne pas me laisser déranger pendant mon sommeil, je trouve pour mes rêves peu d'excitations extérieures et par contre beaucoup de motifs psychiques. Je n'ai en réalité relevé qu'un seul rêve où j'ai pu reconnaître une source stimulante douloureuse et objective. Ce rêve montre d'une manière très instructive comment le stimulus externe agit.

Je chevauche un cheval gris, d'une manière hésitante et maladroite d'ailleurs et comme si je ne faisais que m'y appuyer. Je rencontre alors mon confrère P..., en vêtement de loden, bien monté sur son grand cheval, et qui me signale quelque chose (probablement), que je monte mal). Alors je me tiens de mieux en mieux sur ce cheval très intelligent, je suis bien installé et je remarque que je m'y trouve comme chez moi. Ma selle est une sorte de coussin qui remplit complètement tout l'espace entre le cou et la croupe du cheval. Je chevauche à l'étroit entre deux camions chargés. Après avoir chevauché quelque temps le long de la route, je retourne et veux descendre de cheval, d'abord devant une petite chapelle ouverte qui donne sur la route. Ensuite je descends réellement devant une autre chapelle, qui est toute proche ; l'hôtel est dans la même rue, je pourrais laisser le cheval y aller tout seul, mais ie préfère l'y conduire. Il me semble que j'aurais honte d'y arriver à cheval. Devant l'hôtel se trouve un groom qui me montre un billet m'appartenant et qu'il a trouvé. Il se moque de moi à cette occasion. Sur le billet, souligné deux fois : ne pas manger, puis, seconde résolution (indistinct), *quelque chose comme : ne pas travailler ; à cela se joint un vague sentiment d'être dans une ville étrangère où je ne travaille pas.*

On ne remarque pas d'abord que le rêve est apparu sous l'influence, sous la contrainte d'un stimulus douloureux. Je souffrais depuis quelques jours de furoncles, qui faisaient de chaque mouvement une torture; finalement un anthrax s'était logé à la naissance du scrotum et était devenu gros comme une pomme. Chaque pas me causait une douleur insupportable. Une fatigue fiévreuse, un dégoût de toute nourriture, la rude tâche de la journée, que j'avais voulu remplir cependant, m'avaient mis de mauvaise humeur. Je ne pouvais faire mon métier que difficilement; mais à coup sûr l'exercice auquel le siège et la nature du mal me rendaient le plus impropre était l'équitation. Le rêve, en m'attribuant précisément ce genre d'activité, est la négation la plus énergique de la douleur que l'on puisse imaginer. Je ne sais pas monter à cheval, je n'en rêve jamais, je ne suis monté à cheval qu'une fois dans ma vie, sans selle d'ailleurs, et je n'y ai trouvé aucun plaisir. Dans ce rêve, je chevauche comme si je n'avais pas de furoncle au périnée, ou plus exactement : *parce que je ne veux pas en avoir.* D'après la description, ma selle doit être le cataplasme qui m'a permis de m'endormir. Il est probable que, pendant les premières heures du sommeil, il m'a empêché de sentir la douleur. Les sensations douloureuses ont apparu ensuite et elles m'auraient réveillé, si le rêve m'était venu me tranquilliser : « Dors paisiblement, il n'y a pas à te réveiller ! Tu n'as pas de furoncle, tu es à cheval. Si tu avais un furoncle là, tu ne pourrais pas monter ! » Ça a réussi, la douleur a été assourdie et j'ai continué à dormir.

Le rêve s'est d'abord efforcé de me « dé-suggestionner », de me persuader que je n'avais pas de furoncle, en maintenant obstinément une représentation incompatible avec la douleur; il jouait le même rôle que la folie hallucinatoire de la mère qui a perdu son enfant (1) ou du marchand qui a perdu sa fortune. Mais cela ne suffisait pas; il a, de plus, utilisé les particularités de la sensation qu'il refoulait et de l'image qu'il employait dans ce but, pour rattacher ce qui existait actuellement dans l'esprit à la situation du rêve et pour le représenter. Je chevauche un cheval gris, la couleur du cheval est celle du vêtement *poivre et sel* que portait mon confrère P..., la dernière fois où je l'ai rencontré à la campagne. On a considéré la nourriture *épicée (poivrée)* comme pouvant être l'origine de ma furonculose; j'aime mieux cette cause-là que le diabète, auquel il faut toujours penser dans ces cas. Mon ami P... monte volontiers sur *ses grands chevaux* avec moi, depuis qu'il m'a supplanté auprès d'une malade, auprès de qui j'avais accompli de véritables *tours de force* (je suis d'abord assis en travers du cheval, comme pour faire des *tours*). Cette malade m'avait d'ailleurs mené à sa fantaisie, comme fait le cheval dans l'anecdote du cavalier du dimanche. C'est pourquoi le cheval symbolise la malade (il est *très intelligent* dans le rêve). « *Je m'y trouve comme chez moi* » est une allusion à la situation que j'avais dans cette maison, avant que P... m'y remplaçât. Un de mes rares amis parmi les grands médecins de cette ville m'a dit il y a quelque temps, parlant de cette maison : « *Je vous y croyais bien en selle.* » C'était encore un *tour de force* de faire chaque jour huit à dix heures de psychothérapie en souffrant à ce point, mais je sais que, si je ne me porte pas bien, je ne pourrai accomplir cette tâche, particulièrement difficile, et le rêve est plein d'allusions sombres a la situation où je me trouverais alors (le billet analogue à celui des neurasthéniques — on le montre au médecin) : *ne pas travailler et ne pas manger*. Si je poursuis l'interprétation, je vois que le rêve est parvenu à passer de la chevauchée, situation souhaitée, à des scènes de disputes qui remontent à mon enfance et qui se sont déroulées entre moi et un de mes neveux, d'un an plus âgé, qui vit actuellement en Angleterre. Le rêve a utilisé, de plus, certains éléments qui proviennent

---

(1) Cf. GRIESINGER, et la remarque dans ma seconde étude sur les psychonévroses de défense : Ueber Abwehr-Psychoneurosen, *Neurologisches Zentralblatt*, 1896 (*Ges. Werke*, Bd. I).

de mes voyages en Italie : la route que je suis est faite de souvenirs de Vérone et de Sienne. Une interprétation plus profonde encore nous ferait trouver des pensées sexuelles, et je me rappelle ce que signifiait, pour une malade qui n'était jamais allée en Italie, l'évocation de ce beau pays dans son rêve (*gen Italien* — vers l'Italie = *Genitalien* — organes génitaux); ceci rappelle d'ailleurs la maison dont j'ai été le médecin avant mon confrère P... et aussi la place où se trouve mon furoncle.

Un autre rêve me permit de me défendre d'une manière analogue contre une stimulation, sensorielle cette fois, qui menaçait de troubler mon sommeil; je ne découvris que par hasard la relation entre mon rêve et ce stimulus et je compris ainsi le rêve. Je m'éveillai un jour, au cœur de l'été, au Tyrol, sachant que j'avais rêvé : « *Le pape est mort.* » Je ne pouvais interpréter ce rêve court et nullement visuel. Je me rappelais seulement avoir lu, peu de temps avant, dans les journaux, que Sa Sainteté avait été légèrement indisposée. Mais, au cours de l'après-midi, ma femme me demanda : « As-tu entendu, ce matin, ces terribles sonneries de cloches ? » Je ne savais pas que je les avais entendues, mais je compris alors mon rêve : ayant besoin de dormir, j'avais réagi au bruit par lequel cette pieuse population voulait m'éveiller. Je m'en vengeai en pensant que le pape était mort et continuai à dormir sans m'intéresser davantage à la sonnerie.

Au nombre des rêves auxquels il a été fait allusion dans les chapitres précédents, il s'en trouvait plusieurs qui auraient pu servir d'exemples d'élaboration de ce qu'on nomme des stimulations nerveuses. Le rêve au cours duquel on boit à grands traits est de cette espèce; il semble que le stimulus somatique en soit la seule source, que le motif né de la sensation, la soif, soit le seul motif du rêve. Il en est de même dans d'autres rêves plus simples, où le stimulus somatique semble à lui seul créer le désir. Le rêve de la malade qui rejette, la nuit, l'appareil de sa joue montre une manière inaccoutumée de réagir à un stimulus douloureux par l'accomplissement d'un désir; il semble que la malade ait réussi pour un moment à ne plus souffrir en passant sa souffrance à un étranger.

Mon rêve des trois Parques est un rêve de faim, très net, mais il ramène le besoin de nourriture à la nostalgie de l'enfant pour le sein maternel et il utilise un penchant innocent pour en couvrir un plus grand qui, lui, ne peut s'extérioriser franchement. Nous pouvons voir dans le rêve du comte Thun de quelle manière un besoin corporel accidentel peut être rattaché aux émotions les plus fortes et les plus fortement réprimées de notre vie psychique. Et, s'il est vrai, comme Garnier le raconte, que le premier consul avait d'abord introduit le bruit de la machine infernale dans un rêve de bataille, nous voyons très clairement par là en quel sens l'activité de l'esprit utilise les sensations pendant le sommeil. Un jeune avocat qui s'est endormi l'esprit plein de sa première grande affaire de banqueroute, objet de ses préoccupations de l'après-midi, se conduit en rêve comme Napoléon. Il rêve d'un certain G. Reich à *Hussiatyn*, qu'il a connu au cours de l'affaire. *Hussiatyn* passe au premier plan d'une manière de plus en plus impérieuse. Il se réveille et entend tousser sa femme atteinte de bronchite (1).

Confrontons le rêve de Napoléon, qui était un excellent dormeur, et celui de l'étudiant qui, éveillé par sa logeuse parce qu'il doit aller à l'hôpital, rêve qu'il y est déjà, couché dans un lit et continue à dormir en pensant : puisque je suis à l'hôpital, je n'ai pas besoin de me lever pour y aller. Le dernier est visiblement un rêve de commodité, le dormeur s'avoue le motif de son rêve et nous découvre par là un des secrets du rêve. En un sens, tous les rêves sont des *rêves de commodité*, faits pour nous permettre de continuer à dormir. *Le rêve est le gardien du sommeil et non son perturbateur*. Nous montrerons ailleurs comment cette conception peut s'appliquer aux facteurs psychiques qui nous éveillent; nous pouvons expliquer dès maintenant le rôle des stimuli objectifs externes. Ou bien l'esprit néglige les sensations qui lui sont données pendant le sommeil (quand leur intensité et leur sens, qu'il comprend, le lui permettent), ou bien le rêve lui sert à les repousser, à les dépouiller de leur valeur, ou enfin, s'il doit les reconnaître, il s'efforce de les interpréter de manière qu'elles forment une partie d'une situation souhaitée et compatible avec le sommeil. La sensation actuelle est mêlée au rêve de manière *à perdre toute réalité*. Napoléon peut continuer à dormir, il ne s'agit que du souvenir du canon d'Arcole (2).

(1) Jeu de mots : Hussiatyn — *husten* (tousser).
(2) Le contenu de ce rêve est indiqué de manières différentes dans les deux sources où je puise.

Le désir de dormir, où s'est logé le moi conscient, et qui, joint à la censure et à l' « élaboration secondaire » dont il sera question plus loin, représente la contribution de celui-ci au rêve, doit donc être compté chaque fois au nombre des motifs qui ont contribué à former le rêve, et chaque rêve qui réussit est un accomplissement de ce désir. Nous montrerons ailleurs comment ce désir de dormir, qui est général, régulier et toujours pareil à lui-même, se situe à l'égard des autres désirs que satisfait tour à tour le contenu du rêve. Le désir de dormir est le facteur qui comble les lacunes de la théorie de Strümpell-Wundt, il explique pourquoi nous interprétons les stimuli externes d'une manière capricieuse et étrange. L'interprétation véritable, dont l'esprit endormi est parfaitement capable, impliquerait un intérêt actif, exigerait de mettre fin au sommeil; c'est pourquoi la censure s'exerce d'une manière absolue et ne laisse passer que les interprétations qui s'accordent avec le désir de dormir. Un peu comme : c'est le rossignol et non pas l'alouette; si c'était l'alouette, la nuit d'amour serait finie. C'est pourquoi, de toutes les interprétations possibles du stimulus, on choisit celle qui s'accorde le mieux avec les souhaits qui sommeillent dans l'esprit. Ainsi tout est déterminé sans équivoque, rien n'est laissé à l'aventure. La mauvaise interprétation n'est pas une illusion, mais, pour ainsi dire, une échappatoire. Là, comme lors de la substitution par déplacement aux ordres de la censure, le processus psychique normal se plie à la nécessité.

Quand des stimuli nerveux externes et des stimuli somatiques internes sont assez intenses pour forcer notre attention — s'ils entraînent essentiellement des rêves et non le réveil —, ils sont un point d'appui pour la formation du rêve, une sorte de noyau de son matériel. Un accomplissement de désir correspondant est alors recherché à peu près comme des représentations intermédiaires le sont entre deux stimulations psychiques. C'est dans ces limites que les éléments somatiques peuvent dicter le contenu d'un certain nombre de rêves. Dans ce cas extrême, la formation du rêve peut faire appel à un désir inactuel. Mais, dans tous les cas, le rêve ne peut que représenter un désir dans la situation d'accompli; il doit, si l'on peut dire, trouver le désir dont l'accomplissement serait possible étant donné la sensation actuelle. Ce matériel actuel peut être utilisé dans le rêve — même s'il est pénible ou douloureux. Nous formons parfois des vœux dont l'accomplissement crée du déplaisir; cela paraît contradictoire, mais cela s'explique par la présence de deux instances psychiques et de la censure qui les sépare.

Il y a, comme nous l'avons vu, des désirs *refoulés* qui appartiennent au premier système et contre l'accomplissement desquels le second système se dresse. Nous n'entendons pas dire par là que ces désirs ont existé et ont ensuite disparu; le principe du refoulement, tel que nous le montrent les psychonévroses, suppose que ces désirs refoulés existent encore, mais qu'ils sont inhibés. L'expression courante « réprimer » ces impulsions est très exacte. La préparation psychique qui devait permettre à ces désirs de se frayer une voie jusqu'à leur réalisation demeure et peut être utilisée. Mais dans le cas où un de ces désirs réprimés est cependant accompli, l'inhibition surmontée par le second système (conscient) se traduit par un sentiment de déplaisir. En somme, quand, pendant le sommeil, se produisent des sensations de déplaisir de source somatique, cette situation est utilisée par le travail du rêve qui obtient ainsi l'accomplissement d'un désir jusqu'alors réprimé, en écartant plus ou moins la censure.

Ces faits expliquent un certain nombre de cauchemars. D'autres parmi ces formations du rêve non favorables à la théorie du désir trahissent un autre mécanisme. L'angoisse dans le rêve peut être d'origine psychonévrotique, elle peut provenir d'excitations psychosexuelles et alors correspondre à une libido refoulée. Cette angoisse, et tout le rêve d'angoisse, ont alors la signification d'un symptôme névrotique, et nous nous trouvons à la limite où la tendance du rêve à accomplir des désirs échoue. Mais, dans d'autres cauchemars, l'impression d'angoisse est d'origine somatique (maladies des poumons, du cœur, gêne respiratoire). Le rêve l'utilise alors à accomplir des désirs fortement réprimés qui, pour des motifs psychiques, se seraient achevés par une angoisse analogue. Il n'est pas difficile d'unir ces deux cas, différents en apparence. Quand deux formations psychiques : une tendance affective et un contenu représentatif sont étroitement unies, celle qui est actuellement donnée évoque l'autre dans le rêve; tantôt l'angoisse somatique éveille le contenu représentatif réprimé, tantôt le contenu représentatif libéré du refoulement, accompagné de l'excitation sexuelle, provoque un déclenchement d'angoisse. On peut dire que, dans le premier cas, un affect somatique est interprété d'une manière psychique; dans le second, le donné est tout entier psychique, mais le contenu réprimé est aisément remplacé par une interprétation somatique qui cadre avec l'angoisse. Les difficultés de compréhension qui apparaissent ici n'ont que peu de rapport avec le rêve; elles viennent de ce que nous touchons aux problèmes du développement de l'angoisse et du refoulement.

L'état général de notre corps est assurément au nombre des stimuli somatiques directeurs du rêve. Il ne peut déterminer son contenu, mais il fournit à ses pensées du matériel qu'elles devront utiliser; il choisit, présente certains faits, en éloigne d'autres. Cette sensibilité générale de la veille se lie aux restes psychiques qui auront une importance pour le rêve. Elle peut d'ailleurs persister dans le rêve ou être surmontée, si bien que de désagréable elle sera transformée en son contraire, agréable.

Tant que les sources somatiques de stimulations apparues pendant le sommeil ont une intensité faible, elles jouent, à mon avis, dans la formation du rêve, un rôle analogue à celui des impressions indifférentes de la journée qui ne persistent que parce qu'elles sont récentes. Je veux dire que le rêve ne les utilise que quand elles s'assimilent aisément au contenu représentatif de sa source psychique. Il en est d'elles comme des matériaux à bon marché et que l'on a toujours sous la main : on s'en sert chaque fois que l'on en a besoin, tandis qu'une matière précieuse impose d'elle-même l'usage qui doit en être fait. Quand un amateur apporte à un artiste une pierre rare, un onyx, pour que celui-ci en fasse un chef-d'œuvre, la grandeur de la pierre, sa couleur, ses taches décident de la tête ou de la scène qui sera taillée; si l'artiste avait eu entre les mains du marbre ou du grès, il se serait fié à sa seule inspiration. Je ne peux expliquer que de cette manière le fait que tel contenu fourni par des stimuli organiques d'une intensité habituelle n'apparaît pas toutes les nuits ni dans tous les rêves (1).

_____

(1) Rank a montré, dans une série de travaux, que certains rêves de réveil provoqués par des excitations organiques (rêves de miction, de pollution) manifestent tout particulièrement le conflit entre le besoin de sommeil et les exigences des besoins organiques, ainsi que l'influence de ces derniers sur le contenu du rêve.

Un exemple qui nous ramène à l'interprétation du rêve fera saisir plus clairement ma pensée. Un jour, je m'étais efforcé de comprendre à quoi pouvait correspondre la sensation d'être inhibé, cloué sur place, de ne pouvoir achever, si fréquente en rêve et si proche de l'angoisse. La nuit, j'eus le rêve suivant : *Je sors, en un costume très sommaire, d'un appartement situé au rez-de-chaussée et je monte l'escalier ; j'enjambe les marches quatre à quatre et suis content de grimper aussi lestement. Je vois brusquement une bonne qui descend l'escalier, elle vient donc vers moi ; je suis confus, je veux me presser, et le sentiment de contrainte apparaît : je suis comme collé aux marches, je ne peux pas bouger.*

Analyse. — La situation du rêve est empruntée à la réalité. J'ai à Vienne deux appartements qui ne sont reliés que par un escalier extérieur. Mon cabinet de consultation et mon bureau sont à l'entresol, mon logement à l'étage au-dessus. Quand j'ai travaillé tard, il m'arrive de gagner ma chambre à coucher dans une toilette peu correcte ; cela avait été le cas la veille au soir, j'avais enlevé mon col, ma cravate et mes manchettes ; le rêve comme toujours en fait un costume encore moins complet, mais très indistinct. J'ai l'habitude d'enjamber plusieurs marches, c'est d'ailleurs dans mon rêve l'accomplissement d'un désir, car cela prouve le bon état de mon cœur. De plus, cette manière de monter l'escalier forme un contraste avec l'arrêt dans la seconde partie du rêve. Elle me montre, ce que je savais d'ailleurs, que le rêve représente sans aucune difficulté des actes moteurs parfaitement accomplis ; que l'on pense à l'impression de vol, si fréquente.

Mais l'escalier que je monte n'est pas celui de ma maison ; je ne le reconnais pas d'abord, la personne qui vient au-devant de moi m'aide à le localiser. Cette personne est la bonne d'une vieille dame chez qui je vais deux fois par jour pour lui faire des piqûres ; l'escalier est tout pareil à celui de cette maison.

Comment cet escalier et cette femme apparaissent-ils dans mon rêve ? La honte de n'être pas suffisamment vêtu a sans aucun doute un caractère sexuel ; or la domestique dont je rêve est plus âgée que moi, grincheuse et nullement attirante. Je ne trouve d'autre explication que celle-ci : quand je vais le matin dans cette maison, je suis souvent pris de toux en montant l'escalier ; il n'y a pas de crachoir, j'estime qu'on devrait en mettre un et je crache sur les marches. La concierge *(Hausmeisterin)*, âgée, grincheuse, mais qui a le sens de la propreté, m'épie, et, quand elle constate que je me suis conduit de cette manière, elle grogne de façon que je l'entende et, ensuite, pendant plusieurs jours, refuse de me saluer. La veille du rêve, la bonne avait eu une attitude analogue. J'avais fait comme toujours, très rapidement, ma visite, quand la domestique me dit, dans l'antichambre : « Monsieur aurait pu essuyer ses pieds avant d'entrer dans la chambre, le tapis rouge est de nouveau tout sale. » Voilà la seule raison qui explique l'apparition dans mon rêve de la bonne et de l'escalier.

Il y a un rapport intime entre le fait de « voler dans l'escalier » et celui de cracher sur l'escalier. Toux et fatigue cardiaque sont des châtiments du vice de fumer, vice qui me vaut, chez moi, auprès de la maîtresse de maison *(Hausfrau)* une réputation de malpropreté; d'où la fusion des deux maisons dans le rêve.

Je remets la suite de l'interprétation après l'explication du rêve typique des vêtements sommaires. Je remarque seulement ici que la sensation d'inhibition apparaît toujours quand certaines circonstances la rendent nécessaire. On ne peut supposer, dans mon cas, une attitude motrice particulière, puisque je me voyais, un instant avant, bondir sur l'escalier.

IV. — LES RÊVES TYPIQUES

Nous ne pouvons pas interpréter les rêves des autres s'ils ne veulent pas nous dire quelles pensées inconscientes se cachent derrière; cela entrave fortement l'utilisation pratique de notre méthode (1). Mais en dépit de la liberté que manifeste chacun de nous dans ses rêves, il y a un certain nombre de rêves que nous avons presque tous eus

(1) Cette affirmation que notre méthode d'interprétation ne peut s'appliquer que si l'on a accès au matériel associatif du rêveur nécessite une précision : dans un cas, notre activité d'interprétation est indépendante des associations du rêveur ; c'est, essentiellement, lorsque celui-ci a utilisé dans son rêve des éléments symboliques. Dans ce cas, nous utilisons ce qui est — au sens strict — une méthode auxiliaire d'interprétation du rêve.

de la même manière et dont on peut dire qu'ils ont, pour tous, la même signification. Ces rêves typiques méritent une attention toute particulière, parce qu'ils ont probablement les mêmes sources chez tous les hommes et peuvent nous fournir des indications sur ces sources.

L'application de nos méthodes d'interprétation à ces rêves typiques nous avait donc donné les plus grands espoirs, et c'est avec peine que nous avons dû convenir que précisément notre technique ne s'applique pas à ces cas. Quand il s'agit d'interpréter les rêves typiques, le rêveur ne se rappelle ordinairement pas les idées qui l'y ont conduit, ou bien il se les rappelle d'une manière si obscure et si incomplète que nous n'en pouvons tirer aucun parti.

Nous verrons plus loin d'où cela vient et comment suppléer à ce défaut de notre technique. Le lecteur comprendra alors pourquoi je ne traite ici que de quelques rêves typiques et pourquoi je remets à plus tard l'explication des autres.

1. *Le rêve de confusion à cause de la nudité*

Le rêve que l'on est nu ou mal vêtu en présence d'étrangers ne s'accompagne souvent d'aucun sentiment de honte. Nous ne nous occuperons du rêve de nudité que dans les cas où il s'accompagne de ce sentiment, où l'on veut s'enfuir, se cacher et où l'on éprouve une curieuse inhibition, telle que l'on ne peut bouger et que l'on se sent impuissant à transformer cette pénible situation. Dans ce cas seulement, le rêve est typique, quelles que soient les complications et les additions individuelles qui s'y joignent. Il s'agit essentiellement de l'impression pénible de honte, qui fait qu'on voudrait dissimuler sa nudité, le plus souvent en s'éloignant, et qu'on n'y arrive pas. Je pense que la plupart de mes lecteurs ont déjà connu cette situation dans leurs rêves.

Habituellement, on sait mal comment on est dévêtu. On entend raconter : j'étais en chemise, mais il est rare que l'image soit claire; elle est ordinairement si indistincte que l'on ajoute : ou en sous-vêtement. Le plus souvent le défaut de notre toilette n'était pas assez considérable pour expliquer la honte que nous avons ressentie. Chez l'ancien officier, le sentiment de nudité est remplacé par celui de porter un costume contraire aux règlements : je suis dans la rue, ne porte pas mon sabre et vois des officiers s'approcher, je n'ai pas de cravate, je porte un pantalon civil à carreaux, etc.

Les personnes devant qui on a honte sont presque toujours des étrangers dont le visage est peu distinct. Jamais, dans les rêves typiques, les vêtements qui nous gênent à tel point ne font que l'on nous apostrophe ou que l'on nous remarque seulement. Tout au contraire, les gens ont l'air indifférent, ou, comme j'ai pu le noter dans un rêve particulièrement clair, des mines solennelles et raides. Cela donne à penser.

Il y a entre la honte du rêveur et l'indifférence des spectateurs un contraste comme nous en rencontrons souvent dans nos rêves. Pour répondre à la situation du rêve et aux sentiments du rêveur, les étrangers devraient regarder celui-ci avec surprise, se moquer de lui, ou se fâcher. On peut penser que cette réaction a été écartée en accomplissement d'un désir, tandis que la honte a subsisté, maintenue par quelque force puissante : ainsi les deux parties s'accordent mal. Un témoignage intéressant va nous montrer que le rêve n'est pas entièrement expliqué par une déformation partielle due à l'accomplissement du désir.

C'est le fond d'un conte que nous avons tous lu dans Andersen (1) et que plus récemment L. Fulda a mis en œuvre dans *Le Talisman*. Le conte d'Andersen nous montre deux imposteurs qui tissent pour l'empereur un vêtement précieux, mais tel que seuls les bons et loyaux sujets peuvent le voir. L'empereur va, vêtu de la robe invisible, et chacun, effrayé par cette épreuve, feint de ne pas s'apercevoir qu'il est nu.

C'est bien là la situation de notre rêve. Il n'est pas très hardi de supposer que le contenu incompréhensible du rêve a été au nombre des motifs qui ont fait rechercher une forme telle que la situation dont on gardait le souvenir prît un sens. Celle-ci a perdu dès lors sa signification première et a été employée à d'autres fins. Mais nous verrons que cette non-compréhension du contenu du rêve par l'activité consciente d'un second système psychique est très fréquente; il faut y voir un des facteurs qui donnent au rêve sa forme définitive. Ce sont de semblables méprises localisées

---

(1) « Les habits neufs de l'empereur. »

dans une même personnalité psychique qui sont à l'origine des obsessions et des phobies.

Indiquons pour notre rêve sur quel matériel cette mauvaise interprétation se fonde. L'imposteur est le rêve, l'empereur est le rêveur lui-même, et la tendance moralisatrice trahit une obscure notion qu'il y a, dans le contenu latent du rêve, des désirs non permis, victimes du refoulement. Les associations que j'ai retrouvées, en analysant ces sortes de rêves chez des névrotiques, me permettent d'affirmer qu'il y a là, à la base, un souvenir de notre première enfance. Ce n'est que dans notre enfance que nous avons pu nous montrer en costume sommaire à nos parents et à des étrangers : domestiques, personnes en visite; en ce temps-là nous n'avions pas honte d'être nus (1). On peut remarquer que beaucoup d'enfants, assez grands même, éprouvent, quand on les déshabille, une sorte d'ivresse et non de la honte. Ils rient, sautent, s'envoient des claques; leur mère le leur reproche et dit : Fi, c'est une honte, on ne doit pas faire ça. Les enfants ont souvent des plaisirs d'exhibition. On ne peut guère se promener dans un village de cette région sans rencontrer des enfants de deux à trois ans qui lèvent leur chemise devant les promeneurs et en leur honneur peut-être. Un de mes malades se rappelle que, quand il avait huit ans, il voulait, avant d'aller se coucher, danser en chemise devant sa petite sœur qui était dans la chambre voisine; la domestique l'en empêchait. Se montrer nu à des enfants de l'autre sexe joue un grand rôle au début de l'histoire morbide des névropathes; on peut y rattacher le sentiment qu'ont les paranoïaques d'être observés quand ils s'habillent et se déshabillent; parmi les pervers il est une catégorie chez laquelle ces impulsions infantiles ont atteint le degré d'un symptôme : ce sont les exhibitionnistes.

Quand nous regardons en arrière, cette partie de notre enfance qui ignorait la honte nous apparaît comme un paradis, et le paradis lui-même est-il autre chose que la somme des fantasmes de toutes nos enfances ? C'est pourquoi dans le paradis les hommes sont nus et n'ont point de honte, jusqu'au moment où la honte et l'angoisse s'éveillent, où ils sont chassés et où commencent la vie sexuelle et la civilisation. Le rêve peut nous ramener chaque nuit dans

---

(1) On trouve un enfant aussi dans le conte. C'est un petit enfant qui crie : « Mais il est tout nu ! »

ce paradis; nous avons indiqué déjà que les impressions de la première enfance (de l'époque « préhistorique » qui va jusque vers quatre ans) tendent à se reproduire, quel que soit leur contenu; leur reproduction est l'accomplissement d'un désir. Les rêves de nudité sont donc des *rêves d'exhibition* (1).

Au cœur de tout rêve d'exhibition gît l'image du rêveur lui-même (non sous son aspect d'enfant mais sous son aspect actuel) en petite tenue (image peu distincte soit à cause de la superposition des souvenirs de tenue négligée soit à cause de la censure). Il s'y ajoute les gens devant lesquels le rêveur se sent honteux. Je ne connais pas d'exemple où les véritables spectateurs de ces exhibitions enfantines aient réapparu dans le rêve. Le rêve n'est presque jamais un simple souvenir. Il est remarquable que les personnes qui éveillaient dans notre enfance notre intérêt sexuel soient écartées dans toutes les images du rêve, de l'hystérie et de la névrose obsessionnelle; seule la paranoïa retrouve ces spectateurs et, bien qu'ils restent invisibles, est fanatiquement convaincue de leur présence. Le « grand nombre d'étrangers » indifférents au spectacle, que le rêve leur substitue, est précisément le *contraire du souhait* de voir les quelques personnes bien connues auxquelles on se montrait tout nu étant enfant. Nous trouvons ce « grand nombre d'étrangers » dans bien d'autres rêves, ils indiquent toujours, par opposition, notre désir de « garder le secret » (2). On voit comment la reproduction de l'ancienne situation, telle que nous la montre la paranoïa, explique cette opposition : on n'est plus seul, à coup sûr on est observé, mais par « un grand nombre d'étrangers extraordinairement indistincts et indifférents ».

De plus, il faut tenir compte, dans les rêves d'exhibition, du refoulement. L'impression pénible du rêve provient de la réaction du second système psychique : elle est due à ce que la scène d'exhibition est parvenue malgré tout à être représentée. Pour éviter cette impression pénible, il aurait fallu ne jamais revivre la scène.

---

(1) Ferenczi a publié une série de rêves de nudité chez des femmes ; on les ramène sans peine au plaisir enfantin de l'exhibition, mais ils se différencient en plus d'un point des rêves de nudité « typiques » dont nous venons de traiter.

(2) On comprend que la présence dans le rêve de « toute la famille » a le même sens.

Nous reparlerons encore du sentiment d'être paralysé. Le rêve s'en sert pour indiquer le *conflit de volontés*, le *non*. Selon nos projets inconscients l'exhibition doit être continuée, selon les exigences de la censure elle doit être interrompue.

Il y a entre nos rêves typiques et les contes, la poésie en général, des rapports fréquents et qui ne sont pas dus au hasard. Un écrivain pénétrant a analysé le processus de transformation dont le poète est ordinairement l'instrument et l'a poursuivi en sens inverse, ramenant le poème à son rêve. Un ami me fait remarquer le passage suivant de G. E. Keller *(Der grüne Heinrich)* : « Je ne vous souhaite pas, mon cher Lee, de connaître jamais par expérience la situation d'Ulysse qui apparaît nu et couvert de fange devant Nausicaa et ses compagnes. Il y a au fond de cela une vérité saisissante et bien choisie. Voulez-vous comprendre d'où cela vient ? Supposez que, séparé de notre patrie et de tout ce qui vous est cher, vous ayez longtemps erré à l'étranger, que vous ayez vu beaucoup de choses, acquis beaucoup d'expérience, que vous soyez tourmenté et soucieux, misérable et abandonné, — alors, infailliblement, une nuit, vous rêverez que vous approchez de votre patrie ; vous la voyez briller des couleurs les plus belles dans la plus douce lumière, des formes aimables et délicates viennent à vous ; quand vous vous apercevez brusquement que vous êtes tout nu et couvert de poussière. Une honte, une angoisse sans nom s'emparent de vous, vous essayez de courir et de vous cacher et vous vous éveillez baigné de sueur. Aussi longtemps qu'il y aura des hommes, ce sera là le rêve de l'homme tourmenté et repoussé de toutes parts ; ainsi Homère a pris cette situation dans l'essence la plus profonde et la plus durable de l'humanité. »

L'essence profonde et éternelle de l'homme est constituée par les impulsions issues d'une enfance devenue préhistorique, c'est là ce que le poète compte réveiller chez ses auditeurs. Derrière les souhaits de l'exilé, souhaits conscients et qu'il ne saurait se reprocher, apparaissent dans le rêve les souhaits de l'enfant, réprimés et interdits ; c'est pourquoi le rêve qu'objective la légende de Nausicaa s'achève toujours en cauchemar.

Mon propre rêve (p. 209) : course dans l'escalier se transformant en une impuissance à bouger, est encore un rêve d'exhibition, il en a toutes les caractéristiques. Il devrait donc pouvoir se ramener à des impressions d'enfance. On saurait alors dans quelle mesure la conduite de la bonne qui m'avait reproché de salir le tapis a été la cause du rôle qu'elle joue dans le rêve. Je puis, en fait, fournir les explications souhaitées. La psychanalyse nous apprend à ramener la proximité dans le temps à l'interdépendance des faits. Deux pensées qui nous semblent n'avoir aucun lien, mais qui se suivent d'une manière immédiate, forment un tout qu'il faut deviner, comme un *a* et un *b* écrits l'un près de l'autre doivent être prononcés en une seule syllabe *ab*. Il en est de même pour les rapports dans le rêve. Le rêve de l'escalier dont je viens de parler appartient à une série de rêves que j'ai tous analysés. On doit donc y retrouver les mêmes pensées que dans les autres. Or, dans quelques-uns de ces rêves, je rencontre le souvenir d'une bonne d'enfants qui m'a gardé pendant ma première enfance jusque vers 2 ans et demi. Je n'en ai conservé qu'une impression très vague. D'après ce que ma mère m'en a dit il y a peu de temps, elle était vieille et laide, mais très sensée et très laborieuse; si j'en crois mon rêve, elle m'aura parfois traité rudement et m'aura dit des choses désagréables quand je n'aurai pas été propre. La bonne qui paraît vouloir continuer à l'heure actuelle mon éducation prétend incarner dans le rêve ma vieille bonne d'enfant préhistorique. On peut supposer qu'en dépit de quelques tapes j'aimais ma bonne quand j'étais enfant (1).

2. *Le rêve de la mort de personnes chères*

Une autre série de rêves est également typique. Nous y voyons des membres de notre famille que nous aimons, nos parents, nos frères, nos enfants, morts. Il faut distinguer ici deux classes de rêves : ceux où nous n'avons aucun

_____

(1) Surinterprétation de ce rêve : cracher sur l'escalier fait penser à l'apparition d'esprits (cracher = *spucken*, apparaître = *spuken*) et, d'une manière plus lâche, à l' « esprit d'escalier » [en franç. ds le texte]. L'esprit d'escalier c'est aussi le manque de répartie *(Schlagfertigkeit)*. Je me reproche d'en manquer, mais ma bonne manquait-elle de *Schlagfertigkeit*? [N. d. T.] = jeu de mots = *schlagen* = frapper, battre ; *Fertigkeit* = être prêt à.

chagrin, si bien qu'au réveil notre insensibilité nous stupéfie; ceux où nous éprouvons une peine profonde et pleurons à chaudes larmes, pendant notre sommeil même.

Laissons de côté les rêves du premier groupe, ils ne peuvent être typiques. Quand on les analyse, on s'aperçoit que leur signification est différente de leur contenu, qu'ils sont destinés à cacher quelque autre désir. Tel le rêve de la tante qui voyait le fils unique de sa sœur prêt à être enseveli (p. 138); cela ne signifiait point qu'elle souhaitait la mort de son petit neveu, mais cachait, ainsi que nous l'avons appris, le désir de revoir une personne dont elle avait été longtemps séparée et qu'elle avait revue une fois déjà, dans des conditions analogues. Ce souhait, contenu véritable du rêve, ne pouvait faire aucune peine, de là vient que le rêve n'en trahissait aucune. On voit ici que les impressions du rêve ne dépendent pas de son contenu manifeste, mais de son contenu latent, que son contenu affectif n'a pas subi la transposition que nous montre son contenu représentatif.

Il en est autrement pour les rêves qui représentent la mort d'un parent aimé et sont accompagnés d'affects douloureux. Ceux-ci ont le sens de leur contenu, ils trahissent le souhait de voir mourir la personne dont il est question. Je sais que je vais révolter ici tous les lecteurs, toutes les personnes qui ont eu des rêves analogues; je dois donc donner à ma démonstration la base la plus large.

Nous avons pu voir déjà que les souhaits que le rêve représente comme accomplis ne sont pas toujours des souhaits actuels. Ce peuvent être aussi des souhaits passés, dépassés, refoulés, auxquels nous ne pourrons attribuer une sorte de survivance que parce qu'ils réapparaîtront dans le rêve. Leur mort n'est pas la mort habituelle, mais celle des ombres de l'Odyssée, qui retrouvent quelque vie dès qu'elles ont bu du sang. Dans le rêve de l'enfant mort dans la boîte (p. 140), il s'agit d'un souhait d'il y a quinze ans, que l'on s'avouait tranquillement alors. Il n'est pas indifférent, pour la théorie du rêve, d'ajouter que ce souhait lui-même se rapportait à un souvenir de la première enfance. La rêveuse, alors qu'elle était encore enfant — je ne peux fixer plus exactement la date —, a entendu dire que sa mère, enceinte d'elle, avait eu un moment de grande tristesse et avait souhaité vivement la mort de l'enfant. Plus tard, enceinte à son tour, elle suivait l'exemple de sa mère.

Quand quelqu'un rêve que son père, sa mère, son frère ou sa sœur sont morts et qu'il en a beaucoup de peine, il ne faut pas supposer qu'il souhaite *actuellement* leur mort. La théorie du rêve n'exige pas tant, elle conclut seulement qu'à un moment quelconque — dans son enfance sans doute — il a souhaité leur mort. Je pense bien que cette restriction ne suffira pas à calmer ceux qui ont fait des objections ; ils nieront aussi énergiquement avoir pensé cela autrefois qu'ils nient avoir actuellement de semblables désirs. Il faut donc que je rappelle ce qu'a été notre vie mentale infantile, d'après le témoignage du présent (1). — Rappelons-nous d'abord ce que sont les relations entre frères et sœurs. Je ne sais pourquoi nous admettons d'avance qu'elles doivent être affectueuses ; nous connaissons tous des frères ennemis et nous avons souvent constaté que l'inimitié était apparue dans l'enfance ou durait depuis toujours. Mais bien des adultes, qui aujourd'hui aiment tendrement leurs frères et sœurs, ont vécu avec eux dans leur enfance sur un pied de guerre continuel. Le plus âgé a maltraité le plus jeune, l'a calomnié, lui a pris ses jouets. Le plus jeune, rempli d'une rage impuissante, a envié et redouté son aîné ; son besoin de liberté, son sentiment du droit s'insurgeait contre son oppresseur. Les parents disent que les enfants ne s'entendent pas et ils ne savent pas pourquoi. Il n'est pas difficile de voir que le caractère d'un enfant, même bon, est bien différent de celui que nous souhaitons trouver chez un adulte. L'enfant est absolument égoïste, il sent intensément ses besoins et lutte sans ménagements pour les satisfaire ; il lutte en particulier contre ses concurrents, les autres enfants, et tout spécialement contre ses frères et sœurs. Nous ne disons pas pour cela que l'enfant est « méchant », mais qu'il est « mauvais » ; nous ne pouvons le juger responsable de ses mauvaises actions, et il ne l'est pas non plus devant la loi. Cela est juste ; nous pouvons, en effet, espérer que, dès l'enfance, le petit égoïste pourra commencer à éprouver des inclinations altruistes et s'éveiller à la vie morale ; que, pour parler comme Meynert, un moi secondaire recouvrira le

(1) Cf. Analyse der Phobie eines fünfjährigen Knaben, in *Jahrbuch für psychoanalytische und psychopathologische Forschungen*, t. I, 1909 ; et Ueber infantile Sexualtheorie, in *Sammlung kleiner Schriften zur Neurosenlehre*, 2. Folge (*Ges. Werke*, Bd. VII).

moi primaire et l'inhibera. Sans doute, la moralité n'apparaît pas simultanément sur tous les points, la durée de la
période amorale de l'enfance diffère avec les individus.
Quand cette moralité ne se développe pas, nous parlons
volontiers de dégénérescence; il semble qu'il y ait là inhibition du développement. Là même où les traits de caractère primaires ont été recouverts par un développement
ultérieur, ils peuvent reparaître partiellement au cours
d'états morbides (hystérie). On est frappé par les analogies
que présentent le caractère de l'hystérique et celui de l'enfant « mauvais ». La névrose obsessionnelle, par contre,
correspond à une poussée de surmoralité qui a étouffé
davantage les tendances primaires, toujours vivantes.

Ainsi nombre de personnes, qui aujourd'hui aiment leurs
frères et sœurs et souffriraient profondément de leur mort,
gardent dans leur inconscient des souhaits méchants, qui
peuvent se réaliser dans leurs rêves. Il est tout particulièrement intéressant d'observer des petits enfants jusque vers
trois ans et leur conduite vis-à-vis de leurs frères et sœurs
plus jeunes. Tel cet enfant qui jusqu'à présent était unique;
on lui annonce que la cigogne en a apporté un autre; il le
regarde bien, puis déclare : « Qu'elle le remporte ! » (1).

Je suis tout à fait certain que l'enfant apprécie exactement
le tort que va lui faire le petit étranger. Une dame de ma
famille, qui aujourd'hui s'entend très bien avec sa sœur
plus jeune de quatre ans, m'a confié qu'en apprenant la
naissance de celle-ci elle s'était d'abord écriée : « Mais
c'est que je ne lui donnerai pas mon manteau rouge ! »
L'inimitié de l'enfant date du moment où il prend conscience de faits analogues. Je sais une petite fille de moins
de trois ans qui essayait d'étrangler dans son berceau le
nourrisson dont la présence ne lui promettait rien de bon.
Les enfants de cet âge éprouvent de la jalousie d'une
manière très nette et très forte. Si un petit frère a disparu
de bonne heure, de sorte que l'enfant ait de nouveau été
l'objet de toute la tendresse de la maison, et que la cigogne

(1) L'enfant de 3 ans 1/2, le petit Hans, dont j'ai analysé la phobie
dans la publication que je viens d'indiquer, peu de temps après la naissance d'une sœur, a la fièvre et crie : « Je ne veux pas avoir de petite
sœur ! » Un an et demi après, au cours de sa névrose, il exprime continuellement le désir que sa mère, en baignant le bébé, le laisse tomber
dans la baignoire pour qu'il meure. L'enfant est cependant sage, tendre,
et bientôt après il aimera sa sœur et prendra plaisir à la protéger.

en apporte un autre, n'est-il pas naturel que l'enfant souhaite à son nouveau concurrent le sort du premier; de cette façon il sera aussi heureux que pendant l'intervalle (1). Naturellement, dans des conditions normales, l'enfant ne se comporte ainsi envers les bébés que lorsque la différence d'âge est petite. Si elle est suffisante, les grandes filles sentent s'éveiller en elles, pour le tout petit, l'instinct maternel.

Il est probable que les sentiments d'inimitié à l'égard des frères et sœurs sont bien plus fréquents que ne le constatent des adultes, observateurs peu avertis (2).

Je n'ai pu faire ces sortes d'observations sur mes propres enfants, qui se suivaient de près, mais je les fais maintenant sur mon petit neveu, qui a été seul maître de la maison jusqu'à 15 mois et que vient de déranger l'arrivée d'une concurrente. On me dit, il est vrai, que ce jeune homme se conduit d'une manière très chevaleresque à l'égard de sa petite sœur, lui baise la main et la caresse; mais je constate que dès qu'il a eu deux ans et qu'il a su parler, il s'est employé à critiquer cette petite personne inutile. Dès qu'on parle d'elle, il prend part à la conversation et crie d'un air mécontent : « Top tite, top tite ! » Quand l'enfant, qui se développe parfaitement bien, a cessé de mériter ce reproche, il a expliqué d'une autre manière son médiocre intérêt. Il fait remarquer chaque fois qu'il en a l'occasion : « Elle n'a pas de dents ! » (3). Une autre de mes nièces, alors qu'elle avait 6 ans, s'était fait confirmer par chacune de ses tantes

---

(1) Ces morts de jeunes enfants peuvent être bientôt oubliées dans la famille, mais la psychanalyse montre qu'elles ont, pour les futures névroses, une importance déterminante.

(2) On a fait et publié dans la littérature psychanalytique, depuis lors, de nombreuses observations de conduites ennemies entre frères ou entre enfants et parents. Le poète SPITTELER a décrit d'une manière particulièrement juste et naïve ces sentiments, éprouvés dans son enfance. « Il y avait là un autre Adolphe. Un petit être dont chacun disait qu'il était mon frère, mais dont je ne pouvais comprendre l'utilité ; je comprenais moins encore pourquoi on voulait en faire un individu comme moi. Je me suffisais parfaitement, quel besoin avais-je d'un frère ? Il n'était pas seulement inutile, il était encore gênant. Quand je venais tourmenter ma grand-mère, il voulait la tourmenter aussi ; quand on me promenait dans ma petite voiture, il était assis en face de moi et prenait la moitié de la place, de sorte que nos pieds se touchaient. »

(3) C'est de la même manière que notre petit Hans, à 3 ans et demi, critique sa petite sœur. Il suppose que l'absence de dents l'empêche de parler.

que « Lucie ne pouvait pas encore comprendre cela ».
Lucie était sa petite concurrente, plus jeune de 2 ans 1/2.

J'ai trouvé des rêves de mort de frères et sœurs — correspondant à une inimitié accrue — notamment chez toutes
mes malades femmes. Je n'ai rencontré qu'une exception,
mais, après analyse, j'ai pu constater facilement qu'elle
confirmait la règle. Comme j'expliquais un jour au cours
d'une analyse à une dame ces faits, qui me paraissaient
avoir un rapport avec les symptômes que j'avais constatés
chez elle, elle me répondit, à mon grand étonnement,
qu'elle n'avait jamais eu cette sorte de rêves. Mais elle se
rappelait un autre rêve qui, en apparence, n'avait rien à
voir avec cela, et qu'elle avait eu pour la première fois à
l'âge de quatre ans et souvent depuis. « *Quantité d'enfants,
ses frères, ses sœurs, ses cousins et ses cousines jouaient dans une
prairie. Brusquement tous eurent des ailes, s'envolèrent et dis-
parurent.* » Elle ne soupçonnait nullement le sens de ce
rêve; nous y voyons aisément un rêve de mort des frères,
sous sa forme originelle et à peine influencée par la censure.
Je me risque à en donner l'analyse suivante : Lors de la
mort d'un des enfants de ce groupe — on avait élevé, dans
une communauté toute fraternelle, les enfants des deux
frères —, notre petite rêveuse, qui n'avait pas encore
quatre ans, aura demandé à quelque personne grave :
« Que deviennent les enfants quand ils meurent ? » On
lui aura répondu : « Ils ont des ailes et deviennent de petits
anges. » Le rêve, fait après cette explication, donne des
ailes à tous les petits frères, et, chose essentielle, ils s'envo-
lent. Notre petite « faiseuse d'anges » reste seule, unique
de cette bande. Le fait que les enfants jouent sur une prairie, d'où ils s'envoleront ensuite, les assimile visiblement
aux papillons; il semble que la petite fille ait eu la même
association d'idées que les Anciens, qui donnaient à Psyché
des ailes de papillon.

Peut-être nous objectera-t-on : oui, l'enfant éprouve des
impulsions hostiles à l'égard de ses frères, mais faut-il
imaginer chez lui un degré de méchanceté tel qu'il souhaite
la mort de son concurrent, de son camarade de jeu ? On
ne pense pas, quand on parle ainsi, que la représentation
de la mort chez l'enfant n'a de commun avec la nôtre que
le nom. L'enfant n'imagine pas l'horreur de la destruction,
le froid de la tombe, l'épouvante du néant sans fin, que
l'adulte, comme le prouvent tous ses mythes sur l'au-delà,

supporte si mal. La crainte de la mort lui est étrangère, c'est pourquoi il joue avec ce mot effrayant et menace les autres enfants. « Si tu fais encore ça, tu mourras comme François est mort »; les pauvres mères s'épouvantent, car elles ne peuvent oublier que le plus grand nombre des humains ne dépasse pas l'enfance. Un enfant de huit ans, que l'on a conduit au musée d'histoire naturelle, peut encore dire à sa mère : « Maman, je t'aime tellement que, si tu venais à mourir, je te ferais empailler et je te mettrais dans ma chambre de manière à te voir tout le temps. » Tant l'enfant se représente peu la mort comme nous (1).

Pour l'enfant, à qui nous épargnons la vue des souffrances qui accompagnent la mort, être mort signifie seulement être parti, ne plus déranger les survivants. Il ne se demande pas si cette absence résulte d'un voyage, de l'éloignement ou de la mort (2).

Le renvoi de sa bonne et la mort de sa mère, survenus à une époque préhistorique de sa vie, sont sur le même plan, dans ses souvenirs, tels que les découvre l'analyse. Bien des mères ont constaté avec peine combien l'enfant regrettait peu les absents. Quand elles revenaient à la maison, après un voyage de plusieurs semaines, elles s'entendaient dire : les enfants n'ont pas demandé leur maman une seule fois. Quand la mère part « pour ce pays inexploré d'où ne revient jamais aucun voyageur », il semble d'abord que les enfants l'oublient, ce n'est qu'*après-coup* qu'ils se rappelleront la morte.

---

(1) A ma grande stupéfaction, un enfant de 10 ans, très intelligent, me dit après la mort subite de son père : « Je comprends bien que mon père est mort, mais je ne peux pas comprendre pourquoi il ne rentre pas pour dîner. » Cf., sur ce thème, la rubrique « Kinderseele », rédigée par Mme von Hug-Hellmuth, dans la revue *Imago (Zeitschrift für Anwendung der Psychoanalyse auf die Geisteswissenschaften)*, Bd. I-V, 1912-1918.

(2) Un père, exercé à la psychanalyse, a saisi le moment où sa fille, âgée de quatre ans et très développée intellectuellement, a compris la différence entre être parti et être mort. L'enfant ne voulait pas manger et se sentait observée d'une manière peu amicale par une des surveillantes de la pension. Elle dit à son père : « Joséphine devrait bien mourir. — Pourquoi mourir, dit le père doucement, ne suffirait-il pas qu'elle s'en allât ? — Non, répondit l'enfant, parce qu'elle pourrait revenir. » — Pour l'amour-propre démesuré (le narcissisme) de l'enfant, tout ce qui le dérange est crime de lèse-majesté, et, comme la législation draconienne, le sentiment de l'enfant ne dose pas la peine qui convient à ces sortes de crimes.

De là vient que, lorsqu'un enfant souhaite l'absence d'un autre, il n'a aucune raison pour ne pas souhaiter sa mort, et la réaction psychique aux rêves qui expriment ce désir montre bien que, quelle que soit la différence de contenu, il est tout de même équivalent en quelque façon à celui que pourrait exprimer de la même façon un adulte.

Si on peut expliquer par l'égoïsme de l'enfant qu'il souhaite la mort de frères et sœurs qui sont ses concurrents, comment comprendre qu'il souhaite la mort de parents qui lui dispensent leur affection, qui satisfont ses besoins et dont il aurait tant de raisons égoïstes de désirer la conservation ?

Nous trouverons la solution de ce problème si nous observons que le rêve de mort des parents a le plus souvent pour objet celui des deux qui est du même sexe que le rêveur; l'homme rêve de la mort de son père, la femme de la mort de sa mère. Je ne peux poser cela comme une règle absolue, mais le nombre des cas de cette sorte l'emporte si nettement qu'il faut bien l'expliquer par un facteur ayant une portée générale (1). Tout se passe, schématiquement, comme si une prédilection sexuelle s'affirmait de bonne heure, de sorte que le garçon verrait dans son père, la fille dans sa mère, un rival en amour qu'il gagnerait à écarter.

Avant de repousser cette explication comme monstrueuse, observons quelles sont les relations réelles entre parents et enfants. Il convient de distinguer ce qu'exigent les standards culturels de piété filiale, de l'observation des faits de chaque jour. Il y a, dans les rapports entre parents et enfants, plus d'une occasion d'inimitié; les circonstances dans lesquelles peuvent apparaître des souhaits qui ne résisteront pas à la censure sont nombreuses. Voyons d'abord les relations entre père et fils. La sainteté que nous reconnaissons aux prescriptions du Décalogue nous empêche de voir la réalité. Nous n'oserions convenir que la plus grande partie de l'humanité se soucie fort peu du quatrième commandement. Que ce soit dans les hautes ou dans les basses classes, la piété filiale recule souvent devant d'autres intérêts. Les mythes et les légendes archaïques nous

---

(1) Ce fait est fréquemment voilé par l'apparition d'une tendance autopunitive qui, par une réaction morale, menace le rêveur de la perte du parent aimé.

montrent le pouvoir illimité du père, et l'usage sans retenue qui en est fait, sous un jour très sombre. Kronos dévore ses enfants comme le sanglier la portée de sa femelle; Zeux châtre son père (1) et se met à sa place. Plus le pouvoir du père dans la famille antique était grand, plus le fils, son successeur naturel, devait se sentir son ennemi, plus son impatience devait être grande d'accéder à son tour au pouvoir par la mort de son père. Dans nos familles bourgeoises, le père développe l'inimitié naturelle, qui est en germe dans ses relations avec son fils, en ne lui permettant pas d'agir à sa guise et en lui refusant le moyen de le faire. Le médecin remarque souvent que le chagrin causé par la mort du père ne peut empêcher chez le fils la satisfaction d'avoir enfin conquis sa liberté. Les pères s'accrochent d'une manière maladive à ce qui reste de l'antique *potestas patris familias* dans notre société actuelle, et un auteur est toujours sûr de son effet quand, tel Ibsen, il met au premier plan de ses écrits, l'antique conflit entre père et fils. Les occasions de conflit entre la mère et la fille apparaissent quand la fille grandit et trouve dans sa mère une gardienne, au moment où elle réclame sa liberté sexuelle. La mère, de son côté, voit dans l'épanouissement de sa fille un avertissement : il est temps pour elle de renoncer aux prétentions sexuelles.

Ces faits sont connus, mais ce n'est point sur eux que nous pouvons nous fonder dans nos analyses des rêves de mort de parents chez des personnes dont la piété filiale est dès longtemps hors de doute. Nous sommes d'ailleurs préparés, par tout ce que nous venons de voir, à rechercher les origines de ce désir dans la première enfance.

L'exactitude de cette supposition est pleinement démontrée, en ce qui concerne les psychonévroses, par les analyses qui en ont été faites. On voit là que les désirs sexuels — dans la mesure où on peut les nommer ainsi à cet âge — s'éveillent de très bonne heure chez l'enfant, et que la première inclination de la petite fille va à son père, celle du garçon à sa mère. Le père pour le garçon, la mère pour

---

(1) Selon certaines mythologies ; selon d'autres, c'est Kronos qui a châtré son père Ouranos. Sur l'importance mythologique de ce motif, cf. Otto RANK : Der Mythus von der Geburt des Helden, *Schriften zur angewandten Seelenkunde*, Heft 5, 1909, et *Das Inzestmotiv in Dichtung und Sage*, 1912, chap. IX, 2.

la fille sont donc des concurrents encombrants, et nous avons vu précédemment combien il faut peu de chose pour que l'enfant transforme un tel sentiment en souhait de mort. En général d'ailleurs les parents présentent aussi une prédilection sexuelle; un attrait naturel fait que l'homme gâte sa petite fille, que la femme soutient son fils. L'enfant sent bien vite cette préférence et s'insurge contre celui des parents qui y fait obstacle. Il lui importe d'être aimé, non seulement parce que cela satisfait un besoin particulier, mais parce que cela lui garantit une complaisance générale. C'est pourquoi il suit ses pulsions sexuelles, fortifiant par là l'inclination de ses parents quand son choix a été le même que le leur.

On néglige ordinairement de reconnaître les signes de ces préférences infantiles; il en est d'ailleurs que l'on remarque même après les premières années. Une petite fille de 8 ans, de mon entourage, profite de ce que sa mère a dû s'absenter pendant le repas pour prendre sa place : « Maintenant, je serai la maman. Charles, veux-tu encore des légumes, prends-en je t'en prie », etc. Une petite fille très bien douée et très vivante, de 4 ans chez qui ces tendances se manifestent d'une manière toute particulière, dit tout simplement : « Maintenant ma petite mère peut s'en aller, mon petit père m'épousera et je serai sa femme. » Il ne faut pas en conclure qu'une enfant qui dit cela n'aime pas sa mère. Un petit garçon qui dort avec sa maman quand son papa part en voyage, et qui, dès le retour de celui-ci, doit retourner dans sa chambre avec une personne qui lui plaît beaucoup moins, souhaitera tout naturellement que son père soit toujours absent, pour qu'il puisse garder sa place près de sa belle et chère maman; cela serait si son père était mort, car son expérience lui a appris que les personnes qui sont « mortes », comme grand-père par exemple, sont toujours absentes et ne reviennent jamais.

Ces sortes d'observations faites sur des enfants s'interprètent aisément comme nous l'avons fait, mais elles ne donnent pas la certitude absolue que le médecin trouve dans la psychanalyse des névropathes adultes. Le récit des rêves de ceux-ci s'accompagne d'un tel contexte qu'on ne saurait les interpréter autrement que comme des rêves de désir. Je trouve un jour une dame désolée et en larmes; elle me dit : « Je ne veux plus voir ma famille, je dois lui faire horreur ! » Elle raconte ensuite, presque sans transition, qu'elle se rappelle un rêve dont elle ne connaît bien entendu pas la signification. Elle l'a eu à quatre ans; le voici : *Un lynx ou un renard se promène sur le toit, quelque chose en tombe ou elle en tombe, et on emporte ensuite de la maison sa mère morte* — et la malade pleure douloureusement. A peine lui ai-je dit que ce rêve doit être lié au désir, qu'elle a eu dans son enfance, de voir sa mère morte et que son sentiment actuel de « faire horreur à sa famille » vient de là, qu'elle me fournit de nouveaux éléments d'interprétation : un gamin, alors qu'elle était encore toute petite, l'a traitée d'œil de lynx; alors qu'elle avait 3 ans, sa mère a reçu une ardoise sur la tête et a beaucoup saigné.

J'ai eu l'occasion d'étudier de près une jeune fille qui a traversé divers états psychiques morbides. Dans la période d'excitation et d'agitation qui marqua le début de la maladie, elle manifestait une aversion toute particulière pour sa mère, s'agitait et se fâchait dès que celle-ci s'approchait de son lit, tandis qu'elle se montrait en même temps gentille et obéissante vis-à-vis de sa sœur beaucoup plus âgée. Un état lucide, mais quelque peu apathique, avec sommeil troublé, suivit celui-ci, c'est à ce moment que je commençai à la traiter et que j'analysai ses rêves. Le sujet plus ou moins voilé d'un grand nombre d'entre eux était la mort de sa mère; tantôt elle assistait à l'enterrement d'une veille femme, tantôt elle voyait sa sœur et elle assises près d'une table en vêtements de deuil; le sens de ces rêves n'était pas douteux. L'amélioration continuant, elle présenta des phobies hystériques; celle qui la tourmentait le plus était l'idée qu'il avait pu arriver quelque chose à sa mère. Où qu'elle se trouvât, elle se précipitait vers la maison pour s'assurer que sa mère vivait encore. Ce cas, rapproché de mes autres observations, était très instructif : il montrait, comme traduits en plusieurs langages, simultanément, divers modes de réaction de l'appareil psychique à la même représentation émouvante. Dans l'état d'agitation confuse que je considère comme un triomphe de la première instance psychique, ordinairement réprimée, sur la seconde, l'inimitié inconsciente que lui inspirait sa mère se traduisait sous forme motrice; lors du premier apaisement, cette révolte étant réprimée et le pouvoir de la censure rétabli, le rêve seul demeura ouvert à cette inimitié et réalisa le souhait meurtrier; l'état normal se rétablissant toujours plus créa, comme contre-réaction hystérique et comme phénomène de défense, le souci démesuré au sujet de sa mère. On peut maintenant comprendre pourquoi les jeunes filles hystériques sont si souvent attachées de façon exagérée à leur mère.

J'ai pu, une autre fois, étudier la vie inconsciente d'un jeune homme qu'une névrose obsessionnelle rendait à peu près incapable de vivre; il ne pouvait sortir tant il était poursuivi par la crainte de tuer toutes les personnes qui passaient près de lui. Il préparait toute la journée des alibis pour le cas où il serait accusé de quelque meurtre commis dans la ville. Il est utile de dire que c'était un homme moral autant que cultivé. L'analyse — qui d'ailleurs le guérit — découvrit que le fond de cette obsession pénible provenait d'impulsions meurtrières contre un père trop sévère; il les avait constatées, à son grand étonnement, quand il avait 7 ans, mais elles provenaient naturellement de sa petite enfance. Quand son père eut succombé à une maladie douloureuse, il éprouva, à 31 ans, un remords obsessionnel, qu'il transporta sur des étrangers sous forme de phobie. Un individu qui avait pu vouloir pousser son père dans un précipice était capable de tout, il n'épargnerait assurément pas la vie de personnes qui lui étaient moins proches; il agissait donc sagement en s'enfermant dans sa chambre.

D'après mes observations, déjà fort nombreuses, les parents jouent un rôle essentiel dans la vie psychique de tous les enfants qui seront plus tard atteints de psycho-névroses. La tendresse pour l'un, la haine pour l'autre appartiennent au stock immuable d'impulsions formées à cet âge, et qui tiendront une place si importante dans la symptomatologie de la névrose ultérieure. Mais je ne crois pas que les névropathes se distinguent en cela des individus normaux, il n'y a là aucune création nouvelle, rien qui leur soit particulier. Il semble bien plutôt, et l'observation des enfants normaux paraît en être la preuve, que ces désirs affectueux ou hostiles à l'égard des parents ne soient qu'un grossissement de ce qui se passe d'une manière moins claire et moins intense dans l'esprit de la plupart des enfants. L'Antiquité nous a laissé pour confirmer cette découverte une légende dont le succès complet et universel ne peut être compris que si on admet l'existence universelle de semblables tendances dans l'âme de l'enfant.

Je veux parler de la légende d'Œdipe-Roi et du drame

de Sophocle. Œdipe, fils de Laïos, roi de Thèbes, et de
Jocaste, est exposé dès le berceau parce que, dès avant sa
naissance, un oracle a prévenu son père que ce fils le tuerait.
Il est sauvé; on l'élève, comme le fils du roi, dans une cour
étrangère; mais, ignorant sa naissance, il interroge un
oracle. Celui-ci lui conseille d'éviter sa patrie, parce qu'il
y serait le meurtrier de son père et l'époux de sa mère.
Comme il fuit sa patrie supposée, il rencontre le roi Laïos
et le tue au cours d'une dispute qui a éclaté brusquement.
Il arrive ensuite à Thèbes où il résout l'énigme du sphinx
qui barrait la route et, en remerciement, reçoit des Thébains
le titre de roi et la main de Jocaste. Il règne longtemps
en paix et a, de sa mère, deux fils et deux filles. Brusquement la peste éclate, et les Thébains interrogent à nouveau
l'oracle. Ici commence la tragédie de Sophocle. Les mes-
sagers apportent la réponse de l'oracle : la peste cessera
quand on aura chassé du pays le meurtrier de Laïos. Mais
où le trouver ?

> « Où découvrirons-nous cette piste difficile d'un crime ancien ? ».

La pièce n'est autre chose qu'une révélation progressive
et très adroitement mesurée — comparable à une psychanalyse — du fait qu'Œdipe lui-même est le meurtrier de
Laïos, mais aussi le fils de la victime et de Jocaste. Epou-
vanté par les crimes qu'il a commis sans le vouloir, Œdipe
se crève les yeux et quitte sa patrie. L'oracle est accompli.

Œdipe-Roi est ce qu'on appelle une tragédie du destin;
son effet tragique serait dû au contraste entre la toute-
puissante volonté des dieux et les vains efforts de l'homme
que le malheur poursuit; le spectateur, profondément ému,
devrait y apprendre la soumission à la volonté divine et
sa propre impuissance. Des poètes modernes se sont
efforcés d'obtenir un effet tragique semblable en présentant
le même contraste, au moyen d'un sujet qu'ils avaient eux-
mêmes imaginé. Les spectateurs ont assisté sans aucune
émotion à la lutte d'hommes innocents contre une malédiction ou un oracle qui finissait par s'accomplir; les
tragédies modernes du destin n'ont eu aucun succès.

Si les modernes sont aussi émus par *Œdipe-Roi* que les
contemporains de Sophocle, cela vient non du contraste
entre la destinée et la volonté humaine, mais de la nature
du matériel qui sert à illustrer ce contraste. Il faut qu'il y
ait en nous une voix qui nous fasse reconnaître la puissance

contraignante de la destinée dans Œdipe; nous l'écartons aisément dans *L'Aïeule* ou tant d'autres tragédies du destin. Ce facteur existe en effet dans l'histoire d'Œdipe-Roi. Sa destinée nous émeut parce qu'elle aurait pu être la nôtre, parce qu'à notre naissance l'oracle a prononcé contre nous cette même malédiction. Il se peut que nous ayons tous senti à l'égard de notre mère notre première impulsion sexuelle, à l'égard de notre père notre première haine; nos rêves en témoignent. Œdipe qui tue son père et épouse sa mère ne fait qu'accomplir un des désirs de notre enfance. Mais, plus heureux que lui, nous avons pu, depuis lors, dans la mesure où nous ne sommes pas devenus névropathes, détacher de notre mère nos désirs sexuels et oublier notre jalousie à l'égard de notre père. Nous nous épouvantons à la vue de celui qui a accompli le souhait de notre enfance, et notre épouvante a toute la force du refoulement qui depuis lors s'est exercé contre ces désirs. Le poète, en dévoilant la faute d'Œdipe, nous oblige à regarder en nous-mêmes et à y reconnaître ces impulsions qui, bien que réprimées, existent toujours. Le contraste sur lesquel nous laisse le Chœur :

« ... Voyez cet Œdipe, qui devina les énigmes fameuses. Cet homme très puissant, quel est le citoyen qui ne regardait pas sans envie sa prospérité ? Et maintenant dans quel flot terrible de malheur il est précipité ! »

cet avertissement nous atteint nous-mêmes et blesse notre orgueil, notre conviction d'être devenus très sages et très puissants depuis notre enfance. Comme Œdipe, nous vivons inconscients des désirs qui blessent la morale et auxquels la nature nous contraint. Quand on nous les révèle, nous aimons mieux détourner les yeux des scènes de notre enfance (1).

(1) Jamais la recherche psychanalytique n'a rencontré de contradictions aussi amères, de révoltes aussi indignées, d'étroitesses d'esprit aussi divertissantes que sur ce point. On a même essayé, dans ces derniers temps, de montrer, malgré toutes les expériences, que cet inceste ne devait être conçu que d'une manière symbolique. FERENCZI (*Imago*, I, 1912) donne une interprétation ingénieuse du mythe d'Œdipe en s'appuyant sur une lettre de Schopenhauer. — Le complexe d'Œdipe, indiqué pour la première fois dans ce livre, a pris, depuis, une importance jusqu'ici insoupçonnée pour la compréhension de l'histoire de l'humanité et du développement de la religion et de la morale. Cf. *Totem und Tabu*, 1913, *Ges. Werke*, Bd. IX.

La légende d'Œdipe est issue d'une matière de rêves archaïque *(uralt)* et a pour contenu la perturbation pénible des relations avec les parents, perturbation due aux premières impulsions sexuelles. Cela est prouvé de façon indubitable par le texte même de la tragédie de Sophocle. Jocaste console Œdipe, que l'oracle a déjà inquiété, en lui rappelant un rêve qu'ont presque tous les hommes et qui, pense-t-elle, ne peut avoir aucune signification :

> « Bien des gens déjà dans leurs rêves ont partagé la couche maternelle. Qui méprise ces terreurs-là supporte aisément la vie. »

Aujourd'hui comme autrefois, beaucoup d'hommes rêvent qu'ils ont avec leur mère des relations sexuelles; cela les indigne et ils racontent ce rêve avec stupéfaction. Il est, on le voit, la clef de la tragédie de Sophocle, et il complète le rêve de mort du père. La légende d'Œdipe est la réaction de notre imagination à ces deux rêves typiques, et, comme ces rêves sont, chez l'adulte, accompagnés de sentiments de répulsion, il faut que la légende intègre l'épouvante et l'autopunition dans son contenu même. Le reste provient d'une élaboration secondaire et d'une méprise : on a cherché à utiliser le thème dans un but théologique (cf. la matière des rêves d'exhibition, p. 212 sq.). Ici, comme partout ailleurs, on devait échouer dans la réconciliation de la providence divine et de la responsabilité humaine.

Une autre de nos grandes œuvres tragiques, *Hamlet* de Shakespeare, a les mêmes racines qu'Œdipe-Roi. Mais la mise en œuvre tout autre d'une matière identique montre quelles différences il y a dans la vie intellectuelle de ces deux époques et quel progrès le refoulement a fait dans la vie affective de l'humanité. Dans Œdipe, les fantasmes-désirs sous-jacents de l'enfant sont mis à jour et sont réalisés comme dans le rêve; dans Hamlet, ils restent refoulés, et nous n'apprenons leur existence — tout comme dans les névroses — que par l'effet d'inhibition qu'ils déclenchent. Fait singulier, tandis que ce drame a toujours exercé une action considérable, on n'a jamais pu voir clair quant au caractère de son héros. La pièce est fondée sur les hésitations d'Hamlet à accomplir la vengeance dont il est chargé; le texte ne dit pas quelles sont les raisons ou les motifs de ces hésitations; les multiples essais d'interpréta-

tion n'ont pu les découvrir. Selon Gœthe, et c'est maintenant encore la conception dominante, Hamlet représen-
terait l'homme dont le pouvoir d'agir directement est
paralysé par un développement excessif de la pensée (« il
se ressent de la pâleur de la pensée »). Selon d'autres, le
poète aurait voulu représenter un caractère maladif, irré-
solu et neurasthénique. Mais nous voyons dans le thème de
la pièce qu'Hamlet ne doit nullement nous apparaître
incapable d'agir. Il agit par deux fois : d'abord dans un
mouvement de passion violente, quand il tue l'homme qui
écoute derrière la tapisserie; ensuite d'une manière réfléchie
et même astucieuse, quand, avec l'indifférence totale d'une
prince de la Renaissance, il livre les deux courtisans à la
mort qu'on lui avait destinée. Qu'est-ce donc qui l'empêche
d'accomplir la tâche que lui a donnée le fantôme de son
père ? Il faut bien convenir que c'est la nature de cette
tâche. Hamlet peut agir, mais il ne saurait se venger d'un
homme qui a écarté son père et pris la place de celui-ci
auprès de sa mère, d'un homme qui a réalisé les désirs
refoulés de son enfance. L'horreur qui devrait le pousser
à la vengeance est remplacée par des remords, des scrupules
de conscience, il lui semble qu'à y regarder de près il n'est
pas meilleur que le pécheur qu'il veut punir. Je viens
de traduire en termes conscients ce qui doit demeurer
inconscient dans l'âme du héros; si l'on dit après cela
qu'Hamlet était hystérique, ce ne sera qu'une des conséquences de mon interprétation. L'aversion pour la sexualité,
que trahissent les conversations avec Ophélie, concorde
avec ce symptôme. Cette aversion qui devait grandir
toujours davantage chez le poète, dans les années qui
suivirent, jusqu'à atteindre son point culminant dans
Timon d'Athènes. Le poète ne peut avoir exprimé dans
Hamlet que ses propres sentiments. Georges Brandes
indique dans son *Shakespeare* (1896) que ce drame fut écrit
aussitôt après la mort du père de Shakespeare (1601), donc
en plein deuil, et nous pouvons admettre qu'à ce moment
les impressions d'enfance qui se rapportaient à son père
étaient particulièrement vives. On sait d'ailleurs que le
fils de Shakespeare, mort de bonne heure, s'appelait Hamnet
(même nom qu'Hamlet). De même qu'*Hamlet* traite des
relations du fils avec ses parents, *Macbeth*, écrit vers la
même époque, a pour sujet le fait de ne pas avoir d'enfant.
De même que tous les symptômes névrotiques et le rêve

lui-même qui peut être surinterprété et doit même l'être, si on veut le comprendre, toute vraie création poétique correspond à plus d'un motif et plus d'une émotion dans l'âme du poète et pourra avoir plus d'une interprétation. J'ai essayé ici d'interpréter seulement les tendances les plus profondes de l'âme du poète (1).

Je ne puis abandonner les rêves typiques de la mort de parents aimés sans dire quelle est leur importance pour la théorie du rêve en général. Ces rêves nous présentent un cas peu habituel : les pensées du rêve formées par le désir refoulé échappent à toute censure et apparaissent sans changement. Il faut, pour cela, que les conditions soient d'une espèce toute particulière. Il me paraît que ces rêves sont favorisés par les deux faits suivants : Il semble d'abord qu'aucun souhait ne soit plus loin de nous; nous pensons que, « même en rêve, nous ne pourrions avoir une idée pareille »; de sorte que la censure du rêve n'est pas armée contre ces monstruosités, à peu près comme la loi de Solon qui n'avait pas prévu de peines contre les parricides. Il semble en second lieu que devant ce désir refoulé et dont nous ne soupçonnons pas l'existence se présentent bien souvent des restes diurnes sous forme de souci que nous inspire la vie d'une personne aimée. Ce souci ne peut apparaître dans le rêve qu'en se servant du désir; celui-ci, en revanche, peut se cacher derrière le souci éveillé pendant le jour. On peut penser que les choses sont plus simples, que l'on ne fait que continuer la nuit, en rêve, ce que l'on a commencé le jour; mais alors, on laisse de côté les rêves de mort de personnes chères, sans les relier à l'explication générale du rêve, et on maintient inutilement une énigme facile à résoudre.

Il est également intéressant de voir quel rapport il y a entre ces rêves et les cauchemars. Dans le rêve de la mort de personnes chères, le désir refoulé a trouvé un moyen d'échapper à la censure et à la déformation, qu'exige celle-ci. Il y a une représentation accessoire qui ne manque

_____

(1) E. Jones a complété ces indications et les a défendues contre d'autres interprétations (*Das Problem des Hamlet und der Œdipus-Komplex*, 1911). Je signale qu'entre-temps j'ai cessé de croire que l'auteur de l'œuvre de Shakespeare était l'homme de Stratford. — Voir une tentative d'analyse de Macbeth dans mon étude : Einige Charaktertypen aus der psychoanalytischen Arbeit, *Imago*, IV, 1916 ; cf. L. Jekels, Shakespeares Macbeth, *Imago*, V, 1918.

jamais dans ces cas : on éprouve dans le rêve des impressions douloureuses. De même le cauchemar n'apparaît que lorsque la censure est vaincue, entièrement ou en partie ; la présence d'une angoisse en tant que sensation actuelle, d'origine somatique, rend ce processus plus aisé. On voit bien dans quel sens la censure et la déformation du rêve s'exercent : il s'agit d'*éviter le développement de l'angoisse ou d'autres formes d'affects pénibles.*

J'ai parlé précédemment de l'égoïsme de l'enfant ; je voudrais montrer maintenant comment ce trait persiste dans les rêves. Ils sont tous absolument égoïstes, nous voyons apparaître dans tous le précieux moi, bien que parfois déguisé. Les désirs qu'ils accomplissent sont régulièrement des désirs de ce moi, et quand il semble que le rêve est provoqué par l'intérêt que nous prenons à une autre personne, ce n'est là qu'une apparence trompeuse. Je vais soumettre à l'analyse quelques exemples qui semblent me donner tort.

I. Un enfant qui n'a pas encore quatre ans raconte : *Il a vu un grand plat garni sur lequel se trouvait un grand rôti. Le morceau a été avalé en une fois — sans qu'on le coupât. — Il n'a pas vu la personne qui l'a mangé* (1).

Quel peut bien être l'étranger dont l'enfant a rêvé le plantureux repas ? Les faits de la journée nous le révéleront. Le petit garçon est depuis quelques jours au régime lacté ; la veille au soir, il avait été méchant, et, pour le punir, on l'avait privé de dîner. Quelque temps avant, il avait déjà été mis à la diète et avait accepté cela très bravement. Il savait qu'on ne lui donnerait rien et ne s'était même pas risqué à faire comprendre qu'il avait faim. L'éducation commence à agir sur lui, on le voit par ce rêve qui montre un début de déformation. Il est sans aucun doute la personne qui souhaite ce repas plantureux et tout spécialement un rôti. Mais, sachant que cela lui est défendu, il ne se permet pas (comme ma petite Anna quand elle

(1) Tout ce qui est grand, abondant, démesuré, excessif peut être considéré comme d'origine infantile dans le rêve. L'enfant ne souhaite rien tant que grandir, être traité en grande personne ; il est difficile à satisfaire, il n'a jamais assez, il redemande insatiablement ce qui lui a plu ou ce qui lui a semblé bon. Il n'apprend la mesure, la modestie, la résignation que par l'éducation. On sait que les névropathes présentent aussi ces sortes de tendances.

rêve de fraises, p. 120) de se l'octroyer. La personne demeure anonyme.

II. Je rêve un jour que je vois en vitrine dans une librairie un nouveau volume de la collection avec reliure d'amateur, que j'ai l'habitude d'acheter (monographies d'artistes, d'histoire, de villes d'art). *Cette nouvelle collection s'intitule : Orateurs (ou discours) célèbres, et le premier volume porte le nom du Dr Lecher.*

A l'analyse, il me paraît impossible que la réputation du Dr Lecher, orateur parlementaire obstructionniste, m'ait préoccupé durant mon rêve. Le fait est que j'ai depuis quelque temps de nouveaux malades en psychothérapie et que je suis obligé de parler de dix à onze heures par jour. C'est donc moi qui suis l'orateur.

III. Je rêve un jour qu'un de mes collègues de l'Université dit : *Mon fils, le myope.* Suit un dialogue, fait de très brèves demandes et réponses. Mais un troisième fragment de rêve, où je me vois avec mes fils, montre bien que, pour le contenu latent du rêve, le Pr M... et son fils sont des hommes de paille qui cachent mon fils aîné et moi. J'aurai à reparler de ce rêve à un autre propos (cf. p. 375).

IV. Le rêve suivant donne un exemple de sentiments bas et égoïstes qui se dissimulent derrière un intérêt tout amical : *Mon ami Otto a mauvaise mine, sa figure paraît brunie, ses yeux sont saillants.*

Otto est notre médecin. Je lui dois beaucoup, car, depuis des années, il veille sur la santé de mes enfants, les soigne efficacement et ne laisse passer aucune occasion de leur faire des cadeaux. Il est venu ce jour-là, et ma femme a remarqué qu'il paraissait fatigué et surmené. La nuit suivante, mon rêve lui octroie les signes de la maladie de Basedow. Si l'on interprète ce rêve sans tenir compte des règles que j'ai posées, on y verra un signe de l'intérêt que je prends à la santé de mon ami. Cela infirmerait à la fois la notion que le rêve est l'accomplissement d'un désir et celle qu'il n'est accessible qu'à des impulsions égoïstes. Mais si on l'interprète de cette façon, il faudra expliquer pourquoi je crains pour Otto précisément la maladie de Basedow que l'aspect de mon ami n'annonçait pas du tout. Mon analyse en revanche nous donne les éléments suivants, tirés d'un fait qui s'est produit il y a près de six ans. Nous faisions à plusieurs (le Pr R... était du nombre) une promenade en voiture dans la forêt de N... par une obscurité profonde. Nous étions à quelques heures de notre maison de villégiature; le cocher qui avait bu versa le long d'une pente et nous fûmes encore heureux de nous en tirer sains et saufs. Nous fûmes obligés de passer la nuit dans l'hôtellerie la plus proche où la nouvelle de notre mésaventure éveilla beaucoup de sympathie. Un monsieur qui présentait les signes caractéristiques de la maladie de Basedow — il n'avait d'ailleurs, comme dans le rêve, que la peau brunie et les yeux saillants, mais pas de goitre — se mit à notre disposition et nous demanda ce qu'il pouvait faire pour nous. Le Pr R... lui dit, avec son genre bien personnel : « Rien : que de me prêter une chemise de nuit. » Le monsieur distingué (c'était le baron L...) répondit : « Je suis navré, mais je ne le peux pas », et il s'en alla.

Il m'est, de plus, venu à l'esprit que Basedow n'était pas le nom d'un médecin seulement, mais encore le nom d'un illustre pédagogue (une fois éveillé, j'en suis moins sûr). Otto est précisément l'ami à qui j'ai demandé, au cas où il m'arriverait malheur, de veiller à l'éducation physique de mes enfants, spécialement à l'époque de la puberté (d'où la chemise de nuit). En lui octroyant les symptômes morbides du noble sauveur, je sous-entends : s'il m'arrivait malheur, il ne ferait pas plus pour les enfants que ne fit pour nous le baron avec toutes ses offres aimables. Le contenu égoïste du rêve est maintenant découvert (1).

Mais où découvrir l'accomplissement d'un désir ? Il ne

---

(1) Lors d'une des conférences d'Ernest JONES, devant un public américain, une dame instruite s'indigna contre une généralisation aussi antiscientifique. Je ne pouvais affirmer l'égoïsme du rêve que pour les rêves des Autrichiens, je ne pouvais parler des rêves des Américains. Pour sa part, elle était bien sûre de n'avoir que des rêves altruistes. Pour excuser cette dame patriote, je dois ajouter qu'il ne faut pas se méprendre sur cette affirmation : tous les rêves sont totalement égoïstes. Puisque tout ce qui arrive dans la pensée préconsciente peut passer dans un rêve (que ce soit dans son contenu actuel ou dans ses pensées latentes), cette possibilité est également offerte aux impulsions altruistes. De la même façon, une impulsion tendre ou amoureuse envers quelqu'un d'autre, présente dans l'inconscient, peut apparaître dans le rêve.

Il faut limiter la vérité que je viens d'exposer au fait que, parmi les instigateurs inconscients du rêve, on trouve très fréquemment des impulsions égoïstes qui semblent être surmontées, dans la vie éveillée.

s'agit plus ici de tirer vengeance d'Otto (il semble que sa destinée soit d'être maltraité dans mes rêves). Il s'agit ici d'autre chose. Si, dans mon rêve, Otto représente le baron L..., je suis moi-même le Pr R..., car je demande quelque chose à Otto, de même que ce jour-là le Pr R... a demandé quelque chose au baron. Tout est là. Comme moi, le Pr R..., auquel d'ailleurs, je n'oserai pas me comparer, a fait sa carrière hors de la Faculté et n'est arrivé que très tard à un titre qu'il avait mérité dès longtemps. Je veux donc, une fois de plus, être nommé professeur. Les mots « très tard » sont eux-mêmes l'accomplissement d'un désir, ils indiquent que je vivrai assez longtemps pour surveiller moi-même mes garçons à l'époque de la puberté.

Je n'ai pas l'expérience personnelle de rêves typiques tel celui de voler dans les airs avec sentiment de plaisir ou de chute, avec sentiment d'angoisse; tout ce que je dirai sur ce point, je le dois à la psychanalyse.

Les renseignements qu'elle donne permettent de conclure que ces rêves aussi ont trait à des impressions d'enfance; qu'ils rappellent les jeux de mouvement si agréables aux enfants. Quel est l'oncle qui n'a pas fait voler un enfant, le transportant à bras tendus et courant à travers la pièce, ou qui n'a pas joué à le laisser tomber en étendant brusquement les jambes, alors qu'il le balançait sur ses genoux; ou qui n'a pas feint de le lâcher brusquement alors qu'il l'avait levé très haut ? Les enfants poussent des cris de joie et demandent invariablement qu'on recommence surtout quand le jeu comporte un peu de terreur ou de vertige; des années après, ils répéteront cela dans leur rêve, mais ils oublieront les mains qui les ont portés, de sorte qu'ils voleront et tomberont librement. On sait combien les petits enfants aiment se balancer et tourner; plus tard leurs souvenirs seront rafraîchis par les exercices du cirque (1).

Chez bien des garçons, les crises hystériques ne sont que la reproduction de ces exercices qu'ils accomplissent avec beaucoup d'adresse. Il est fréquent que ces jeux de mouve-

---

(1) La recherche en psychanalyse nous a montré qu'en plus du plaisir dérivé des organes concernés, un autre facteur contribue au plaisir pris par les enfants dans ces activités acrobatiques et à leur répétition dans les crises d'hystérie. Ce facteur est l'image mnésique (souvent inconsciente) des relations sexuelles observées dans le domaine humain ou animal.

ment, innocents en eux-mêmes, provoquent des sensations sexuelles (1).

Pour résumer tous ces faits en un mot, le plus usité chez nous c'est le *Hetzen* de l'enfance (action de courir après, de poursuivre, d'exciter) que reproduisent tous ces rêves de vol, chute, vertige, etc., mais le sentiment de plaisir est transformé en angoisse. Comme le savent bien toutes les mères, ces excitations des enfants s'achèvent souvent en réalité par des disputes et des larmes.

J'ai donc de bons motifs pour écarter l'explication des rêves de vol et de chute par les sensations tactiles, des mouvements de nos poumons, etc., pendant le sommeil. Il me semble que ces sensations sont évoquées par les souvenirs auxquels le rêve se rapporte, qu'elles sont donc le contenu et non la source du rêve.

Je ne peux cependant me déguiser qu'il m'est impossible de donner une explication complète de cette espèce de rêves typiques. C'est juste ici que mon matériel me laisse en panne. Je dois insister sur le fait que dans ces sortes de rêves toutes les sensations tactiles et de mouvement sont évoquées dès qu'il y a nécessité psychologique de les utiliser; en cas contraire, elles sont ignorées. Je pense aussi que les relations entre les rêves et les expériences infantiles ressortent, avec certitude, des indications fournies par les analyses des psychonévroses. Mais je ne peux pas dire quelles autres significations il faut attacher à l'évocation, au cours de la vie, de telles sensations; sans doute, des significations différentes, selon les individus, malgré l'apparence typique de ces rêves. J'aimerais bien pouvoir combler ces lacunes par des analyses soignées d'exemples frappants. Quelqu'un s'étonnera peut-être que je me plaigne du manque de matériel sur ce sujet; en dépit de la fréquence de ces rêves de vol, de chute, je n'ai jamais eu

---

(1) Un jeune collègue, exempt de tout trouble nerveux, me communique les faits suivants : « Je sais, d'expérience, que j'éprouvais autrefois, quand je me balançais, au moment où la balançoire descend très vite, une sensation particulière dans mes organes génitaux ; je dois bien la caractériser comme une sensation de plaisir, bien que je ne puisse dire qu'elle me fût spécialement agréable. » Les malades m'ont souvent dit que les premières érections, accompagnées de sentiment de plaisir, dont ils se souviennent, datent de leur enfance, lorsqu'ils grimpaient aux arbres. La psychanalyse montre clairement que les premières excitations sexuelles ont souvent leur origine dans les jeux brutaux et les luttes des années d'enfance.

d'expérience personnelle de ces rêves, jusqu'à ce que je me consacre à leur interprétation. Les rêves des névropathes dont je pourrais disposer ne peuvent pas toujours être interprétés, au moins pas complètement, dans beaucoup de cas. Une certaine force psychique, en relation avec l'élaboration de cette névrose, et dont l'influence se fait de nouveau sentir lorsqu'on tente de dénouer la névrose, empêche de résoudre totalement l'énigme de ces rêves.

3. *Le rêve d'examen*

Tous ceux qui ont passé leur baccalauréat ont été poursuivis par ce même cauchemar : ils allaient échouer, devoir redoubler la classe, etc. Pour ceux qui ont passé des examens supérieurs, ce rêve typique est remplacé par un autre : ils doivent passer à nouveau un concours difficile et objectent vainement dans leur sommeil qu'ils sont déjà depuis des années médecins, professeurs ou fonctionnaires. Ce sont les souvenirs impérissables des punitions que nous avons subies étant enfants pour avoir mal agi, qui se réveillent en nous aux deux moments cruciaux de nos études, au *dies iræ, dies illa* des examens sévères. Ce sont ces peurs enfantines aussi qui viennent renforcer « l'angoisse d'examen » des névropathes. Nos études finies, nous n'aurons plus de châtiment à subir de la part de nos parents, de nos éducateurs ou de nos professeurs; l'enchaînement impitoyable des événements se charge de continuer notre éducation, et nous rêvons alors de baccalauréat ou de licence — qui donc, même parmi les justes, n'a pas tremblé alors ? — chaque fois que nous sommes peu sûrs du succès : que nous n'avons pas bien agi, que nous avons mal organisé, chaque fois qu'une responsabilité nous pèse.

Une remarque d'un collègue avisé, qui, au cours d'un entretien, fit ressortir qu'à sa connaissance le rêve du baccalauréat n'était fait que par des personnes qui avaient réussi à cet examen et non par celles qui y avaient échoué, me fut un trait de lumière. Il semble que ce rêve angoissé survienne quand on doit accomplir le lendemain une tâche difficile et qu'on craint d'y échouer; on paraît donc chercher dans son passé un exemple de grande angoisse injustifiée et contredite par les événements. Ce serait là un exemple très frappant de méprise sur le contenu du rêve par l'instance de la veille. Les paroles par lesquelles nous protestons contre le contenu du rêve : « Mais je suis déjà docteur », etc., seraient en réalité une consolation que le rêve nous donnerait, quelque chose comme : « Ne t'inquiète donc pas pour demain, pense à l'angoisse que te causait ton baccalauréat, tu y as tout de même réussi. Maintenant tu es docteur, etc. » L'angoisse que nous attribuons au rêve provient des restes diurnes.

Cette explication m'a paru probante. Je l'ai vérifiée chaque fois que j'en ai eu l'occasion (ces occasions, il est vrai, n'ont pas été très nombreuses) sur moi et sur d'autres. Par exemple, j'ai été ajourné à l'examen de médecine légale ; je n'ai jamais évoqué cela en rêve, tandis que j'ai rêvé souvent d'examens de botanique, de zoologie ou de chimie, épreuves qui m'avaient inspiré des angoisses légitimes, mais qui — hasard ou bienveillance de l'examinateur — m'ont été favorables. Quand je rêve d'examens passés au lycée, c'est régulièrement d'un examen d'histoire que j'ai passé brillamment, mais, je crois, parce que mon excellent professeur — le borgne secourable que l'on retrouve dans un autre rêve (cf. p. 24) — avait bien remarqué, sur la feuille de questions que je lui rendais, un coup d'ongle, barrant celle que je ne savais pas. Un de mes malades, qui a d'abord renoncé à se présenter au baccalauréat et ne l'a passé que plus tard, qui, par la suite, a échoué à son examen d'officier et n'est pas devenu officier, me dit qu'il a souvent rêvé du baccalauréat, mais jamais de l'autre examen.

Les rêves d'examen offrent pour l'interprétation les difficultés mêmes que j'ai indiquées comme caractéristiques pour la plupart des rêves typiques. Il est rare que le rêveur dispose des associations d'idées nécessaires pour l'interprétation. Pour bien comprendre ces rêves, il faut recourir à un grand nombre d'exemples. J'ai eu récemment le sentiment que les paroles : « Tu es déjà docteur », etc., n'étaient pas seulement un encouragement, mais renfermaient un reproche. A peu près celui-ci : « Tu es déjà âgé, tu as beaucoup vécu, et tu fais encore des bêtises, des enfantillages. » Ce mélange d'auto-critique et réconfort paraît bien correspondre au contenu latent des rêves d'examen. On ne sera pas surpris d'apprendre que les reproches au sujet de sottises et d'enfantillages se rapportent, dans les deux derniers exemples analysés, à la répétition d'actes sexuels répréhensibles.

W. Stekel, qui a donné la première interprétation au rêve du baccalauréat *(Maturatraum)*, était d'avis qu'il se rapporte toujours à des épreuves sexuelles et à la maturité sexuelle. Mon expérience personnelle m'a souvent permis de confirmer ce point de vue.

CHAPITRE VI

LE TRAVAIL DU RÊVE

Toutes les tentatives faites jusqu'à présent pour élucider les problèmes du rêve s'attachaient à son contenu manifeste, tel que nous le livre le souvenir, et s'efforçaient d'interpréter ce contenu manifeste. Lors même qu'elles renonçaient à l'interprétation, elles se fondaient encore sur ce contenu manifeste.

Nous sommes seul à avoir tenu compte de quelque chose d'autre : pour nous, entre le contenu du rêve et les résultats auxquels parvient notre étude, il faut insérer un nouveau matériel psychique, le contenu *latent* ou les pensées du rêve, que met en évidence notre procédé d'analyse. C'est à partir de ces pensées latentes et non à partir du contenu manifeste que nous cherchons la solution.

De là vient qu'un nouveau travail s'impose à nous. Nous devons rechercher quelles sont les relations entre le contenu manifeste du rêve et les pensées latentes et examiner le processus par lequel celles-ci ont produit celui-là.

Les pensées du rêve et le contenu du rêve nous apparaissent comme deux exposés des mêmes faits en deux langues différentes; ou mieux, le contenu du rêve nous apparaît comme une transcription *(Übertragung)* des pensées du rêve, dans un autre mode d'expression, dont nous ne pourrons connaître les signes et les règles que quand nous aurons comparé la traduction et l'original. Nous comprenons les pensées du rêve d'une manière immédiate dès qu'elles nous apparaissent. Le contenu du rêve nous est donné sous forme d'hiéroglyphes, dont les signes doivent être successivement traduits *(übertragen)* dans la langue des pensées du rêve. On se trompera évidemment si on veut lire ces signes comme des images et non selon leur signification conventionnelle. Supposons que je regarde un rébus : il représente une maison sur le toit de laquelle on voit un canot, puis une lettre isolée, un personnage sans tête qui court, etc. Je pourrais déclarer que ni cet ensemble, ni ses diverses parties n'ont de sens. Un canot ne doit pas se trouver sur le toit d'une maison et une personne qui n'a pas de tête ne peut pas courir; de plus, la personne est plus grande que la maison, et, en admettant que le tout doive représenter un paysage, il ne convient pas d'y introduire des lettres isolées, qui ne sauraient apparaître dans la nature. Je ne jugerai exactement le rébus que lorsque je renoncerai à apprécier ainsi le tout et les parties, mais m'efforcerai de remplacer chaque image par une syllabe ou par un mot qui, pour une raison quelconque, peut être représenté par cette image. Ainsi réunis, les mots ne seront plus dépourvus de sens, mais pourront former quelque belle et profonde parole. Le rêve est un rébus, nos prédécesseurs ont commis la faute de vouloir l'interpréter en tant que dessin. C'est pourquoi il leur a paru absurde et sans valeur.

I. — LE TRAVAIL DE CONDENSATION

Quand on compare le contenu du rêve et les pensées du rêve, on s'aperçoit tout d'abord qu'il y a eu là un énorme *travail de condensation*. Le rêve est bref, pauvre, laconique, comparé à l'ampleur et à la richesse des pensées du rêve. Écrit, le rêve couvre à peine une demi-page; l'analyse, où sont indiquées ses pensées, sera six, huit, douze fois plus étendue. Le rapport peut varier avec les rêves, mais, ainsi que j'ai pu m'en rendre compte, il ne s'inverse jamais. En général, on sous-estime l'étendue de cette compression, on considère qu'il n'y a pas d'autres éléments que les pensées découvertes, on néglige toutes celles qui sont cachées derrière le rêve et qu'une interprétation plus étendue pourrait nous découvrir. Nous avons déjà indiqué que l'on n'est jamais sûr d'avoir complètement interprété un rêve; lors même que la solution paraît satisfaisante et sans lacunes, il est toujours possible que ce rêve ait eu encore un autre sens. A parler rigoureusement, on ne saurait donc déterminer le *quotient de condensation*. Faut-il expliquer la disproportion entre le contenu du rêve et les pensées du rêve exclusivement par une immense condensation du matériel psychique lors de la formation du rêve? On peut faire à cette manière de voir une objection qui paraît probante au premier abord. Nous avons bien souvent l'impression que nous avons rêvé beaucoup toute la nuit et qu'ensuite nous avons oublié la plus grande partie de nos rêves. Le rêve que nous nous rappelons au réveil ne serait alors qu'un reste de l'ensemble du travail du rêve, qui aurait la même étendue que les pensées du rêve si nous pouvions nous le rappeler tout entier. Du moins un fragment en est sûrement exact. Tout le monde a pu constater qu'un rêve est reproduit plus fidèlement, lorsqu'on cherche à se le rappeler, au réveil; vers le soir nous n'en retrouvons plus que des bribes. D'un autre côté, il faut reconnaître que l'impression d'avoir rêvé bien plus que ce qu'on peut retrouver repose très souvent sur une illusion dont nous expliquerons plus tard l'origine. Le fait que nous pouvons oublier nos rêves ne contredit d'ailleurs nullement l'hypothèse d'une condensation, celle-ci demeure prouvée par la quantité des représentations appartenant aux fragments non oubliés du rêve. Même si une grande part du rêve a échappé à la remémoration, cela ne peut que nous avoir ôté l'accès à un autre groupe de pensées. Rien, en effet, ne prouve que les parties oubliées se rapportent aux mêmes pensées que celles que l'analyse de ce qui subsiste nous a permis d'atteindre (1).

Devant l'amoncellement d'idées que l'analyse tire de chacun des éléments du contenu du rêve, le lecteur commencera par se demander si tout ce qui vient à l'esprit, après coup, lors de l'analyse doit être mis au nombre des pensées du rêve, c'est-à-dire s'il faut supposer que toutes ces pensées ont agi déjà pendant le sommeil et contribué à la formation du rêve. Ne faudrait-il pas bien plutôt supposer que de nouvelles liaisons d'idées, demeurées étrangères au rêve, ont apparu lors de l'analyse? Je ne peux adhérer qu'en partie à cette position. Il est de fait que diverses liaisons d'idées apparaissent lors de l'analyse seulement, mais on peut, chaque fois, vérifier que ces sortes de liens ne s'établissent

---

(1) De nombreux auteurs signalent la condensation. DU PREL déclare (p. 85) qu'il est absolument sûr qu'il y a eu à un moment donné condensation d'une série de représentations.

qu'entre des pensées qui ont déjà été liées de quelque autre manière dans les pensées du rêve; ces nouvelles liaisons sont en quelque sorte des inférences détournées, des courts-circuits, rendus possibles par l'existence de voies de liaisons autres et plus profondes. Pour ce qui est de la masse d'idées en surnombre découvertes lors de l'analyse, il faut bien convenir qu'elles ont agi déjà lors de la formation du rêve, car, lorsqu'on suit l'enchaînement de ces sortes de pensées qui paraissent d'abord sans relations avec le rêve, on tombe brusquement sur une idée qui était représentée dans le contenu du rêve, qui était indispensable pour l'interpréter, et que cependant on ne pouvait atteindre qu'en suivant cet enchaînement. Que l'on se rappelle le rêve de la monographie botanique, qui apparaît comme le résultat d'une condensation extraordinaire, bien que je n'aie cependant pas communiqué son analyse tout entière.

Mais comment faut-il se représenter l'état psychique pendant le sommeil qui précède le rêve ? Toutes les pensées du rêve sont-elles juxtaposées ? apparaissent-elles successivement ? ou plusieurs suites de pensées simultanées se forment-elles dans divers centres pour se joindre ensuite ? Je pense que rien ne nous contraint à nous représenter d'une manière plastique notre état psychique lors de la formation du rêve. N'oublions pas qu'il s'agit ici de pensée inconsciente et que le processus peut être bien différent de celui que nous observons lors d'une réflexion consciente et dirigée.

Un fait demeure absolument certain : la formation du rêve repose sur une condensation. Comment cette condensation peut-elle se produire ?

Si l'on se rappelle qu'un petit nombre seulement de pensées du rêve, découvertes ensuite, sont représentées, il semble d'abord que la condensation s'opère par voie d'*omission*, le rêve n'étant pas une traduction fidèle ou une projection point par point de la pensée du rêve, mais une restitution très incomplète et très lacunaire. Ainsi que nous le verrons bientôt, cette explication est très insuffisante. Mais admettons-la provisoirement; la question suivante surgit alors : si un petit nombre d'éléments des pensées du rêve peut seul pénétrer dans son contenu, quelles sont les conditions qui déterminent le choix de ces éléments ?

Pour tirer cela au clair, regardons les éléments du contenu du rêve : ils ont nécessairement rempli ces conditions. Le mieux sera de rechercher un rêve dont la formation implique une forte condensation. Je choisis le rêve de la monographie botanique (cf. p. 153).

I. *Rêve de la monographie botanique.* — Contenu du rêve : *J'ai écrit la monographie d'une plante (d'espèce indéterminée). Le livre est devant moi, je tourne précisément une page où est encarté un tableau en couleur. Chaque exemplaire contient un spécimen de la plante séchée, comme un herbier.*

Dans ce rêve, l'élément frappant est la *monographie botanique.* Il provient des impressions de la veille du rêve : j'avais réellement vu, à la devanture d'un libraire, une *monographie de l'espèce Cyclamen.* — Le cyclamen n'est pas évoqué dans le contenu du rêve, il n'y demeure que le souvenir d'une monographie qui se rapporte à la botanique. On voit aussitôt que la « monographie botanique » se rapporte à un *travail sur la cocaïne* que j'ai écrit autrefois; de là, une association d'idées conduit d'une part à un livre jubilaire et à certains faits qui se sont passés dans un laboratoire de l'Université, d'autre part à mon ami l'*oculiste Königstein* qui a contribué à l'utilisation de la cocaïne. Au Dr K... se rattache d'autre part le souvenir de notre conversation interrompue de la veille au soir, puis de nombreuses réflexions sur le moyen de rétribuer les services médicaux rendus entre collègues. Cette conversation est d'ailleurs la véritable instigatrice du rêve; la monographie sur le cyclamen est aussi un fait actuel, mais indifférent; on voit que la « monographie botanique » du rêve est un moyen terme entre les deux événements de la journée; prise sans changements dans une impression indifférente, elle a été rattachée à un fait psychique important par des liens associatifs multiples.

Non seulement la représentation composée, globale « *monographie botanique* », mais chacun de ses éléments « *botanique* » et « *monographie* », isolé, pénètre profondément par des associations nombreuses dans le chaos des pensées du rêve. Au mot *botanique* se rattachent les souvenirs du Pr *Gärtner* et de sa *florissante* jeune femme; de ma malade *Flora*; de la dame à qui son mari avait oublié d'apporter des *fleurs. Gärtner,* de plus, fait penser au laboratoire et à la conversation avec *Königstein*; il a été question des deux malades, au cours de cette conversation. La dame aux *fleurs* m'amène à songer à la *fleur favorite* de ma femme, que d'ailleurs évoquait le titre de la monographie entrevu dans la journée. D'autre part, le mot *botanique* rappelle encore un épisode de ma vie au lycée et un examen à la Faculté. Un autre sujet de conversation apparu dans mon entretien de la veille, celui qui a trait à mes fantaisies, se rattache, par l'entremise de ma soi-disant *fleur préférée*, l'artichaut, à la chaîne associative qui part des fleurs oubliées; derrière le mot artichaut, je retrouve d'une part le souvenir de l'Italie, de l'autre le souvenir de la scène de mon enfance où j'entrai pour la première fois en relation avec les livres. Le mot *botanique* est donc un véritable nœud où se rencontrent de nombreuses associations d'idées, qui, je peux le garantir, peuvent être rattachées à bon droit à cette conversation. On se trouve au milieu d'une fabrique de pensées, où, comme pour le chef-d'œuvre du tisserand,

> « A chaque poussée du pied on meut les fils par milliers,
> Les navettes vont et viennent,
> Les fils glissent invisibles,
> Chaque coup les lie par milliers » (1).

Le mot « *monographie* », dans le rêve, évoque à nouveau deux sujets : le caractère unilatéral de mes études, le prix élevé de mes fantaisies.

Cette première recherche laisse l'impression que les éléments « botanique » et « monographie » ont trouvé place dans le rêve parce qu'ils étaient ceux qui présentaient, avec les pensées du rêve, le plus de points de contact; c'étaient des nœuds, où des pensées du rêve ont pu se rencontrer en grand nombre, parce qu'ils offraient à l'interprétation des sens nombreux. On peut exprimer autrement encore le fait qui explique tout cela et dire : chacun des éléments du contenu du rêve est *surdéterminé*, comme représenté plusieurs fois dans les pensées du rêve.

Nous apprendrons plus encore si nous examinons les autres éléments du rêve dans leurs rapports avec les pensées du rêve. Le *tableau en couleur* que je regarde évoque (cf. p. 155) les critiques que mes collègues font de mes travaux et de mes fantaisies (ce dernier thème a déjà été mentionné, l'autre est nouveau); il est lié aussi à mes souvenirs d'enfance, au

(1)　　　*Ein Tritt tausend Fäden regt,*
　　　　　Die Schifflein herüber, hinüber schiessen,
　　　　　Die Fäden ungesehen fliessen,
　　　　　Ein Schlag tausend Verbindungen schlägt.

　　　　　　　　　　　　(GŒTHE, *Faust*, I.)

livre d'images que j'ai déchiré. La *plante sèche* rappelle l'herbier du lycée et ravive d'ailleurs ce souvenir. On voit de quelle espèce est le rapport entre le contenu du rêve et les pensées du rêve. Non seulement les éléments du rêve sont déterminés plusieurs fois par les pensées du rêve, mais chacune des pensées du rêve y est représentée par plusieurs éléments. Des associations d'idées mènent d'un élément du rêve à plusieurs pensées, d'une pensée à plusieurs éléments. Le rêve ne se forme donc pas à partir du résumé d'une pensée ou d'un groupe de pensées du rêve auquel d'autres résumés viendraient se juxtaposer, etc., un peu comme lorsque les diverses classes de la population choisissent des représentants. La masse entière des pensées du rêve est soumise à une certaine élaboration, d'où les éléments les mieux soutenus et les plus nombreux se détachent pour entrer dans le contenu du rêve; on pourrait comparer ce choix à celui du scrutin de liste. Quel que soit le rêve que je décompose, je retrouve toujours les mêmes principes : les éléments du rêve sont issus de toute la masse des pensées du rêve, et chacun d'entre eux, si on le rapproche des pensées du rêve ,y est plusieurs fois indiqué.

Il est bon de montrer par un deuxième exemple la relation entre le contenu du rêve et les pensées du rêve. Dans cet exemple les relations de l'un et des autres sont curieusement mêlées. Le rêve m'a été communiqué par un malade qui présentait de la claustrophobie. On verra bientôt pourquoi j'intitule comme suit ce rêve remarquablement ingénieux.

II. *Un beau rêve.* — *Il traverse en nombreuse compagnie la rue X... où se trouve une modeste auberge* (ce qui est inexact). *On y joue une pièce de théâtre, il est tantôt public tantôt acteur. A la fin, il faut remettre ses habits de ville pour partir. Une partie du personnel est reléguée au parterre, l'autre au premier étage. Il y a alors une discussion. Ceux qui sont en haut se fâchent parce que ceux d'en bas ne sont pas encore prêts, de sorte qu'ils ne peuvent descendre. Son frère est en haut, il est en bas et il se fâche contre son frère parce qu'on est si serré.* (Cette partie est peu claire.) *D'ailleurs, dès l'entrée on avait indiqué qui devrait se trouver en haut et qui en bas. Il gravit ensuite seul la montée de la rue X... en allant vers la ville, et il marche si lentement, si péniblement qu'il ne parvient pas à avancer. Un monsieur d'un certain âge se joint à lui et dit du mal du roi d'Italie. Au haut de la pente, il marche bien plus aisément.*

La difficulté qu'il éprouvait à monter était si nette qu'une fois réveillé il s'est demandé pendant un moment si tout cela était bien un rêve.

On ne saurait que dire de ce rêve d'après son contenu manifeste. Je vais, au rebours de la méthode habituelle, commencer par la partie que le rêveur indique comme la plus claire.

Les difficultés que le dormeur a rêvées et qu'il a réellement senties dans son rêve, montée pénible et essoufflement, sont au nombre des symptômes que le malade a réellement présentés il y a des années; ils étaient alors unis à une tuberculose (probablement simulée, hystérique). Les rêves d'exhibition nous ont déjà fait connaître cette sensation d'inhibition, d'espèce particulière, et nous la voyons ici de nouveau employée, comme un élément dont on disposerait en tout temps et pour n'importe quelle représentation. La description de la montée, pénible d'abord, facile ensuite, m'a fait penser, lors du récit du rêve, à la fameuse introduction de la *Sapho* d'A. Daudet. Il y a là un jeune homme qui monte un escalier avec sa maîtresse dans ses bras; elle lui paraît d'abord très légère, mais, à mesure qu'il monte, elle lui pèse toujours plus. Cette scène est le symbole des faits que présente le roman; A. Daudet veut mettre les jeunes gens en garde, les empêcher de s'attacher sérieusement à des filles de basse extraction et de passé douteux (1). Tout en sachant que mon malade avait eu, peu de temps auparavant, une liaison avec une actrice et puis avait rompu avec elle, je ne m'attendais pas à ce que cette idée, apparue lors de l'interprétation, fût exacte. De plus, les faits, dans *Sapho*, étaient le *contraire* de ceux du rêve; dans celui-ci, la montée était d'abord ardue, puis facile; dans le roman, il fallait, pour le symbole, que ce qui avait d'abord paru léger fût lourd à la fin. A mon grand étonnement, le malade remarqua que l'interprétation convenait parfaitement au contenu de la pièce que, la veille, il avait vu représenter. Sous le titre *Rund um Wien*, elle montrait la vie d'une fille qui, après avoir été honnête, passe dans le demi-monde, a des relations avec des personnes haut placées, « *monte* », puis, plus tard, « *descend* » de plus en plus. Cette pièce l'avait

_____

(1) On comprendra mieux la valeur de cette description à la lumière de ce qui est dit sur les rêves d'ascension dans notre chapitre sur la symbolique.

fait penser à une autre, jouée plusieurs années auparavant, *Von Stufe zu Stufe (De marche en marche)*. L'affiche qui l'annonçait portait un *escalier* de plusieurs marches.

Poursuivons l'interprétation. L'actrice avec qui il venait d'avoir des relations qui intéressent ce rêve habitait dans la rue X... Il n'y a pas d'auberge dans cette rue. Mais, comme il avait passé, à cause de cette dame, une partie de l'été à Vienne, il était « descendu » dans un petit hôtel du quartier. En quittant l'hôtel, il avait dit au cocher : « Je suis bien content, parce que du moins je n'y ai pas attrapé de vermine » (c'était encore là une de ses phobies). Le cocher avait répondu : « Aussi comment peut-on s'installer ici ! Ce n'est pas un hôtel, c'est une *auberge*. »

A cette *auberge* se rattache aussitôt le souvenir des vers :

> « Je fus récemment l'hôte
> D'un hôtelier bien doux » (1);

mais, dans le poème de Uhland, l'hôtelier est un *pommier*. D'autres vers viennent alors s'associer à ce distique :

> « FAUST *(dansant avec la jeune fille)*
>
> J'eus autrefois un bien *beau rêve* ;
> Je voyais un *pommier* éclatant
> Où brillaient deux bien belles pommes,
> Elles m'attiraient, je *montai dessus*.
>
> LA BELLE
>
> Ces petites pommes vous tentent beaucoup...
> Ce fut ainsi au paradis déjà.
> La joie m'étreint à la pensée
> Que mon jardin en a de telles » (2).

(1)   *Bei einem Wirte wundermild,*
       Da war ich jüngst zu Gaste.

(2)   FAUST *(mit der Jungen tanzend)*
       Einst hatt'ich einen schönen Traum
       Da sah ich einen Apfelbaum,
       Zwei schöne Æpfel glänzten dran,
       Sie reizten mich, ich stieg hinan.

       DIE SCHÖNE

       Der Æpfelchen begehrt ihr sehr,
       Und schon von Paradiese her.
       Von Freuden fühl'ich mich bewegt,
       Dass auch mein Garten solche trägt

                    GŒTHE, *Faust*, I.)

Ce pommier et ces pommes ne laissent place à aucun doute. L'actrice qui a charmé mon rêveur avait, entre autres attraits, une belle poitrine.

Il était à supposer, d'après l'enchaînement de l'analyse, que le rêve se rapportait à une impression d'enfance. Si cette supposition était exacte, il s'agissait de la nourrice de cet homme, bientôt âgé de trente ans. La poitrine de sa nourrice est bien une auberge pour l'enfant. La nourrice, comme la Sapho de Daudet, représente l'amie abandonnée depuis peu.

Le frère du malade (plus âgé que celui-ci) apparaît aussi dans le contenu du rêve; il est *en haut*, tandis que le malade est *en bas*. C'est de nouveau une interversion du rapport réel, car, à ce que je sais, le frère a perdu sa position, tandis que mon malade a conservé la sienne. Il a évité, en racontant son rêve, d'employer l'expression « *par terre* ». Cela aurait été trop clair, car nous disons ici qu'une personne est « *par terre* » quand elle a perdu son avoir et sa situation, quand elle est « *tombée aussi bas que possible* ». Le fait qu'ici quelque chose est renversé dans le rêve doit avoir un sens. L'interversion indique qu'il y a encore une autre relation entre la pensée et le contenu du rêve. Nous avons le moyen d'expliquer cette interversion. Nous trouvons à la fin du rêve une autre transformation : la montée y est l'inverse de ce qu'elle est dans *Sapho*. On voit par là de quoi il s'agit. Dans *Sapho* l'homme porte la femme avec laquelle il a des relations sexuelles; dans les pensées du rêve il y a au contraire une femme qui porte un homme, et, comme ceci ne peut avoir lieu que pendant l'enfance, il s'agit donc de la nourrice qui porte péniblement son nourrisson. Ainsi la conclusion du rêve fait de Sapho et de la nourrice une même personne.

L'auteur a choisi le nom de Sapho en songeant aux mœurs lesbiennes; de même les fragments du rêve où l'on voit des personnes occupées *en haut* et *en bas* indiquent les fantasmes sexuels du rêveur; leur refoulement n'est pas sans relation avec sa névrose. L'interprétation du rêve ne peut pas nous apprendre s'il s'agit ici de fantasmes ou de souvenirs de faits réels; elle ne nous livre que les pensées et nous laisse le soin de chercher leur valeur de réalité. Des faits réels et des fantasmes semblent d'abord avoir la même valeur (ce n'est pas le cas pour le rêve seulement, mais encore pour des créations psychiques plus importantes). Comme nous le savons déjà, une société nombreuse signifie « garder un secret ». Le frère représente, par une manière de fantasme rétrospectif qui fait revivre une scène d'enfance, tous les rivaux auprès des femmes. L'épisode du personnage qui s'indigne contre le roi d'Italie est lié, par l'intermédiaire d'un événement récent et indifférent en soi, à l'introduction de personnes de condition inférieure dans des cercles sociaux plus relevés. Il semble que l'on puisse placer, à côté de l'avertissement que Daudet donne au jeune homme, un avertissement analogue destiné au nourrisson (1).

III. *Rêve des hannetons.* — Comme troisième exemple pour l'étude de la condensation, voici l'analyse partielle d'un autre rêve, très intéressant. Je le dois à une dame déjà âgée, soumise au traitement psychanalytique. Elle souffrait d'accès d'angoisse très pénibles, et, comme il arrive habituellement dans ces cas, ses rêves présentaient quantité de pensées d'origine sexuelle. Quand je les lui fis connaître, elle en fut d'abord aussi surprise qu'effrayée. Comme je ne puis poursuivre l'interprétation jusqu'au bout, la matière du rêve paraîtra fragmentée en plusieurs groupes sans lien visible.

Contenu du rêve : *Elle se rappelle qu'elle a deux hanne-tons* (2) *dans une boîte ; elle veut les mettre en liberté, parce que sinon ils vont étouffer. Elle ouvre la boîte, les hannetons sont tout épuisés ; l'un d'eux s'envole par la fenêtre ouverte, l'autre est écrasé par le battant de la fenêtre, au moment où elle la ferme, comme quelqu'un le lui demandait (manifestations de dégoût).*

Analyse. — Son mari est en voyage; sa fille, âgée de 14 ans, dort avec elle. La petite lui a fait remarquer, le soir, qu'une mite était tombée dans son verre d'eau; elle n'a pas songé à l'en tirer, et, le matin, elle a eu pitié de la pauvre bête. Le livre qu'elle a lu, avant de s'endormir, racontait l'histoire d'enfants qui jetaient un chat dans l'eau bouillante et décrivait les soubresauts de l'animal. Ce sont les deux occasions du rêve, elles sont indifférentes en elles-mêmes. Elle continue à penser à la *cruauté à l'égard des bêtes.* Il y a quelques années, comme elles passaient l'été à la campagne, sa fille avait été très méchante pour les animaux. Elle voulait

---

(1) La nourrice, dans ce cas, était la mère. Que l'on veuille bien ici se rappeler l'anecdote de la page 184 où le jeune homme regrette de n'avoir pas mieux employé le temps passé en nourrice. C'est bien la source de ce rêve.

(2) [N. d. T.] : *Maikäfer* (m. à mot = scarabées de mai).

collectionner des papillons et elle lui avait demandé de
l'*arsenic* pour les tuer. Un jour, un papillon de nuit, qui
avait une aiguille dans le corps, vola longtemps encore
autour de la pièce; une autre fois, plusieurs chenilles, qu'elle
avait conservées pour voir leur métamorphose, moururent
de faim. Plus jeune encore, cette petite fille avait l'habitude
d'arracher les ailes des *scarabées* et des *papillons*; tout cela
lui ferait horreur aujourd'hui, elle est devenue très bonne.

Ce contraste la préoccupe. Il lui en rappelle un autre, le
contraste entre l'*apparence* et les sentiments, tel qu'il est
décrit dans *Adam Bede* de G. Eliot. Il y a là une jeune fille,
belle, mais frivole et sotte, une autre, laide, mais dont les
sentiments sont nobles. Il y a un *aristocrate* qui séduit la
petite sotte; un travailleur dont les sentiments et la conduite
sont élevés. On ne peut pas *deviner* ces choses d'après
l'*apparence*. Qui *devinerait* qu'elle est tourmentée par des
désirs charnels ?

L'année où la petite fille faisait sa collection de papillons,
tout le pays était ravagé par les *hannetons*. Les enfants les
poursuivaient, les *écrasaient* cruellement. Elle vit même un
homme qui leur arrachait les ailes et les mangeait ensuite.
Elle est née en *mai*, elle s'est mariée en *mai*. Trois jours
après son mariage, elle a écrit à ses parents combien elle
était heureuse, elle ne l'était pas du tout en réalité.

Le soir qui a précédé le rêve, elle avait fouillé dans de
vieilles lettres, elle en avait lu quelques-unes aux siens, les
unes sérieuses, les autres comiques, parmi celles-ci, une
lettre très ridicule d'un professeur de piano qui lui avait
fait la cour quand elle était jeune fille, une autre d'un ado-
rateur de famille aristocratique (1).

Elle se reproche d'avoir laissé entre les mains de sa fille
un mauvais livre de Maupassant (2). L'arsenic demandé par
sa fille lui rappelle les *pilules* d'*arsenic* qui, dans le *Nabab*,
doivent rendre au duc de Mora la vigueur de sa jeunesse.

Rendre la liberté lui rappelle le passage de *La flûte
enchantée* :

> Je ne puis te contraindre à m'aimer,
> Mais je ne te *rendrai* pas *la liberté* (3).

(1) C'est ce qui a provoqué le rêve.
(2) Il faut ajouter que ces livres sont du *poison* pour une jeune fille.
Elle-même, dans sa jeunesse, en a lu beaucoup de tels.
(3)   *Zur Liebe kann ich dich nicht zwingen,*
              Doch geb' ich dir die Freiheit *nicht.*

Les hannetons la font penser aux paroles de Käthchen de Heilbronn (de Kleist) :

« Tu es amoureux fou de moi. » (m. à mot : comme un scarabée)(1) ;

puis à Tannhäuser :

« Puisque toi, animé d'un *plaisir mauvais...* » (2).

Elle vit dans l'angoisse à cause de l'absence de son mari. La crainte qu'il ne lui arrive malheur en voyage s'exprime en d'innombrables fantasmes diurnes. Ses pensées inconscientes pendant l'analyse déploraient sa « sénilité ». On saisira parfaitement la pensée que ce rêve recouvre, si je raconte que, plusieurs jours avant, comme elle se livrait à ses occupations, elle fut effrayée de penser brusquement à son mari avec cet impératif : « *Pends-toi !* » Quelques heures avant, elle avait lu quelque part que lors de la pendaison il se produisait une érection puissante. C'est le désir d'une semblable érection qui, refoulé, se traduisait sous cette forme effrayante. « *Pends-toi* » signifiait : il faut à tout prix que tu aies une érection. Les pilules d'arsenic du Dr Jenkins dans le *Nabab* appartiennent au même ordre d'idées; la malade savait aussi que l'on prépare le plus puissant des aphrodisiaques, la *cantharide,* en *écrasant des scarabées* (appelés : mouches espagnoles). Voilà le sens de la partie principale du rêve.

Ouvrir et fermer la fenêtre rappelle une différence essentielle entre elle et son mari. Elle dort la fenêtre ouverte, il dort la fenêtre fermée. *Épuisement* est le symptôme morbide dont elle s'est plainte le plus tous ces jours.

Dans ces trois rêves, j'ai indiqué typographiquement la réapparition de chacun des éléments du contenu dans les pensées du rêve; on a pu voir ainsi combien leurs relations étaient multiples. Toutefois, comme je n'ai analysé aucun de ces rêves jusqu'au bout, il convient de revenir à un rêve dont l'analyse ait été faite entièrement, pour y montrer de quelle manière le contenu du rêve est surdéterminé. Je choisis le rêve de l'injection faite à Irma. Nous verrons

---

(1)   *Verliebt ja bist du wie ein* Käfer *mir.*

(Une autre association conduit au *Penthesilée* du même auteur : *cruauté* envers un amoureux.)

(2)   *Weil du von* böser Lust *beseelt...*

sans peine, par cet exemple, que, lors de la formation du
rêve, le travail de condensation dispose de plus d'un moyen.

Le personnage principal de ce rêve est ma malade
Irma; elle est vue avec ses traits propres et par conséquent
représente en premier lieu elle-même. La position dans
laquelle je l'examine près de la fenêtre provient du souvenir
d'une autre personne, de la dame que je préférerais soigner,
en échange, ainsi que le montrent les pensées du rêve.
Dans la mesure où Irma a des membranes diphtériques qui
rappellent mes inquiétudes au sujet de ma fille aînée,
elle représente mon enfant, et, à cause de la similitude des
noms, la malade morte d'intoxication. Dans la suite, Irma
figure d'autres personnes encore (sans que son apparence
se modifie dans le rêve); elle devient un des enfants que
nous examinons à la consultation publique de l'hôpital
des enfants malades, où mes amis manifestent la différence
de leurs caractères. Il est probable que la transition a été
fournie par l'idée de ma petite fille. Quand elle ne veut
pas ouvrir la bouche, Irma devient une allusion à une autre
dame que j'ai examinée et, de plus, pour le même motif, à
ma propre femme. Les signes morbides que j'ai découverts
dans sa gorge sont des allusions à toute une série d'autres
personnes.

Toutes ces personnes que je découvre en poursuivant
cette « Irma » n'apparaissent pas elles-mêmes dans le rêve;
elles se dissimulent derrière l' « Irma » du rêve qui devient
ainsi une image générique formée avec quantité de traits
contradictoires. Irma représente toutes ces personnes,
sacrifiées au cours du travail de condensation, puisqu'il
lui arrive tout ce qui est arrivé à celles-ci.

On peut créer une *personne collective*, servant à la condensation du rêve, d'une autre manière encore : en réunissant
en une seule image de rêve les traits de deux ou plusieurs
personnes. C'est ainsi qu'a été formé le Dr M... de mon
rêve : il porte le nom de M..., il parle et il agit comme lui;
ses caractéristiques physiques, sa maladie sont celles d'une
autre personne, de mon frère aîné; un seul trait, sa pâleur,
est doublement déterminé, puisque dans la réalité il est
commun aux deux personnes. Le Dr R..., du rêve de
l'oncle, est un personnage de ce genre. Mais ici l'image du
rêve a encore été préparée d'une autre façon. Je n'ai pas
uni des traits particuliers à l'un à ceux de l'autre et simplifié
dans ce but l'image-souvenir de chacun. J'ai agi comme

Galton élaborant ses images génériques (ses « portraits de famille ») : j'ai projeté les deux images l'une sur l'autre, de sorte que les traits communs ont été renforcés et que les traits qui ne concordaient point se sont mutuellement effacés et sont devenus indistincts dans l'image. C'est ainsi que, dans le rêve de l'oncle, un trait se renforce parce qu'il appartient à deux personnes (de physionomies différentes et par conséquent effacées) : c'est la barbe blonde, qui, de plus, rappelle mon père et moi grâce à l'idée de grisonner.

L'élaboration de personnes collectives et de types mixtes est un des principaux moyens dont la condensation du rêve dispose. Nous aurons bientôt l'occasion d'en reparler.

L'idée de *dysenterie* provient, dans le rêve de l'injection faite à Irma, également de plusieurs sources : d'une part d'une assonance paraphasique avec diphtérie, d'autre part de ce que cette idée est associée à celle du malade que j'ai envoyé en Orient et dont on a méconnu l'hystérie.

Un cas de condensation intéressant nous est fourni par le *propylène* mentionné dans le rêve. La pensée du rêve ne contenait pas *propylène* mais *amylène*. On pourrait penser que, lors de la formation du rêve, il y a eu là un simple déplacement. Cela est vrai, mais ce déplacement a servi la condensation, ainsi qu'on va le voir. En arrêtant mon attention sur le mot propylène, je m'aperçois qu'il assone avec *Propylées* (1). Les Propylées ne sont pas seulement à Athènes. Il y a des Propylées à Munich. C'est dans cette ville qu'un an avant le rêve j'ai rendu visite à un ami très malade que ma pensée évoque certainement lorsqu'elle mentionne la *triméthylamine* aussitôt après le propylène.

Je néglige le fait, pourtant frappant, que, lors de l'analyse du rêve, des associations de valeurs diverses ont été employées à relier les idées comme si elles avaient été équivalentes; je vais essayer de me représenter d'une manière plastique en quelque sorte comment l'*amylène* de la pensée du rêve a pu être remplacé par *propylène* dans son contenu.

On trouve d'une part le groupe de représentations de mon ami Otto qui ne me comprend pas, me donne tort, m'offre de la liqueur qui sent l'*amylène*; d'autre part, lié par contraste, le groupe de mon ami Wilhelm qui me comprend, qui me donnerait raison et à qui je dois tant

_____

(1) [N. d. T.] : en allemand, *Propyläen*.

d'indications précieuses, surtout sur la chimie des processus sexuels.

Dans le groupe de représentations formé autour d'Otto, mon attention est surtout attirée par les faits récents, ceux qui ont provoqué le rêve : l'*amylène* est au nombre de ces éléments privilégiés, prédestinés à entrer dans le rêve. Le groupe, très riche, formé autour de Wilhelm est animé par le contraste avec le groupe d'Otto, et les éléments qui sont mis en relief correspondent aux éléments du groupe d'Otto. Dans tout ce rêve, j'en appelle d'une personne qui me contrarie à une autre que je peux lui opposer à mon gré, point par point. C'est ainsi que le souvenir de l'*amylène*, qui provient du groupe d'Otto, provoque dans le groupe adverse des souvenirs de la sphère de la chimie, et que la *triméthylamine*, soutenue de divers côtés, entre dans le contenu du rêve. *Amylène* pouvait aussi parvenir sans changement dans le contenu, mais il subit l'influence du groupe Wilhelm; dans l'ensemble des souvenirs que ce nom recouvre, un élément est choisi, c'est celui qui peut donner une double détermination pour *amylène*. *Propylène* est tout près d'*amylène*, si on se place au point de vue de l'association; le groupe Wilhelm offre Munich et les *Propylées*. Les deux cercles de représentation se rejoignent avec *Propylène-Propylées*. Cet élément médian pénètre donc dans le contenu du rêve par une manière de compromis. Il y a eu création d'une sorte de moyen terme qui permet une détermination multiple. Nous saisissons bien ici comment la détermination multiple permet de pénétrer plus aisément dans le contenu du rêve. Pour parvenir à cette image moyenne, on a déplacé l'attention, de la pensée réelle à une autre, assez proche pour l'association.

L'étude du rêve de l'injection nous permet de jeter un coup d'œil sur le processus de condensation, tel qu'il apparaît dans la formation du rêve. Nous pouvons reconnaître les procédés particuliers du travail de condensation : choix d'éléments de pensée qui apparaissent à diverses reprises dans les pensées du rêve, formation d'unités nouvelles (personnes collectives, types mixtes) et création de moyens termes. Nous nous demanderons à quoi sert la condensation et d'où elle vient, quand nous essaierons de saisir l'ensemble des processus psychiques qui apparaissent lors de la formation du rêve. Contentons-nous pour l'instant d'affirmer l'existence d'une condensation, relation caractéristique entre les pensées du rêve et le contenu du rêve.

Ce processus de condensation est particulièrement sensible quand il atteint des mots et des noms. Les mots dans le rêve sont fréquemment traités comme des choses, ils sont sujets aux mêmes compositions que les représentations d'objets. Ces sortes de rêves aboutissent à la création de mots comiques et étranges.

I. Un collègue m'avait envoyé un jour un de ses travaux, il y parlait d'une découverte physiologique récente, qu'il surestimait, à mon avis, et cela en termes très emphatiques; la nuit suivante, je rêvai une phrase qui se rapportait visiblement à ce travail : *C'est un style vraiment* NOREKDAL. J'eus beaucoup de peine à comprendre comment j'avais formé ce mot : c'était visiblement une parodie des superlatifs : colossal, pyramidal; mais je ne savais trop d'où il venait. Enfin, je retrouvai dans ce mot monstrueux les deux noms *Nora* et *Ekdal,* souvenir de deux drames connus d'Ibsen. J'avais lu peu de temps avant, dans un journal, un article sur Ibsen de l'auteur même que je critiquais dans mon rêve.

II. Une de mes malades me communique un rêve bref qui s'achève par une combinaison de mots dépourvue de sens. *Elle assiste avec son mari à une fête paysanne et dit : « Tout cela aboutira à un* MAISTOLLMÜTZ *général. »* Elle a en même temps en rêve le sentiment obscur qu'il s'agit d'une bouillie faite de maïs, d'une sorte de polenta. L'analyse décompose le mot en *maïs — toll — mannstoll* (nymphomane) — *Olmütz*; tous restes d'une conversation à table avec des membres de sa famille. Le mot maïs renfermait, outre l'allusion à l'exposition du jubilé qui venait de s'ouvrir, un rappel des mots : *Meissen* (une porcelaine de Saxe [de *Meissen*] qui représente un oiseau), *Miss* (l'Anglaise de ses cousins était partie pour *Olmütz*), *mies* = dégoût, mot de jargon juif employé par plaisanterie. Une longue chaîne de pensées et d'associations partait de chacune des syllabes de ce mastic.

III. Un jeune homme, chez qui un ami a sonné, le soir tard, pour déposer une carte de visite, rêve, dans la nuit suivante : *Un homme d'affaires demeure tard, le soir, pour installer un téléphone d'appartement. Après son départ, la sonnerie ne résonne pas d'une manière continue, mais à petits coups séparés seulement. Le domestique retourne chercher l'homme ;*

celui-ci dit : « *Il est bien curieux que des gens, ordinairement* TUTELREIN, *ne sachent pas se tirer d'affaire en pareil cas.* »

Comme on le voit, le prétexte du rêve est indifférent et n'en recouvre qu'un élément. D'ailleurs nous n'avons pu l'interpréter que quand nous l'avons rapproché d'un des événements antérieurs de la vie du rêveur, indifférent en soi, mais auquel son imagination prêtait de l'importance. Lorsqu'il était enfant et qu'il habitait chez son père, il avait un jour, comme il était à moitié endormi, renversé un verre d'eau par terre, de sorte que le fil téléphonique avait été mouillé et que sa sonnerie incessante avait dérangé le père, qui dormait. La sonnerie continuelle correspond à la grande humidité, les quelques coups représentent la chutte des gouttes. Le mot « *tutelrein* » peut s'interpréter dans trois sens : *Tutel* signifie tutelle; *Tutel* (ou *Tuttel*) est une manière vulgaire de désigner la poitrine de la femme; le mot *rein* (propre), si on le joint à une partie de *Zimmertelefon*, donne *zimmerrein* (« propre dans une chambre ») : le chien dressé à être propre dans la maison, ce qui rappelle le plancher mouillé de la chambre et assone d'autre part avec le nom d'un des parents du rêveur (1).

IV. Au cours d'un long rêve confus, qui paraît avoir pour centre une croisière, le nom de la prochaine station est HEARSING, la suivante s'appelle *Fliess*. Ce dernier mot est le nom de mon ami de Berlin. Je suis souvent allé le voir. Le mot *Hearsing* est fabriqué à la manière des noms de villages des environs de Vienne qui s'achèvent souvent

---

(1) Cette chimie (fragmentation et réunion de syllabes), sert, quand nous sommes éveillés, à jouer sur les mots. « Quelle est la façon la plus économique d'obtenir de l'argent *(Silber)* ? Vous descendez une avenue de peupliers blancs *(Silberpappeln)* et réclamez le silence. Le bavardage *(Pappeln)* cesse et vous obtenez l'argent. » Celui qui le premier lut et critiqua ce volume m'a fait une objection que d'autres me feront encore sans doute : « le rêveur paraît souvent trop spirituel ». C'est vrai, mais l'objection ne porterait que s'il s'agissait de celui qui interprète le songe. Quand je suis éveillé, je ne peux passer pour spirituel ; si mes rêves le sont, cela ne dépend pas de moi, mais des circonstances particulières dans lesquelles le rêve est élaboré. Ceci est d'ailleurs étroitement lié à la théorie du spirituel et du comique. Le rêve est spirituel, parce que le chemin le plus direct et le plus proche pour exprimer sa pensée lui est fermé. Il l'est par force. Le lecteur a pu s'apercevoir que les rêves de mes malades donnent une impression d'esprit (de jeux d'esprit) au moins autant que les miens. — Les reproches faits à ce propos m'ont amené à comparer la technique des jeux d'esprit avec le travail du rêve. Cf. *Der Witz und seine Beziehung zum Unbewussten*, 1905 (*Ges. Werke*, Bd. VI).

en -ing : Hietzing, Liesing, Mödling (= Medelitz, « *mea deliciæ* », c'est-à-dire *meine Freud'*, ma joie); EARSING rappelle aussi l'anglais *Hearsay* (= ouï-dire) et signifie calomnie, ce qui dévoile l'occasion du rêve : une poésie lue dans les *Fliegende Blätter* et où il est question d'un nain calomniateur « Sagter Hatergesagt » (Ditil, Atildit). En rapprochant la syllabe finale -ing du nom Fliess, on obtient Vlissingen, nom du port où mon frère débarque quand il vient d'Angleterre. On appelle ce port en anglais Flushing, ce qui en cette langue signifie aussi rougir et rappelle les malades qui ont de l'éreuthophobie (j'en traite en ce moment quelquesuns); une publication récente de Bechterew sur cette névrose m'a été désagréable.

V. Un autre rêve se compose de deux fragments bien séparés. Le premier est le mot AUTODIDASKER, que je me rappelle bien nettement; le second reproduit un fantasme sans grande importance qui m'est venue à l'esprit peu de jours avant : *Quand je verrai le Pr N..., je lui dirai :* « *Le malade au sujet duquel je vous ai consulté n'a vraiment qu'une névrose, ainsi que vous l'aviez pensé.* » Le néologisme *Autodidasker* doit non seulement contenir ou représenter un sens comprimé, mais encore un sens qui ait quelque rapport avec la résolution de faire cette réparation au Pr N...

On peut aisément couper *Autodidasker* en *Autor* (auteur), *Autodidacte* et *Lasker* auquel se rattache le nom de *Lassalle*. Ces mots vont me permettre d'interpréter le rêve. J'avais apporté à ma femme plusieurs volumes d'un auteur connu, J. J. David, ami de mon frère, et qui, à ce que l'on m'a dit, est né dans le même pays que moi. Elle m'a parlé un soir de l'impression profonde que lui avait produite l'histoire poignante d'un homme de talent déchu, lue dans une nouvelle de David; notre conversation a ensuite roulé sur les dons que nous découvrions chez nos enfants. Ma femme, encore sous l'impression du roman, me dit quels soucis elle avait à ce sujet, et je la consolai en lui expliquant que ces sortes de dangers étaient précisément de ceux que l'éducation écarte. Dans la nuit, ma pensée se poursuivit, adopta les préoccupations de ma femme, et y mêla bien d'autres choses. Un mot que l'auteur avait dit un jour au cours d'une discussion avec mon frère au sujet du mariage me montre un chemin détourné qui a pu conduire à la représentation du rêve. Une dame avec qui nous étions très liés s'est mariée à Breslau. Le fond de mon rêve étant l'idée de la ruine par la femme,

Breslau me fournit l'exemple de *Lasker* et de *Lassalle*, deux cas typiques de cette influence funeste (1). On peut résumer tout ceci par « Cherchez la femme », ce qui, pris en un autre sens, me fait penser à mon frère *Alexandre* qui n'est pas encore marié. Je remarque que *Alex* (c'est ainsi que nous l'appelons) est presque un anagramme de *Lasker* : ceci a dû contribuer à faire faire à ma pensée le détour par Breslau.

Cette façon de jouer avec les noms et les syllabes cache encore un autre sens. Elle révèle mon désir de voir mon frère heureux dans sa famille : en effet, dans *L'Œuvre*, roman assez proche de la pensée de mon rêve, l'auteur, ainsi qu'on le sait, a épisodiquement décrit son bonheur familial ; il s'est lui-même représenté sous le nom de *Sandoz*. Il est probable que, voulant transformer son nom, il l'a retourné ainsi que le font si volontiers les enfants, en *Aloz* ; mais, cela étant trop clair encore, il a remplacé la syllabe *Al*, qui est aussi la première du nom Alexandre, par *sand*, qui en est la troisième. C'est de la même manière que s'est formé le mot *Autodidasker*.

Voici comment est apparu dans le rêve le fantasme de dire au Pr N... que notre malade ne souffre que de névrose. Peu de temps avant la fin de l'année, j'avais eu un malade dont je ne savais comment faire le diagnostic. Il paraissait avoir une grave maladie organique, peut-être une affection de la moelle épinière, mais je n'en étais pas sûr. Un diagnostic de névrose était tentant et il eût mis fin à toutes les difficultés, mais le malade repoussait nettement toute anamnèse sexuelle, et je ne puis admettre de névrose sans ces sortes d'antécédents. Dans mon embarras, j'appelai à mon aide le médecin pour qui j'ai le plus de respect et devant l'autorité de qui je m'incline le plus volontiers. Je lui expliquai mes doutes, il les trouva justifiés et dit ensuite : « Continuez à observer votre malade, vous verrez que ce sera bien une névrose. » Comme je sais qu'il ne partage pas mon opinion sur l'étiologie des névroses, je me tus, mais ne cachai point mon incrédulité. Quelques jours après, je dis au malade que je ne pouvais rien pour lui et lui conseillai de voir quelque autre médecin. Alors, à ma grande surprise, il s'excusa de m'avoir menti ; il avait eu trop honte ; il me découvrit l'étiologie sexuelle que j'avais recherchée et

(1) Lasker est mort de paralysie générale, conséquence de la syphilis. Lassalle a été tué dans un duel, pour une femme.

dont j'avais besoin pour admettre la névrose. Cela me fut un soulagement, mais en même temps me fit honte, je dus m'avouer que mon collègue avait vu plus clair que moi. Je résolus de lui dire, quand je le reverrai, qu'il avait eu raison et que j'avais eu tort.

C'est justement là ce que je fais dans mon rêve. Mais avoir tort paraît l'accomplissement d'un singulier désir. C'est bien mon désir cependant; je voudrais avoir tort de craindre, je voudrais que ma femme, dont la pensée du rêve m'a attribué les craintes, eût tort. Le fait au sujet duquel il faut avoir tort ou raison dans le rêve n'est pas très différent de ce qui concerne les pensées de ce même rêve. C'est la même alternative entre trouble organique ou fonctionnel à cause de la femme, plus exactement à cause de la vie sexuelle : paralysie générale ou névrose; à cette dernière peut se rattacher d'une manière lâche la mort de *Lassalle*.

Dans ce rêve bien construit et tout à fait clair quand on l'interprète soigneusement, le rôle du Pr N... ne s'explique pas seulement par la ressemblance des cas et par mon désir d'avoir tort, par ses relations à Breslau et avec la famille de notre amie mariée là-bas — mais encore par quelques menus faits qui se rattachent à notre consultation. Ayant achevé de parler du malade, il manifesta de l'intérêt pour ma vie personnelle : « Combien d'enfants avez-vous maintenant ? » — « Six. » — Un mouvement trahit à la fois son admiration et son inquiétude. « Des filles, des garçons ? » — « Trois filles et trois garçons, ils sont ma fierté et ma richesse. » — « Eh bien, prenez garde; avec les filles, tout est simple, mais les garçons sont difficiles à élever. » — J'objectai qu'ils avaient été jusqu'alors très doux; assurément ce diagnostic sur l'avenir de mes fils me fut aussi peu agréable que le précédent sur la névrose de mon malade. Ces deux impressions sont donc liées par contiguïté, et, en introduisant dans le rêve l'histoire de la névrose, je ne fais que remplacer par elle notre conversation sur l'éducation, beaucoup plus proche de la pensée du rêve puisqu'elle touche de très près aux préoccupations exprimées ultérieurement par ma femme. Ainsi ma crainte que N... ait eu raison en parlant des difficultés que pourrait présenter l'éducation de mes garçons entre dans le contenu du rêve; elle se dissimule derrière la représentation du désir : avoir eu tort en ayant de telles craintes. Ce même fantasme sert à représenter les deux faces de l'alternative.

VI. Marcinowski raconte le rêve suivant : « Ce matin, entre le sommeil et la veille, j'eus une très jolie condensation de mots. Au cours d'une quantité de fragments de rêve difficiles à se rappeler, je fus arrêté par un mot que je voyais moitié écrit et moitié imprimé. Le mot était " ERZE-FILISCH ", et il appartenait à une phrase qui demeura seule dans mon souvenir : *cela agit erzefilisch sur la sensibilité sexuelle.* Je sus aussitôt que le sens était *erzieherisch* (d'une manière éducative), je n'étais d'ailleurs pas bien sûr que ce ne fût pas *erzifilisch.* A ce propos je tombai sur le mot *syphilis* et, à moitié endormi encore, je cherchai à comprendre comment ce mot pouvait entrer dans mon rêve, alors que cette maladie ne concernait ni moi, ni ma profession. Mais le mot *erzaehlerisch* (en racontant) expliquait à la fois le *e* et le motif du rêve. Notre gouvernante *(Erzieherin)* m'avait demandé la veille au soir de lui parler du problème de la prostitution; désirant agir d'une manière " éduca-tive " *(erzieherisch)* sur sa sensibilité encore incomplète-ment développée, après lui avoir parlé *(erzählt)* du pro-blème lui-même, je lui remis le livre de Hesse, *Über die Prostitution.* Ce fait me fit comprendre qu'il ne fallait pas prendre le mot syphilis dans son sens textuel, mais dans le sens de *poison,* et ayant trait à la vie sexuelle. Ainsi, le sens de la phrase est très logique : Par mon récit *(Erzählung),* j'ai agi sur notre gouvernante *(Erzieherin)* d'une manière éducative *(erzieherisch),* et je redoute que cela ait été pour elle un *poison. Erzefilisch = erzäh —* (erzieh —) *(erzifilisch).* »

Les formations de mots dans le rêve ressemblent beau-coup aux formations de mots dans la paranoïa; on en trouve d'ailleurs d'analogues dans l'hystérie et dans les obsessions. Sous ce rapport, rêve et psychonévrose sont tributaires de l'enfance. Les enfants traitent parfois les mots comme des objets ou bien trouvent des façons nouvelles de parler ou des manières artificielles de fabriquer des mots.

L'analyse des mots dépourvus de sens dans le rêve peut servir à l'étude du travail de condensation. Il ne faudrait pas conclure du petit nombre d'exemples présentés ici que ce procédé soit rare. Il est au contraire très fréquent. Mais comme l'interprétation des rêves n'est faite que lorsqu'il y a traitement psychanalytique, on ne relève que peu d'exemples et leur analyse n'est ordinairement comprise que par les spécialistes. (Voir par exemple un rêve du D^r v. Karpinska, *Internationale Zeitschrift für Psychoanalyse,* II, 1914, qui

contient les mots « *Svingnum elvi* ».) Il faut encore signaler
le cas où, dans le rêve, apparaît un mot qui a un sens
propre, mais n'est pas utilisé avec cette signification, et
condense plusieurs sens autres que son sens propre. Il se
comporte alors comme les mots dépourvus de sens. C'est
le cas pour le rêve de « *Catégorie* » fait par un garçon de
10 ans (signalé par V. Tausk, Zur Psychologie der Kindersexualität, *Internationale Zeitschrift für Psychoanalyse*, I, 1913).
Le mot « *catégorie* » désigne ici les organes sexuels féminins
et « *categoriere* » signifie uriner.

Quand dans le rêve apparaissent des discours reconnus
comme tels et nettement distincts des pensées, on peut
toujours considérer que ce sont des souvenirs de discours
réels. Les mots peuvent être restés les mêmes ou avoir
légèrement changé. Il arrive que le discours du rêve soit
fait d'une fusion de plusieurs discours remémorés; les
mots sont alors ceux qui ont été communs à tous les discours, leur sens peut être multivoque et plus ou moins
transformé. Souvent le discours du rêve ne fait que faire
allusion à l'événement au sujet duquel il a été prononcé (1).

II. — LE TRAVAIL DE DÉPLACEMENT

En rassemblant des exemples de condensation dans le
rêve, nous avons remarqué que les éléments qui nous paraissaient essentiels pour le contenu ne jouaient dans les pensées du rêve qu'un rôle très effacé. Inversement, ce qui est
visiblement l'essentiel des pensées du rêve n'est parfois pas
du tout représenté dans celui-ci. Le rêve est *autrement
centré*, son contenu est rangé autour d'éléments autres que
les pensées du rêve. Ainsi, dans le rêve de la monographie
botanique, le centre est visiblement le mot « botanique »;
les pensées du rêve tournent autour des difficultés et des
conflits entre collègues, puis autour de l'idée que je sacrifie

---

(1) L'unique exception que j'aie rencontrée m'a été fournie par un
jeune obsédé dont l'intelligence, d'ailleurs remarquable, était demeurée
intacte. Les discours qui apparaissaient dans ses rêves ne provenaient pas
de propos précédents, mais correspondaient exactement à ses obsessions,
qui pendant la veille se traduisaient tout autrement.

trop à mes fantaisies; dans tout cela nulle place pour l'élément « botanique », à moins qu'il n'y soit lié d'une manière lâche par contraste parce que la botanique ne fut jamais une de mes études de prédilection. Dans le rêve de mon malade au sujet de Sapho, le fait de monter puis de descendre, d'être en haut puis en bas, paraît central; or le rêve a trait au danger que présentent les relations sexuelles avec des personnes de basses classes, de sorte qu'un seul des éléments des pensées est entré dans le contenu du rêve, et il y a pris un développement démesuré. De même, dans le rêve des hannetons, qui roule autour des rapports entre les relations sexuelles et la cruauté, s'il est vrai que l'idée de cruauté apparaît dans le rêve, elle y est présentée tout autrement et rien ne rappelle la sexualité. Dépouillée de son contexte, elle apparaît sous un aspect tout différent. De même encore, dans le rêve de l'oncle, la barbe blonde, qui en est le centre, ne paraît avoir aucune relation avec le désir de grandeur qui nous a paru être le fond des pensées de ce rêve. De tels rêves donnent à bon droit l'impression d'un *déplacement*. Par contre, le rêve de l'injection faite à Irma nous montre que les divers éléments peuvent en certains cas conserver dans le contenu la place qu'ils avaient dans les pensées. Cette relation nouvelle et en apparence capricieuse entre les pensées du rêve et son contenu nous étonne d'abord. Quand un processus psychique de la vie normale nous montre une représentation qui, mise en relief, a pris pour la conscience une vivacité particulière, nous supposons que la représentation victorieuse a une valeur psychique particulière, qu'elle a suscité un certain intérêt. Nous constatons que cette valeur des divers éléments des pensées du rêve ne persiste pas lors de la formation du rêve. Nous savons bien quels sont les éléments essentiels, nous le savons d'une manière immédiate. Or, lors de la formation du rêve, ces éléments chargés d'un intérêt intense, peuvent être traités comme s'ils n'avaient qu'une faible valeur, et d'autres, peu importants dans les pensées du rêve, prennent leur place. Il semble d'abord que l'intensité psychique (1) des diverses représentations ne joue aucun rôle pour leur choix dans le rêve et que joue unique-

---

(1) Il faut évidemment distinguer l'intensité, la valeur, l'intérêt psychique d'une représentation de l'intensité sensorielle, intensité de l'objet représenté.

ment la complexité de leur détermination. On pourrait supposer que ce qui apparaît dans le rêve n'est pas ce qui était important dans les pensées du rêve, mais plutôt ce qui y était souvent répété. Cette hypothèse ne nous avance guère, car il est difficile d'admettre que les deux facteurs : répétition fréquente et valeur propre des éléments, puissent agir en sens différents lors du choix des éléments du rêve. Il semble que les représentations les plus importantes dans les pensées du rêve doivent être aussi celles qui y reviennent le plus souvent, puisque les diverses pensées du rêve doivent rayonner de là comme d'un centre commun. Et cependant le rêve peut repousser ces éléments à la fois pourvus d'un accent intense et soutenus de toutes parts et englober d'autres facteurs qui n'auront que cette dernière propriété.

Il faut, pour résoudre cette difficulté, recourir à une autre notion, qui est apparue comme nous examinions la sur-détermination du contenu du rêve. Peut-être le lecteur a-t-il déjà pensé que cette surdétermination des éléments du rêve n'était pas une trouvaille fort importante et que cela allait de soi. L'analyse part des éléments du rêve et souligne tout ce qui peut s'y rattacher ; il n'est pas étonnant dès lors que, dans le matériel de pensées ainsi obtenu, ces mêmes éléments se retrouvent très fréquemment. Je ne peux accepter l'objection sous cette forme, mais je ferai une remarque à certains égards analogue. Parmi les pensées que l'analyse révèle, il s'en trouve beaucoup qui sont assez éloignées du noyau du rêve et qui nous font l'effet d'interpolations habiles et opportunes. On peut aisément découvrir pourquoi elles sont là : elles représentent la liaison (souvent forcée et cherchée) entre le contenu du rêve et les pensées du rêve. Si l'on retranchait ces éléments de l'analyse, ce n'est pas seulement la surdétermination qui manquerait, mais parfois même une détermination suffisante. Nous devons donc conclure que la détermination multiple qui décide du choix pour être inclus dans le rêve n'est pas toujours un facteur primaire de la formation du rêve, mais souvent le résultat secondaire d'un pouvoir psychique encore inconnu. Elle doit cependant agir sur l'entrée des différents éléments dans le rêve, car, dans les cas où elle n'apparaît pas directement à partir du matériel du rêve, il faut un certain effort pour en venir à bout.

On est ainsi conduit à penser que, dans le travail du rêve, se manifeste un pouvoir psychique qui, d'une part, dépouille des éléments de *haute* valeur psychique de leur intensité, et, d'autre part, *grâce à la surdétermination*, donne une valeur plus grande à ces éléments de moindre importance, de sorte que ceux-ci peuvent pénétrer dans le rêve. On peut dès lors comprendre la différence entre le texte du contenu du rêve et celui de ses pensées; il y a eu, lors de la formation du rêve, *transfert et déplacement des intensités psychiques* des différents éléments. Ce processus est la partie essentielle du travail du rêve. Il peut être appelé processus de *déplacement*. Le *déplacement* et la *condensation* sont les deux grandes opérations auxquelles nous devons essentiellement la forme de nos rêves.

On reconnaîtra facilement la force psychique dont l'action se manifeste ainsi dans des faits de déplacement. Par la vertu de ce déplacement, le contenu du rêve ne ressemble plus au noyau des pensées du rêve et le rêve ne restitue plus qu'une déformation du désir qui est dans l'inconscient. Or nous connaissons déjà la déformation et nous savons qu'elle est l'œuvre de la censure qu'exerce une des instances psychiques sur l'autre instance. Le déplacement est donc l'un des procédés essentiels de la déformation. *Is fecit cui profuit*. Nous pouvons alors affirmer que le déplacement a lieu sous l'influence de la même censure, la censure de défense endopsychique (1). Nous rechercherons plus tard quel est le rôle

_____

(1) Puisque je dis que le noyau de ma théorie du rêve repose sur ce que j'ai fait dériver de la censure, le déplacement, j'insérerai ici la dernière partie d'une histoire de *Phantasien eines Realisten* de LYNKEUS (Vienne, 2e éd., 1900). J'y ai retrouvé cette caractéristique essentielle de ma théorie.

Le titre de l'histoire est « Rêver comme on est éveillé ». « A propos d'un homme qui a ce caractère remarquable, il ne rêve jamais d'absurdités...

« Ce don splendide que tu possèdes de rêver comme si tu étais éveillé est une conséquence de tes qualités, de ta bonté, de ton sens de la justice, de ton amour de la vérité. C'est la sérénité morale qui me permet de te comprendre parfaitement.

— Mais lorsque je réfléchis bien, répondit l'autre, je crois que presque tous les hommes sont faits comme moi et que personne ne fait jamais de rêves insensés. Chaque rêve que l'on peut se rappeler assez clairement pour pouvoir le décrire — c'est-à-dire chaque rêve qui n'est pas un rêve dû à la fièvre — a forcément un sens et il ne peut en être autrement. En effet, des choses qui seraient contradictoires ne pourraient se grouper en un tout. La confusion du temps et de l'espace n'affecte pas le vrai contenu du rêve, car ils n'ont sûrement pas de signification pour son essence réelle. Nous agissons souvent de même à l'état de veille. Il suffit de penser aux contes de fées et à toutes les créations imaginaires,

et quelle est la hiérarchie de ces divers facteurs : déplacement, condensation, surdétermination. Contentons-nous de noter ici une nouvelle condition à laquelle doivent satisfaire les éléments qui parviennent dans le rêve : *il faut qu'ils aient échappé à la censure.* Sachons aussi dès maintenant que le déplacement est un fait indubitable et dont il faut tenir le plus grand compte.

III. — LES PROCÉDÉS DE FIGURATION DU RÊVE

Il est maintenant établi que la condensation et le déplacement sont les deux facteurs essentiels qui transforment le matériel des pensées latentes du rêve en son contenu manifeste; la suite de cette recherche nous amènera à trouver deux autres conditions qui ont, sur le choix du matériel du rêve, une influence indubitable. Mais je voudrais d'abord, au risque de paraître m'arrêter en route, jeter un premier regard sur le processus de l'interprétation. Je sais bien quel serait le mode de démonstration le plus clair et le plus décisif : choisir un rêve modèle, en développer l'interprétation (comme je l'ai fait, chap. II, pour le rêve de l'injection faite à Irma), puis réunir les pensées du rêve ainsi découvertes grâce à elles et reconstruire le processus qui a été celui de la formation du rêve; j'aurais ainsi complété l'analyse par la synthèse. J'ai fait fréquemment ce travail pour mon instruction personnelle, mais je ne saurais l'entreprendre ici, parce que, ainsi qu'on peut se le représenter aisément, je ne saurais user avec ce sans-gêne du matériel psychique

qui sont pleins de signification et dont nul homme intelligent ne pourrait dire : " C'est absurde parce que c'est impossible. "
— Si seulement on savait toujours interpréter les rêves à bon escient, comme tu viens de le faire pour le mien », rétorqua son ami.
« Ce n'est certes pas aisé, mais il suffit d'un peu d'attention de la part du rêveur lui-même pour réussir. — Pourquoi n'y parvient-on pas toujours ? Chez vous, il semble qu'il y a toujours quelque chose de caché dans vos rêves, quelque chose d'impudique, une certaine qualité secrète de vos êtres qu'il est difficile de concevoir. Pour cette raison, vos rêves paraissent si souvent dépourvus de signification et même absurdes. Mais, au fond, il n'en est pas du tout ainsi, il ne peut absolument pas en être ainsi, car qu'il veille ou qu'il rêve, il s'agit toujours du même homme. »

nécessaire pour cette démonstration. Ces égards ne nous gênent pas pour l'analyse du rêve, car elle peut demeurer incomplète et garder toutefois sa valeur; il suffit qu'elle nous ait fait pénétrer jusqu'à un certain point dans le tissu du rêve. Mais la synthèse, pour être probante, devrait être complète. Je ne pourrais donner la synthèse complète que des rêves de personnes que les lecteurs ne connaîtraient point. Comme je n'ai à ma disposition, en vue de ce travail, que des rêves de mes malades, des névropathes, il faut que j'attende encore. Je ne pourrai le faire que lorsque j'aurai poussé, ailleurs, mon explication psychologique des névroses assez loin pour qu'elle vienne rejoindre le thème traité ici (1).

Mes tentatives pour reconstruire synthétiquement les rêves, en partant des pensées du rêve, m'ont appris que le matériel ainsi trouvé lors de l'interprétation était de valeurs très différentes. Les pensées essentielles du rêve, qui seraient le rêve lui-même s'il n'y avait point de censure, en forment une partie. On tient ordinairement peu compte du reste.

Rien ne permet d'affirmer que toutes les pensées qui forment ce reste prennent part à la construction du rêve. Mais on pourrait penser que certaines d'entre elles se rattachent à des faits postérieurs au rêve, apparus entre le moment du rêve et l'interprétation. On doit ranger ici toutes les voies de liaisons qui nous conduisent du contenu manifeste du rêve à ses pensées latentes, mais aussi toutes les associations d'idées par contiguïté et par ressemblance qui, pendant le travail d'interprétation, nous permettent de retrouver ces voies de liaisons.

En ce moment, nous nous attachons seulement aux pensées essentielles du rêve. Celles-ci se révèlent ordinairement comme un complexe de pensées et de souvenirs, construit d'une manière très compliquée et présentant toutes les propriétés des suites d'idées que nous connaissons pendant la veille. Souvent nous avons affaire à des pensées issues de plusieurs centres, mais même ces sortes de pensées ont des points de contact; presque toujours une suite de

_____

(1) Depuis la parution de la première édition de ce livre, j'ai donné une analyse et une synthèse complètes de deux rêves dans *Bruchstück einer Hysterieanalyse*, 1905, *Ges. Werke*, Bd. V. L'interprétation la plus complète d'un rêve un peu prolongé est celle qu'a donnée O. RANK *(Ein Traum der sich selbst deutet!)*.

pensées nettement dirigée dans un sens a près d'elle son contraire, lié à elle en vertu d'une association par contraste.

Les différents éléments de cette construction complexe sont les uns à l'égard des autres dans les relations logiques les plus variées. Il y a des pensées de premier plan et des pensées d'arrière-plan, des digressions et des éclaircissements, des conditions, des démonstrations et des oppositions. On peut se demander ce que deviennent ces liens logiques, qui avaient d'abord formé toute la charpente, quand cette masse de pensées du rêve subit la pression du travail du rêve et que ses fragments sont tordus, morcelés, réunis comme des glaces flottantes. Quelle forme peuvent prendre dans le rêve les « quand », « parce que », « de même que », « bien que », « ceci ou cela », et toutes les autres conjonctions sans lesquelles nous ne saurions comprendre une phrase ni un discours ?

Il faut bien dire tout d'abord que le rêve n'a aucun moyen de représenter ces relations logiques entre les pensées qui le composent. Il laisse là toutes ces conjonctions et ne travaille que sur le contenu effectif des pensées du rêve. C'est à l'interprétation de rétablir les liens supprimés par ce travail.

Ce défaut d'expression est lié à la nature du matériel psychique dont le rêve dispose. Les arts plastiques, peinture et sculpture, comparés à la poésie, qui peut, elle, se servir de la parole, se trouvent dans une situation analogue : là aussi le défaut d'expression est dû à la nature de la matière utilisée par ces deux arts, dans leur effort d'exprimer quelque chose. Autrefois, alors que la peinture n'avait pas encore trouvé ses lois d'expression propre, elle s'efforçait de remédier à ce handicap; le peintre plaçait devant la bouche des individus qu'il représentait des banderoles sur lesquelles il écrivait les paroles qu'il désespérait de faire comprendre.

Peut-être va-t-on m'objecter que le rêve ne renonce nullement à représenter les relations logiques, qu'il y a des rêves où s'accomplissent les opérations intellectuelles les plus compliquées, où on établit une opinion, où on la contredit, où on se livre à des jeux d'esprit, où on compare, exactement comme pendant la veille. Mais l'apparence nous trompe ici encore; quand on interprète ces rêves, on apprend que tout ceci est *matériel du rêve et non représentation d'un travail intellectuel dans le rêve*. Ce qui nous est fourni par la pseudo-pensée du rêve, ce sont les pensées mêmes qui ont provoqué le rêve, c'est-à-dire leur *contenu*, et *non leurs relations mutuelles*, relations qui sont vraiment toute la pensée. J'en donnerai des exemples. Il est en tout cas aisé de constater que tous les discours qui apparaissent dans le rêve et qui sont expressément désignés comme tels reproduisent sans aucun changement ou avec très peu de modifications des discours qui se trouvent aussi dans les souvenirs du matériel du rêve. Le discours n'est souvent qu'une allusion à un événement contenu dans les pensées du rêve; le sens du rêve est tout autre.

Je reconnais d'ailleurs que l'on peut trouver dans la formation du rêve un travail de pensée critique qui n'est pas la reproduction simple du matériel des pensées du rêve. J'expliquerai son influence un peu plus loin. On verra alors que ce travail de pensée est suscité non point par les pensées du rêve, mais par le rêve qui en un sens est déjà achevé.

Nous considérerons provisoirement donc que les relations logiques entre les pensées du rêve ne sont pas représentées spécialement. Quand il y a par exemple une contradiction dans le rêve, ce peut être ou une contradiction à l'égard du rêve ou une contradiction venant du contenu d'une des pensées du rêve; cette contradiction ne peut correspondre à une contradiction *entre* les pensées du rêve que d'une manière tout à fait indirecte.

Mais, de même que la peinture a fini par trouver le moyen d'exprimer autrement que par des banderoles les intentions des personnages qu'elle représentait (tendresse, menace, avertissement, etc.), le rêve parvient à faire ressortir quelques-unes des relations logiques entre ses pensées en modifiant d'une manière convenable leur figuration. On peut constater que les divers rêves vont plus ou moins loin à cet égard; les uns ne tiennent aucun compte de la construction logique de leur matériel, d'autres s'efforcent de la présenter aussi complète que possible. Le rêve s'éloigne ainsi plus ou moins du thème sur lequel il brode. Il en est de même à l'égard de la construction temporelle des pensées du rêve, quand une construction de cette espèce existe dans l'inconscient (comme par exemple dans le rêve de l'injection faite à Irma).

Je vais essayer de montrer successivement les moyens dont le travail du rêve dispose pour indiquer ces relations entre les pensées du rêve si difficiles à représenter.

Tout d'abord le rêve exprime la relation qui existe à

coup sûr entre tous les fragments de ses pensées en unissant ces éléments en un seul tout, tableau ou suite d'événements. Il présente les *relations logiques* comme *simultanées*; exactement comme le peintre qui réunit en une École d'Athènes ou en un Parnasse tous les philosophes ou tous les poètes, alors qu'ils ne se sont jamais trouvés ensemble dans ces conditions : ils forment pour la pensée une communauté de cette sorte.

Le rêve a, même dans le détail, cette forme de représentation. Chaque fois qu'il rapproche deux éléments, il garantit par là même qu'il y a un rapport particulièrement étroit entre ce qui leur correspond dans les pensées du rêve. Il en est de cela comme de notre écriture, *ab* indique une seule syllabe, *a* et *b* séparés par un espace nous laissent comprendre que *a* est la dernière lettre d'un mot, *b* la première d'un autre. Ainsi ces combinaisons ne se forment pas à partir d'éléments quelconques et parfaitement disparates de son matériel mais d'éléments qui, dans les pensées du rêve, se trouvaient étroitement unis.

Les *relations causales* sont représentées dans le rêve par deux procédés qui sont au fond le même procédé. Quand les pensées du rêve s'expriment ainsi : telle chose étant ainsi, telle autre devait arriver, la proposition subordonnée apparaît comme rêve-prologue et la proposition principale s'y ajoute ensuite comme rêve principal. Si mon interprétation est juste, la succession dans le temps peut être aussi renversée; la proposition principale correspond toujours à la partie du rêve la plus développée.

Un bel exemple de cette représentation de la causalité m'a été fourni un jour par une de mes malades : je donne plus loin (p. 298) ce rêve tout entier; il se composait d'un court prologue et d'un rêve principal, long mais fort bien centré, qu'on pourrait intituler : « *A travers les fleurs* ».

Le prologue se présente ainsi : *Elle va à la cuisine pour parler aux deux bonnes et les gronde de n'avoir pas encore fini de casser la croûte* (« mit dem bissl Essen »). *A cette occasion, elle voit renversés une quantité d'ustensiles de cuisine entassés pour qu'ils s'égouttent. Les deux servantes vont chercher de l'eau ; il faut pour cela qu'elles entrent dans une sorte de fleuve qui monte jusqu'à la maison ou tout au moins jusqu'à la cour.*

Puis vient le rêve principal qui commence de la manière suivante : *Elle descend de très haut à travers des barrières de forme bizarre et elle se réjouit à cette occasion de ce que sa robe ne s'accroche nulle part*, etc. Le rêve-prologue a trait à la maison paternelle de cette dame. Elle a souvent entendu sa mère dire ces mêmes mots à la cuisine. L'amoncellement d'ustensiles provient d'une petite boutique d'ustensiles de cuisine qui se trouvait au rez-de-chaussée à la maison. La seconde partie du rêve contient une allusion à son père qui s'occupait beaucoup des domestiques, et qui, lors d'une inondation — la maison était au bord du fleuve —, contracta une maladie mortelle. La pensée qui se cache derrière ce premier rêve est donc : « Parce que je suis née dans cette maison et que je m'y suis trouvée dans des circonstances aussi médiocres et aussi désagréables... » Le rêve principal reprend ces mêmes pensées et leur donne, accomplissant un désir, une forme nouvelle : « Je suis de haute extraction. » Le sens est donc : « Ma vie est ce qu'elle est parce que mon origine fut basse. »

Il ne me semble pas que la division du rêve en deux parties inégales indique toujours un rapport causal entre les pensées de ces deux parties. Il semble souvent que le même matériel soit représenté dans le rêve de deux points de vue différents. C'est le cas pour la série de rêves, qui se déroule au cours d'une nuit et s'achève par une pollution; le besoin somatique s'exprime d'une manière progressive, de plus en plus claire. Il peut aussi arriver que les deux rêves partent de foyers différents et que leurs contenus se recoupent de façon que ce qui est centre dans l'un ne soit plus qu'indication dans l'autre et inversement. Toutefois, dans un certain nombre de rêves, la diversion en rêve-prologue, court, et rêve principal, long, indique bien une relation causale.

Le rêve dispose d'un autre procédé, exigeant un matériel moins étendu, pour indiquer la relation causale : c'est la transformation d'une image du rêve en une autre, qu'il s'agisse d'une personne ou d'une chose. La relation ne peut être affirmée que quand nous assistons à cette transformation; non lorsque nous remarquons seulement qu'une personne a pris la place d'une autre. Ainsi que je l'ai dit plus haut, les deux procédés reviennent au même; dans les deux cas, la *causation* est représentée par une *succession* : soit succession de rêves, soit transformation immédiate d'une image en une autre. Dans la plupart des cas d'ailleurs, la relation causale n'est pas indiquée du tout, elle est cachée par la succession des éléments, qui se produit inévitablement dans le processus du rêve.

Le rêve ne peut, en aucune façon, exprimer l'*alternative* « ou bien, ou bien »; il en réunit les membres dans une suite, comme équivalents. Le rêve de l'injection faite à Irma en donne un exemple. La pensée latente est évidemment : Je ne suis pas responsable de la persistance des souffrances d'Irma; la faute en est *ou bien* à sa résistance à la solution, *ou bien* au fait qu'elle vit dans de mauvaises conditions sexuelles, que je ne peux transformer, *ou bien* même au fait que ses douleurs ne sont pas de nature hystérique, mais organique. Le rêve présente toutes ces possibilités, bien qu'elles s'excluent presque mutuellement, et y ajoute d'ailleurs une quatrième solution qui reflète mon désir profond. C'est après l'interprétation que j'ai pu substituer l'alternative à la succession dans les pensées du rêve.

Dans les cas où, en racontant le rêve, on a tendance à employer l'expression : « ou bien ou bien » : « c'était un jardin ou bien une chambre », cela ne signifie point que la pensée du rêve présentait une alternative; il y a eu là un « et », une simple succession. Le « ou bien ou bien » nous sert le plus souvent à exprimer l'aspect confus d'un élément du rêve, confusion qui peut encore être éclaircie. La règle de l'interprétation doit être en pareil cas la suivante : mettre sur le même plan les deux membres de l'apparente alternative et les unir par la conjonction « et ». Par exemple, je rêve, après avoir longtemps cherché en vain l'adresse d'un de mes amis qui habite en Italie, que je reçois un télégramme portant cette adresse. Je la vois, en caractères bleus, sur le papier ordinairement employé. Le premier mot est indistinct,

peut-être *via*
ou bien *villa*, le second est clair : *sezerno*,
ou aussi *(casa)*

Le second mot, qui a bien une consonance italienne et qui, de plus, rappelle nos conversations au sujet d'étymologies, exprime mon déplaisir parce qu'il m'a si longtemps *caché* son séjour là-bas. A l'analyse, chacun des mots proposés comme premier apparaît comme le point de départ indépendant et plausible d'une série d'associations d'idées.

La nuit qui précéda l'enterrement de mon père je vis en rêve un placard imprimé, une sorte d'affiche, quelque chose comme le « Défense de fumer » des salles d'attente des gares. On y lisait :

On est prié de fermer les yeux
ou
On est prié de fermer un œil,

ce que j'ai l'habitude d'écrire ainsi :

$$On\ est\ prié\ de\ fermer\ \frac{les\ yeux}{un\ œil}\ .$$

Chacune de ces formules a son sens particulier et dirige l'interprétation de manière différente. J'avais choisi le cérémonial le plus simple, sachant ce que mon père pensait de ces sortes de choses; certains membres de la famille m'avaient désapprouvé, objectant le qu'en-dira-t-on. D'où l'expression allemande « fermer un œil » (user d'indulgence). Il est facile ici de comprendre la confusion exprimée par le « ou bien ». Le travail du rêve n'a pu parvenir à trouver un mot unique, mais ambigu, qui représentât les deux pensées; ainsi, dans son contenu même, les deux idées principales sont déjà séparées (1).

Il arrive parfois qu'une alternative difficile à représenter soit exprimée par la division du rêve en deux parties égales.

La manière dont le rêve exprime les catégories de l'*opposition* et de la *contradiction* est particulièrement frappante : il ne les exprime pas, il paraît ignorer le « non ». Il excelle à réunir les contraires et à les représenter en un seul objet. Le rêve représente souvent aussi un élément quelconque par son désir contraire, de sorte qu'on ne peut savoir si un élément du rêve, susceptible de contradiction, trahit un contenu positif ou négatif dans les pensées du rêve (2).

---

(1) [N. d. T.] : la dualité n'apparaît pas en français où l'on dit « fermer les yeux » dans le sens de : « être indulgent ».

(2) J'ai trouvé dans un travail de K. ABEL : *Der Gegensinn der Urworte*, 1884 (cf. mon analyse in *Jahrbuch f. Psychoanalyse*, II, 1910, *Ges. Werke*, Bd. VIII), un fait, surprenant pour moi, mais confirmé par d'autres linguistes : les langues primitives s'expriment à ce point de vue-là comme le rêve ; elles n'ont au début qu'un mot pour les deux points opposés d'une série de qualités ou d'actions (fort-faible) vieux-jeune, proche-lointain, lié-séparé). Les termes spéciaux pour indiquer les contraires n'apparaissent que tard, par légère modification du terme primitif. ABEL note que ce fait est constant dans le vieil égyptien et signale qu'on peut en trouver des traces dans les langues sémitiques et indo-européennes.

Dans l'un des rêves dont nous venons de parler (celui dont nous avons interprété la première partie : « parce que j'ai telle origine »), la rêveuse descend à travers des barrières et tient à la main une branche fleurie. Comme elle pense à ce propos à l'ange qui porte un lis lors de l'Annonciation (elle-même s'appelle Marie) et aux jeunes filles vêtues de blanc qui, pour la procession de la Fête-Dieu, passent dans les rues jonchées de branches vertes, le rameau fleuri du rêve est certainement un symbole d'innocence sexuelle. Mais ce rameau est couvert de fleurs rouges qui paraissent être des camélias. Le rêve indique encore qu'à la fin de sa route les fleurs sont en partie effeuillées. Suivent ensuite des allusions assez claires aux périodes menstruelles. Ainsi la même branche portée comme un lis, comme par une jeune fille innocente, contient une allusion à la Dame aux Camélias, qui, comme on le sait, portait toujours un camélia blanc, mais, à ce moment, le remplaçait par un rouge. La même branche de fleurs (« la fleur de la vierge » dans *La trahison de la meunière* de Gœthe) représente donc l'innocence, et aussi le contraire. Dans ce rêve, qui exprime le bonheur d'avoir traversé la vie sans aucune tache, on sent par endroits (lorsque les fleurs s'effeuillent) la suite d'idées opposée : elle est coupable de nombreux péchés contre la pureté sexuelle (surtout dans son enfance). L'analyse du rêve nous permet de distinguer nettement deux suites d'idées : l'une superficielle, consolante, l'autre profonde, réprobatrice, qui sont diamétralement opposées et dont les éléments, de valeur égale mais de sens contraire, sont représentés dans le rêve par les mêmes objets.

Une seule des relations logiques est favorisée par le mécanisme de la formation du rêve. C'est la *ressemblance*, l'*accord*, le *contact*, le « de même que »; le rêve dispose, pour les représenter, de moyens innombrables (1). Ces « de même que » ou leurs substituts appartenant au matériel du rêve sont les premières fondations de toute construction de rêve; et une partie considérable du travail du rêve consiste à en créer de nouveaux parce que ceux dont il dispose ne peuvent, à cause de la censure de la résistance, pénétrer dans le rêve. La tendance à la condensation vient ici aider l'expression de la ressemblance.

(1) Voir la remarque d'ARISTOTE sur les aptitudes nécessaires à l'interprétation, cf. p. 91, note 2.

La ressemblance, l'accord, la communauté sont habituellement représentés dans le rêve par le rapprochement, la fusion en une unité qui pouvait se trouver déjà dans le matériel du rêve ou qui y est formée. Dans le premier cas on peut dire qu'il y a *identification*, dans le second *formation composite*. L'identification est ordinairement employée quand il s'agit de personnes, la formation composite quand il s'agit de choses; toutefois elle peut également s'appliquer à des personnes. Les localités sont souvent traitées comme les personnes.

L'identification se produit de la manière suivante. Une seule des personnes qui forment un ensemble est représentée dans le contenu du rêve, les autres paraissent dans le rêve réprimées par elle. Cette « personne de couverture » apparaît dans toutes les relations et situations des personnes qu'elle recouvre autant que dans les siennes propres. Quand il y a personnalité composite, on trouve dans l'image du rêve des traits particuliers à chaque personne mais qui ne sont pas communs à toutes, si bien que c'est l'union de ces divers traits qui forme une unité nouvelle, une personnalité mélangée. Le mélange lui-même peut être obtenu par divers moyens. La personne du rêve peut porter le nom d'un des individus qu'elle représente — nous *savons* alors, à peu près comme dans la veille, qu'il s'agit de telle ou telle personne —, tandis que les traits sont ceux d'un autre; ou bien l'image du rêve peut être faite de traits qui dans la réalité sont ceux des deux personnes. La seconde personne peut aussi être représentée par les gestes qu'on lui attribue, les mots qu'on lui fait dire ou les situations où on la place. Dans le dernier cas il n'y a pas grande différence entre l'identification et la formation d'une personne composite. Mais il peut arriver que l'on échoue dans cette formation. Alors la scène a pour acteur une personne, et une autre, ordinairement plus importante, apparaît auprès d'elle et semble n'y point participer. L'auteur du rêve raconte par exemple : « Ma mère était également là » (Stekel). Un élément de cette sorte peut être comparé aux déterminants des hiéroglyphes : ils ne sont point prononcés, mais expliquent d'autres signes.

L'élément commun, qui explique l'union des deux personnes ou plus exactement qui la cause, peut être représenté dans le rêve ou manquer. Ordinairement l'identification ou la formation d'une personnalité composite servent précisément à épargner cette représentation. Au lieu de répéter : A ne m'aime pas, B non plus, je forme de A et de B une personnalité composite, ou bien je me représente A dans l'une des attitudes qui ordinairement caractérisent B. La personne ainsi formée m'apparaît en rêve dans quelque circonstance nouvelle, et, comme elle représente aussi bien A que B, je suis en droit d'insérer en ce point de l'interprétation le fait commun à toutes deux : qu'elles ne m'aiment pas. C'est de cette façon que l'on atteint souvent des condensations extraordinaires dans le rêve : je peux m'épargner la représentation de circonstances très compliquées en substituant à une personne une autre qui, dans une certaine mesure, se trouve dans les mêmes circonstances. On saisit aisément combien ce mode de représentation par identification peut servir à échapper à la censure due à la résistance et qui impose des conditions de travail si difficiles au rêve. Le motif de la censure peut être précisément dans les représentations qui, dans le matériel, sont liées à l'une des personnes; on trouve une seconde personne qui soutient les mêmes relations avec le matériel du rêve, mais avec une partie seulement de celui-ci. Le fait que les deux personnes sont unies par une circonstance soumise à la censure amène à en créer une troisième, composite et caractérisée par les traits indifférents de part et d'autre. Cette personne composite ou d'identification étant libre de toute censure, peut désormais figurer dans le rêve. Ainsi, par la condensation, j'ai satisfait aux exigences de la censure.

Quand on trouve dans un rêve la figuration d'un fait qui est commun à deux personnes, cela indique ordinairement qu'il faut chercher autre chose qui est commun aux deux et qui demeure caché parce que la censure en a rendu la figuration impossible. Il s'est produit, si l'on peut dire, un déplacement dans le domaine du commun pour favoriser la figurabilité. Du fait que la personne composite apparaît dans le rêve avec des éléments communs indifférents, je dois conclure que les pensées du rêve renfermaient des éléments communs aussi, mais nullement indifférents.

L'identification ou la formation d'une personnalité composite peuvent donc servir dans le rêve à des buts divers : à la figuration de choses communes aux deux personnes, à la figuration de choses communes *après déplacement*, enfin à la figuration d'une chose commune que l'on ne fait que *désirer*. Le souhait que quelque chose soit commun à deux personnes se confondant souvent avec *l'échange* de l'une contre l'autre, cette dernière relation est aussi exprimée dans le rêve par l'identification. Dans le rêve de l'injection faite à Irma, je désire échanger cette malade contre une autre, je désire donc que l'autre soit ma malade comme celle-ci l'est en ce moment; le rêve accomplit ce désir en me montrant une personne qui se nomme Irma, mais qui est examinée dans une position qui convenait seulement à l'autre. Un échange analogue est le centre même du rêve de l'oncle : je m'identifie au ministre en traitant et en jugeant mes collègues comme ils l'ont fait.

C'est la personne même du rêveur qui apparaît dans chacun des rêves, je n'ai trouvé aucune exception à cette règle. Le rêve est absolument égoïste (1). Quand je vois surgir dans le rêve non pas mon moi, mais une personne étrangère, je dois supposer que mon moi est caché derrière cette personne grâce à l'identification. Il est sous-entendu. D'autres fois mon moi apparaît dans le rêve et la situation où il se trouve me montre qu'une autre personne se cache derrière lui grâce à l'identification. Il faut alors découvrir par l'interprétation ce qui est commun à cette personne et à moi et le transférer sur moi. Il y a aussi des rêves où mon moi apparaît en compagnie d'autres personnes qui, lorsqu'on résout l'identification, se révèlent être mon moi. Il faut alors, grâce à cette identification, unir des représentations diverses que la censure avait interdites. Ainsi je peux représenter mon moi plusieurs fois dans un même rêve, d'abord d'une manière directe, puis par identification avec d'autres personnes. Avec plusieurs identifications de cette sorte on peut condenser un matériel de pensées extraordinairement riche (2). Le fait que le moi du rêveur apparaisse plusieurs fois ou sous plusieurs formes dans le rêve n'est au fond pas plus étonnant que le fait que le moi puisse, dans la pensée consciente, apparaître plusieurs fois ou à des places et dans des relations diverses. Par exemple dans l'expression : « Quand je pense à l'enfant plein de santé que j'étais ! ».

(1) V. note p. 235.
(2) Quand je ne sais sous quelle personne de mon rêve se dissimule mon moi, j'applique la règle suivante : je recherche celle qui, dans le rêve, éprouve un affect que je ressens dans mon sommeil.

La solution des problèmes que pose l'identification est beaucoup plus aisée pour les noms de localités, parce que notre moi si puissant dans le rêve n'apporte ici aucun trouble. Dans un de mes rêves au sujet de Rome (cf. p. 173) la ville où je me trouve s'appelle Rome, mais je m'étonne du grand nombre d'affiches allemandes qui se trouvent au coin d'une rue. C'est l'accomplissement d'un désir, et je songe aussitôt à Prague; ce désir provient d'une période de ma jeunesse où je fus fort nationaliste allemand. À l'époque de ce rêve je comptais voir à Prague un de mes amis; l'identification de Rome et de Prague prouve une communauté souhaitée; j'aurais préféré rencontrer mon ami à Rome qu'à Prague, j'aurais voulu échanger Prague contre Rome à cette occasion.

La possibilité de former des images composites est au premier plan des faits qui donnent si souvent au rêve un cachet fantastique; elles y introduisent, en effet, des éléments qui n'ont jamais pu être objets de perception. Le processus psychique est évidemment le même que celui qui nous fait nous représenter ou dessiner pendant la veille un centaure ou un dragon. La différence est que les créations fantastiques de la veille sont déterminées par l'impression qu'elles sont destinées à faire, tandis que les images composites du rêve sont déterminées par un facteur qui demeure extérieur à leur forme : ce qu'il y a de commun dans la pensée du rêve. La formation composite peut être obtenue dans le rêve de multiples façons. La plus simple est la figuration des qualités d'un objet, accompagnée de la notion qu'elle convient aussi à un autre. Une technique plus compliquée réunit en une image nouvelle les traits de l'un et de l'autre objet et utilise adroitement les ressemblances réelles. Selon le matériel et l'ingéniosité qui a présidé à cet assemblage, la forme nouvelle peut sembler tout à fait absurde ou apparaître comme fantastique. Si les objets qui doivent être condensés en une unité nouvelle sont par trop disparates, le travail du rêve se contente souvent de créer une image complexe dont le noyau est assez net, mais dont les attributions le sont peu. On peut dire que l'unification, en pareil cas, n'est pas réussie; les deux représentations se recouvrent, et il y a une sorte de concurrence entre les images visuelles. Ceci ressemble au dessin que l'on pourrait obtenir si l'on représentait un concept d'après des images de perception individuelle.

Les rêves fourmillent d'images de cette sorte. J'en ai déjà donné quelques exemples; en voici quelques autres. Dans le rêve (p. 271) qui symbolise la vie de la malade par « la fleur » ou « fanée », le moi du rêve porte un rameau fleuri, qui, ainsi que nous l'avons appris, représente à la fois l'innocence et la faute. La façon dont les fleurs sont placées sur le rameau rappelle les fleurs du *cerisier*, mais chacune est un *camélia*, de plus l'ensemble donne l'impression de plante *exotique*. La pensée du rêve explique ce qu'il y a de commun dans les éléments de cette image composite. Le rameau fleuri fait allusion aux cadeaux qui devaient incliner ma malade à se montrer gentille et accueillante. On lui donnait des cerises quand elle était enfant, plus tard on lui a donné des camélias; l'élément exotique est une allusion à un naturaliste, grand voyageur, qui avait voulu conquérir ses bonnes grâces avec un dessin de fleurs. Une autre malade voit en rêve un objet composite qui participe de la cabine de bain au bord de la mer, du w.-c. de village et de la mansarde de maison de ville. Les deux premiers éléments se rapportent tous deux à la nudité des gens et au fait de se déshabiller. On peut conclure de leur liaison avec le troisième que (dans son enfance) une mansarde a été pour elle la scène d'un déshabillage. Un malade rêve un lieu mixte composé de deux endroits où l'on fait une cure et où l'on fait sa cour (*Kur* = cure et cour) : mon cabinet de consultation et le lieu public où il a rencontré sa femme pour la première fois. Une fillette à qui son frère aîné a promis de la régaler de caviar rêve que les jambes de son frère sont *couvertes des perles noires du caviar*. La « contagion » au sens moral et le souvenir d'une éruption pendant l'enfance, au cours de laquelle ses jambes étaient couvertes de petits points rouges, ont formé avec les perles du caviar une image nouvelle : « ce que son frère lui a donné ». Des parties du corps humain subissent dans ce rêve le sort des objets dans les rêves antérieurs. On trouve dans un rêve communiqué par Ferenczi une image composite faite d'un *médecin* et d'un *cheval*, le tout portant une *chemise de nuit*. On trouva ce qu'il y avait de commun à ces trois images après que l'analyse eut fait reconnaître dans la chemise de nuit une allusion au père de la malade dans une scène de l'enfance de celle-ci. Il s'agissait dans les trois cas d'objets qui avaient éveillé sa curiosité sexuelle. Dans son enfance, elle avait été souvent amenée par sa bonne au haras militaire où elle avait pu satisfaire une curiosité que rien n'arrêtait alors.

J'ai dit précédemment que le rêve n'avait aucun moyen d'exprimer la relation de la contradiction, du contraire, du *non*. Je vais montrer qu'il n'en est pas absolument ainsi. Un certain nombre de contrastes sont simplement figurés par l'identification, ceux où l'opposition peut être liée à un remplacement, à un échange. Nous l'avons prouvé par des exemples. D'autres contrastes, qui forment dans les pensées du rêve les catégories : *inversement, au contraire*, sont figurés dans le rêve d'une manière singulière et quasi spirituelle. Le renversement n'apparaît pas lui-même dans le contenu du rêve, mais il exprime ainsi sa présence dans le contenu du rêve : un élément proche appartenant au contenu déjà formé du rêve est renversé comme après coup. Le processus est plus facile à illustrer qu'à décrire. Dans le beau rêve de « haut et bas » (p. 247), la figuration de la montée dans le rêve est renversée, par rapport à l'image modèle des pensées du rêve : la scène d'introduction de *Sapho* de Daudet; le fardeau du rêve est d'abord lourd, puis léger, tandis que dans cette scène il est léger d'abord, puis toujours plus lourd. De même, le rêve représente en les renversant les rapports de haut et de bas au sujet du frère. Ceci indique une relation de renversement ou de contraste entre deux fragments du matériel des pensées du rêve. Nous avons reconnu son origine : les fantasmes d'enfance du rêveur le représentaient porté par sa nourrice, ce qui était l'inverse de la situation du roman, où le héros porte sa bien-aimée. Le rêve où je vois Gœthe maltraiter M. M... (ci-dessous p. 373) contient un renversement analogue. Il faut rétablir l'ordre véritable avant d'interpréter le rêve. Dans mon rêve, Gœthe a attaqué un jeune homme, M. M...; en réalité, le contenu des pensées du rêve est qu'un homme considérable, mon ami, a été attaqué par un jeune auteur inconnu. Dans mon rêve, je compte à partir de l'année de la mort de Gœthe; en réalité, mon calcul part de l'année de naissance du paralytique général. La pensée qui paraît ordonner le matériel du rêve s'oppose à l'idée qu'on puisse traiter Gœthe comme un fou. Au contraire, dit le rêve, si tu ne comprends pas le livre, c'est toi qui es faible d'esprit et non l'auteur. Dans tous ces rêves où la situation est retournée, il me semble de plus qu'il y a comme une allusion à l'expression méprisante : tourner le dos à quelqu'un (voir le renversement dans le cas du frère du rêve de Sapho). Il est, de plus, à remarquer que souvent cette attitude est utilisée par des rêves qui témoignent de tendances homosexuelles refoulées.

Le renversement, la transformation dans le contraire est d'ailleurs un des moyens que le travail du rêve emploie le plus souvent et le plus volontiers. Cela sert d'abord à l'accomplissement d'un désir en dépit d'un élément déterminé des pensées du rêve. Souvent nous réagissons contre des souvenirs pénibles en disant : « Si seulement ç'avait été le contraire ! »

Mais le rôle de renversement est particulièrement intéressant quand il sert la censure. Il donne à la représentation un degré de déformation tel qu'à première vue le rêve paraît tout à fait inintelligible. C'est pourquoi, lorsqu'un rêve refuse obstinément de se laisser interpréter, il faut toujours essayer de renverser certaines parties de son contenu manifeste; il est fréquent que tout s'éclaire alors.

Il ne faut pas négliger non plus le renversement dans le temps. Il est fréquent que la déformation du rêve agisse comme suit. L'issue de l'incident ou la conclusion du raisonnement est l'introduction du rêve, et l'on trouve à la fin de celui-ci les prémisses du raisonnement ou la cause de l'incident. L'interprétation des rêves paraît impossible à ceux qui ne saisissent pas cette technique particulière (1).

Fréquemment on ne trouve le sens du rêve que lorsqu'on a fait subir à son contenu plusieurs renversements en divers sens. Par exemple, dans le rêve d'un jeune obsédé, le souvenir du désir, qu'il eut étant enfant, de la mort de son père très redouté se cache derrière les mots suivants : « *Son père se fâche contre lui parce qu'il rentre si tard à la maison.* »

---

(1) La crise hystérique emploie souvent cette même technique pour tromper ses spectateurs. Par exemple, une jeune fille hystérique voulait représenter dans sa crise un petit roman qu'elle avait élaboré dans son inconscient après une rencontre en métro. Son voisin, attiré par la beauté de son pied, l'interrompait dans sa lecture, elle l'accompagnait, et il s'ensuivait une violente scène d'amour. Sa crise commence par la représentation de cette scène : frémissement de tout son corps, mouvements des lèvres pour le baiser, bras croisés pour embrasser, puis elle passe dans une autre pièce, s'assied sur une chaise, relève sa robe de manière à montrer son pied, fait comme si elle lisait, me parle (c'est-à-dire me répond). Cf. la remarque d'ARTÉMIDORE : « Quand on veut expliquer un rêve, il faut d'abord le suivre du commencement à la fin, puis de la fin au commencement... »

Mais la concordance établie entre la cure psychanalytique et les idées du rêveur prouve que la suite est : « *Il en veut à son père et trouve que celui-ci revient toujours trop tôt à la maison.* » Il aurait préféré que son père ne revint pas du tout à la maison, ce qui est la même chose que souhaiter sa mort (cf. p. 221). En fait, le rêveur, alors qu'il était petit garçon, avait, pendant une longue absence de son père, commis un acte d'agression sexuelle vis-à-vis d'une personne qui lui avait dit : « Attends un peu que ton père revienne ! »

Pour poursuivre l'étude des relations entre le contenu du rêve et ses pensées, le mieux sera maintenant de partir du rêve lui-même et de se demander ce que signifient certains caractères formels de sa figuration dans leur relation avec ses pensées. Au nombre de ces caractères se trouvent d'abord les différences d'intensité sensible des diverses images et les différences de netteté des diverses parties du rêve ou de rêves entiers comparés les uns aux autres.

Les différences d'intensité entre les images forment une large gamme, depuis des impressions si précises que, sans plus de preuves, nous leur attribuons une intensité supérieure à celle de la réalité, jusqu'à une confusion irritante que l'on dit être caractéristique du rêve parce qu'elle ne saurait être comparée exactement à aucun des degrés de l'indistinction que nous pouvons être amenés à percevoir dans la réalité. De plus, nous disons ordinairement que l'impression reçue d'un objet indistinct dans le rêve est « fugitive », tandis que nous pensons que les images de rêve plus distinctes ont été perçues plus longtemps. Il faut se demander ce qui, dans les éléments du rêve, provoque ces différences de vivacité des diverses parties du contenu.

Ecartons d'abord quelques hypothèses qui se présentent presque inévitablement. Etant donné que des sensations réelles, éprouvées pendant le sommeil, peuvent appartenir au matériel du rêve, on pourrait trouver vraisemblable que tel ou tel de ces éléments, dérivé de ces sensations, fût marqué dans le contenu du rêve par une intensité particulière, ou, inversement, que ce qui est très intense dans le rêve pût être rapporté à ces sensations réelles. Mon expérience n'a jamais confirmé cette supposition. Il est inexact que les éléments du rêve qui proviennent d'impressions réelles ressenties pendant le sommeil (de stimuli nerveux) se distinguent des autres par leur vivacité. Le facteur de réalité n'a aucune valeur pour la détermination de l'intensité des images du rêve.

On pourrait aussi supposer que l'intensité sensible (la vivacité) des diverses images du rêve est en rapport avec l'intensité psychique des éléments correspondants dans les pensées du rêve. Ici l'intensité se confondrait avec la valeur psychique, les éléments les plus intenses ne seraient autres que les plus caractéristiques, ceux qui forment le centre des pensées du rêve. Mais nous savons que ce sont précisément ces éléments qui, à cause de la censure, n'entrent généralement pas dans le contenu du rêve. Les plus proches rejetons qui les représentent ne pourraient-ils cependant avoir, dans le rêve, un haut degré d'intensité, sans être le centre de la figuration ? La comparaison du rêve et du matériel du rêve détruit cette hypothèse. Il n'y a aucun rapport entre l'intensité des éléments de part et d'autre; il y a entre le matériel du rêve et le rêve lui-même une complète « *transvaluation de toutes les valeurs psychiques* ». Souvent ce n'est que dans un élément à peine apparu et recouvert par des images plus fortes que l'on peut découvrir un rejeton direct de ce qui dominait les pensées du rêve.

L'intensité des éléments du rêve est déterminée d'une autre manière : elle l'est par deux facteurs indépendants. On voit aisément que les éléments par lesquels s'exprime l'accomplissement du désir sont représentés d'une façon particulièrement intense. L'analyse nous apprend, de plus, que c'est des éléments les plus vifs du rêve que part le plus grand nombre de suites d'idées, que les plus vifs sont en même temps les mieux déterminés. Nous ne changerons point le sens de tout ceci en formulant de la manière suivante le principe que nous venons de découvrir empiriquement : l'intensité la plus grande porte sur les éléments du rêve dont la formation a exigé le plus grand travail de condensation. Nous pouvons donc penser que cette dernière condition et celle de l'accomplissement du désir seront exprimées en une seule formule.

Je voudrais éviter toute confusion entre le problème que je traite actuellement : les causes de la plus ou moins grande intensité ou netteté des divers éléments du rêve, et un autre problème qui porte sur les différences de netteté entre des rêves entiers ou des fragments de rêves. Dans le premier cas, le contraire de net est vague, dans le second : confus. Sans doute les deux gammes de qualités ascendantes et des-

cendantes vont-elles généralement de pair. Un fragment de
rêve qui nous paraît clair contient ordinairement un grand
nombre d'éléments intenses, au contraire un rêve obscur
en contient peu. Cependant le problème de la gamme qui
va de la clarté apparente à la confusion incompréhensible
est beaucoup plus complexe que celui des variations de
vivacité des éléments du rêve; pour des motifs que nous
exposerons plus tard, il ne saurait encore être traité ici.
Dans certains cas, on remarque, non sans surprise, que
l'impression de clarté ou d'indistinct laissée par le rêve ne
signifie rien quant à sa texture, mais provient de son matériel
et en est une partie constitutive. Je me rappelle un rêve qui,
au réveil, m'avait paru si bien construit, clair et complet
que, encore sous l'ivresse du sommeil, je projetais de créer
une nouvelle catégorie de rêves qui ne serait pas soumise
au mécanisme de la condensation et du déplacement, mais
serait qualifiée de « fantasme pendant le sommeil ». Un
examen plus attentif découvrit dans ce rêve d'espèce rare
les mêmes déchirures et les mêmes incohérences que dans
les autres; je dus laisser là les fantasmes pendant le sommeil (1). Le contenu du rêve était que je présentais à mon
ami une théorie difficile et longtemps cherchée de la
bisexualité. La force avec laquelle le rêve accomplit les
désirs faisait que cette théorie (non exposée d'ailleurs dans
le rêve) paraissait claire et sans lacunes. Ce que j'avais
considéré comme un jugement porté sur le rêve achevé était
donc une partie, à la vérité la partie essentielle, du contenu
du rêve. Le travail du rêve empiétait en quelque sorte sur
les premières pensées de la veille et me présentait comme
un *jugement* porté sur le rêve cette partie du matériel dont il
n'avait pu réussir la figuration exacte dans le rêve même.
Je trouvai le pendant exact de cela chez une malade qui
d'abord ne voulait pas raconter un rêve que je voulais
analyser, « parce qu'il était tellement indistinct et confus ».
Enfin, après maintes protestations de cette espèce, elle dit
que dans son rêve figuraient diverses personnes : elle, son
mari, son père, mais qu'il semblait qu'elle ne pût savoir si
son mari était son père, qui était son père, ou des choses
de cet ordre. En confrontant ce rêve avec ce qu'elle dit
pendant la séance, on comprit clairement qu'il s'agissait de
l'histoire assez ordinaire de la domestique qui doit avouer

(1) Je ne sais plus aujourd'hui si j'ai eu raison.

qu'elle attend un enfant et s'entend demander : « Qui peut bien être le père ? » (1). Ici encore l'obscurité du rêve était un morceau du matériel qui l'avait provoqué. Une partie de ce contenu avait été représentée dans la *forme* du rêve. *La forme du rêve ou la forme dans laquelle il est rêvé est employée avec une fréquence étonnante pour représenter son contenu caché.*

Les commentaires au sujet du rêve, des remarques en apparence innocentes servent souvent à dissimuler de la façon la plus raffinée un fragment de ce qui a été rêvé; en réalité d'ailleurs elles le trahissent. Ainsi, quand un rêveur dit : « ici le rêve est effacé » et que l'analyse retrouve une réminiscence infantile : avoir épié une personne qui s'essuyait après la défécation. Un autre exemple nous le montrera avec un peu plus de détail.

Un jeune homme a un rêve très précis qui lui rappelle des rêveries de son enfance demeurées à l'état de souvenir conscient. Il se trouve, le soir, dans un hôtel de station estivale, il se trompe de numéro de chambre et entre dans une pièce où une dame âgée et ses deux filles se déshabillent pour se mettre au lit. Il ajoute : « *Il y a ensuite des lacunes dans le rêve, il manque quelque chose*, et à la fin il y a dans la chambre un homme qui veut me jeter dehors et avec qui je dois lutter. » Il essaie vainement de se rappeler le contenu et le but des fantasmes d'enfants auxquels le rêve fait allusion. Mais on s'aperçoit enfin que ceci est précisément rendu par ce qu'il dit des parties imprécises du rêve. Les « lacunes » sont les orifices génitaux des femmes qui vont se coucher : « il manque quelque chose » est la description du caractère essentiel des organes féminins. Dans son enfance il avait une curiosité dévorante de voir des organes féminins et en était encore à la théorie enfantine de la sexualité qui suppose que la femme a un membre viril.

Une réminiscence analogue d'un autre rêveur a le même aspect. Il rêve : *Je vais avec Mlle K... dans le restaurant du Volksgarten...* puis vient un moment obscur, une interruption... *je me trouve ensuite dans un bordel où je vois deux ou trois femmes dont l'une en chemise et en culotte.*

Analyse : Mlle K... est la fille d'un de ses anciens chefs et lui a été, dit-il lui-même, une sorte de sœur; mais un jour, il y eut entre eux un entretien où ensemble ils sentirent qu'ils

---

(1) Avec en plus les syndromes hystériques : aménorrhée et grande inquiétude, qui sont les troubles essentiels de ces malades.

étaient de sexe différent, comme s'ils avaient dit : je suis un homme, tu es une femme. Il n'est allé qu'une fois dans le restaurant en question, avec la sœur de son beau-frère, jeune fille qui lui est tout à fait indifférente. Une autre fois il a accompagné trois dames jusqu'à l'entrée : c'étaient sa sœur, sa belle-sœur et la sœur de son beau-frère, toutes bien indifférentes, mais pouvant être classées sous la rubrique : sœurs. Il est rarement allé dans une maison close, peut-être deux ou trois fois dans sa vie.

L'interprétation s'appuya sur le « moment obscur », l'« interruption » dans le rêve, et supposa que dans sa curiosité enfantine il avait regardé quelquefois, rarement sans doute, les organes génitaux de sa petite sœur, de quelques années plus jeune que lui. Quelques jours après, en effet, il retrouva le souvenir de ce méfait.

Tous les rêves d'une même nuit appartiennent à un même ensemble; il faut considérer leur division en plusieurs fragments, leur groupement et leur nombre comme significatifs et révélateurs des pensées latentes du rêve. Quand on interprète des rêves faits de plusieurs parties ou même plusieurs rêves apparus au cours d'une même nuit, il ne faut pas oublier que ces rêves divers et successifs peuvent signifier la même chose, exprimer les mêmes impulsions au moyen d'éléments différents. Il est fréquent que le premier de ces rêves homologues soit le plus transposé et le plus timide, le suivant plus hardi et plus distinct.

Il en est déjà ainsi dans le rêve biblique du pharaon au sujet des épis et des vaches que Joseph interprète. On le trouve raconté avec plus de détails encore dans Josèphe (*Antiquités bibliques*, livre II, chap. v et vi). Le roi, après avoir raconté son premier rêve, dit : « Après ce rêve je me réveillai inquiet et je me demandai ce qu'il pouvait bien signifier, mais je me rendormis et j'eus un rêve bien plus étrange encore, qui me donna plus de crainte et de trouble. » Après avoir entendu le récit, Joseph dit : « Ton rêve, ô roi, semble être double, mais ses deux aspects n'ont qu'une signification. »

Jung, dans son Beitrag zur Psychologie des Gerüchtes (*Zentralbl. f. Psychoanalyse*, I, 1910, p. 87), raconte comment le rêve érotique dissimulé d'une écolière est compris sans interprétation par ses amies et repris avec des variantes; il remarque, en examinant une de ces variantes, « que la pensée finale d'une longue série d'images de rêve contient tout juste ce qui était déjà représenté dans la première image de la série. La censure repousse le complexe aussi longtemps que possible grâce à des artifices symboliques sans cesse renouvelés : écrans, déplacements, aspects ingénus, etc. ». Scherner a bien connu cette particularité de la figuration du rêve, et il la décrit, après avoir parlé des stimuli organiques, comme une loi : « On remarque enfin que toutes les images symboliques provenant d'excitations nerveuses déterminées sont soumises à une même loi générale. Au début du rêve, l'objet source du stimulus n'est indiqué que par les allusions les plus lointaines et les plus libres ; à la fin, quand l'élan créateur s'est épuisé, le stimulus lui-même et l'organe qu'il atteint ou la fonction de cet organe sont clairement représentés. De cette manière le rêve finit en indiquant lui-même son motif organique... » (p. 166).

Otto Rank a publié un exemple qui confirme la loi de Scherner, dans son article : « Un rêve qui s'interprète lui-même. » Il s'agit du rêve d'une jeune fille, composé de deux rêves, séparés par un intervalle; le second s'achève par un orgasme. Ce dernier rêve put être interprété avec beaucoup de précision, sans beaucoup d'aide de la dormeuse, et le grand nombre de relations entre le contenu de l'un et de l'autre rêve permit de reconnaître que le premier exprimait, d'une manière timide, la même chose que le second, de sorte que celui-ci, qui s'achevait par l'orgasme, n'avait fait que découvrir clairement le sens de l'autre. Rank déduisit à bon droit de cet exemple le sens des rêves d'orgasme et de pollution dans la théorie du rêve en général.

Je ne crois pas qu'il faille toujours interpréter la clarté ou la confusion du rêve par la précision ou par l'incertitude de son matériel. Je dirai plus tard de quel autre facteur de formation du rêve, non encore invoqué, dépend essentiellement cette gamme de qualités.

Dans bien des rêves, après que l'on a vu pendant quelque temps une certaine situation ou une certaine mise en scène, il se produit des interruptions qui sont décrites de la manière suivante : « mais il semble ensuite que l'on se trouve en même temps dans un autre endroit et qu'il s'y passe ceci et cela ». Ce qui interrompt ainsi l'action principale du rêve, qui peut reprendre au bout d'un moment, correspond dans le matériel du rêve à une proposition incidente, à une pensée intercalée. Ce qui dans les pensées du rêve était condition est représenté dans le rêve même par la simultanéité (si — quand).

Que signifie la sensation que l'on ne peut bouger, si fréquente dans le rêve et si proche de l'angoisse ? On veut marcher et on ne peut quitter sa place, on veut faire quelque chose et on se heurte sans cesse à des obstacles. Le train va se mettre en mouvement et on ne peut pas l'atteindre; on veut lever la main pour venger une injure et elle refuse tout office. Nous avons déjà rencontré cette sensation dans les rêves d'exhibition, mais nous n'avons pas recherché sérieusement comment il fallait l'interpréter. Il est aisé, mais peu concluant, de dire que nous éprouvons pendant le sommeil une paralysie motrice qui se trahit par cette sensation. On pourrait demander, en effet, pourquoi on ne rêve pas toujours de mouvements inhibés. Il est certain que cette sensation, qui peut toujours apparaître pendant le sommeil, sert à faciliter une certaine figuration et n'est évoquée que lorsque le matériel des pensées du rêve a besoin d'une telle figuration.

Le fait de « ne pas arriver à faire quelque chose » n'apparaît pas toujours dans le rêve comme une sensation. Ce peut être aussi, simplement, un fragment du contenu. Je crois que ce cas peut nous expliquer le sens de cet aspect du rêve. Voici, à titre d'exemple, le résumé d'un rêve où je parais être accusé de malhonnêteté. *Le lieu est un mélange d'une maison de santé privée et de plusieurs autres locaux. Un domestique apparaît et me demande de venir pour une enquête. Dans mon rêve, je sais que l'on a perdu quelque chose et que l'enquête a lieu parce qu'on me soupçonne de m'être approprié l'objet. L'analyse du rêve montre qu'enquête doit être pris dans deux sens et signifie aussi un examen médical. Conscient de mon innocence et de l'importance que me donne ma fonction de médecin consultant de cette maison, je suis le domestique. A une des portes, un autre domestique nous reçoit et dit en me montrant : « Vous m'amenez celui-ci, mais c'est un homme correct ! » Je traverse alors, sans domestique, une grande salle où se trouvent des machines et qui me fait songer à un enfer avec ses préparatifs de supplice. Je vois un de mes collègues étendu sur un appareil, il aurait bien des raisons de remarquer ma présence, il ne le fait pas. On dit ensuite que maintenant je peux partir. Mais je ne trouve pas mon chapeau et ne peux pas encore m'en aller.*

Le désir accompli dans ce rêve est visiblement que je sois considéré comme un honnête homme et puisse m'en aller;

il doit donc y avoir dans la pensée du rêve un matériel qui contredit ceci. Pouvoir partir est le signe de l'absolution; s'il y a, à la fin du rêve, un événement qui m'empêche de partir, il faut en conclure qu'il exprime le matériel réprimé de la contradiction. Le fait que je ne trouve pas mon chapeau signifie donc : Tu n'es tout de même pas un honnête homme. *Ne pas arriver à faire quelque chose dans le rêve est l'expression de la contradiction, du « non »*. Il faut donc corriger l'affirmation précédemment émise selon laquelle le rêve ne peut exprimer le non (1).

Dans d'autres rêves, ne pas arriver à faire les mouvements que l'on veut n'est pas seulement un état, mais encore une sensation. Cette sensation d'inhibition exprime avec plus de force la contradiction, l'état d'une volonté à laquelle une autre volonté résiste. La sensation d'inhibition de mouvements représente donc un *conflit de volontés*. Nous verrons plus loin que la paralysie motrice pendant le sommeil est une des conditions fondamentales des processus psychiques du rêve. L'impulsion transmise le long des voies motrices n'est autre que la volonté, et le sentiment que nous avons de l'inhibition de ces impulsions pendant le sommeil montre combien ce processus est approprié à la représentation de la volonté et du « non » qui s'oppose à elle. Après l'explication que j'ai donnée de l'angoisse, on comprend aisément que la sensation d'inhibition de la volonté soit si proche de l'angoisse et s'unisse si fréquemment à elle dans le rêve. L'angoisse est une impulsion libidinale venue de l'inconscient et inhibée par le préconscient (2). Donc, quand le rêve unit l'angoisse et la

---

(1) L'analyse complète de ce rêve indique sa relation avec des faits d'enfance par l'intermédiaire suivant : « Le nègre a fait sa tâche, le nègre peut partir » (SCHILLER, *Fiesko*). Et puis la question plaisante : Quel âge a le nègre quand il a achevé sa tâche ? Un an, car alors il peut partir (= marcher, *gehen*). (J'étais venu au monde avec tant de cheveux noirs que ma mère m'avait appelé le petit nègre.) Le fait que je ne trouve pas mon chapeau est une allusion à un incident de la journée, utilisé de multiples façons. Notre femme de chambre, qui range avec une ingéniosité surprenante, l'avait caché. La fin de ce rêve dissimule aussi une certaine façon d'écarter des idées lugubres : je suis bien loin d'avoir fait ma tâche, je ne dois pas partir. — On voit donc ici la vie et la mort, comme dans le rêve de Gœthe et du paralytique général que l'on trouvera plus loin (p. 373).

(2) Les connaissances actuelles ne permettent plus de maintenir cette affirmation.

sensation d'inhibition, il s'agit d'un vouloir qui éveillait la libido, d'une impulsion sexuelle.

Nous examinerons plus loin ce que signifie dans le rêve le jugement fréquent : « Ce n'est qu'un rêve », et à quelle force psychique il faut l'attribuer. J'indique dès maintenant qu'il doit servir à diminuer la valeur de ce qui est rêvé. W. Stekel, par l'analyse de quelques exemples convaincants, a résolu dans un sens analogue le problème intéressant et très proche de la signification que peut avoir dans un rêve une partie considérée comme « rêvée », l'énigme du « rêve dans le rêve ». Il s'agit d'enlever à cette partie du rêve sa valeur, sa réalité et ce que l'on rêvera après s'être réveillé du « rêve dans le rêve », ce sera ce que le désir du rêve cherche à substituer à cette réalité éteinte. Il faut donc admettre que ce qui est considéré comme « rêvé » contient la figuration de la réalité, le souvenir véritable, et que le rêve qui se continue figure au contraire le simple désir du rêveur. Il faut voir dans cette insertion, dans le « rêve du rêve », l'équivalent du souhait que le fait décrit comme rêvé ainsi ne se fût pas produit. En d'autres termes, si certains faits apparaissent dans le rêve comme rêvés, c'est qu'ils sont tout à fait réels, et cela équivaut à une *affirmation* très énergique. Le travail du rêve utilise le rêve lui-même comme·une sorte de refus, prouvant par là notre découverte que le rêve accomplit un désir.

IV. — La prise en considération de la figurabilité

Jusqu'à présent nous avons seulement recherché comment le rêve représentait les relations entre les pensées qui sont à sa base, mais à cette occasion nous avons souvent rencontré un autre thème : les transformations que doit subir le matériel du rêve pour la formation du rêve. Nous savons maintenant que le matériel du rêve perd en grande partie ses relations, qu'il est soumis à une compression et qu'en même temps un déplacement d'intensité entre ses éléments oblige à transformer la valeur psychique de ce matériel. Les déplacements que nous avons remarqués paraissaient être des substitutions d'une certaine représentation à une autre qui lui était étroitement associée ; ils servaient à la condensation du rêve, puisque de cette façon, au lieu de deux éléments, un seul, qui avait des traits communs à tous deux, entrait dans le rêve. Il est une autre sorte de déplacement auquel nous n'avons encore fait aucune allusion. L'analyse nous apprend cependant qu'il existe, et qu'il consiste en un *échange d'expressions verbales* entre les pensées. Il s'agit dans les deux cas de déplacement le long d'une chaîne associative, mais le même processus apparaît dans des sphères différentes : le résultat du déplacement est, dans un cas, qu'un élément est remplacé par un autre, tandis que dans l'autre cas un élément échange avec un autre sa forme verbale.

Ce second procédé n'a pas seulement un grand intérêt théorique, mais nous aide à comprendre l'apparence d'absurdité fantastique que le rêve revêt souvent. Le déplacement est, en effet, presque toujours de l'espèce suivante : une expression abstraite et décolorée des pensées du rêve fait place à une expression imagée et concrète.

On voit bien l'avantage et donc le but de cette substitution. Ce qui est imagé peut être figuré dans le rêve, on peut l'introduire dans une scène, alors qu'une expression abstraite est aussi difficile à représenter qu'un article de politique générale par une illustration. Non seulement la facilité de figuration, mais la condensation et l'ensemble des opérations liées à l'existence de la censure gagnent à cet échange. Une fois que la pensée du rêve, inutilisable sous sa forme abstraite, a été transformée en langage pictural, on trouve plus facilement, entre cette expression nouvelle et le reste du matériel du rêve, les points de contact et les identités nécessaires au travail du rêve. Elle les crée d'ailleurs là où ils n'existent pas, car, en toute langue, les termes concrets, par suite de leur évolution, présentent plus de points de contact que les concepts. On se représente aisément qu'une grande partie du travail intermédiaire qui, lors de la formation du rêve, réduit aux termes les plus brefs et les plus condensés les diverses pensées du rêve se fait grâce à une transformation verbale appropriée. Une pensée dont l'expression venait peut-être d'autres motifs agira à cette occasion sur les possibilités d'expression d'une autre, les différenciant et y opérant un choix, et cela peut-être dès l'origine, comme il arrive pour le travail poétique. Quand un poème est rimé, le deuxième vers doit obéir à deux conditions : il doit exprimer un certain sens, et cette expression doit inclure la rime. Les meilleurs poèmes sont ceux où on ne remarque pas la recherche de la rime, mais où, par une sorte d'induction mutuelle, les deux pensées ont pris dès le début la forme verbale dont une très légère retouche fera jaillir la rime.

Dans certains cas, le changement d'expression sert la condensation du rêve d'une façon plus rapide encore. Il fait découvrir une syntaxe équivoque qui permet d'exprimer plusieurs des pensées du rêve. Tout le domaine des jeux de mots peut ainsi servir le travail du rêve. Il ne faut pas s'étonner du rôle que joue le mot dans la formation du rêve. Le mot, en tant que point nodal de représentations nombreuses, est en quelque sorte prédestiné aux sens multiples, et les névroses (les obsessions, les phobies) utilisent aussi hardiment que le rêve les possibilités de condensation et de déguisement que le mot présente (1). Il est aisé de montrer que la déformation du rêve profite de ce déplacement de l'expression. Quand un mot à double sens remplace deux mots à sens unique, c'est pour nous une cause de méprise; et notre esprit hésite quand on remplace une expression ordinaire par une expression imagée. Cela d'autant plus que le rêve ne nous dit point si l'élément nouveau doit être pris au pied de la lettre ou dans un sens figuré, s'il faut le rattacher au matériel du rêve directement ou par des expressions intermédiaires. En général, quand il s'agit d'interpréter un élément de cette sorte, on ne sait s'il doit être :

a) pris dans un sens affirmatif ou négatif (relations de contraste);
b) interprété historiquement (comme une réminiscence);
c) compris d'une manière symbolique;
d) interprété à partir du son du mot.

En dépit de ces possibilités multiples, on peut dire que la figuration dans le rêve, *qui n'est certes pas faite pour être comprise*, n'est pas plus difficile à saisir que les hiéroglyphes pour leurs lecteurs. J'ai déjà donné plusieurs exemples de ces représentations de rêve qui ne valent que par leur

---

(1) Cf. *Der Witz und seine Beziehung zum Unbewussten*, 1905 (*Ges. Werke*, Bd. VI), et les mots de transition *(Wortbrücken)* dans la solution des symptômes névropathiques.

double sens (« la bouche s'ouvre bien », dans le rêve de l'injection ; « je ne peux pas encore m'en aller », dans le rêve que je viens d'indiquer, p. 289). Je vais maintenant présenter un rêve dans l'analyse duquel l'image, substituée à la pensée abstraite, joue un plus grand rôle. On peut préciser la différence qui sépare cette interprétation des rêves de l'interprétation symbolique ; dans l'interprétation symbolique, la clef du symbole est choisie arbitrairement par l'interprétateur ; dans nos cas de déguisement verbal, ces clefs sont universellement connues et livrées par des locutions usuelles. Si l'on connaît les circonstances exactes et leurs associations ordinaires, on peut comprendre des rêves de cette espèce, entièrement ou par fragments, même sans le secours du rêveur.

Une dame de mes amies rêve : *Elle est à l'Opéra. C'est une représentation de Wagner qui a duré jusqu'à 7 h 1/4 du matin. Il y a à l'orchestre et au parterre des tables où l'on dîne et où l'on boit. Son cousin, récemment revenu de son voyage de noces, est assis à une de ces tables avec sa jeune femme ; près d'eux un aristocrate. On sait que la jeune femme l'a ramené de son voyage de noces, très ouvertement, comme on peut rapporter de son voyage de noces un chapeau. Il y a, au milieu de l'orchestre, une haute tour couronnée d'une plate-forme entourée d'une grille de fer. Il y a là-haut le chef d'orchestre qui ressemble à Hans Richter ; il court derrière la grille, transpire énormément et dirige de là-haut l'orchestre rangé autour de la base de la tour. Elle-même est assise dans une loge avec une amie* (que je connais). *De l'orchestre sa jeune sœur veut lui tendre un grand morceau de charbon, disant qu'elle ne savait pas que cela durerait si longtemps et qu'on doit geler horriblement là-haut. (Il semble que les loges auraient dû être chauffées pendant toute la représentation.)*

Le rêve est extravagant à souhait, bien qu'il se rapporte à une seule scène. Cette tour au milieu de l'orchestre d'où le chef d'orchestre dirige les musiciens et plus encore le morceau de charbon que tend la sœur sont fort étranges ! J'ai fait exprès de ne pas demander l'analyse de ce rêve ; connaissant un peu la vie de la rêveuse, je pouvais en interpréter moi-même des parties. Je savais qu'elle avait beaucoup aimé un musicien dont la carrière avait été interrompue par une maladie mentale. La tour devait donc être prise littéralement. On comprenait dès lors que l'homme qu'elle eût souhaité voir à la place de Hans Richter dépassait les autres membres de l'orchestre de la *hauteur d'une tour.*

Cette tour est une image composite, une sorte d'apposition. Le soubassement représente la hauteur de l'homme; la grille du haut, derrière laquelle il court comme un prisonnier ou comme un animal en cage, allusion au nom de ce malheureux homme (1), représente sa destinée. Les deux idées ont pu se rencontrer dans un mot fait comme la « tour des fous » (2).

Une fois les procédés de figuration de ce rêve découverts, on pouvait essayer d'interpréter par les mêmes moyens la seconde extravagance apparente : le morceau de charbon que lui tend sa sœur. Charbon signifie amour caché :

> Nul *feu*, nul *charbon*
> Ne peut brûler autant
> Qu'un *amour caché*
> Ignoré de tous (3).

Elle et son amie sont *restées là* (*m. à mot* : restées assises, c'est-à-dire restées en plan); sa jeune sœur, qui espère encore se marier, lui tend le charbon, « parce qu'elle ne savait pas que ça *durerait aussi longtemps* ». Le rêve ne dit pas ce qui durera si longtemps; dans un récit on ajouterait : la représentation. Mais dans un rêve, il faut regarder la phrase en elle-même, reconnaître qu'elle est équivoque et ajouter « jusqu'à son mariage ». L'interprétation : « amour caché », est soutenue par l'allusion au cousin assis à l'orchestre avec sa femme et par l'*aventure amoureuse avouée* attribuée à celle-ci. Le contraste entre l'amour caché et l'amour avoué, entre son ardeur et la froideur de la jeune femme, domine le rêve. Ici comme là il s'agit d'un personnage *haut placé*, et ce mot a pu servir de pont entre l'aristocrate et le musicien qui donnait de grands espoirs.

Ces explications nous ont donc amené finalement à découvrir un troisième facteur dont la part est considérable dans le passage des pensées du rêve au contenu du rêve : *prise en considération de la figurabilité par le matériel psychique propre au rêve*, c'est-à-dire, le plus souvent, par des

---

(1) Hugo Wolf. [N. d. T.] : *Wolf* signifie : loup.
(2) [N. d. T.] : *Narrenturm*, terme ancien qui signifie : asile.
(3)   *Kein* Feuer, *keine* Kohle
       Kann brennen so heiss,
       Als wie heimliche Liebe,
       Von der niemand was weiss.
      (Chanson populaire allemande.)

images visuelles. De tous les raccords possibles aux pensées essentielles du rêve, ceux qui permettent une représentation visuelle sont toujours préférés, et le travail du rêve ne recule pas devant l'effort nécessaire pour faire d'abord passer les pensées toutes sèches dans une autre forme verbale, celle-ci même fût-elle très peu habituelle, pourvu qu'elle facilite la représentation et mette fin à la pression psychologique exercée par la pensée contrainte. Mais cette façon de verser le contenu de la pensée dans une autre forme peut aussi servir le travail de condensation et créer des liens, qui sinon n'existeraient pas, avec d'autres idées. Ces idées peuvent d'ailleurs avoir transformé leur expression primitive pour se mieux ajuster à la pensée du rêve.

Herbert Silberer (1) a fort bien montré comment on pouvait étudier directement la transformation automatique des pensées en images lors de la formation du rêve et connaître ainsi ce facteur du travail du rêve, isolé. — Lorsque, fatigué et ivre de sommeil, il s'imposait une direction de pensée, souvent la pensée lui échappait et il s'y substituait une image en laquelle il pouvait reconnaître un équivalent de la pensée. Silberer nomme cet équivalent « autosymbolique ». Le mot, à mon avis, n'est pas tout à fait adéquat. Voici quelques exemples tirés de son ouvrage, j'aurai d'ailleurs l'occasion d'y revenir (cf. p. 428).

« Exemple 1. Je pense que je dois corriger, dans un article, un passage d'un style raboteux.

« Symbole : Je me vois rabotant une pièce de bois.

« Exemple 5. Je cherche à me représenter le but de certaines études métaphysiques que je compte entreprendre. C'est, me semble-t-il, que la recherche des motifs de l'existence nous fraye un chemin vers des formes, des régions de conscience ou d'existence toujours plus hautes.

« Symbole : Je passe un long couteau sous une tarte comme si je voulais en prendre un morceau.

« Interprétation : Mon mouvement avec le couteau indique le fait de se frayer le chemin dont il est question... Il faut expliquer le fond du symbole de la manière suivante : Il m'arrive, à table, de couper et d'offrir une tarte, je le fais avec un long couteau flexible, ce qui exige quelque attention. En particulier, il est parfois compliqué d'enlever

(1) *Jahrb. v. Bleuler-Freud*, I (1909).

proprement les morceaux de tarte. Il faut glisser soigneusement le couteau sous les morceaux en question (se frayer lentement un chemin jusqu'au fond). Mais l'image contient encore d'autres symboles. En effet, cette tarte était une tarte feuilletée, le couteau qui la coupait devait donc pénétrer dans des couches, des régions diverses (les régions de la conscience et de la pensée).

« Exemple 9. Je perds le fil d'un raisonnement. Je cherche à le retrouver, mais constate que le point de contact manque.

« Symbole : Un fragment d'écrit dont les dernières lignes manquent. »

Si l'on songe au rôle que jouent les jeux de mots, les citations, les chansons et les proverbes dans la vie des gens cultivés, on supposera que des déguisements de cette espèce servent souvent à représenter les pensées du rêve. Quel est, par exemple, le sens, dans un rêve, de voitures chargées chacune d'une seule espèce de légumes ? C'est l'opposé du désir de « Kraut und Rüben » (1), c'est-à-dire pêle-mêle. Donc cela signifie « désordre ». Il est curieux que ce rêve ne m'ait été raconté qu'une seule fois (2). Une symbolique générale du rêve n'a été faite que pour peu d'éléments, grâce à des allusions et à des substitutions de mots connues de tous. La plus grande partie de ·cette symbolique est d'ailleurs commune au rêve, aux psychonévroses, aux légendes et aux traditions populaires.

Quand on examine les choses de plus près, on reconnaît que le travail du rêve en utilisant ces substitutions n'apporte rien de nouveau. Pour parvenir à son but : obtenir une possibilité de figuration qui échappe à la censure, elle suit les voies tracées dans l'inconscient et substitue volontiers, aux éléments refoulés, des traits d'esprit ou des allusions qui peuvent parvenir à la conscience. Les fantasmes des malades névrosés sont pleins de ces jeux d'esprit. Ceci nous fait brusquement comprendre les interprétations de Scherner dont j'ai déjà défendu le fond exact. Les rêveries au sujet de notre propre corps ne sont nullement particulières au rêve et ne sauraient le caractériser. Mes analyses m'ont montré qu'elles apparaissent régulièrement dans l'inconscient

(1) [N. d. T.] : *littéralement :* choux et raves.
(2) En fait, je n'ai jamais plus rencontré cette image et n'ai donc plus confiance dans l'interprétation que j'en avais donnée.

des névrosés et peuvent être ramenées à la curiosité sexuelle qui, chez l'adolescent et chez l'adolescente, porte sur les organes génitaux des autres, mais aussi sur leur propre sexe. Ainsi que le remarquent excellemment Scherner et Volkelt, la maison n'est pas le seul cercle de représentations qui serve à symboliser la vie corporelle; — cela est vrai pour le rêve comme pour les fantasmes inconscients des névrosés. Je connais des malades qui ont conservé la symbolique architectonique du corps et des organes génitaux (l'intérêt sexuel ne porte pas seulement sur les organes externes), chez qui les piliers et les colonnes représentent les jambes (comme dans le Cantique des Cantiques), chez qui chaque porte symbolise un orifice du corps (« trou »), que toute conduite d'eau fait penser à l'appareil urinaire, etc. Mais la sphère des représentations de la vie des plantes ou de la cuisine peut également être choisie pour dissimuler des images sexuelles (1). Pour le premier cas, les locutions usuelles, le souvenir des métaphores du passé ont fait beaucoup (la « vigne » du Seigneur, la « semence », le « jardin » de la jeune fille dans le Cantique des Cantiques). Les particularités les plus intimes et les plus laides de la vie sexuelle peuvent être pensées et rêvées sous forme d'innocentes allusions aux besognes culinaires. Les symptômes de l'hystérie deviennent incompréhensibles si l'on oublie que les symboles sexuels se cachent surtout derrière les choses habituelles et peu surprenantes. Il y a un sens sexuel très net dans l'attitude des enfants névrosés qui ne peuvent voir ni sang ni viande rouge et qui vomissent à la vue des œufs et des nouilles; de même, quand la crainte que l'homme éprouve normalement à l'égard du serpent s'amplifie, chez les névrosés, d'une manière monstrueuse. Chaque fois que la névrose se dissimule sous ces symboles, elle suit à nouveau les voies qui furent celles de l'humanité primitive et dont témoignent maintenant encore nos langues, nos superstitions et nos mœurs quelque peu ensevelis.

C'est ici le lieu de compléter l'analyse du « rêve de fleurs » d'une de mes malades, dont j'ai parlé plus haut. Je souligne tout ce qui a une interprétation sexuelle. Une fois interprété, ce beau rêve ne plaisait plus du tout à la rêveuse.

a) Rêve-prologue : *Elle va à la cuisine pour parler aux deux*

---

(1) Voir de nombreux exemples dans les trois volumes du Supplément de l'*Illustrierte Sittengeschichte* d'Ed. Fuchs (Munich, A. Langen).

bonnes et les gronde de n'avoir pas fini de casser la croûte. A cette occasion, elle voit tant d'ustensiles de cuisine renversés qui s'égouttent, des ustensiles grossiers entassés. Elle ajoutera plus tard : *Les deux bonnes vont chercher de l'eau, elles entrent dans une sorte de fleuve qui monte jusqu'à la maison ou dans la cour* (1).

b) Rêve principal (2) : *Elle descend de haut* (3), *à travers des barrières ou des haies bizarres, faites de grands carreaux tressés et de petits carrés* (4). *Ce n'est pas fait pour grimper, elle craint toujours de ne pouvoir poser son pied et est bien contente parce que sa robe ne s'accroche nulle part et qu'elle garde l'air convenable* (5). *Elle porte à la main une* GRANDE BRANCHE (6), *une sorte de branche d'arbre qui est couverte de* FLEURS ROUGES *ramifiées et épanouies* (7). *Elle a la notion que ce sont des* FLEURS *de cerisier, mais elles ressemblent aussi à des* CAMÉLIAS *doubles, bien que ceux-ci en vérité ne poussent pas sur les arbres. Tandis qu'elle descend, elle en a d'abord* UN, *puis brusquement* DEUX, *puis de nouveau* UN *seul* (8). *Quand elle arrive en bas, les* FLEURS *du bas de la tige sont déjà en partie* TOMBÉES. *Ensuite, arrivée en bas, elle voit un domestique de la maison qui, avec un morceau de bois, enlève les espèces de* TOUFFES DE CRINS ÉPAISSES *qui pendent comme de la mousse d'un arbre semblable, elle serait tentée de dire qu'il le peigne... D'autres travailleurs ont abattu dans un* JARDIN *des* BRANCHES *semblables et les ont jetées dans la* RUE *où elles* GISENT, *de sorte que* BEAUCOUP DE GENS EN PRENNENT. *Elle demande si c'est bien, si on peut* EN PRENDRE UNE (9). *Il y a dans le jardin un jeune* HOMME (*qu'elle connaît, un étranger*) *vers qui elle va pour lui demander comment elle pourrait transporter ces* BRANCHES DANS SON PROPRE JARDIN (10). *Il la saisit, elle se débat et lui demande à quoi il songe et si on a*

(1) Voir p. 271 l'interprétation de ce rêve-prologue considéré comme ayant un sens causal.

(2) Sa vie.

(3) Origine élevée, souhait contrastant avec le rêve-prologue.

(4) Image composite où deux endroits sont réunis, le grenier de son père où elle jouait avec son frère, objet de ses rêveries, et la maison de campagne d'un méchant oncle qui avait l'habitude de la faire enrager.

(5) Désir qui contraste avec un souvenir de la maison de l'oncle : elle se découvrit en dormant.

(6) Comme l'ange porte une branche de lis lors de l'Annonciation.

(7) Cf. p. 275. Innocence, menstruation, *La Dame aux Camélias*.

(8) Allusion au nombre de personnes dont elle croit recevoir les hommages.

(9) Allusion à une locution populaire signifiant masturbation [cf. p. 333].

(10) La branche représente dès longtemps l'organe génital masculin ; elle contient, de plus, une allusion très claire à son nom de famille.

*le droit de la prendre ainsi. Il répond que ce n'est pas mal, que
c'est permis* (1). *Ensuite il se déclare prêt à aller avec elle dans
l'*AUTRE JARDIN *pour lui montrer comment on plante, et il lui
dit quelque chose qu'elle ne comprend pas bien :* « *Il me manque
d'ailleurs trois* MÈTRES — (elle dit plus tard : *mètres carrés*) —
ou trois toises de sol. » *Il lui semble qu'en échange de sa complaisance il exige quelque chose, comme s'il avait l'intention de se*
DÉDOMMAGER DANS SON JARDIN *ou s'il voulait commettre une*
FRAUDE, *avoir un avantage sans qu'elle en souffre. Elle ne sait
pas s'il lui a vraiment montré quelque chose ensuite.* Ce rêve
que j'expose pour ses éléments symboliques peut être
appelé « biographique ». Un tel type de rêve apparaît fréquemment au cours d'une analyse, mais rarement le reste du
temps (2). Je pourrais citer beaucoup d'exemples semblables,
mais leur analyse nous entraînerait trop loin vers l'étude
des phénomènes névropathiques. Tous m'ont conduit à la
conclusion qu'il n'est point nécessaire d'admettre l'existence,
dans le travail du rêve, d'une activité symbolique spéciale
de l'esprit. Le rêve utilise les symboles tout préparés dans
l'inconscient; ce sont ceux qui satisfont le mieux aux exigences de la formation du rêve grâce à leur figurabilité et
leur liberté à l'égard de la censure.

V. — LA FIGURATION PAR SYMBOLES EN RÊVE
AUTRES RÊVES TYPIQUES

L'analyse de ce dernier rêve, rêve biographique, montre
bien que j'ai, dès le début, reconnu l'existence d'une symbolique du rêve. Je ne parvins à apprécier pleinement
son importance et sa signification que peu à peu, avec l'expérience, et grâce aux contributions de Wilhelm Stekel (3)
dont je dirai quelques mots ici.

Cet auteur, qui a peut-être causé à la psychanalyse autant
de tort qu'il lui a été bénéfique, a fourni un grand nombre

---

(1) Ceci a trait, comme ce qui suit, à des précautions conjugales.
(2) On peut considérer comme un rêve « biographique » analogue le
rêve n° 3 que j'indique un peu plus bas parmi les exemples de la symbolique onirique ; on peut aussi y rattacher le « rêve qui s'interprète lui-
même » *(Ein Traum der sich selbst deutet)* de RANK, et le rêve qui doit
être lu à rebours de STEKEL (p. 486).
(3) W. STEKEL, *Die Sprache des Traumes*, 1911.

de traductions inopinées de symboles; ces interprétations ont d'abord été regardées avec scepticisme; la suite les a, pour la plupart, confirmées et·on a dû les accepter. Je ne diminuerai pas la valeur des apports de Stekel si j'ajoute que le scepticisme qui les a accueillis n'était pas injustifié. Les exemples qu'il proposait pour illustrer ces interprétations étaient bien souvent, en effet, peu convaincants; quant à sa méthode, nous devons la rejeter comme non scientifique.

C'est par l'intuition que Stekel arrivait à ses interprétations, grâce à une aptitude particulière qui n'est pas donnée à tout le monde et ne peut être soumise à la critique et, par conséquent, ne peut être digne de foi.

C'est en somme comme si un médecin fondait son diagnostic de maladie infectieuse sur des impressions olfactives recueillies au chevet du malade; bien qu'il y ait sûrement des médecins capables de se fier davantage que d'autres à l'odorat (généralement atrophié) et de diagnostiquer, par là, un cas de typhus abdominal.

Le développement de notre expérience psychanalytique nous a permis de rencontrer des malades qui ont fait preuve de cette compréhension directe de la symbolique du rêve, à un point étonnant. Il s'agissait, souvent, de déments précoces; aussi, pendant un certain moment, chaque rêveur capable de cette compréhension symbolique risquait d'être considéré comme un malade de ce type. Mais c'est une erreur : cette aptitude est un don, une caractéristique personnelle qui n'a pas de signification pathologique.

Quand on s'est familiarisé avec l'emploi surabondant de la symbolique pour figurer le matériel sexuel dans le rêve, on se demande si beaucoup de ces symboles ne sont pas analogues aux signes sténographiques pourvus une fois pour toutes d'une signification précise; on est tenté d'esquisser une nouvelle clef des songes d'après la méthode de déchiffrage. Il faut ajouter à cela que cette symbolique n'est pas spéciale au rêve, on la retrouve dans toute l'imagerie inconsciente, dans toutes les représentations collectives, populaires notamment : dans le folklore, les mythes, les légendes, les dictons, les proverbes, les jeux de mots courants : elle y est même plus complète que dans le rêve. Nous outrepasserions donc de beaucoup les limites de l'interprétation des rêves, si nous voulions étudier le rôle des symboles et traiter des nombreux problèmes, en grande partie encore non résolus, qui se rattachent au concept de symbole (1). Bornons-nous ici à dire que la figuration symbolique est au nombre des procédés indirects de représentation; mais qu'il ne faut pas la confondre avec les autres procédés indirects sans s'en être fait un concept plus clair. Dans toute une série de cas, on voit clairement ce qu'il y a de commun entre le symbole et ce qu'il représente; dans d'autres, ce rapport est caché et le choix du symbole paraît énigmatique. Ce sont précisément ces cas qui peuvent éclairer le sens profond du rapport symbolique; ils montrent qu'il est génétique. Ce qui est aujourd'hui lié symboliquement fut vraisemblablement lié autrefois par une identité conceptuelle et linguistique (2). Le rapport symbolique paraît être un reste et une marque d'identité ancienne. On peut remarquer à ce propos que dans toute une série de cas la communauté de symbole va bien au-delà de la communauté linguistique, ainsi que l'a indiqué Schubert (1814) (3). Un certain nombre de symboles sont aussi anciens que la formation même des langues, d'autres apparaissent actuellement, de nos jours (par exemple le dirigeable : le Zeppelin).

Le rêve emploie cette symbolique pour une figuration déguisée de ses pensées latentes. Parmi les symboles employés, il en est beaucoup qui ont toujours ou presque toujours le même sens. Mais il ne faut pas perdre de vue la plasticité particulière du matériel psychique. Il est fréquent qu'un objet symbolique apparaissant dans le contenu du

---

(1) Voir les travaux de BLEULER et de ses disciples de Zurich : MAEDER, ABRAHAM, etc., sur la symbolique ; voir aussi les auteurs non médicaux auxquels ils se réfèrent (KLEINPAUL, etc.). Ce qui a été dit de meilleur sur cette question se trouve dans l'ouvrage de O. RANK et H. SACHS, *Die Bedeutung der Psychoanalyse für die Geisteswissenschaften*, chap. I, 1913 ; voir aussi E. JONES, Die Theorie der Symbolik, *Intern. Z. f. Psychoanalyse*, 1919.

(2) Cette vue est parfaitement confirmée par la théorie du Dr Hans SPERBER. Cet auteur (Über der Einfluss sexueller Momente auf Entstehung und Entwicklung der Sprache, *Imago*, I, 1912) pense que tous les mots primitifs se rapportent à des objets sexuels, puis perdent ce sens sexuel, étant appliqués à des activités et objets qui ont été comparés aux objets sexuels.

(3) Ainsi les Hongrois, qui ne disent pas *schiffen* (*Schiff :* bateau) pour uriner, rêvent cependant de bateau voguant sur l'eau dans les rêves de miction (FERENCZI ; cf. la figure p. 315). Les Français et les peuples d'origine latine, qui n'ont pas l'expression *Frauenzimmer* (littéralement : chambre des femmes) pour désigner la femme, se servent cependant dans leurs rêves de la chambre pour représenter symboliquement la femme.

rêve doive être interprété dans son sens propre; d'autres fois un rêveur prendra, grâce à des éléments de souvenir particuliers, toutes sortes d'objets — qui ordinairement ne sont pas utilisés ainsi — comme symboles sexuels. Quand il aura le choix entre plusieurs symboles, il se décidera pour celui que des rapports quant à la matière traitée rattachent à ses pensées; il y aura donc une motivation individuelle ajoutée à la règle générale.

Les recherches faites depuis Scherner ont obligé à reconnaître d'une manière indiscutable l'existence d'une symbolique onirique : Havelock Ellis lui-même convient que nos rêves sont remplis de symboles. Mais l'existence de ces symboles est loin de faciliter l'interprétation et même elle la complique. Si nous essayons d'interpréter les rêves d'après les idées qui viennent librement à l'esprit du rêveur, nous ne parviendrons le plus souvent à aucune explication des symboles; il ne peut être question, pour des motifs de critique scientifique, de s'en remettre au bon plaisir de l'interprétateur, comme l'a fait l'Antiquité et comme procèdent les étranges explications de Stekel. C'est pourquoi nous serons amenés à combiner deux techniques : nous nous appuierons sur les associations d'idées du rêveur, nous suppléerons à ce qui manquera par la connaissance des symboles de l'interprétateur. Une critique prudente du sens des symboles, une étude attentive de ceux-ci d'après les rêves particulièrement transparents nous permettront d'écarter toute accusation de fantaisie et d'arbitraire dans l'interprétation. Les incertitudes que nous connaissons encore viennent en partie de notre science incomplète — et elles disparaîtront à mesure que nous approfondirons ces problèmes —, en partie de certaines propriétés des symboles du rêve. Ceux-ci ont souvent plusieurs sens, quelquefois beaucoup de sens, si bien que, comme dans l'écriture chinoise, c'est le contexte qui seul donne une compréhension exacte. C'est grâce à cela que le rêve permet une surinterprétation et qu'il peut représenter par un seul contenu diverses pensées et diverses impulsions de désir *(Wunschregüngen)* souvent très différentes de nature.

Ces limites et ces réserves étant posées, je peux commencer. L'empereur et l'impératrice, le roi et la reine représentent le plus souvent les parents du rêveur; il est lui-même prince ou princesse. La même haute autorité peut être accordée à des grands hommes, c'est pourquoi dans certains rêves Gœthe, par exemple, peut apparaître comme symbole du père (Hitschmann). — Tous les objets allongés : bâtons, troncs d'arbres, parapluies (à cause du déploiement comparable à celui de l'érection), toutes les armes longues et aiguës : couteau, poignard, pique, représentent le membre viril. Un autre symbole fréquent et peu compréhensible est la lime à ongles (peut-être à cause du frottement). — Les boîtes, les coffrets, les caisses, les armoires, les poêles représentent le corps de la femme, ainsi que les cavernes, les navires et toutes les espèces de vases. Les chambres *(Zimmer)* représentent en général les femmes *(Frauenzimmer)*, la description des différentes entrées et sorties ne peut pas tromper (1). On comprend aisément dès lors l'intérêt qu'il y a à savoir si la chambre est ouverte ou fermée (cf. le rêve de Dora in *Bruchstück einer Hysterie-analyse*). Il est inutile de dire expressément quelle clef ouvre la chambre (voir la symbolique de la clef et de la serrure chez Uhland, dans le lied charmant et grivois du « Graf Eberstein »). Le rêve de fuite à travers des chambres est un rêve de maison close ou de harem. Il peut aussi être employé, ainsi que l'a montré H. Sachs par de beaux exemples, pour symboliser le mariage (contraste). On trouve une indication intéressante sur les idées sexuelles infantiles dans les rêves de deux chambres qui n'étaient d'abord qu'une seule, ou d'une chambre connue qui est vue divisée en deux dans le rêve, ou l'inverse. Dans l'enfance on a considéré l'appareil génital féminin (2) comme un organe unique (la théorie infantile du cloaque) et on n'a appris que plus tard que cette région du corps contient deux cavités et deux orifices distincts.

---

(1) « Un malade qui habite une pension de famille rêve qu'il rencontre une des domestiques et lui demande quel est son numéro ; à sa grande surprise, elle répond : 14. En fait, il avait noué des relations avec cette fille et avait eu des rendez-vous avec elle dans sa chambre. Elle craignait naturellement que sa maîtresse le soupçonnât, et, le jour qui avait précédé le rêve, elle lui avait proposé de se rencontrer à l'avenir dans une des chambres non occupées. Cette chambre portait réellement le n° 14 ; dans le rêve, c'est la femme qui porte ce numéro. On ne peut imaginer un fait plus probant pour l'identification de la femme et de la chambre » (Ernest JONES, *Intern. Zeitschr. f. Psychoanalyse*, II, 1914). (Cf. ARTEMIDORE, *Symbolik der Träume* [trad. all. de F. S. KRAUSS, Vienne, 1881, p. 110] : « Ainsi par exemple, pour un homme marié, la chambre à coucher symbolise l'épouse ».)

(2) Le « *popo* » dans l'allemand familier.

Les sentiers escarpés, les échelles, les escaliers, le fait de s'y trouver, soit que l'on monte, soit que l'on descende, sont des représentations symboliques de l'acte sexuel (1).

Les murs unis auxquels on grimpe, les façades le long desquelles on se laisse glisser (souvent avec une grande angoisse), représentent des corps d'hommes debout. Ils renouvellent probablement des souvenirs d'enfants qui ont grimpé sur leurs parents ou sur les personnes qui s'occupaient d'eux. Quand les murs sont lisses, ils représentent des hommes; il est fréquent que dans les rêves d'angoisse on se tienne aux saillies des maisons. — De même représentent des femmes : la table, la table mise et les planches, sans doute à cause du contraste avec les formes du corps. Le bois paraît d'ailleurs, d'après ses rapports linguistiques, représenter la matière *(Matiere)* féminine. Le nom de Madère *(Madeira)* signifie bois en portugais. Comme « la table et le lit » constituent le mariage, il est fréquent que l'une représente l'autre et que la représentation du complexe sexuel soit transportée au complexe alimentaire. — Parmi les pièces d'habillement, le chapeau des femmes peut très souvent être interprété comme un organe génital et plus précisément, mâle. De même le manteau, et on peut se demander quelle est la part du son du mot dans ce symbole (2). Dans les rêves des hommes, la cravate symbolise souvent le pénis, non seulement parce qu'elle est longue et pend et qu'elle est particulière à l'homme, mais parce qu'on

---

(1) Je répète ici ce que j'ai déjà dit ailleurs (Die zukünftigen Chancen der psychoanalytischen Therapie, *Zentralblatt. f. Psychoanalyse*, I, nᵒˢ 1-2, 1910 (*Ges. Werke*, Bd. VIII)) : « J'appris il y a quelque temps qu'un psychologue éloigné de nos théories avait fait remarquer à l'un d'entre nous que nous exagérions certainement la signification sexuelle du rêve. Son rêve le plus fréquent était qu'il escaladait un sentier ; il n'y avait sûrement là rien de sexuel. Rendus attentifs par cette objection, nous avons examiné les rêves de sentiers, d'escaliers, d'échelles, et nous avons bientôt pu affirmer que le sentier escarpé ou ses analogues sont des symboles certains du coït. Les raisons sont aisées à trouver : on arrive sur une hauteur avec des mouvements rythmiques, de l'essoufflement, et en quelques sauts rapides on est bientôt en bas, ainsi le modèle rythmique du coït se retrouve bien dans le fait de monter un escalier. N'oublions pas d'utiliser les indications du langage. On emploie en Allemagne le mot *steigen* (monter) pour désigner l'acte sexuel. On dit qu'un homme est un *Steiger* (monteur). En France, les degrés de l'escalier sont des marches ; on dit « un vieux marcheur », comme en Allemagne « ein alter Steiger » (un vieux monteur).

(2) [N. d. T.] : *Mantel* = manteau, *Mann* = homme.

peut la choisir à son gré, choix que la nature interdit malheureusement à l'homme (1). Les hommes dont les rêves usent de ce symbole ont ordinairement de très belles cravates et en possèdent de véritables collections. — Toutes les machines compliquées et les appareils qui figurent dans le rêve sont, vraisemblablement, des organes génitaux, ordinairement masculins; la symbolique du rêve s'y montre inlassable ainsi que l'esprit. — Personne ne peut méconnaître que toutes les armes et tous les outils sont des symboles du membre viril : charrue, marteau, fusil, revolver, poignard, sabre, etc. — De même, on reconnaît sans peine que dans le rêve beaucoup de paysages, ceux en particulier qui présentent des ponts ou des montagnes boisées, sont des descriptions d'organes génitaux. Marcinowski a rassemblé une série d'exemples où les rêveurs expliquent leurs rêves par des dessins qui doivent représenter les paysages et les lieux où le rêve se déroule. Ces dessins montrent très clairement la différence entre le sens apparent et le sens caché du rêve. A première vue ce sont des plans, des cartes, etc., mais un examen plus pénétrant y reconnaît des représentations du corps humain, des organes génitaux, etc.; on peut, alors seulement, comprendre le rêve (cf. les travaux de Pfister sur la cryptographie et les images-devinettes). De même, des néologismes incompréhensibles doivent faire penser à des composés de fragments ayant une signification sexuelle. — Des enfants, dans le rêve, ne sont autre chose que des organes génitaux (on sait que les hommes et les femmes ont l'habitude de nommer leur sexe : leur petit). Stekel a raison d'interpréter le « petit frère » comme le pénis. Jouer avec un petit enfant, battre le petit, etc., sont souvent des figurations de l'onanisme. — Pour représenter symboliquement la castration, le rêve emploie la calvitie, la coupe des cheveux, la perte d'une dent, la décapitation. Il faut aussi voir une manière de se préserver de la castration dans l'apparition de deux ou plusieurs objets servant ordinairement à symboliser le pénis. L'apparition du lézard, animal

(1) Cf. *Zentralblatt f. Psychoanalyse*, II, p. 675, le dessin d'un maniaque de 19 ans : un homme qui porte comme cravate un serpent qui menace une jeune fille. Voir aussi « Der Schamhaftige » (*Anthropophytheia*, VI, 334) : Une dame entre dans une salle de bain où se trouve un homme qui a à peine le temps de mettre sa chemise ; il a honte, couvre aussitôt son cou avec le devant de la chemise et dit : « Je vous demande pardon, je n'ai pas de cravate. »

dont la queue repousse, a le même sens (cf. le rêve de lézards de la p. 19). — Un grand nombre des animaux que la mythologie et le folklore ont employés comme symboles génitaux jouent ce même rôle dans le rêve : le poisson, l'escargot, le chat, la souris (à cause des poils pubiens), mais surtout l'animal qui symbolise essentiellement le membre viril : le serpent. De petits animaux, de la vermine représentent des petits enfants, par exemple des frères et sœurs que l'on ne souhaite pas avoir; être couverte de vermine est souvent être enceinte. — Le dirigeable est un symbole récent du membre viril; il s'adaptait à cet usage à la fois à cause du vol et à cause de sa forme.

Stekel a présenté toute une série d'autres symboles en y joignant des exemples, mais ils ne sont pas suffisamment vérifiés. Les travaux de Stekel, et en particulier son livre *Die Sprache des Traumes*, contiennent la plus riche collection de symboles expliqués qui ait été publiée, nombre d'entre eux ont été trouvés de manière très ingénieuse et se sont montrés exacts après vérification, par exemple ceux qui ont trait à la mort. Mais la faible critique de l'auteur et ses tendances à la généralisation à tout prix rendent un certain nombre de ses interprétations douteuses ou inutilisables, de sorte qu'il faut recommander instamment la plus grande prudence à ses lecteurs. Je me contenterai d'indiquer quelques exemples.

D'après Stekel, « droit » et « gauche », dans le rêve, ont un sens moral. « Le chemin de droite signifie toujours la route du bien, le chemin de gauche la route du crime. Ainsi seront à gauche l'homosexualité, l'inceste, la perversion; à droite le mariage, les relations avec une prostituée, etc. Ceci en tenant compte de la morale du rêveur » (*l. c.*, p. 466). Les parents, en général, représentent des organes génitaux (p. 473). Je ne puis accepter cette signification que pour le fils, la fille, la petite sœur, en somme tous ceux à qui peut s'appliquer le terme de petit. En revanche, il y a des exemples certains de « sœurs » symbolisant les seins, de « frères » symbolisant les gros hémisphères. Ne pas rattraper une voiture indique, selon Stekel, le regret que l'on éprouve d'une différence d'âge qui ne peut être palliée (p. 479). Le bagage que l'on emporte est le poids des péchés par lesquels on se sent écrasé *(ibid.)*. Mais précisément il est fréquent que les bagages symbolisent d'une manière certaine nos propres organes génitaux. Stekel a aussi donné une signification précise aux nombres qui reviennent souvent en rêve; mais il semble que ses interprétations ne soient ni suffisamment fondées, ni généralement valables, bien qu'il faille parfois admettre la vraisemblance de certaines d'entre elles. Le nombre trois est bien un symbole, reconnu généralement exact, des organes génitaux mâles. Une des généralisations indiquées par Stekel se rapporte au double sens des symboles génitaux : « Y a-t-il un symbole qui, si l'imagination le permet, ne puisse être employé comme à la fois masculin et féminin ! » L'incise restreint beaucoup, il est vrai, la portée de cette affirmation, car l'imagination « ne le permet pas » toujours. Mais je crois utile de dire qu'un grand nombre de faits contredisent le principe général posé par Stekel. A côté des symboles qui sont également employés pour les organes génitaux masculins et pour les organes féminins, il en est qui sont employés d'une manière dominante ou exclusive pour un sexe. L'imagination ne peut employer des objets longs et fermes, des armes, comme symboles féminins, ou des objets creux (caisses, boîtes, coffrets) comme symboles masculins.

Il est exact que le penchant du rêve et de l'imagination inconsciente à employer les symboles sexuels dans un sens double trahit un fait ancien. Dans l'enfance on ne connaît pas la différence des sexes et on attribue les mêmes organes génitaux aux deux sexes. Mais il se peut que l'on se trompe en supposant bisexuel un symbole sexuel si l'on oublie que dans certains rêves il y a une inversion du sexe : ce qui est masculin est représenté comme féminin et réciproquement. De tels rêves expriment, par exemple, le désir qu'a une femme d'être un homme.

Les organes génitaux peuvent être représentés dans le rêve par d'autres parties du corps, le membre viril par la main ou le pied, le sexe féminin par la bouche, l'oreille ou même l'œil. Les sécrétions : mucus, larmes, urine, sperme, peuvent en rêve prendre la place les unes des autres. Ces indications de Stekel, justes dans l'ensemble, ont été limitées par des observations critiques bien fondées de R. Reitler (*Int. Zeitschr. für Psychoanal.*, I, 1913). Il s'agit généralement d'une substitution de sécrétions indifférentes à la sécrétion significative : le sperme.

Ces quelques indications encore très incomplètes suffiront peut-être à susciter d'autres recueils de faits établis avec plus de soin (1). J'ai essayé de présenter d'une manière plus détaillée la symbolique du rêve dans mes *Vorlesungen zur Einführung in die Psychoanalyse*, 1916-1917.

Je vais donner quelques exemples de l'emploi de ces symboles dans le rêve. Ils montreront combien il est difficile de parvenir à interpréter le rêve quand on se refuse à employer la symbolique, combien celle-ci s'impose dans nombre de cas. Mais je voudrais en même temps mettre en garde contre la tendance à surestimer l'importance des symboles, à réduire le travail de traduction du rêve à une traduction des symboles, à abandonner l'utilisation des idées qui se présentent à l'esprit du rêveur pendant l'analyse. Les deux techniques d'interprétation doivent se compléter; mais d'un point de vue théorique aussi bien que pratique, la plus importante est celle que nous avons décrite en premier lieu, celle qui donne une importance décisive aux explications du rêveur; la traduction en symboles n'intervient qu'à titre auxiliaire.

1. *Le chapeau, symbole de l'homme* *(des organes génitaux masculins)* (2)

(Fragment du rêve d'une jeune femme atteinte d'agoraphobie à la suite de son angoisse d'être tentée.)

« *Je vais me promener dans la rue en été, je porte un chapeau de paille de forme particulière, dont le milieu est relevé en l'air et dont les côtés retombent* (ici la description hésite) *de telle sorte que l'un tombe plus bas que l'autre. Je suis gaie et me sens en sécurité, et, en passant devant un groupe de jeunes officiers, je pense : vous ne pouvez rien me faire.* »

Comme elle ne peut rien me dire du chapeau de son rêve, je lui dis : « Le chapeau doit être un organe génital mâle, avec son centre dressé et ses côtés qui pendent. Il peut paraître bizarre que le chapeau représente l'homme, mais

---

(1) Quelles que soient les différences qui séparent la conception de la symbolique du rêve apportée par SCHERNER de celle qui est présentée ici, il faut faire remarquer que c'est SCHERNER qui le premier a découvert la symbolique du rêve. Les recherches psychanalytiques ont mis tardivement en honneur son livre, qui date de 1861.

(2) Extrait de : Nachträge zur Traumdeutung, *Zentralblatt für Psychoanalyse*, I, nos 5-6, 1911.

on dit bien : « Unter die Haube kommen » (= trouver à se marier; litt. : venir sous le bonnet, porter la coiffe). » Je fais exprès de m'abstenir de toute interprétation au sujet des côtés qui pendent de manière inégale, bien que ce soient ces sortes de particularités qui guident le mieux une interprétation. J'ajoute : « Quand on a un mari aussi bien doué, on n'a rien à craindre de la part des officiers, c'est-à-dire rien à désirer d'eux. » Cela parce que ses fantasmes de tentation l'empêchent de sortir sans être protégée et accompagnée. J'avais déjà pu à diverses reprises, en m'appuyant sur d'autres faits, lui expliquer ainsi son angoisse.

La manière dont la rêveuse s'est conduite après cette interprétation est bien curieuse. Elle a d'abord retiré la description du chapeau et prétendu qu'elle n'avait pas dit que les côtés pendaient. J'étais trop sûr de ce que j'avais entendu pour me laisser convaincre. Elle s'est tue un moment, puis a trouvé le courage de demander d'où venait que son mari eût un testicule placé plus bas que l'autre et si tous les hommes étaient comme ça. Ainsi s'expliquait ce détail du chapeau; l'interprétation était acceptée.

Au moment où ce rêve me fut raconté par la malade, je connaissais depuis longtemps le symbole du chapeau. D'autres cas, moins transparents, m'ont fait supposer que le chapeau pouvait également représenter les organes féminins (1).

2. Le petit est l'organe génital
— le fait d'être écrasé symbolise les rapports sexuels

(Autre rêve de la même malade.)

Sa mère renvoie sa petite fille, pour qu'elle soit obligée de sortir seule. Elle part ensuite, avec sa mère, par le train et voit sa petite fille qui va vers les rails de telle sorte qu'elle doit être écrasée. On entend craquer les os (elle éprouve un sentiment désagréable,

---

(1) Cf. un exemple de cette espèce dans la communication de KIRCH-GRABER (*Zentralblatt f. Psychoanal.*, III, 1912, p. 95). STEKEL a communiqué un rêve dans lequel le chapeau avec une plume retombée au milieu symbolise l'homme impuissant (*Jahrbuch*, Bd. I, p. 475).

*mais pas d'épouvante véritable). Ensuite, de la fenêtre du wagon,
elle regarde si on voit les morceaux par-derrière. Elle fait des
reproches à sa mère, parce que celle-ci a laissé la petite aller
toute seule.*

Analyse. — Il n'est pas facile ici de donner l'interprétation
complète du rêve. Il fait partie d'un cycle et ne peut être
bien compris que si on le rattache à tous les autres. Il est
difficile d'isoler le matériel nécessaire pour démontrer la
symbolique. La malade trouve d'abord que le voyage en
chemin de fer doit être compris historiquement comme
une allusion au voyage de retour d'une maison de santé
(elle s'était naturellement éprise du médecin qui la dirigeait).
Sa mère vint la chercher. Le médecin vint à la gare et lui
offrit un bouquet au moment du départ. Il lui fut désagréable que sa mère fût témoin de cet hommage. La mère
apparaît donc ici comme celle qui gêne ses désirs amoureux; c'est d'ailleurs le rôle que cette femme austère a dû
jouer auprès de la jeune fille. Une autre idée lui vient au
sujet de la phrase : « elle regarde si on voit les morceaux
par-derrière ». Le rêve devrait faire penser naturellement
aux morceaux de la petite fille écrasée. Mais l'association
va dans une direction toute différente. Elle se rappelle qu'un
jour elle a vu son père de dos, tout nu dans la salle de bains;
elle en vient à parler des différences sexuelles et fait remarquer que l'on peut voir le sexe de l'homme qui tourne le
dos et non celui de la femme qui a la même position. Après
cela, elle explique spontanément que le petit est l'organe
génital, que sa petite fille est son propre organe (elle a une
fillette de 4 ans). Elle reproche à sa mère d'avoir voulu la
faire vivre comme si elle n'avait pas eu de sexe, et elle
retrouve ce reproche dans la première phrase du rêve : « sa
mère renvoie sa petite fille, pour qu'elle soit obligée de
sortir seule ». Dans sa rêverie, sortir seule signifie : ne pas
connaître d'homme, ne pas avoir de relations sexuelles
(*coire* = aller avec), et cela lui déplaît. D'après ce qu'elle dit,
il semble que, comme fillette, elle ait vraiment eu à souffrir
du fait de la jalousie de sa mère parce que son père la
préférait.

Une interprétation plus profonde de ce rêve est fournie
par un autre rêve de la même nuit, dans lequel elle s'identifie à son frère. C'était vraiment une fillette très garçonnière
et on lui a souvent dit qu'elle était un garçon manqué.
Cette identification avec son frère montre bien que le

petit est l'organe génital. Sa mère le menace (la menace) de castration, ce qui ne peut être qu'une punition pour avoir joué avec son membre; cette identification indique que dans l'enfance elle a pratiqué l'onanisme, ce qu'elle se rappelait de son frère seulement. Il semble, d'après les indications de ce second rêve, qu'elle ait dû acquérir de bonne heure une connaissance des organes mâles qu'elle a ensuite oubliée. Ce second rêve fait penser, de plus, à la théorie sexuelle enfantine d'après laquelle les filles sont des garçons châtrés. Dès que je lui eus dit cette théorie d'enfant, elle confirma mon opinion en rappelant l'anecdote où un garçon demande à une petite fille : « Ç'a été coupé ? » et où la petite fille répond : « Non, ç'a toujours été comme ça. »

Le renvoi de la petite au premier rêve a donc trait à une menace de castration. Finalement elle en veut à sa mère de ne l'avoir pas faite garçon.

Ce rêve ne montrerait pas avec évidence qu'être écrasé symbolise des rapports sexuels si on ne le savait pas d'autre part.

3. *Représentation des organes génitaux par des bâtiments des sentiers, des fosses*

(Rêve d'un jeune homme inhibé par le complexe paternel.)

Il va se promener avec son père dans un endroit qui est certainement le Prater, car on voit la ROTONDE : *devant celle-ci, un petit* BATIMENT *auquel on a amené un* BALLON CAPTIF, *mais qui paraît un peu* MOU. *Son père lui demande à quoi sert tout cela ; il s'en étonne, mais le lui explique. Ils arrivent ensuite dans une cour où est étendue une grande plaque de tôle. Son père voudrait en* ARRACHER *un morceau, mais regarde d'abord autour de lui si personne ne peut le voir. Il dit à son père qu'il n'a qu'à prévenir d'abord le gardien et qu'il pourra ensuite prendre ce qu'il voudra. Un* ESCALIER *conduit de cette cour dans une* FOSSE *dont les murs sont rembourrés, un peu comme un fauteuil de cuir. A la fin de cette fosse il y a une assez longue plate-forme, puis une nouvelle* FOSSE...

Analyse. — Ce rêveur appartenait à une espèce de malades difficiles à traiter, qui ne font aucune résistance à l'analyse jusqu'à un certain point, puis, à partir de là, sont insaisissables. Il interpréta ce rêve presque sans que j'intervienne. « La rotonde, dit-il, représente mes organes génitaux, le ballon captif mon pénis, en effet trop mou. » On doit traduire, d'une manière plus exacte, que la rotonde est le siège — que l'enfant prend pour une partie des organes génitaux —, et le petit bâtiment les bourses. Dans son rêve, le père demande ce que c'est, c'est-à-dire qu'il demande à quoi servent, ce que font les organes génitaux; on peut retourner cela et dire que c'est le jeune homme qui pose la question. Comme il ne l'a jamais fait, en réalité, les pensées du rêve doivent être comprises comme un vœu ou d'une manière conditionnelle : « Si j'avais demandé à mon père des explications de cet ordre. » Nous trouverons bientôt la suite de cette pensée.

La cour où la tôle est étendue ne doit pas être d'abord considérée comme un symbole; elle vient de la maison de commerce de son père. Pour des motifs de discrétion, j'ai substitué la tôle à l'objet véritable de ce commerce. Je n'ai pas changé autre chose dans ce rêve. Le rêveur est entré dans les affaires de son père et a été fortement choqué des pratiques fâcheuses sur lesquelles repose une bonne partie du gain. C'est pourquoi, si on continuait la pensée indiquée plus haut, on obtiendrait : « (Si j'avais demandé à mon père des explications), il m'aurait trompé comme il trompe ses clients. » Pour le morceau de tôle que son père voudrait « arracher » et qui représente la malhonnêteté commerciale, le rêveur lui-même donne une seconde explication : cela signifie l'onanisme. Nous connaissons cela déjà (cf. p. 299) et nous voyons aussi que le secret de l'onanisme est exprimé par l'inverse : on peut le faire ouvertement. Ainsi qu'on pouvait s'y attendre, l'onanisme est attribué au père, comme la conduite de la première scène du rêve. Le rêveur interprète la fosse, à cause des murs rembourrés, comme représentant le vagin. Nous savons d'autre part que la descente de même que la montée représentent l'acte sexuel (cf. mes remarques in *Zentralblatt für Psychoanalyse*, I, 1, 1910; cf. ci-dessus, p. 305, n. 1).

Le malade explique dans sa biographie pourquoi la première fosse est suivie d'une longue plate-forme, puis d'une seconde fosse. Il a eu pendant quelque temps des relations sexuelles normales, il a dû les abandonner, à la suite d'inhibitions, et espère pouvoir les reprendre, grâce à la cure que nous poursuivons. Vers la fin le rêve est moins précis, et les initiés voient aisément que l'influence d'un autre thème apparaissait dès la seconde scène du rêve. Le commerce du père, sa malhonnêteté, la première fosse représentant un vagin permettaient de deviner que tout cela avait rapport à la mère.

4. *L'organe génital masculin représenté par une personne l'organe génital féminin représenté par un paysage*

(Rêve d'une femme du peuple dont le mari est gardien, communiqué par B. Dattner.)

... Ensuite quelqu'un est entré dans la maison par effraction, et elle a appelé un gardien, avec beaucoup d'angoisse. Mais celui-ci, d'accord avec deux « pèlerins », est allé dans une église (1) à laquelle on parvenait en montant plusieurs marches (2); derrière l'église il y avait une montagne (3) et tout en haut une épaisse forêt (4). Le gardien avait un casque, un hausse-col et un manteau (5). Il avait une grande barbe brune. Les deux vagabonds, qui étaient allés paisiblement avec le veilleur, avaient des tabliers faits comme des sacs noués autour des reins (6). Il y avait un chemin qui conduisait de l'église à la montagne. Il était couvert des deux côtés d'herbes et de fourrés qui étaient toujours plus épais et devenaient sur la hauteur une forêt véritable.

5. *Rêves de castration chez les enfants*

a) Un petit garçon de 3 ans 5 mois, que le retour de son père contrarie visiblement, s'éveille un jour tourmenté et excité et demande à plusieurs reprises : « *Pourquoi papa a-t-il porté sa tête sur une assiette ? Cette nuit papa a porté sa tête sur une assiette.* »

(1) Ou chapelle : vagin.
(2) Symbole du coït.
(3) *Mons veneris.*
(4) *Crines pubis.*
(5) Des démons avec manteaux et capuchons sont, à ce qu'explique un spécialiste, d'espèce phallique.
(6) Les bourses.

b) Un étudiant qui souffre actuellement d'obsessions graves se rappelle avoir eu plusieurs fois, vers l'âge de 6 ans, le rêve suivant : *Il va chez le coiffeur pour se faire couper les cheveux. Une grande femme au visage sévère vient à lui et lui coupe la tête. Il reconnaît que la femme est sa mère.*

6. *Symbolique urinaire*

Les dessins reproduits page 316 ont été trouvés par Ferenczi dans un journal humoristique hongrois *(Fidibusz)*; il a vu le parti qu'on pouvait en tirer pour illustrer la théorie du rêve. O. Rank les a utilisés, dans son travail sur les couches de symboles dans les rêves de réveil (p. 99), sous le titre de *Rêve de la gouvernante française*. La dernière image, qui représente le réveil de la bonne à cause des hurlements de l'enfant, nous montre seule que les sept précédentes étaient les phases d'un rêve. La première image indique le stimulus qui devrait aboutir au réveil. Le gamin a un besoin et demande à le satisfaire. Le rêve change la situation : au lieu de la chambre à coucher, c'est une promenade. Dans la seconde image, le gamin se tient contre un coin, fait le nécessaire et — elle peut continuer à dormir. Mais l'excitation de réveil continue, se renforce même; l'enfant, à qui on ne fait pas attention, hurle toujours plus fort. Plus il exige le réveil et l'aide de sa bonne, plus le rêve garantit à celle-ci que tout va bien et qu'elle n'a pas besoin de s'éveiller. De plus, le rêve traduit l'accroissement de l'excitation par celui du symbole. Le torrent qui vient du petit garçon est toujours plus puissant. Dès la quatrième image il peut porter un canot, puis une gondole, un bateau à voile et enfin un grand vapeur ! La lutte entre un besoin de sommeil obstiné et une excitation de réveil qui ne se lasse pas est représentée ici d'une manière ingénieuse par un artiste spirituel.

7. *Un rêve d'escalier*

(Communiqué et interprété par Otto Rank.)

« Je dois au collègue qui m'a donné un rêve d'excitation dentaire (cf. p. 333) le rêve de pollution suivant.

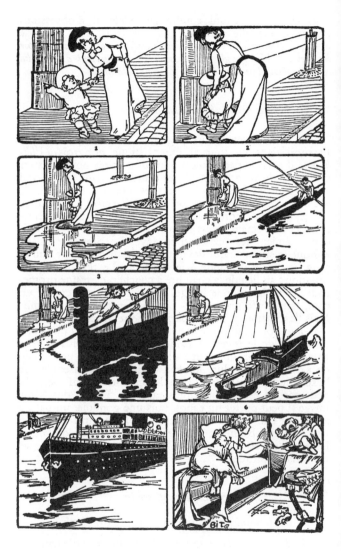

« *Je poursuis dans l'escalier, pour la punir, une petite fille qui m'a fait je ne sais quoi. Au bas de l'escalier quelqu'un (une femme ?) me tend l'enfant. Je la saisis, je ne sais pas si je l'ai battue ; brusquement je me trouve au milieu de l'escalier où j'ai un coït avec l'enfant (on dirait que cela se passe dans l'air). Ce n'était pas une vraie copulation, je frottais simplement mes organes contre ses organes externes ; en même temps je voyais clairement sa tête qu'elle tenait appuyée par côté. Pendant l'acte, je voyais à ma gauche, au-dessus de moi (aussi comme en l'air), deux petits tableaux pendus, des paysages qui représentaient une maison dans la verdure. Sur le plus petit, au lieu de la signature du peintre, on pouvait lire mon prénom, comme si ce tableau m'avait été offert pour mon anniversaire. Une note indiquant que l'on pouvait également avoir des tableaux meilleur marché était suspendue à chacun des deux... (Ensuite je me vois d'une manière très indistincte dans mon lit comme sur le palier d'un escalier) et je suis réveillé par la sensation d'humidité qui provient de la pollution.* »

« *Interprétation.* — Le rêveur était allé la veille chez un libraire ; en attendant qu'on s'occupât de lui, il avait regardé quelques-uns des tableaux exposés ; ils représentaient des sujets analogues à ceux des tableaux vus pendant le rêve. Il s'approcha d'un petit tableautin qui lui avait plu particulièrement et il regarda le nom du peintre ; celui-ci lui était d'ailleurs tout à fait inconnu.

« Le même soir, un peu plus tard, il avait entendu raconter dans un salon l'histoire d'une servante tchèque qui s'était vantée de ce que son bâtard " avait été fait sur l'escalier ". Le rêveur avait demandé des détails sur un fait aussi rare et appris que la servante avait amené son amoureux dans la maison de ses parents où ils n'avaient eu aucune possibilité d'avoir des relations et que l'homme, excité, avait fini par la prendre sur l'escalier. Là-dessus, le rêveur avait dit en plaisantant, employant l'expression usitée pour le vin falsifié, que l'enfant avait vraiment " poussé sur l'escalier de la cave ".

« Ces événements de la journée sont représentés dans le rêve d'une manière assez nette, et le rêveur les a reproduits sans plus. Il retrouve assez aisément un fragment de souvenirs d'enfance qui a également été employé dans le rêve. La cage de l'escalier est celle de la maison où il a passé la plus grande partie de son enfance et où il a notamment commencé à prendre conscience des problèmes sexuels. Il avait souvent joué dans cette cage d'escalier, où, entre autres, à cheval sur la rampe, il s'était laissé glisser tout du long et en avait ressenti une excitation sexuelle. Dans le rêve, il descend aussi l'escalier avec une extrême rapidité, une rapidité telle que lui-même déclare n'avoir pas touché les marches, mais " volé " du haut en bas de l'escalier ou glissé. Si l'on rapproche ceci de l'événement d'enfance, ce début du rêve paraît représenter le facteur d'excitation sexuelle. Dans cette cage d'escalier et dans cette maison, le rêveur avait fréquemment joué avec les enfants du voisinage à des jeux brutaux où il s'était satisfait comme dans le rêve.

« Si l'on se rappelle les recherches de Freud sur le symbolisme sexuel (*Zentralblatt für Psychoanalyse*, n° 1, p. 2), on sait que, dans le rêve, l'escalier et l'action de monter l'escalier symbolisent presque toujours le coït. Le rêve est donc parfaitement clair. Sa force pulsionnelle est d'espèce purement libidinale, ainsi que le montre son effet : la pollution. Une excitation sexuelle s'éveille pendant le sommeil (elle est représentée dans le rêve par la descente rapide — glissade — le long de l'escalier); son caractère sadique, qui vient des jeux brutaux, est indiqué par la poursuite et l'enlèvement de l'enfant. L'excitation libidinale grandit et pousse à l'action (représentée dans le rêve par le moment où l'enfant est saisie et transportée sur l'escalier). Jusque-là le rêve était uniquement fait de symbolique sexuelle et des interprètes peu exercés ne pouvaient rien y découvrir. Mais l'excitation libidinale est trop forte pour se contenter de cette satisfaction symbolique qui ménage le sommeil. L'excitation conduit à l'orgasme, démasquant ainsi le symbole de la montée qui représente le coït. Ce rêve paraît confirmer très nettement la thèse de Freud, qui voit dans le caractère rythmique de la montée un des motifs de l'utilisation sexuelle de ce symbole. D'après ce qu'a dit expressément le rêveur, c'est le rythme de son acte sexuel, le frottement de haut en bas, qui a été l'élément le plus clairement exprimé dans le rêve.

« Une remarque encore, au sujet des deux tableaux (1); si l'on fait abstraction de leur signification réelle, ils sont bien, au sens symbolique, des bonnes femmes (2). Ceci apparaît d'abord dans le fait qu'il y a un grand et un petit tableau,

(1) « *Bilder* ».
(2) [N. d. T.] : « *Weibsbilder* » — littér. : tableaux de femmes.

de même qu'il y a dans le rêve une adolescente et une petite fille. L'indication de tableaux à meilleur marché conduit à l'idée de prostituées; d'autre part le prénom du rêveur sur la petite image et l'idée qu'on la lui donnera pour son anniversaire font penser au complexe parental (né sur l'escalier = engendré dans le coït).

« La scène de conclusion peu claire où le rêveur se voit lui-même, du palier, dans son lit et sent de l'humidité, paraît le reporter en pleine enfance, bien plus loin que l'onanisme enfantin; elle paraît avoir son origine dans des scènes analogues de lit mouillé. »

8. *Un rêve modifié d'escalier*

Un de mes malades, un abstinent sexuel très atteint, dont les fantasmes morbides demeurent fixés sur sa mère, a rêvé à plusieurs reprises qu'il montait l'escalier avec sa mère. Je lui fais observer qu'une masturbation modérée lui nuirait probablement moins que sa continence forcée. Après cette remarque, il a le rêve suivant : *Son professeur de piano lui reproche de négliger ses exercices, de ne pas jouer les* Études *de Moscheles et le* Gradus ad Parnassum *de Clementi*. Il dit, en commentaire, que le *Gradus* est aussi un escalier et le clavier de même puisqu'il contient une échelle.

Il faut bien dire qu'il n'y a pas de sphère de représentations qui ne puisse symboliser des faits et des désirs d'ordre sexuel.

9. *Sentiment de réalité et figuration de la répétition*

Un homme actuellement âgé de 35 ans raconte un rêve qu'il se rappelle bien et qu'il dit avoir eu quand il avait quatre ans : *Le notaire chez qui était déposé le testament de son père* (il avait perdu son père à trois ans) *apportait deux grosses poires blanches* (Kaiserbine); *on en donnait une à l'enfant. L'autre était sur l'appui de la fenêtre du salon*. Il se réveilla persuadé de la réalité de ce qu'il avait rêvé et demanda obstinément à sa mère la seconde poire; il affirmait qu'elle était sur l'appui de la fenêtre. Sa mère en rit.

Analyse. — Le notaire était un vieux monsieur jovial qui, à ce qu'il croit se rappeler, avait bien une fois apporté des poires. L'appui de la fenêtre était comme il l'avait vu dans son rêve. Il ne peut se rappeler autre chose; si ce n'est que sa mère lui avait, quelque temps avant, raconté un rêve. Elle avait deux oiseaux sur la tête et se demandait quand ils s'envoleraient, mais ils ne s'envolaient pas; seulement l'un d'eux vint à sa bouche et la suça.

Le rêveur ne pouvant nous donner d'autres souvenirs, nous avons le droit de chercher une interprétation symbolique. Les deux poires (pommes ou poires) sont les seins de la mère qui l'a nourri. L'appui de la fenêtre serait le relief de la poitrine, analogue au balcon dans les rêves de maison (cf. p. 306). Son sentiment de réalité, après le réveil, est fondé, car sa mère l'a vraiment nourri et même bien plus longtemps qu'il n'est d'usage, et la poitrine de sa mère est toujours là. Le rêve doit être traduit ainsi : Mère, donne (montre) moi de nouveau le sein qui m'a nourri autrefois. L' « autrefois » est représenté par le fait que l'une des poires a été mangée, le « de nouveau » par le désir de l'autre. La répétition d'une action dans le temps est représentée très habituellement dans le rêve par la multiplication d'un objet, qui apparaît autant de fois.

Il est évidemment très saisissant de voir la symbolique jouer un rôle dans le rêve d'un enfant de quatre ans, mais ceci n'est pas une exception, c'est la règle. On peut dire que le rêveur dispose des symboles dès le début de sa vie.

Même en dehors du rêve, l'homme se sert de très bonne heure de représentations symboliques. On le voit bien — pour ne prendre qu'un exemple — dans ce souvenir nullement influencé d'une jeune femme actuellement âgée de 27 ans, du temps où elle en avait 3 à 4. *Avant une promenade, la bonne les avait conduits, elle, son petit frère plus jeune de 11 mois et une petite cousine d'âge intermédiaire, au w.-c., pour qu'ils fissent leur petite affaire avant de sortir. Comme elle était la plus âgée, elle s'assit sur le siège et les deux autres sur des vases. Elle demanda à la petite cousine :* « *As-tu aussi un porte-monnaie ? Walter a une petite saucisse, moi j'ai un porte-monnaie.* » *Réponse de la cousine :* « *Oui, j'ai aussi un porte-monnaie.* » *La bonne d'enfant qui avait écouté tout cela en riant le raconta à la maman qui répondit par une réprimande sévère.*

Voici maintenant un rêve dont le beau symbolisme put être interprété, bien que la rêveuse aidât fort peu.

10. « *Contribution à la question de la symbolique du rêve chez les gens bien portants* » (1)

« Une objection souvent présentée par les adversaires de la psychanalyse — et dernièrement encore par Havelock Ellis (2) — est que la symbolique des rêves vaut peut-être pour les névrosés, mais nullement pour les normaux. Or, de même que la recherche psychanalytique ne voit entre la vie mentale du normal et celle du névrosé aucune différence de nature mais seulement une différence quantitative, l'analyse des rêves où l'on voit les complexes refoulés agir de la même façon chez les sujets bien portants et chez les malades montre que les mécanismes comme la symbolique sont parfaitement identiques chez les uns et chez les autres. On peut même dire que les rêves ingénus de gens bien portants contiennent une symbolique beaucoup plus simple, plus claire et plus caractéristique que celle des névropathes. Chez ces derniers, comme la censure agit plus fortement, il y a une déformation plus importante et souvent la symbolique est tourmentée, obscure et difficile à interpréter. Le rêve qui suit illustrera ce fait. Il m'a été raconté par une jeune fille non névrosée, de nature assez prude et réservée. J'apprends, au cours de la conversation, qu'elle est fiancée, mais que son mariage rencontre des obstacles qui la font hésiter. Elle me raconte spontanément le rêve suivant : " *I arrange the centre of a table with flowers for a birthday.* " Questionnée, elle explique qu'en rêve elle se sentait comme à la maison (elle n'a pas de foyer en ce moment) et qu'elle éprouvait un sentiment de bonheur.

« La symbolique " populaire " me permet de traduire le rêve. Il exprime ses souhaits de fiancée : la table, avec les fleurs au milieu, symbolise elle-même et ses organes génitaux; elle se représente ses vœux d'avenir comme déjà exaucés, puisqu'elle pense à la naissance d'un enfant; le mariage est donc passé depuis longtemps.

« Lors de l'analyse, je fis d'abord remarquer que " *the centre of a table* " est une expression peu habituelle, ce qu'elle concéda, mais naturellement je ne pus pas lui poser des

(1) Alfred ROBITSEK, *Zentralblatt für Psychoanalyse*, II, 1911, p. 340.
(2) *The world of dreams*, London, 1911, p. 168.

questions directes. J'évitai soigneusement de lui suggérer le sens du symbole et lui demandai seulement ce qui lui venait à l'esprit pour les diverses parties de ce rêve. Au cours de l'analyse, sa retenue fit place à un intérêt très sensible et à une franchise que rendait possible le sérieux de la conversation. A ma question sur l'espèce des fleurs, elle répondit d'abord : " *expensive flowers ; one has to pay for them* ", puis que c'étaient : *lilies of the valley, violets and pinks or carnations.* Je supposai que le mot *lily*, dans ce rêve, avait son sens populaire et apparaissait comme symbole de pureté ; elle confirma cette supposition en disant que le mot *lily* évoquait pour elle *purity. Valley* est un symbole que le rêve emploie souvent pour la femme ; ainsi la rencontre fortuite des deux symboles dans le mot anglais qui signifie muguet sert, dans la symbolique du rêve, à indiquer combien sa virginité est précieuse — expensive flowers, one has to pay for them — et exprime en même temps l'espoir que l'homme saura l'estimer à sa valeur. La remarque *expensive flowers* a, ainsi que nous allons le voir, un sens différent pour chacune des trois fleurs symboliques.

« Je cherchai à comprendre le sens caché du mot *violets* qui paraissait bien peu sexuel ; je crus d'abord très hardi de l'expliquer par une association inconsciente avec le français viol. A ma grande surprise, la rêveuse l'associait à *violate*, qui a, en anglais, le même sens. Le rêve utilise la grande ressemblance entre *violet* et *violate* (ils ne se distinguent que par un accent différent sur la dernière syllabe), pour indiquer, par la fleur, la pensée de la violence qui accompagne la défloration (ce mot emprunté également à la symbolique des fleurs) et peut-être aussi pour indiquer une tendance masochiste de cette jeune fille. C'est un bel exemple de mot-pont utilisé par les voies qui mènent vers l'inconscient. L'expression *one has to pay for them* indique la souffrance avec laquelle elle devra payer la joie d'être femme et mère.

« A propos du mot *pinks*, qu'elle transforme ensuite en *carnations*, je pense à *charnel*. Mais le mot qui lui vient à l'esprit est *colour*. Elle ajoute que les *carnations* sont les fleurs que son fiancé lui a apportées souvent et en grande quantité. A la fin de la conversation, elle avoue brusquement, d'une manière spontanée, qu'elle ne m'a pas dit la vérité et que ce n'est pas *colour*, mais *incarnation* qui lui est venu à l'esprit. C'est le mot que j'avais attendu ; d'ailleurs *colour* n'en est pas très éloigné, il est même amené par le sens de carnation (couleur de la chair), il est donc déterminé par le complexe. Cette insincérité montre que c'est en ce point qu'il y avait le plus de résistance; c'est ici que la symbolique est le plus transparente, et le combat entre la libido et le refoulement le plus grand, car c'est un thème phallique. La remarque que ces fleurs avaient été souvent offertes par le fiancé est encore une indication de leur sens phallique et s'ajoute au double sens de carnation. Le prétexte des fleurs données est utilisé pour exprimer la pensée de présent sexuel et de présent réciproque; elle donne sa virginité et attend, en échange, une riche vie d'amour. Ici aussi l'expression " *expensive flowers, one has to pay for them* " a une signification et probablement matérielle. La symbolique des fleurs dans le rêve contient donc le symbole de la jeune fille et de la femme, le symbole de l'homme et une indication de défloration forcée. Il faut indiquer à ce propos que la symbolique sexuelle des fleurs est très répandue : les fleurs, organes de reproduction des plantes, tendent naturellement à représenter les organes humains; les fleurs offertes par les amoureux ont peut-être surtout cette signification inconsciente.

« La fête d'anniversaire qu'elle prépare en rêve signifie probablement la naissance d'un enfant. Elle s'identifie avec le fiancé, le représente " la préparant " à une naissance, donc en coït avec elle. La pensée latente paraît être : Si j'étais lui, je n'attendrais pas, mais je déflorerais la fiancée sans lui en demander la permission, j'emploierais la force; — c'est ce qu'indique aussi le mot *violate*. Ainsi s'exprime la composante sadique de la libido.

« Dans une couche plus profonde du rêve, le *I arrange* devait avoir un sens auto-érotique, donc infantile.

« Elle a aussi une notion de son indigence physique, qui n'est possible qu'en rêve. Elle se voit plate comme une table; elle insiste d'autant plus sur le caractère précieux du " centre " (elle le nomme à un autre moment *a centre piece of flowers*), de sa virginité. L'horizontalité de la table doit aussi contribuer au symbole. Cette concentration du rêve est à remarquer, rien n'est superflu, chaque mot est un symbole.

« Elle apporte plus tard un complément au rêve : " *I decorate the flowers with green crinkled paper* (elle ajoute que c'est du *fancy paper* avec lequel on recouvre les pots de fleurs ordinaires), *to hide untidy things, whatever was to be seen,*

*which was not pretty to the eye ; there is a gap, a little space in
the flowers. The paper looks like velvet or moss.* " A *decorate*
elle associe *decorum*, comme je m'y étais attendu. La couleur
verte domine. A cela elle associe *hope*, encore une allusion
à la grossesse. Dans cette partie du rêve, ce n'est pas
l'identification avec l'homme qui domine, ce sont des pensées
de honte et de franchise. Elle se fait belle pour lui, avoue
ses défauts physiques dont elle a honte et qu'elle cherche à
corriger. Les mots velours, mousse indiquent clairement
les *crines pubis*.

« Le rêve exprime des pensées que la jeune fille, éveillée,
connaît à peine. Ces pensées ont trait à l'amour physique,
à ses organes; elle est préparée pour un jour de naissance,
c'est-à-dire que l'acte s'accomplit; la crainte de la défloration, peut-être aussi la douleur mêlée de joie s'expriment
en même temps; elle s'avoue ses défauts physiques, les
compense en surestimant la valeur de sa virginité. Sa
pudeur excuse la sensualité qui apparaît ainsi, en lui donnant
pour but un enfant. Des considérations matérielles, étrangères à l'amour, s'expriment aussi. La coloration affective
de ce rêve simple (le sentiment de bonheur) montre assez
que de puissants complexes affectifs y ont été satisfaits. »

Ferenczi a fait observer avec raison que ce sont précisément les rêves des ingénus qui permettent de trouver le
sens des symboles et la signification des rêves (*Intern.
Zeitschrift für Psychoanal.*, IV, 1916-17).

J'introduis ici l'analyse du rêve d'un personnage historique de notre époque, parce qu'un objet, qui paraîtrait en
tout cas représenter le membre viril, est parfaitement caractérisé comme symbole phallique par une indication supplé-
mentaire. L'allongement indéfini d'une cravache ne peut
vraiment indiquer que l'érection. De plus, ce rêve est un
bel exemple de la manière dont des pensées sérieuses et
éloignées de la sexualité sont figurées par des éléments
sexuels infantiles.

11. *Un rêve de Bismarck*
(Communiqué par le Dr Hanns Sachs)

« Dans ses *Gedanken und Erinnerungen* (Volksausgabe, II,
p. 222), Bismarck reproduit une lettre qu'il écrivit le
18 décembre 1881 à l'empereur Guillaume. Cette lettre

contient le passage suivant : " Ce que me dit Votre Majesté m'encourage à lui raconter un rêve que j'eus au printemps de 1863, dans les jours les plus difficiles, alors que nul œil humain ne voyait d'issue possible. Je rêvai, et je le racontai le lendemain matin à ma femme et à d'autres témoins, que *je chevauchais sur un étroit sentier des Alpes. A droite l'abîme, à gauche des rochers ; le sentier devenait de plus en plus étroit, si bien que mon cheval refusait d'avancer et que le manque de place rendait impossible de revenir en arrière ou de mettre pied à terre ; alors je frappai la muraille de rocher de ma cravache que je tenais dans ma main gauche et j'appelai Dieu à mon aide ; la cravache s'allongea à l'infini, le mur de rocher s'écarta comme une coulisse et ouvrit un large chemin d'ou on voyait des collines et des pays boisés comme en Bohême et des troupes prussiennes avec des drapeaux. En rêve je me demandais comment je pourrais prévenir rapidement Votre Majesté.* Ce rêve s'accomplit et je m'éveillai joyeux et fortifié. "

« L'action du rêve se divise en deux parties. Dans la première le rêveur se trouve dans une situation terrible, dans la seconde il en est tiré d'une manière miraculeuse. La situation difficile où se trouvent le cheval et le cavalier est une représentation de rêve de la position critique de l'homme d'Etat : la veille au soir il avait médité sur les problèmes politiques et l'avait ressentie d'une manière particulièrement amère. Les expressions figurées dont se sert Bismarck dans le passage cité plus haut décrivent la situation désespérée où il se trouvait alors; il la connaissait donc fort bien et y pensait beaucoup. Nous trouvons également ici un bel exemple du " phénomène fonctionnel " de Silberer. Les idées qui occupent l'esprit du rêveur, le fait que chacune des solutions qu'il imagine se heurte à des obstacles insurmontables, mais que son esprit ne peut ni ne doit se détacher de ces problèmes, sont très bien représentés par le cavalier qui ne peut ni avancer, ni reculer. La fierté qui lui interdit de céder ou de se retirer s'exprime dans le rêve par les mots : *revenir ou descendre de cheval... impossible.* La nature d'homme d'action, sans cesse tourmenté pour le bien des autres, faisait que Bismarck pouvait aisément se comparer à un cheval. Il l'a d'ailleurs fait à diverses occasions et notamment dans l'expression bien connue : " Un cheval courageux meurt sous le harnais. " Ainsi expliqués, les mots *le cheval refusait d'avancer* signifient que l'homme surmené éprouvait le besoin de se détourner des soucis du présent, autrement dit qu'il était en train de se dégager des liens du principe de réalité par le sommeil et le rêve. L'accomplissement du désir, qui est si fortement marqué dans la seconde partie du rêve, est déjà indiqué ici par le *sentier des Alpes* : Bismarck savait déjà alors qu'il passerait son prochain congé dans les Alpes, à Gastein; le rêve qui l'y transporte le délivre ainsi d'un seul coup de toutes les fâcheuses affaires d'Etat.

« Dans la seconde partie, les souhaits du rêveur sont représentés comme accomplis, et cela de deux manières, l'une toute simple et claire, l'autre symbolique. D'une manière symbolique, par la disparition du rocher qui le gênait, à la place duquel apparaît un large chemin — qui représente l'issue cherchée sous sa forme la plus commode; d'une manière claire, par le spectacle des troupes prussiennes qui avancent. Il est inutile d'invoquer, pour expliquer cette vision prophétique, des influences mystiques; la théorie freudienne de l'accomplissement du désir suffit pleinement. A ce moment déjà, Bismarck souhaitait une guerre victorieuse avec l'Autriche comme le meilleur moyen de sortir des conflits intérieurs de la Prusse. Voir les troupes prussiennes avec leurs drapeaux en Bohême, donc en pays ennemi, c'est réaliser ce désir par le rêve, ainsi que le postule la théorie de Freud. Il faut seulement ajouter, comme trait individuel, que le rêveur dont il est ici question ne se contentait pas de l'accomplissement du rêve, mais savait aussi forcer la réalité. La cravache qui devient " infiniment longue " est un trait frappant pour tous ceux qui connaissent un peu la technique d'interprétation psychanalytique. La cravache, la canne, la lance et tous les objets de cette espèce sont des symboles phalliques courants; mais quand cette cravache possède encore la propriété de s'étendre, particulière au phallus, aucun doute n'est plus possible. L'exagération du phénomène par l'allongement " à l'infini " paraît indiquer un surinvestissement infantile. Le fait de prendre la cravache dans la main est une allusion très claire à la masturbation. Il ne s'agit évidemment pas de la vie actuelle du rêveur, mais d'un désir d'enfance très lointain. L'interprétation du Dr Stekel est très utile ici; d'après lui, la gauche, dans le rêve, indique la faute, le défendu, le péché, ce qui peut très bien s'appliquer à l'onanisme enfantin. On peut indiquer, entre ces couches infantiles très profondes et les couches supérieures qui ont trait aux projets actuels de l'homme d'Etat, une couche moyenne qui serait en relations avec les deux autres. Toute la scène : délivrance miraculeuse d'une situation terrible, grâce à un coup qu'on frappe sur un rocher en invoquant l'aide de Dieu, rappelle d'une manière évidente la scène biblique où Moïse fait jaillir du rocher qu'il frappe l'eau pour les Israélites altérés. Nous pouvons aisément admettre que Bismarck, issu d'une famille protestante nourrie de la Bible, n'avait pas oublié ce passage. En ces temps de conflit, Bismarck pouvait aisément se comparer à Moïse, récompensé par l'insurrection, la haine et l'ingratitude du peuple qu'il voulait délivrer. Ceci rattacherait cette scène à ses souhaits actuels. D'autre part, le passage de la Bible contient bien des particularités très utilisables pour un fantasme de masturbation. Moïse prend sa verge malgré l'ordre du Seigneur, et Dieu punit cette désobéissance en lui annonçant qu'il mourra sans voir la Terre promise. La verge — symbole phallique incontestable — saisie malgré la défense, le liquide qui résulte du coup donné, la menace de mort résument parfaitement les principaux moments de la masturbation chez l'enfant. Il est intéressant de voir comment ces deux images hétérogènes, nées l'une de l'esprit d'un homme d'Etat génial, l'autre des tendances d'une âme primitive d'enfant, se sont fondues grâce à la scène biblique et ont pu de cette manière écarter tous les éléments pénibles. Le fait que saisir la verge est une action défendue, une rébellion, n'est indiqué que d'une manière symbolique, par la main gauche. Mais, dans le contenu manifeste du rêve, Dieu est invoqué à cette occasion comme pour écarter nettement l'idée de défense ou de chose cachée. Des deux prophéties que Dieu fait à Moïse : il verra la Terre promise, il n'y entrera pas, l'une est très clairement représentée comme accomplie (regard sur les collines et le pays boisé), l'autre, très pénible, n'est pas évoquée du tout. Il est vrai que l'eau a disparu, victime de l'élaboration secondaire qui réunit les deux scènes, mais c'est le rocher lui-même qui tombe.

« On pourrait s'attendre à ce que la conclusion d'un rêve infantile de masturbation, où l'interdiction est indiquée, fût le désir chez l'enfant que les personnes de son entourage détiennent l'autorité n'en sachent rien. Dans ce rêve, ce souhait est remplacé par son contraire, le désir d'annoncer aussitôt au roi ce qui s'est passé. Mais ce renversement s'ajuste parfaitement aux fantasmes de victoires des couches supérieures de la pensée du rêve et d'une partie du contenu manifeste. Un rêve de victoire et de conquête recouvre souvent un désir de réussir une conquête érotique. Quelques traits du rêve : résistance opposée à une pénétration, large chemin frayé par la cravache allongée, iraient dans ce sens; mais ce n'est pas une base suffisante pour en conclure que des pensées et désirs si définis parcourent le rêve. Nous avons ici un exemple type de déformation du rêve parfaitement réussie. L'inconvenant a été retouché d'une manière telle qu'il ne traverse jamais la trame étendue sur lui comme un voile protecteur. De là vient qu'on a pu éviter le déclenchement de l'angoisse. C'est un cas idéal d'accomplissement de désir réussi sans que la censure en souffre, et c'est pour cela qu'au réveil de rêves de cette sorte le rêveur se sent joyeux et fortifié.

12. *Rêve d'un chimiste*

Il s'agit d'un jeune homme qui essaie de renoncer à ses pratiques de masturbation et d'avoir des relations avec une femme.

Récit préliminaire. — La veille du rêve il a donné des explications à un étudiant sur la réaction de Grignard dans laquelle on dissout du magnésium dans l'éther absolument pur sous l'action catalytique de l'iode. Deux jours avant, cette même réaction avait entraîné une explosion au cours de laquelle un étudiant s'était brûlé la main.

Rêve : I. *Il doit préparer du bromure de phénylmagnésium ; il voit très bien l'appareil, mais il est lui-même le magnésium. Il se sent dans un état particulièrement vacillant (consistance incertaine), il se dit sans cesse : « C'est cela, ça va, mes pieds se décomposent déjà, mes genoux s'amollissent. » Puis il y met la main, palpe ses pieds, tire entre-temps (il ne sait comment) ses jambes de l'alambic, se dit de nouveau : « Ce n'est pas possible. Oui, cependant, c'est bien fait. » Là-dessus il se réveille à moitié et se répète le rêve parce qu'il veut me le raconter. Il craint la conclusion du rêve et est très excité pendant ce demi-sommeil ; il se répète tout le temps : « Phényl, phényl... ».*

II. *Il est avec toute sa famille à ...ing, il doit se trouver à*

*11 h 1/2 à un rendez-vous à Schottentor (1) avec une certaine dame ;
mais il ne se réveille qu'à 11 h 1/2. Il se dit : il est trop tard
maintenant, tu n'arriveras pas avant midi et demi. Aussitôt
après il voit toute sa famille réunie autour de la table, il voit d'une
façon particulièrement nette sa mère et la femme de chambre qui
apporte la soupière. Il se dit alors : puisqu'on se met à table,
je ne peux plus sortir.*

Analyse. — Il est persuadé que le premier rêve se rapportait déjà à la dame avec qui il a rendez-vous (le rêve a
été fait dans la nuit qui a précédé le rendez-vous). L'étudiant
à qui il donnait les explications est un garçon particulièrement répugnant ; il lui disait : « Ce n'est pas ça », parce
que le magnésium n'avait pas encore été touché ; et celui-ci
lui a répondu, comme si cela lui était bien égal : « Bien oui !
ce n'est pas ça ; et puis après ? » Il doit être lui-même cet
étudiant — il est aussi indifférent à son *analyse* que l'autre
à sa *synthèse* ; c'est moi qui joue son rôle dans le rêve, je
procède à l'opération. Combien son indifférence quant au
résultat doit me « répugner » !

D'autre part, il est ce dont on fait l'analyse (la synthèse).
Il s'agit de la cure. Les jambes, dans le rêve, rappellent une
impression de la veille au soir. A sa leçon de danse, il a
rencontré une dame dont il voudrait faire la conquête ; il
l'a pressée si fortement contre lui qu'elle a crié. Quand il a
cessé de la serrer, il a senti une pression qui venait d'elle
sur le bas de sa jambe et jusqu'au genou, à l'endroit indiqué
dans le rêve. C'est donc la femme qui était le magnésium
dans la cornue et avec qui à la fin tout va bien. Il est féminin
vis-à-vis de moi, de même qu'il est viril vis-à-vis de la
femme. Si ça va pour la femme, ça ira pour la cure. Le fait
qu'il se palpe lui-même et qu'il perçoit ses genoux indique
l'onanisme et correspond à sa fatigue de la veille. Le
rendez-vous était bien pour 11 h 1/2. Son désir de dormir
à cette heure-là et de s'en tenir aux objets sexuels domestiques (c'est-à-dire à l'onanisme) répond à sa résistance.

Au sujet de la répétition du mot phényl, il me dit que
tous ces radicaux en *yl* lui ont toujours plu beaucoup, ils
sont très commodes à employer. Tout ceci n'explique rien,
mais, lorsque je lui propose le radical *Schlemihl*, il rit beaucoup et me raconte qu'il a lu cet été un livre de Prévost

---

(1) [N. d. T.] : la plupart des noms des localités des environs de
Vienne se terminent en *ing* ; Schottentor est dans le centre de la ville.

où le chapitre : les exclus de l'amour, traitait des « schle-miliés »; en lisant la description, il s'était dit : voilà mon cas. Ç'aurait été de la « schlemilerie » s'il avait manqué le rendez-vous.

Il semble que la symbolique des rêves ait trouvé une confirmation expérimentale directe. En 1912, sur une indi-cation de Swoboda, le Dr K. Schrötter a provoqué, par suggestion portant sur des sujets hypnotisés, des rêves dont il fixait en grande partie le contenu. Quand il suggérait de rêver de relations sexuelles normales ou anormales, le rêve substituait aux éléments sexuels des symboles que connaît l'interprétation psychanalytique. Par exemple, une sugges-tion lesbienne provoquait l'image de l'amie tenant à la main un sac de voyage usé sur lequel était collée une étiquette avec les mots : Dames seules. On n'avait jamais rien dit à la rêveuse de la symbolique du rêve et de son interprétation. Malheureusement pour ces expériences importantes, nous ne pouvons apprécier leur portée avec l'aide du Dr Schrötter : il s'est suicidé peu après. Nous n'avons de lui qu'une commu-nication dans le *Zentralblatt für Psychoanalyse*.

En 1923, Roffenstein a publié des résultats semblables. D'autre part, des expériences faites par Betlheim et Hartman nous intéressent particulièrement en ce qu'elles n'ont pas utilisé l'hypnose (Über Fehlreaktionen beider Korsakoff-schen Psychose, *Archiv f. Psychiatrie*, t. 72, 1924). Ces auteurs ont raconté à des malades atteints de psychose de Korsakoff des histoires sexuelles corsées; puis ils ont exa-miné les déformations subies par ces histoires lorsque les malades les racontaient à leur tour. Ils y ont retrouvé les symboles qui nous sont familiers (monter un escalier, piquer et tirer un coup, comme symboles du coït, couteaux et cigarettes, comme symboles du pénis). Les auteurs ont atta-ché une importance particulière au symbolisme de l'escalier, car, disent-ils à bon droit, « une telle symbolisation serait inaccessible à un désir de déformation conscient ».

*
* *

Ayant ainsi traité de la symbolique dans le rêve, nous pouvons revenir à ce que nous disions des rêves typiques, p. 210-40. Je crois qu'on peut, en gros, les diviser en deux classes : les uns ont toujours le même sens, les autres, malgré un contenu identique ou analogue, doivent être interprétés de façons très diverses. J'ai déjà parlé d'un des rêves typiques de la première espèce, à propos du rêve d'examen.

Les rêves de *train manqué* doivent être joints aux rêves d'examen, parce qu'ils donnent la même impression affective. Leur explication justifie d'ailleurs ce rapprochement. Ce sont des rêves de consolation, ils nous rassurent contre une autre angoisse éprouvée dans le rêve : l'angoisse de la mort. Partir en voyage est une des expressions symboliques les mieux fondées et les plus souvent employées pour mourir. Le rêve nous console en disant : sois tranquille, tu ne mourras pas (tu ne partiras pas), comme le rêve d'examen nous apaise : n'aie pas peur, il ne t'arrivera rien cette fois encore. La difficulté qu'il y a à comprendre ces deux sortes de rêves vient de ce que l'impression d'angoisse est précisément liée à l'expression de la consolation.

Le sens des rêves des *dents arrachées*, que j'ai eu souvent à analyser chez mes malades, m'a longtemps échappé, parce qu'à ma vive surprise ils opposaient à l'interprétation une trop grande résistance.

Enfin l'explication m'apparut avec évidence : la force pulsionnelle de ces rêves était, chez les hommes, l'onanisme de la puberté. Je vais analyser deux de ces rêves dont l'un est en même temps un rêve de vol. Tous deux viennent de la même personne, un jeune homme qui a de fortes tendances homosexuelles, mais qui, dans la vie, les inhibe.

Il assiste à une représentation de Fidelio, *il est à l'orchestre de l'Opéra à côté de L..., qui lui est sympathique et dont il voudrait bien conquérir l'amitié. Brusquement il s'envole d'un bout à l'autre de l'orchestre, il met la main dans sa bouche et il s'arrache deux dents.*

Il décrit lui-même sa fuite comme s'il avait été « jeté » dans l'air. Comme il s'agit d'une représentation de *Fidelio*, nous nous rappelons le vers :

> Qui a conquis une jolie femme... (1).

Mais conquérir une aimable femme n'est pas un des souhaits du rêveur. Son désir serait mieux exprimé par ces autres vers :

> Qui a réussi le grand coup
> D'être l'ami d'un ami (2).

(1)   *Wer ein holdes Weib errungen...*
(2)   *Wem der grosse Wurf gelungen*
                    Eines Freundes Freund zu sein.

Le rêve contient ce grand coup, mais ce n'est pas là l'accomplissement d'un désir. Il cache des réflexions pénibles sur les malheurs que lui ont déjà valu ses entreprises amicales ; il a été « jeté dehors », et il craint cela avec le jeune homme près de qui il écoute *Fidelio*. A cela se rattache le souvenir humiliant pour le rêveur d'un acte d'onanisme répété par deux fois tant il était excité, à la suite d'un refus venu d'un ami.

Voici l'autre rêve : *Deux professeurs de l'Université, qu'il connaît, le traitent à ma place. L'un fait quelque chose à son membre ; il craint une opération. L'autre frappe sa bouche avec une tige de fer, de sorte qu'il perd une ou deux dents. Il est attaché avec quatre linges de soie.*

Le sens sexuel de ce rêve n'est pas douteux. Les linges de soie répondent à une identification avec un homosexuel qu'il connaît. Le rêveur, qui n'a jamais eu l'expérience d'un coït, et n'a pas non plus cherché à avoir réellement des relations sexuelles avec des hommes, se représente la vie sexuelle à la manière de l'onanisme de la puberté, qu'il a connu.

Je crois que les modifications fréquentes du rêve typique de dent arrachée, par exemple quand un autre arrache la dent du rêveur, etc., pourraient s'expliquer toutes de la même façon (1). Il peut paraître singulier que la dent arrachée ait ce sens. Je dois rappeler ici la transposition si fréquente de bas en haut, qui sert le refoulement sexuel et grâce à laquelle dans l'hystérie toutes sortes de sensations et d'intentions — qui devraient concerner les organes génitaux — peuvent se manifester au moins dans d'autres parties du corps irréprochables. Nous avons affaire à une transposition de cette espèce quand la symbolique de l'inconscient remplace les organes génitaux par le visage. L'usage de la langue allemande fait de même *(Hinterbacken ; Schamlippen)* (2). Le nez a été souvent comparé au pénis ; les cheveux complètent la ressemblance. Seules les dents échappent à toute comparaison, et c'est de là préci-

---

(1) Le fait qu'une dent est arrachée par une autre personne symbolise ordinairement la castration (comme les cheveux coupés par le coiffeur, cf. STEKEL). Il faut distinguer entre les rêves de dents arrachées et les rêves de dentiste, ainsi que l'a fait remarquer B. CORIAT (*Zentralblatt für Psychoanalyse*, III, p. 440).

(2) [N. d. T.] : *Hinterbacken :* fesses ; litt. : joues de derrière. *Schamlippen :* lèvres de la vulve ; litt. : lèvres de honte.

sément que vient leur emploi pour représenter ce qu'interdit le refoulement sexuel.

Je ne veux pas dire par là que cela éclaire pleinement l'interprétation du rêve de dent arrachée comme rêve d'onanisme, interprétation qui pour moi n'est pas douteuse (1). Je dis ce que je sais et dois laisser le reste inexpliqué. Mais je dois encore indiquer une autre concordance dans notre langue. Il y a dans nos pays une expression grossière pour exprimer la masturbation : *sich einen ausreissen* (litt. s'en arracher un), ou : *sich einen herunterreissen* (litt. s'en faire tomber un) (2). Je ne saurais dire d'où viennent ces expressions, quelle image est au fond; mais la « dent » s'accorderait très bien avec la première.

J'introduis ici un rêve de « stimulus dentaire » communiqué par Otto Rank, cela pour combattre l'interprétation populaire qui dans les rêves de dents arrachées ou de chute de dents voit l'indication de la mort d'un parent; la psychanalyse ne saurait voir dans cette interprétation qu'une parodie.

« Un confrère qui, depuis quelque temps, s'intéresse de plus en plus à l'interprétation des rêves me communique les indications suivantes au sujet des rêves de stimulus dentaire.

« *Je rêvai récemment que j'étais chez le dentiste qui creusait une dent reculée de ma mâchoire inférieure. Il y travailla si longtemps qu'il la rendit inutilisable ; il la saisit alors avec la pince et l'arracha en se jouant, avec une facilité qui m'émerveilla. Il dit que je ne devais pas m'inquiéter, parce que ce n'était pas la dent qu'il avait traitée, et il la mit sur la table où la dent, qui, à ce qu'il me sembla, était une incisive supérieure, tomba en plusieurs morceaux. Je me levai du fauteuil, m'approchai avec curiosité et posai une question médicale. Le dentiste m'expliqua, tout en séparant les morceaux de cette dent (qui était d'une blancheur saisissante) et en les broyant avec un instrument (en les pulvérisant), que cela tenait à la puberté et que ce n'est qu'avant la puberté que les dents sortent si aisément ; et chez les femmes, lors de la naissance d'un enfant.* — Je remarquai ensuite (dans un demi-sommeil, me semble-t-il) que ce rêve avait

---

(1) D'après une communication de C. G. Jung, les rêves de dent arrachée ont pour les femmes le sens d'accouchement. E. Jones a apporté de ce fait une bonne confirmation. L'élément commun de cette interprétation et de celle donnée plus haut est que, dans les deux cas (castration, accouchement), il s'agit de la séparation d'une partie du corps.

(2) Cf. le rêve « biographique », p. 299.

été accompagné de pollution, mais je ne pouvais dire avec certitude à quel moment du rêve celle-ci s'était produite; il me semblait que ce devait être au moment où la dent avait été arrachée.

« *Je ne me rappelle plus la suite du rêve ; il s'achève ainsi : Je laisse mon chapeau et mon habit, pensant qu'on me les rapportera, quelque part, sans doute dans le vestiaire du dentiste, et, vêtu de mon seul pardessus, je me hâte pour prendre un train qui va partir. J'arrive à sauter au dernier moment sur le dernier wagon où il y a déjà quelqu'un. Mais je ne peux y entrer et dois faire le voyage dans une situation incommode, dont je finis pourtant par me libérer. Nous entrons dans un grand tunnel, où viennent, en sens opposé, deux trains qui paraissent traverser le nôtre, comme si celui-ci était le tunnel. Je regarde à travers une des fenêtres du wagon, comme si j'étais dehors.*

« Voici les faits et les pensées de la veille du rêve, qui peuvent servir à l'interpréter.

« I. Il est vrai qu'un dentiste me traite depuis peu et que, pendant le rêve, je n'ai cessé de souffrir de la dent de la mâchoire inférieure que l'on creuse dans mon rêve et à laquelle, en effet, le dentiste travaille depuis plus longtemps que je ne l'aurais souhaité. Dans la matinée qui a précédé le rêve, j'étais retourné chez lui à cause de la douleur; il m'avait expliqué que je devrais me laisser arracher une autre dent de la même mâchoire, d'où venait probablement la douleur. Il s'agissait d'une dent de sagesse qui venait de pousser. A cette occasion, je lui avais posé une question qui mettait en jeu sa conscience médicale.

« II. Dans l'après-midi de ce même jour j'avais dû m'excuser de ma mauvaise humeur auprès d'une dame, en arguant de mes maux de dents; là-dessus elle m'avait raconté qu'elle craignait de devoir se faire arracher une racine dont la couronne était presque complètement ruinée. Elle pensait que les dents œillères étaient particulièrement douloureuses et dangereuses à enlever, bien qu'une amie lui eût dit que les dents de la mâchoire supérieure (pour elle il s'agissait d'une de celles-là) étaient plus faciles à arracher. Cette amie lui avait aussi raconté comment on lui avait arraché, après l'avoir endormie, une dent qui n'était pas celle dont elle souffrait; ceci avait encore accru la peur de l'opération nécessaire. Elle me demanda ensuite si les dents qu'on appelait œillères étaient des molaires ou des canines. Je la mis en garde contre les histoires de bonnes femmes qui courent sur ce sujet, tout en lui disant cependant qu'il y avait quelque vérité dans beaucoup d'idées populaires. Elle en connaissait une très ancienne et très répandue, selon laquelle *une femme enceinte qui souffre des dents doit mettre un garçon au monde.*

« III. Cette sentence me fit songer à ce que dit Freud dans sa *Traumdeutung* (2e éd., p. 193) du rêve à stimulus dentaire, substitut de l'onanisme; en effet, cette phrase populaire met aussi en relation la dent et le membre viril (le garçon). Je relus donc, le soir de ce jour, ce passage de la *Traumdeutung*, et j'y trouvai, entre autres choses, les indications suivantes dont l'influence sur mon rêve est aussi nette que celle des faits précédemment indiqués. Freud écrit, au sujet des rêves à stimulus dentaire, que " la force pulsionnelle de ces rêves est chez les hommes l'onanisme de la puberté ". Il ajoute : " Je crois que les modifications fréquentes du rêve typique à stimulus dentaire, par exemple quand un autre arrache la dent du rêveur, etc., pourraient s'expliquer toutes de la même façon. Il peut paraître singulier que le stimulus dentaire ait ce sens. Je dois rappeler ici la transposition si fréquente de bas en haut (dans le rêve en question de la mâchoire inférieure à la mâchoire supérieure), qui sert le refoulement sexuel et grâce à laquelle dans l'hystérie toutes sortes de sensations et d'intentions — qui devraient concerner les organes génitaux — peuvent se manifester du moins dans des parties du corps auxquelles on n'a rien à reprocher. Je dois encore indiquer une autre concordance dans notre langue. Il y a dans nos pays une expression grossière pour exprimer la masturbation : *sich einen ausreissen*, ou : *sich einen herunterreissen...* " (2e éd., p. 194; *supra*, p. 332-3). Je connaissais bien cette expression dès ma prime jeunesse, et un interprète de rêves un peu exercé n'aura aucune peine à trouver ici le matériel infantile qui doit être au fond de ce rêve. J'indique encore ici que la facilité avec laquelle on enlève dans le rêve la dent qui devient ensuite une incisive supérieure rappelle un fait de mon enfance : je m'arrachai moi-même une dent de devant de la mâchoire supérieure, qui tremblait, facilement et sans douleur. Ce fait, que je me rappelle encore aujourd'hui clairement et en détail, est de la même époque que les premiers faits d'onanisme que je peux me rappeler (souvenir-écran).

« L'indication, donnée dans Freud, d'une communication de C. G. Jung, d'après laquelle les rêves à stimulus dentaire auraient chez les femmes le sens de rêves d'accouchement, ainsi que la phrase populaire sur le sens des maux de dents chez les femmes enceintes, ont introduit dans le rêve l'opposition entre la signification féminine et la signification masculine (puberté). Je me rappelle, en outre, un rêve plus ancien. Peu de temps après avoir payé une somme considérable au dentiste qui avait mis à mes dents des couronnes (1) d'or je rêvai que ces couronnes tombaient et j'étais très fâché dans le rêve de cette dépense que j'avais dû faire. Je comprends maintenant ce rêve : il dit les avantages matériels de la masturbation sur l'amour d'objet, moins intéressant sur le plan économique; je pense que ce que cette dame m'a dit de la signification maux de dents chez les femmes enceintes a pu réveiller chez moi cet ensemble de pensées. »

« Voilà donc, continue Rank, l'explication lumineuse et, à mon avis, parfaitement exacte du confrère. Je n'ai rien à y ajouter, mais je dois indiquer le sens probable de la seconde partie, qui, grâce aux mots de transition : *Zahn — ziehen — Zug ; reissen — reisen* (dent — tirer — train; arracher — voyager), paraît indiquer le passage, probablement ardu, du rêveur, de la masturbation aux relations sexuelles (tunnel où les trains entrent et sortent dans diverses directions), ainsi que les dangers que présentent celles-ci (grossesse, pardessus).

« Le fait me paraît intéressant au point de vue théorique pour deux raisons. D'abord il confirme la relation découverte par Freud entre l'éjaculation et l'acte d'arracher la dent. Nous sommes obligés de considérer la pollution, sous quelque forme qu'elle apparaisse, comme une satisfaction masturbatoire qui se produit sans excitations mécaniques. Ici elle n'a pas trait à un objet, même imaginaire, elle est sans objet, et, si on peut dire, purement autoérotique; tout au plus pourrait-on reconnaître une légère indication homosexuelle (le dentiste). En second lieu, il faut relever le fait suivant : On pourrait objecter qu'il est inutile de faire intervenir ici la conception freudienne, puisque les faits de la veille suffisent parfaitement à nous faire comprendre le contenu du rêve. La visite au dentiste, la conversation

_____

(1) [N. d. T.] : à cette époque, la couronne était l'unité monétaire en Autriche.

avec la dame et la lecture de la *Traumdeutung* suffisent à expliquer que le rêveur, troublé dans son sommeil par le mal de dents, ait eu ce rêve; si l'on veut même, il l'aura eu pour repousser la douleur qui trouble son sommeil (et aussi par la représentation de l'arrachement de la dent douloureuse enlevée et l'effacement par la libido de la douleur redoutée). Mais on soutiendra difficilement que la lecture des explications données par Freud suffisait pour créer ou simplement pour rendre active la relation entre l'arrachage d'une dent et l'acte masturbatoire, si cette relation n'avait déjà préexisté, chez le rêveur, depuis longtemps (ce qu'il avoue lui-même : *sich einen ausreissen*). Ce qui, outre la conversation avec la dame, a pu renouer cette relation, le rêveur nous l'indique lui-même : pour des motifs aisément compréhensibles, il ne pouvait, en lisant la *Traumdeutung*, croire à cette signification typique du rêve avec stimulus dentaire, et il souhaitait savoir s'il en était ainsi pour tous les rêves de cette espèce. Le rêve lui confirme ce fait pour lui-même et lui montre d'où venaient ses doutes. Ainsi, même en ce sens, le rêve est l'accomplissement d'un désir : le désir de se rendre compte de la portée et de la solidité de cette conception freudienne. »

Au deuxième groupe des rêves typiques appartiennent ceux où l'on *vole*, *plane*, *tombe*, *nage*, etc. Que signifient ces rêves ? On ne saurait le dire d'une manière générale. Ainsi que nous le verrons, ils ont, dans chaque cas, un sens différent, seuls les éléments de sensations qu'ils contiennent proviennent tous de la même source.

Les renseignements que nous donne la psychanalyse permettent de conclure que ces rêves ont trait à des impressions d'enfance, qu'ils rappellent les jeux de mouvement si agréables aux enfants. Quel est l'oncle qui n'a pas fait voler un enfant, le transportant à bras tendus et courant à travers la pièce, ou qui n'a pas joué à le laisser tomber en étendant brusquement les jambes alors qu'il le balançait sur ses genoux, ou qui n'a pas feint de le lâcher brusquement alors qu'il l'avait levé très haut ? Les enfants poussent des cris de joie et demandent inlassablement qu'on recommence, surtout quand le jeu comporte un peu de terreur et de vertige; des années après, ils répéteront cela dans le rêve, mais ils oublieront les mains qui les ont portés, de sorte qu'ils voleront et tomberont librement. On sait combien les petits enfants aiment se balancer et tourner; plus tard leurs souvenirs seront rafraîchis par les exercices du cirque. Chez bien des garçons, les crises hystériques ne sont que la reproduction de ces exercices, qu'ils accomplissent avec beaucoup d'adresse. Il est fréquent que ces jeux de mouvements, innocents en eux-mêmes, provoquent des impressions sexuelles.

Pour résumer tous ces faits en un seul mot, le plus usité chez nous, c'est le *Hetzen* de l'enfance (action de courir après, de poursuivre, d'exciter) que produisent tous ces rêves de vol, de chute, de vertige, etc., mais le sentiment de plaisir est transformé en angoisse. Comme le savent bien toutes les mères, ces excitations des enfants s'achèvent souvent en réalité par des disputes et des larmes.

J'ai donc de bons motifs pour écarter l'explication des rêves de vol et de chute par les sensations de notre peau, des mouvements de nos poumons, etc., pendant le sommeil. Il m'apparaît que ces sensations elles-mêmes sont évoquées par les souvenirs auxquels le rêve se rapporte, qu'elles sont donc le contenu et non la source du rêve (1).

Ces impressions de mouvement identiques et de même origine peuvent être utilisées pour représenter les pensées de rêve les plus variées. Les rêves où l'on *vole* ou plane, et qui le plus souvent sont agréables, réclament des explications diverses : très spéciales pour certains, pour d'autres typiques. Une de mes malades avait l'habitude de rêver qu'elle planait au-dessus de la rue, à une certaine hauteur, sans toucher le sol. Elle était de très petite taille, et elle avait horreur des souillures qu'apportent les relations avec les hommes. Son rêve accomplissait donc ses deux souhaits : il l'élevait au-dessus du sol et il plaçait sa tête dans une région supérieure. Chez d'autres rêveuses, le rêve de vol indiquait l'aspiration à devenir un petit oiseau ou à être un ange : elles souffraient de n'être pas appelées ainsi pendant le jour. La relation très étroite entre le vol et la représentation de l'oiseau explique que les rêves de vol aient en général chez les hommes un sens grossier. Nous ne serons donc pas étonnés que les rêveurs soient ordinairement très fiers de leurs capacités dans ce domaine.

Le Dr Paul Federn (de Vienne) fait l'hypothèse pénétrante qu'une bonne part des rêves de vol sont des rêves

_____

(1) Si je répète ici ces remarques sur les rêves de mouvement, c'est à cause du contexte. V. ci-dessus p. 237 et sq.

d'érection, parce que le phénomène remarquable de l'érection, qui n'a cessé de préoccuper l'imagination humaine, doit lui apparaître comme la suppression de la pesanteur (cf. les phallus ailés des Anciens).

Il faut remarquer que Mourly Vold, si positif et si éloigné de toute interprétation, défend lui aussi le sens érotique des rêves de vol et des rêves où l'on plane (*Über den Traum*, t. II, p. 791). Il déclare que l'érotisme est le motif essentiel de ces rêves; il note, à l'appui de son affirmation, le sentiment très fort de vibrations dans tout le corps qui accompagne ces rêves et le fait qu'ils sont souvent liés à des érections ou à des pollutions.

Les rêves de *chute* ont plus souvent un caractère d'angoisse. Pour les femmes, leur interprétation ne présente aucune difficulté, car elles acceptent presque toujours le sens symbolique de la chute, répondant au fait d'avoir cédé à une tentation érotique. Nous n'avons pas encore épuisé les sources infantiles des rêves de chute. Presque tous les enfants sont tombés de temps à autre et ont été alors relevés et caressés; si, dans la nuit, ils sont tombés de leur petit lit, les personnes qui avaient soin d'eux les ont pris avec elles.

Les sujets qui rêvent souvent de *natation*, qui plongent dans les vagues avec joie, etc., sont ordinairement de ceux qui ont mouillé leur lit; ils répètent dans le rêve un plaisir auquel ils ont dû renoncer depuis longtemps. Nous verrons bientôt par quelques exemples à quelles figurations se prêtent ordinairement les rêves de nage.

L'interprétation des rêves d'*incendie* reconnaît le bien-fondé d'une des défenses faites aux enfants : « ne joue pas avec les allumettes » pour qu'ils ne mouillent pas leur lit la nuit. Le fond de ces rêves est une réminiscence de l'énurésie nocturne de l'enfance. J'ai présenté l'analyse et la synthèse complète d'un rêve de cette espèce en le rapprochant de l'histoire de la maladie, et j'ai montré quelles tendances d'un âge plus mûr ces éléments d'origine infantile permettaient de représenter (1).

On pourrait citer encore toute une série de rêves « typiques », si on entend par là le retour fréquent du même contenu manifeste chez différents rêveurs. Ainsi le rêve de marcher à travers des rues étroites, de traverser une suite

(1) Bruchstück einer Hysterieanalyse, 1905, *Ges. Werke*, Bd. V.

de chambres; le rêve de voleurs de nuit (auquel il faut rattacher les mesures de prudence prises par les nerveux avant d'aller se coucher); la poursuite par des bêtes furieuses (taureaux, chevaux); les menaces de coups de couteau, de poignards, de lances. Ces deux derniers types de rêves caractérisent les névroses d'angoisse. Une recherche portant spécialement sur cette question serait très utile. Je me limiterai ici à deux remarques qui ne se rapportent pas exclusivement à des rêves typiques.

Plus on s'occupe d'interprétation des rêves, plus on doit reconnaître que la plupart des rêves des adultes ont trait à des faits sexuels et expriment des désirs érotiques. Seuls ceux qui analysent les rêves, c'est-à-dire qui vont du contenu manifeste à la pensée latente, peuvent se former une opinion sur ce point — et non ceux qui se contentent d'enregistrer leur contenu manifeste (comme le fait Näcke dans son travail sur les rêves sexuels). Posons aussitôt que le fait n'a rien d'étonnant et qu'il s'accorde pleinement avec tous nos principes d'explication. Il n'y a pas de pulsion qui ait été, depuis l'enfance, aussi souvent comprimée que la pulsion sexuelle dans toutes ses composantes (1). Aucune autre ne suscite autant et d'aussi forts désirs, désirs inconscients qui agissent pendant le sommeil, en produisant des rêves. On ne doit jamais oublier, pendant l'interprétation, cette importance des complexes sexuels. Naturellement aussi, il ne faut pas l'exagérer jusqu'à ne voir plus qu'eux.

Pour beaucoup de rêves, une interprétation attentive montrera qu'ils doivent être compris d'une manière bisexuelle; ils se prêtent à une « surinterprétation » à laquelle on ne peut se refuser, ils réalisent des tendances homosexuelles, c'est-à-dire opposées à l'activité sexuelle normale du rêveur. Mais il ne faut pas interpréter tous les rêves d'une manière bisexuelle, comme le font W. Stekel (2) et Alf. Adler (3) : cela me paraît une généralisation improbable et invraisemblable et que je ne tiens pas à faire. Il est évident que de nombreux rêves peuvent se rapporter

---

(1) Cf. Freud, *Drei Abhandlungen zur Sexualtheorie*, 1905 (*Ges. Werke*, Bd. V).
(2) *Die Sprache des Traumes,'* 1911.
(3) Der psychische Hermaphroditismus, im Leben und in der Neurose, *Fortschritte der Medizin*, 1910, n° 16 ; cf. aussi *Zentralblatt für Psychoanalyse*, I, 1910-1911.

à des besoins autres qu'érotiques, même en prenant ce mot dans son sens le plus large. Il y a des rêves de faim, de soif, de commodité, etc. Des déclarations comme : « il y a derrière tout rêve une clause de mort » (Stekel), « chaque rêve va de la direction féminine à la direction masculine » (Adler), me paraissent dépasser la mesure permise. — L'affirmation que *tous les rêves doivent être expliqués d'une manière sexuelle,* contre laquelle on a infatigablement polémiqué, est étrangère à ma *Traumdeutung.* On ne saurait la trouver dans les sept éditions de ce livre et elle est en contradiction nette avec son contenu.

Nous avons montré à plusieurs reprises que des rêves d'une innocence frappante contenaient des désirs érotiques grossiers. Nous pourrions le prouver par de nouveaux exemples nombreux. Mais même des rêves indifférents en apparence, et auxquels on ne saurait trouver rien à reprendre, montrent, après l'analyse, d'une manière inattendue, qu'ils incarnaient des impulsions de désir *(Wunschregung)* sexuel indubitables. Qui donc, par exemple, supposerait, avant l'interprétation, un pareil désir dans le rêve suivant : *Il y a, entre deux palais imposants, une petite maison un peu en retrait ; la porte est fermée. Ma femme m'accompagne iusqu'à la petite maison, pousse la porte, et je me glisse, rapide et léger, dans une petite cour qui monte brusquement.*

Tous ceux qui ont quelque habitude de l'interprétation reconnaîtront aussitôt des symboles sexuels courants dans l'entrée dans un espace étroit, l'ouverture d'une porte fermée, et ils interpréteront ce rêve comme la représentation d'un coït par derrière (entre les appas imposants du corps de la femme); l'allée étroite qui monte brusquement est naturellement le vagin; le secours apporté par la femme du rêveur oblige l'interprétateur à supposer que seul le respect dû à l'épouse a empêché ce genre d'expérience. Nous apprenons que, la veille du rêve, une jeune domestique était entrée en service dans la maison du rêveur. Elle lui avait plu beaucoup et lui avait donné l'impression qu'elle ne serait pas très farouche. La petite maison, entre les deux palais, est une réminiscence des Hradčany de Prague; c'est de cette ville que venait la jeune bonne.

Quand j'indique à des malades la fréquence du rêve d'Œdipe, du désir de commerce sexuel avec la mère, ils me répondent toujours : je ne peux me rappeler aucun rêve de cette espèce. Mais ils se rappellent, bientôt après, un autre rêve, méconnaissable et indifférent, qui s'est très souvent reproduit et où l'analyse découvre un contenu analogue. Je peux garantir que les rêves de commerce sexuel avec la mère dissimulés sont beaucoup plus nombreux que les rêves sincères (1).

Il y a des rêves de paysages ou de localités qui sont accompagnés de la certitude exprimée dans le rêve même : j'ai déjà été là. Mais ce *déjà vu* a dans le rêve un sens parti-

---

1) J'ai communiqué un exemple typique de rêve d'Œdipe déguisé dans le n° 1 du *Zentralblatt für Psychoanalyse* (v. ci-dessous) ; O. RANK en a communiqué un autre dans le n° 4, avec une interprétation complète. Cf., pour d'autres rêves de cette sorte où apparaît la symbolique de l'œil, RANK, *Internat. Zeitschrift für Psychoanalyse*, I, 1913. On trouvera là aussi d'autres travaux sur les rêves d'yeux et la symbolique de l'œil, d'EDER, de FERENCZI, de REITLER. Le fait de s'aveugler est, dans la légende d'Œdipe comme ailleurs, un substitut de la castration. Les Anciens n'ignoraient pas le sens symbolique des rêves d'Œdipe non voilés; cf. O. RANK, *Jahrb.*, II, p. 534 : « Ainsi un rêve de relations avec sa mère, fait par Jules César, fut interprété comme un bon signe de possession de la terre (Mère-Terre). L'oracle des Tarquins, d'après lequel celui qui le premier embrasserait sa mère serait maître de Rome *(osculum matri tulerit)*, est également connu ; Brutus considéra qu'il indiquait la terre-mère *(terram osculo contigit, scilicet quod ea communis mater omnium mortalium esset.* T. L., I, LXI). Cf. le rêve d'Hippias raconté par Hérodote (VI, 107) : Hippias conduisit les Barbares à Marathon, après avoir eu la nuit précédente le rêve suivant : Il lui sembla qu'il dormait auprès de sa propre mère. Il en conclut qu'il arriverait à Athènes, retrouverait son autorité et y mourrait paisiblement dans ses vieux jours. » — Ces mythes et ces interprétations prouvent d'exactes connaissances psychologiques. J'ai remarqué que les personnes qui se savent préférées ou distinguées par leur mère apportent dans la vie une confiance particulière en elles-mêmes et un optimisme inébranlable, qui souvent paraissent héroïques et mènent vraiment au succès.

UN EXEMPLE TYPIQUE DE RÊVE ŒDIPIEN DÉGUISÉ. — Un homme rêve *qu'il a une liaison secrète avec une dame que veut épouser un autre homme. Il a peur que cet autre découvre la liaison et annule son projet de mariage. Il se comporte donc de façon très tendre avec lui : il l'étreint et l'embrasse.* — La réalité de la vie du rêveur ne s'accorde que sur un point avec le rêve. Il a une liaison secrète avec une femme mariée ; une remarque ambiguë de l'époux, un de ses amis, lui a fait penser que ce dernier aurait des soupçons. En fait, il y a un autre élément que le rêve évitait de mentionner, qui seul peut fournir la clé du rêve. Le mari est atteint d'une maladie organique grave. Sa femme sait qu'il peut mourir soudainement et le rêveur a l'intention d'épouser alors la jeune femme devenue veuve. Par la situation extérieure, le rêveur se trouve placé dans une position œdipienne. Son désir peut tuer le mari pour lui permettre d'épouser la femme. Le rêve déforme ce désir hypocritement : elle n'est pas mariée, mais un autre souhaite la prendre pour femme, ce qui correspond aux intentions secrètes du rêveur ; les souhaits hostiles de celui-ci vis-à-vis de l'époux sont dissimulés sous une affection démonstrative, dont le souvenir remonte à ses relations d'enfant avec son père.

culier. Cette localité est toujours l'organe génital de la mère ; il n'est point d'autre lieu dont on puisse dire avec autant de certitude qu'on y a déjà été. Une seule fois un obsédé m'embarrassa en me racontant un rêve où il visitait une maison où il avait déjà été *deux fois*. Mais justement ce malade m'avait raconté longtemps avant un fait qui s'était passé quand il avait 6 ans. A cette époque, il avait partagé une fois le lit de sa mère et il avait introduit son doigt dans son sexe pendant qu'elle dormait.

Un grand nombre de rêves, souvent remplis d'angoisse, tels que ceux où l'on passe par des couloirs étroits, où l'on séjourne dans l'eau, reposent sur des fantasmes concernant la vie intra-utérine, le séjour dans le corps de la mère et l'acte même de naître.

Voici le rêve d'un jeune homme qui a imaginé d'utiliser le séjour intra-utérin pour observer les relations sexuelles de ses parents.

Il se trouve dans une fosse profonde, qui a une fenêtre comme le tunnel de Semmering. A travers celle-ci, il voit d'abord des paysages vides, puis il imagine un tableau qui entre aussitôt et remplit le vide. Le tableau représente un champ profondément labouré par un instrument, et le beau ciel, l'idée du travail bien fait, les mottes de terre bleu-noir font une impression magnifique. Puis il continue, voit un manuel de pédagogie ouvert... et s'étonne que l'on y prête une telle attention aux impressions sexuelles (de l'enfant) ; à ce sujet il pense à moi. »

Voici un beau rêve d'eau d'une malade, il servit beaucoup à la cure.

Pendant son séjour d'été au lac de..., elle se précipite dans l'eau sombre, là où la lune pâle se reflète dans l'eau.

Des rêves de cette espèce sont des rêves de naissance. Pour les interpréter, il faut renverser le fait qui forme le contenu manifeste du rêve ; ainsi, au lieu de se précipiter dans l'eau, on dira : sortir de l'eau, c'est-à-dire naître (1). On reconnaîtra le lieu d'où nous naissons en pensant au français : « la lune ». La lune pâle est le « popo » blanc d'où l'enfant devine bientôt qu'il est issu. Pourquoi la malade aurait-elle voulu naître dans son séjour d'été ? Je le lui demande, et elle répond sans hésitation : « La cure n'est-elle pas pour moi une seconde naissance ? » Ainsi ce rêve

_____

(1) Sur le sens mythologique de la naissance dans l'eau, voir RANK, *Der Mythus von der Geburt des Helden*, 1909.

invite à continuer à la soigner dans cette villégiature, c'est-à-dire à l'y aller voir; il contient peut-être aussi une indication très timide du désir d'être mère elle-même (1).

Je prends, dans un travail de E. Jones, un autre rêve de naissance avec son interprétation : « *Elle était au bord de la mer et surveillait un petit garçon, qui lui paraissait être le sien, pendant qu'il pataugeait dans l'eau. Il alla si loin que l'eau le recouvrit, de sorte qu'elle ne pouvait voir que sa tête et la manière dont elle s'élevait et s'abaissait à la surface. Puis la scène se transforma et devint le hall d'un hôtel, remplit de monde. Son mari la quitta et elle entra en conversation avec un étranger.*

« La seconde partie du rêve apparut, à l'analyse, comme la représentation d'une fugue; elle avait quitté son mari et noué des relations intimes avec une tierce personne. La première partie du rêve était une rêverie de naissance. Dans le rêve comme dans la mythologie, la délivrance de l'enfant des eaux est ordinairement représentée par renversement par l'entrée de l'enfant dans l'eau; la naissance d'Adonis, d'Osiris, de Moïse et de Bacchus en fournit des exemples entre beaucoup d'autres. Le mouvement de la tête qui sort de l'eau et qui y rentre rappelle aussitôt à la malade les mouvements de l'enfant qu'elle a appris à connaître pendant son unique grossesse. La pensée de l'enfant qui descend dans l'eau éveille une rêverie où elle se voit elle-même, elle tire l'enfant de l'eau, le mène dans la nursery, le lave, l'habille et enfin l'amène dans sa maison.

« La seconde moitié du rêve présente des pensées qui ont trait à la fugue et qui sont en relation avec les pensées cachées de la première moitié; la première moitié du rêve correspond au contenu latent de la seconde, aux fantasmes de naissance. Il y a d'autres renversements, à côté de celui qui a déjà été signalé. Dans la première moitié du rêve l'enfant va *dans* l'eau et ensuite sa tête se balance. Dans les pensées qui sont au fond du rêve, ce sont les mouvements de l'enfant qui apparaissent d'abord, puis

(1) J'ai appris assez tard à comprendre l'importance des rêveries et des pensées inconscientes au sujet de la vie intra-utérine. L'angoisse singulière de tant d'hommes qui craignent d'être enterrés vivants — et aussi le profond fondement inconscient de la croyance à une vie après la mort, qui ne fait que projeter dans l'avenir cette étrange vie prénatale — viennent de là. *La naissance est d'ailleurs le premier fait d'angoisse et par conséquent la source et le modèle de toute angoisse.*

l'enfant quitte l'eau (double renversement). Dans la seconde moitié du rêve son mari la quitte; dans la pensée du rêve, elle quitte son mari. »

Abraham raconte un autre rêve de naissance, fait par une jeune femme qui attendait son premier accouchement : « *D'un point du plancher de la chambre part un conduit souterrain qui plonge directement dans l'eau* (canal pelvi-génital, eaux). *Elle soulève une trappe dans le plancher, et aussitôt apparaît un être couvert d'une fourrure brunâtre qui ressemble un peu à un phoque. Cet être se métamorphose et devient le plus jeune frère de la rêveuse avec qui elle a toujours été très maternelle.* »

Rank a montré, d'après toute une série de rêves, que les rêves de naissance utilisaient la même symbolique que les rêves urinaires. Le stimulus érotique y est représenté comme un stimulus urinaire. Les couches de signification dans ces rêves correspondent à une transformation du sens des symboles depuis l'enfance.

Nous pouvons maintenant revenir au thème que nous avons quitté p. 210 : le rôle que jouent dans la formation du rêve les excitations organiques qui troublent le sommeil. Des rêves faits sous ces influences ne manifestent pas seulement la tendance à accomplir un désir et le besoin de commodité, mais souvent aussi une symbolique parfaitement transparente, car il est fréquent que la stimulation qui réveille soit celle *dont la satisfaction a été vainement cherchée dans le rêve sous un déguisement symbolique.* Cela est vrai des rêves de pollution comme des rêves vésicaux et rectaux. Le caractère particulier des rêves de pollution nous a permis, non seulement de démasquer des symboles sexuels qui nous paraissent typiques, et qui étaient très discutés, mais encore de nous rendre compte que mainte scène en apparence innocente n'était que le prélude symbolique d'une scène sexuelle grossière; celle-ci n'arrive à être directement figurée que dans les rêves de pollution qui sont relativement rares; il est fréquent qu'elle tourne au cauchemar, qui conduit également au réveil.

La symbolique des rêves *urinaires* est particulièrement transparente. Elle était connue de tout temps. Hippocrate affirmait déjà qu'il y a trouble de la vessie quand on rêve de fontaines et de sources (Havelock Ellis). Scherner a étudié sous ses multiples aspects la symbolique urinaire et il a également soutenu qu' « un stimulus urinaire un peu fort évolue en stimulation d'espèce sexuelle et prend ses formes symboliques... Le rêve provoqué par un stimulus urinaire est souvent en même temps le représentant d'un rêve sexuel ».

O. Rank, dont je suis ici les explications (cf. *Symbolschichtung im Wecktraum*), considère comme très vraisemblable qu'un grand nombre de rêves à stimulus urinaire soient en réalité provoqués par un stimulus sexuel qui a cherché à se satisfaire d'abord en revenant à la phase infantile de l'érotique uréthrale. Les cas particulièrement instructifs sont ceux où le stimulus prétendu urinaire conduit au réveil et à la satisfaction de ce besoin; après quoi le rêve revient, se continue et s'exprime désormais par des images érotiques non voilées (1).

De même, les rêves à stimulus *intestinal* ont une symbolique particulière et qui légitime parfaitement les rapprochements populaires entre or et ordure (2) : « Ainsi, par exemple, une malade soignée pour des troubles intestinaux rêve d'un enfouisseur qui enterre un trésor non loin d'une cabane de bois qui ressemble à un w.-c. de campagne. Dans la seconde partie du rêve, elle nettoie le derrière de sa petite fille qui s'est salie. »

Il faut joindre aux rêves de naissance les rêves de *sauvetage*. Sauver, en particulier tirer de l'eau, a le même sens que mettre au monde quand c'est une femme qui rêve; ce sens change quand il s'agit d'un homme (cf. Pfister : Ein Fall von psychoanalytischer Seelsorge und Seelenheilung, *Evangelische Freiheit*, 1909). Au sujet du symbole du « sauvetage », voir ma conférence : Die zukünftigen Chancen der psychoanalytischen Therapie, in *Zentralblatt f. Psychoanalyse*, n° 1, 1910, et Beiträge zur Psychologie des Liebeslebens, I. Ueber einen besonderen Typus der Objekt-

---

(1) « Ces mêmes figurations symboliques qui sont au fond des rêves urinaires enfantins apparaissent pour les adultes avec un sens nettement sexuel : eau = urine = sperme = eaux amniotiques ; *Schiff* (navire) = *schiffen* (uriner) = utérus (caisse) ; être mouillé = énurésie = coït = grossesse ; nager = vessie pleine = séjour de l'enfant avant sa naissance ; pluie = uriner = symbole de la fécondation ; voyager = descendre de voiture = se lever du lit = avoir des relations sexuelles (voyage de noces); uriner = soulagement sexuel (pollution) » (RANK, *l. c.*).

(2) Cf. FREUD, *Charakter und Analerotik* ; RANK, *Die Symbolschichtung*, etc. ; DATTNER, *Intern. Zeitschrift für Psychoan.*, I, 1913 ; REIK, *Intern. Zeitschr.*, III, 1915.

wahl beim Manne, *Jahrbuch f. Psychoan.*, II, 1910, *Ges. Werke*, Bd. VIII (1).

Les brigands, les voleurs qui entrent la nuit dans les maisons, les fantômes dont on a peur avant de se mettre au lit, et qui, à l'occasion, troublent le dormeur, proviennent tous des mêmes réminiscences infantiles. Ce sont les visiteurs nocturnes qui ont éveillé l'enfant pour le mettre sur le vase afin qu'il ne mouille pas son lit ou qui ont soulevé les couvertures pour voir comment il tenait ses mains en dormant. L'analyse de quelques-uns de ces rêves d'angoisse m'a permis de reconnaître la personne dont il était question. Le voleur était chaque fois le père, les fantômes étaient les femmes en vêtements de nuits blancs.

VI. — Exemples de figurations
Calculs et discours dans le rêve

Avant d'étudier comme il convient le quatrième des facteurs essentiels de la formation des rêves, je voudrais donner quelques exemples qui serviront à la fois à illustrer l'action commune des trois facteurs que nous connaissons et à vérifier les hypothèses que j'ai avancées ou à en tirer des conclusions indiscutables. Il m'a été, en effet, très difficile, quand j'ai exposé le travail du rêve, de prouver les résultats obtenus par des exemples. Les exemples qui justifient les différents principes ne sont probants que dans l'ensemble d'une interprétation; isolés, ils perdent leur force, et une analyse, même peu approfondie, est bientôt si vaste qu'elle fait perdre le fil de l'explication au lieu de l'éclairer. Ce motif technique me servira d'excuse si je groupe maintenant des faits qui n'ont de cohérence que par leur rapport au chapitre précédent.

Voici d'abord quelques exemples de représentations particulièrement bizarres ou inaccoutumées dans le rêve. Une dame rêve : *Une femme de chambre est montée sur une*

(1) Voir aussi RANK, Belege zur Rettungsphantasie (*Zentralblatt f. Psychoan.*, I, 1910, p. 331) ; REIK, Zur Rettungssymbolik (*ibid.*, p. 499) ; RANK, Die Geburtsrettungsphantasie in Traum und Dichtung (*Intern. Zeitschr. f. Psychoan.*, 1914).

échelle comme si elle voulait laver les vitres et elle tient un chim-panzé et un chat gorille (elle corrige ensuite : *chat angora*); *elle jette ces animaux sur la rêveuse ; le chimpanzé s'attache à elle, et c'est très dégoûtant.* Ce rêve a atteint son but par un moyen très simple : il a pris et figuré littéralement une expression usuelle. Le mot « singe », les noms d'animaux en général sont des injures, et la scène du rêve n'a d'autre sens que « jeter des injures à la face ». Nous trouverons dans ma collection d'autres exemples de ce procédé.

Ainsi dans le rêve suivant : *Une femme avec un enfant dont le crâne est visiblement mal conformé ; elle a entendu dire que c'est la manière dont il était placé dans le corps de sa mère qui a amené cette conformation. Le médecin a dit qu'on pourrait, en le comprimant, donner à ce crâne une meilleure forme, mais ce serait dangereux pour le cerveau. Elle pense que c'est un garçon et que ça ne lui nuira pas.* Ce rêve représente d'une manière plastique du concept abstrait que la rêveuse avait entendu au cours des explications données pendant la cure : « *impres-sion d'enfance* ».

L'exemple suivant présente une direction un peu diffé-rente. Le rêve contient le souvenir d'une excursion à Hilmteich, près de Graz : *Il fait un temps affreux dehors : un hôtel misérable, l'eau coule des murs, les lits sont humides.* (Ce dernier fragment est moins direct dans le rêve que je ne l'indique ici.) Le rêve signifie : *Superflu.* L'idée abstraite qui se trouve dans la pensée du rêve est d'abord présentée d'une manière très équivoque; on lui substitue : « qui coule par-dessus », ou « fluide et superflu » *(flüssig und über-flüssig).* Puis, pour obtenir une figuration concrète, on accumule des impressions analogues. Il y a de l'eau dehors, il y a de l'eau dedans, le long des murs, il y a de l'eau dans les lits, humides : tout est « fluide et superflu ». Nous ne nous étonnerons pas qu'en pareil cas l'orthographe soit moins importante que le son des mots; la rime prend des libertés analogues. Dans un rêve assez étendu, commu-niqué et bien analysé par Rank, une jeune fille raconte qu'elle est allée se promener dans les champs où elle a cueilli de beaux épis d'orge et de blé. Un ami de jeunesse est venu au-devant d'elle et elle a voulu éviter sa rencontre. L'analyse montre qu'il s'agit d'un baiser honnête (*Aehre =* épi, *Ehre =* honneur) (1). Les épis, qui ne doivent pas être arrachés, mais coupés, jouent dans ce rêve leur propre rôle et, en outre, condensés avec : l'honneur, les honneurs, ils représentent toute une série d'autres pensées.

En bien des cas la langue a beaucoup facilité la figuration des pensées du rêve. Elle offre des séries de mots qui étaient à l'origine imagés et concrets et qui, pâlis, sont maintenant employés dans un sens abstrait. Le rêve n'a qu'à rendre à ces mots leur sens primitif complet ou un des sens intermédiaires. Quelqu'un rêve, par exemple, que son frère est dans une *caisse*, l'interprétation remplace la caisse par une *armoire*, et la pensée du rêve est que le frère doit se renfermer, se renferme dans son état (*armoire* = *Schrank*, renfermer = *einschränken*, litt. s'enfermer dans une armoire). Un autre rêveur escalade une montagne, d'où il a une *vue* extraordinairement vaste. Il s'identifie par là avec son frère qui dirige une *revue* qui s'occupe de relations avec l'Extrême-Orient.

Dans un rêve du *Grüne Heinrich* de Keller, un cheval impétueux se roule dans une belle avoine dont chaque grain est fait « d'une amande douce, d'un grain de raisin sec et d'un pfennig neuf enveloppés de soie rouge et attachés avec un brin de soie de porc ». Le poète ou le rêveur interprète aussitôt cette représentation, car le cheval se sent si agréablement chatouillé qu'il crie : l'avoine me pique (loc. usuelle = la fortune me monte à la tête).

D'après Henzen, on trouve un usage particulièrement abondant de ces manières de parler et de ces calembours de rêve dans la vieille littérature nordique des Sagas; on a peine à y relever un exemple de rêve sans équivoque ou sans jeu de mots.

Ce pourrait être le sujet d'un travail spécial que de rassembler ces procédés et de les ranger d'après leurs principes. Nombre d'entre eux sont presque des jeux d'esprit. On a l'impression qu'on ne les aurait jamais découverts soi-même si le rêveur n'avait su les indiquer. En voici quelques-uns.

I. Un homme rêve qu'*on lui demande un nom auquel il ne peut penser*. Il explique lui-même que cela signifie : « L'idée ne m'en viendrait jamais (pas même en rêve). »

II. Une malade raconte un rêve dont *tous les personnages étaient spécialement grands*. « Cela signifie, ajoute-t-elle, qu'il s'agit d'un événement de ma première enfance, car naturellement, en ce temps-là, toutes les grandes personnes me paraissaient prodigieusement grandes. » Elle-même n'apparaissait pas dans ce rêve.

Le recul dans l'enfance est exprimé autrement dans d'autres rêves qui traduisent le temps par l'espace. On voit les personnes et les scènes dont il s'agit comme si elles étaient très éloignées, au bout d'un long chemin, ou comme si on les regardait à travers une lorgnette de théâtre tenue à l'envers.

III. Un homme qui s'exprime ordinairement d'une manière abstraite et peu précise, mais qui a, à part cela, un esprit vif, rêve, dans un certain contexte, *qu'il va dans une gare où un train arrive. On rapproche le trottoir du train arrêté*, il y a donc un renversement absurde. Ce détail n'est qu'un signe indiquant qu'il y a dans le contenu du rêve quelque chose de renversé. L'analyse retrouve le souvenir de livres d'images dans lesquels étaient représentés des hommes qui se tenaient sur la tête et marchaient sur les mains.

IV. Ce même rêveur nous raconte une autre fois un rêve bref, qui fait penser à un rébus. *Son oncle l'embrasse, en automobile*. Il ajoute immédiatement l'interprétation, que je n'aurais jamais trouvée et qui est : Autoérotisme. Cela ressemble à une plaisanterie faite pendant la veille.

V. Le rêveur *tire une femme de derrière le lit*, cela veut dire qu'il l'attire.

VI. Le rêveur *se voit vêtu en officier, assis à table à l'opposé du Kaiser*. Cela veut dire qu'il s'oppose à son père.

VII. Le rêveur *soigne une autre personne qui s'est rompu un os*. L'analyse indique que cette rupture représente un adultère (*Ehebruch*, adultère; litt. : rupture de mariage).

VIII. Dans le rêve les moments de la journée représentent très souvent des époques de l'enfance. Ainsi 5 h 1/4 du matin signifie, pour un rêveur, 5 ans 3 mois. C'est l'âge où lui est arrivé un événement important, la naissance d'un frère.

IX. Autre exemple d'époques de la vie représentées dans le rêve : *Une femme marche avec deux petites filles entre lesquelles il y a une différence d'âge d'un an 1/4*. La rêveuse ne connaît pas de famille qui ait des enfants de cet âge. Elle-même interprète que les deux enfants la représentent et que le rêve lui rappelle l'époque des deux traumatismes de son enfance qui se sont produits à cette distance l'un de l'autre (3 ans 1/2 et 4 ans 3/4).

X. Il n'est pas étonnant que des personnes qui suivent un traitement psychanalytique expriment dans le rêve les pensées et les espoirs qu'il provoque. L'image choisie pour représenter la cure est ordinairement un trajet. Ce trajet est effectué le plus souvent en automobile parce que c'est là un véhicule nouveau et compliqué. L'ironie du patient trouve son compte dans la vitesse de l'automobile.

Si l'inconscient, en tant qu'élément de la pensée de veille, doit être représenté dans le rêve, il l'est par des lieux souterrains. En dehors de la cure analytique, ces représentations auraient symbolisé le corps de la femme ou la matrice. « En bas », dans le rêve, a souvent trait aux organes génitaux, « en haut » au visage, à la bouche ou à la poitrine. Les bêtes sauvages symbolisent ordinairement les pulsions passionnelles du rêveur ou pulsions d'autres personnes que le rêveur craint ; et, avec un léger déplacement, ces personnes mêmes. Il n'y a pas loin de là à un mode de figuration analogue au totémisme ; le père redouté est symbolisé par de méchants animaux, des chiens, des chevaux sauvages. On pourrait dire que les animaux sauvages servent à représenter la libido redoutée par le moi, combattue par le refoulement. La névrose elle-même, la « personnalité morbide », est souvent séparée par le rêveur et présentée comme une personnalité indépendante.

XI. (H. Sachs.) « Nous savons, grâce à *Die Traumdeutung*, que le travail du rêve dispose de bien des moyens pour représenter un mot ou une tournure de phrase d'une façon imagée. Il peut utiliser, par exemple, le fait qu'un mot a deux sens, et prendre dans le contenu manifeste le second sens au lieu du premier qui apparaît dans la pensée du rêve.

« C'est ce qui s'est produit dans le petit rêve suivant, grâce à une utilisation adroite des impressions récentes.

« Je m'étais enrhumé dans la journée, c'est pourquoi, en me couchant, j'avais résolu de ne pas quitter mon lit de la nuit si c'était possible. Le rêve, en apparence, me fit continuer mon travail de la journée ; j'avais collé des coupures de journal dans un livre en ayant soin de mettre chaque fragment à sa place. Voici le rêve :

« *Je m'efforce de coller une coupure dans le livre, mais elle ne va pas sur cette page* (er geht nicht auf die Seite : ce qui peut vouloir dire aussi : *il ne va pas à côté*), *ce qui me cause une grande douleur.*

« Je m'éveillai et constatai que la douleur du rêve continuait, mais sous forme de maux de ventre, de sorte que je dus manquer à ma résolution. Le rêve, gardien du sommeil, avait accompli mon désir de rester au lit en représentant les mots : ne va pas de ce côté (= à côté...). »

On peut dire que, pour arriver à une figuration visuelle, le travail du rêve emploie tous les moyens à sa portée, qu'ils soient ou non admis par la critique de la veille. De là le doute et l'ironie de tous ceux qui ont seulement entendu parler de l'interprétation et ne l'ont pas pratiquée. Le livre de Stekel : *Die Sprache des Traumes*, est riche en exemples de ce procédé, mais j'éviterai de les lui emprunter, parce que son manque de sens critique et son arbitraire dans la technique troublent ceux-là même qui n'ont point de préjugés sur ce point.

XII. Voici des exemples pris dans un travail de V. Tausk : Kleider und Farben im Dienste der Traumdarstellung (*Int. Zeitschr. f. Psychoan.*, II, 1914) :

a) A... rêve qu'il voit son ancienne gouvernante vêtue d'une robe noire légère.

Cela signifie qu'il juge cette femme légère.

b) C... voit en rêve, sur la grande route de X..., une jeune fille inondée de lumière blanche et vêtue d'une robe blanche.

Le rêveur a échangé ses premières tendresses sur cette grande route avec une demoiselle Weiss (Blanc).

c) Mme D... rêve qu'elle voit le vieux Blasel (un tragédien viennois qui a 80 ans) reposer sur le divan, revêtu d'une cuirasse *(Rüstung)*. Ensuite il saute par-dessus la table, les chaises, tire son épée, se regarde en même temps dans la glace et donne des coups d'épée dans l'air comme s'il luttait contre un ennemi imaginaire.

Interprétation : La rêveuse a une vieille maladie de la vessie (= *Blase*). Pendant l'analyse, elle est étendue sur le divan, et, lorsqu'elle se regarde dans la glace, il lui paraît que, malgré son âge et sa maladie, elle se défend bien *(sehr rüstig)*.

XIII. Le « grand exploit » dans le rêve *(Die grosse Leistung im Traume)*.

Un homme se voit dans un lit, il est une femme enceinte. Cela lui est très pénible. Il s'écrie : J'aimerais encore mieux... (il complète, pendant l'analyse, se rappelant l'expression d'une infirmière : casser des pierres). *Derrière son lit se trouve une carte dont le bas est maintenu par une baguette de bois (Holzleiste). Il arrache cette baguette en la prenant par les deux bouts ; elle*

ne se brise pas en travers, mais se fend en long. De cette manière,
il s'est soulagé et il a accouché.

Sans être aidé, il interprète le fait d'avoir arraché la
baguette *(Leiste)* comme étant le grand exploit *(Leistung)*
grâce auquel il s'est tiré de sa pénible situation (dans la
cure) en s'arrachant à sa position féminine... Le détail
absurde : la baguette qui s'est fendue en long, s'explique :
le rêveur rappelle que le dédoublement joint à la destruction fait allusion à la castration. Il est fréquent que le rêve
représente la castration par un désir antithétique : présence
de deux symboles du pénis. L'aine (aussi nommée *Leiste*
en allemand) est d'ailleurs une région du corps proche
des organes génitaux. Le rêveur condense ensuite son interprétation : il a surmonté la menace de castration que représentait sa transformation en femme (1).

XIV. Dans une analyse que j'ai faite en français, il
s'agissait d'interpréter un rêve où j'apparaissais sous la
forme d'un éléphant. Je demandai naturellement d'où
cela venait. « Vous me trompez », répondit le rêveur.

XV. Le travail du rêve parvient souvent à utiliser un
matériel très ingrat, comme le sont par exemple les noms
propres, en opérant le rapprochement forcé de rapports
assez lointains. Dans un de mes rêves, *le vieux Brücke m'a*
donné une tâche. Je fais une préparation anatomique et dégage
quelque chose qui ressemble à du papier d'étain froissé. Je repar-
lerai de ce rêve. L'idée, difficile à dégager, est « Staniol »,
et je sais qu'il s'agit du nom de Stannius, auteur d'un travail sur le système nerveux des poissons que j'ai beaucoup
admiré autrefois. Le premier travail scientifique que mon
maître m'a proposé portait en effet sur le système nerveux
d'un poisson, l'Ammocœtes. Il n'y avait évidemment
aucun moyen de construire un rébus sur ce nom.

XVI. Voici encore un rêve de contenu singulier; il est
d'ailleurs remarquable aussi comme rêve d'enfant et il
s'explique très facilement par l'analyse. Une dame raconte :
« Je me rappelle avoir souvent rêvé, étant enfant, que *le*
Bon Dieu avait un chapeau de papier pointu sur la tête. On me
mettait souvent à table un chapeau de cette espèce pour que
je ne puisse pas regarder dans les assiettes des autres enfants
ce qu'on leur donnait de chaque plat. Comme on m'avait

(1) *Internationale Zeitschrift für Psychoanalyse,* II, 1914.

raconté que Dieu savait tout, le rêve indique que je sais tout malgré le chapeau. »

Les *nombres* et les *calculs* qui apparaissent dans le rêve montrent bien en quoi consiste le travail du rêve et comment les éléments dont il dispose enveloppent la pensée du rêve. On sait que les nombres rêvés sont considérés par les gens superstitieux comme très significatifs.

Voici quelques exemples de rêves de cette sorte :

I. Rêve d'une dame, peu avant la fin de son traitement.

Elle veut payer quelque chose ; sa fille prend dans son porte-monnaie 3 fl. 65 kr. ; mais elle dit : « Que fais-tu ? Ça ne coûte que 21 kr. ». Je n'eus pas besoin d'explication pour comprendre ce fragment de rêve, parce que je connaissais la situation de la rêveuse. C'était une étrangère, qui avait amené sa fille dans une maison d'éducation de Vienne. Elle pouvait poursuivre son traitement aussi longtemps que sa fille restait à Vienne. L'année scolaire finissait dans 3 semaines et le traitement avec elle. La veille du rêve, elle avait vu la directrice de l'institution qui lui avait demandé si elle ne se déciderait pas à lui laisser l'enfant encore un an. Assurément elle avait pensé, à cette occasion, qu'elle pourrait alors continuer la cure pendant un an. C'est à quoi le rêve se rapporte; une année a 365 jours, les 3 semaines qui achèveront l'année scolaire et le traitement font 21 jours (il n'y a pas, il est vrai, autant d'heures de traitement). Les nombres, qui, dans la pensée du rêve, se rapportaient au temps, deviennent, dans le rêve même, des sommes d'argent, cela d'ailleurs en vertu d'un sens profond, car « *time is money* ». Il est évident que 365 kreuzer sont 3 gulden 65 kreuzer. La somme du rêve est très faible, visiblement pour répondre à un désir; le désir a diminué les frais du traitement et de l'année d'études.

II. Dans un autre rêve, les chiffres entraînent des complications plus grandes. Une femme jeune, mais mariée depuis longtemps déjà, apprend qu'une de ses amies, du même âge qu'elle, Elise L..., vient de se fiancer. Là-dessus, elle rêve : *Elle est au théâtre avec son mari, une partie de l'orchestre est complètement vide. Son mari lui raconte qu'Elise L... et son fiancé auraient aussi voulu aller au théâtre, mais qu'ils ne pouvaient avoir que de mauvaises places, 3 pour 1 fl. 50 kr., ce qu'ils ne pouvaient prendre. Elle pense que ce n'aurait pas été un malheur.*

D'où viennent ces 1 fl. 50 kr. ? D'un menu fait, tout à

fait indifférent, de la veille. Sa belle-sœur avait reçu de son mari en guise de cadeau 150 fl. et elle s'était hâtée de les dépenser en achetant un bijou. Remarquons que 150 fl. font 100 fois plus que 1 fl. 50 kr. D'où viennent les 3 places au théâtre ? Il n'y a qu'un rapport possible. La fiancée a 3 mois de moins qu'elle. Ce qui nous aidera à comprendre le rêve, ce sera l'indication qu'un côté de l'orchestre reste vide. C'est une allusion à un menu fait qui a donné à son mari une bonne occasion de taquinerie. Elle voulait assister à une certaine représentation et avait eu soin de louer des places plusieurs jours à l'avance, elle avait donc payé la location. Quand ils arrivèrent au théâtre, ils s'aperçurent que tout un côté était vide : *elle n'avait pas besoin de se presser.*

Je vais maintenant substituer au rêve la pensée du rêve : « J'ai fait une *sottise* en me mariant de si bonne heure, *je n'avais pas besoin de me presser* ; je vois par l'exemple d'Elise L... que j'aurais encore trouvé un mari. Et un mari *cent fois* meilleur (mari, trésor) si j'avais *attendu* (contraste avec la hâte de la belle-sœur). J'aurais pu acheter *trois* hommes de cette espèce avec mon argent (ma dot). » Nous voyons que dans ce rêve les chiffres ont changé de sens et de relations bien plus que dans le précédent. Le travail de transformation et de déformation du rêve a été beaucoup plus grand, ce qu'il faut interpréter par le fait que ces pensées du rêve ont eu à surmonter une résistance psychique bien plus grande pour être représentées. Il faut remarquer aussi qu'il y a dans ce rêve un élément absurde, le fait que *deux* personnes prennent *trois* places. L'interprétation nous permet de comprendre cette absurdité. Elle caractérise celle des pensées du rêve qui est le plus nette : j'ai fait une sottise en me mariant si tôt. Le 3 qui représentait une relation tout à fait accessoire entre les deux personnes comparées (différence d'âge de trois mois) est employé à indiquer la sottise nécessaire au rêve. La diminution de la somme : 150 fl. deviennent 1 fl. 50 kr., correspond à la petite estime qu'a pour son mari (ou son trésor) la rêveuse, dans ses pensées réprimées.

III. Un autre exemple nous montre cette arithmétique du rêve qui lui a valu tant de mépris. Un homme rêve : *Il est assis chez B...* (une famille qu'il a connue autrefois) *et dit :* « *Vous avez fait une sottise en ne m'accordant pas la main de Mali.* » *Puis il demande à la jeune fille :* « *Quel âge avez-vous ? — Je suis née en 1882. — Alors vous avez 28 ans.* »

Le rêve étant de 1898, le calcul est visiblement faux, et il faudrait comparer la faiblesse mathématique du rêveur à celle d'un paralytique général, si on ne pouvait trouver d'autre explication. Mon malade appartient à l'espèce des gens que préoccupe toute femme rencontrée. Pendant quelques mois, la personne qui entrait après lui dans mon cabinet avait été une jeune femme dont il demandait souvent des nouvelles et avec qui il voulait à tout prix se montrer aimable. C'est à celle-là qu'il donnait 28 ans. Ce détail pour expliquer le résultat de son calcul. 1882 était la date de son mariage. Il avait fallu qu'il entrât en conversation avec les deux autres femmes qu'il voyait chez moi, les deux bonnes, rien moins que jeunes qui, alternativement, lui ouvraient la porte. Comme il les avait trouvées très réservées, il se l'était expliqué en se disant qu'elles le considéraient comme un vieux monsieur « *bien assis* ».

IV. Voici un autre rêve de nombres caractérisé par une détermination ou plus exactement par une surdétermination très transparente. Je le dois, ainsi que son interprétation, à B. Dattner.

« Mon concierge, agent de police à l'hôtel de ville, rêve qu'*il est de faction dans la rue* (ce qui est l'accomplissement d'un désir). *Un inspecteur vient à lui, il porte sur son col les numéros 22 et 62 ou 26. (En tout cas, il y a plusieurs 2.)* — Le morcellement du nombre 2262 dans le compte rendu du rêve laisse déjà supposer que les diverses parties ont un sens particulier. Il pense brusquement qu'hier il a parlé avec ses collègues de la durée du temps de service. Cela à propos d'un inspecteur qui prenait sa retraite à 62 ans. Le rêveur a maintenant 22 ans de service et il lui faut encore 2 ans 2 mois pour avoir droit à une pension de 90 %. Le rêve lui présente d'abord la réalisation d'un désir caressé depuis longtemps : devenir inspecteur. Il est lui-même le supérieur qui porte sur son col le n⁰ 2262, il fait son service dans la rue, encore un de ses désirs, il a servi ses 2 ans 2 mois et il peut prendre sa retraite avec une pension complète, comme l'inspecteur de 62 ans (1).

_____

(1) Voir l'analyse d'autres rêves de nombres chez Jung, Marci-nowski, etc. On y retrouve souvent des opérations très compliquées que le rêveur accomplit avec une sécurité stupéfiante. Cf. aussi Jones : Ueber unbewusste Zahlenbehandlung (*Zentralbl. f. Psychoan.*, II, 1912, p. 241 sq.).

Si nous réunissons ces exemples et d'autres analogues (que nous rapportons plus loin), nous pourrons dire : Le travail du rêve n'est pas un calcul juste ou faux; il se contente d'employer des nombres qui apparaissent dans la pensée du rêve et peuvent servir d'allusions à des éléments non représentables; il les emploie sous la forme d'un calcul. Il utilise, à ses fins, les nombres de la même manière que tous les autres éléments : images et images verbales, mots, noms ou discours.

Car le travail du rêve ne saurait non plus *créer* des discours. Dans la mesure où des discours et des réponses apparaissent dans les rêves, qu'ils soient sensés ou déraisonnables, l'analyse montre chaque fois que le rêve n'a fait que reproduire des fragments de discours réellement tenus ou entendus qu'il a empruntés aux pensées du rêve et employés à son gré. Non seulement il les a arrachés de leur contexte et morcelés, a pris un fragment, rejeté un autre, mais encore il a fait des synthèses nouvelles, de sorte que les discours du rêve, qui paraissaient d'abord cohérents, se divisent, à l'analyse, en trois ou quatre morceaux. Dans ce nouvel emploi, le sens que les mots avaient dans la pensée du rêve est souvent abandonné : le mot reçoit un sens entièrement nouveau (1).

Quand on y regarde de plus près, on découvre, dans le discours du rêve, des parties plus nettes, plus compactes, à côté d'autres qui servent de lien et ont probablement été ajoutées pour compléter les premières — de même qu'en

(1) La névrose opère dans le même sens que le rêve. J'ai une malade qui se plaint d'entendre des chansons ou des fragments de chansons involontairement ou même contre sa volonté (elle est hallucinée) ; elle ne peut comprendre la signification qu'ils ont dans sa vie intérieure. La malade n'est d'ailleurs certainement pas paranoïaque. L'analyse montre que, moyennant certaines licences poétiques, elle a transformé le sens de ces chansons. Par exemple, « Leise, leise, fromme Weise » (tout doux, tout doux, pieux refrain) signifie pour son inconscient : *fromme Waise* (pieuse orpheline), et c'est elle qui est cette pieuse orpheline. Le début d'un cantique de Noël : « O bien heureuse, ô joyeuse nuit de Noël » devient pour elle, en négligeant « de Noël » un chant de noces, etc. Ce même mécanisme de déformation peut aussi se produire sans hallucinations par simple imagination. Pourquoi un de mes malades se rappelle-t-il un poème appris dans sa jeunesse : « Nächtlich am Busento lispeln... » ? C'est que son imagination se contente d'une partie de la citation : « Nächtlich am Busen... » (« la nuit sur un sein », au lieu de « la nuit sur le Busento... »).

On sait que la parodie s'est emparée de ce procédé. Les *Fliegende Blätter* ont présenté, au nombre de leurs illustrations des classiques allemands,

lisant nous ajoutons des lettres et des syllabes que nous avions d'abord omises. Ainsi le discours du rêve est construit comme un aggloméral dans lequel des fragments plus importants d'origine diverse sont soudés par une sorte de ciment solidifié.

Cette description n'est pleinement exacte que pour les discours perçus et décrits comme tels. Les autres, ceux qui ne nous ont pas donné l'espèce d'impression particulière d'être entendus ou prononcés (qui n'ont dans le rêve aucun caractère acoustique ou moteur), sont seulement des pensées, comme celles de la veille; elles passent dans le rêve sans subir de changement. Il semble que la lecture soit, elle aussi, une source riche bien que difficile à suivre pour un matériel indifférencié de discours de cette sorte. Mais tout ce qui apparaît d'une manière nette comme discours peut être ramené à des discours réels, tenus ou entendus par le rêveur.

Nous avons trouvé des exemples de ces discours et vu leur origine en analysant des rêves que nous communiquions pour d'autres raisons. Ainsi dans le rêve « innocent » du marché, de la page 164, où la phrase « on ne peut plus en avoir » sert à m'identifier avec le boucher, tandis qu'un fragment d'une autre phrase « je ne connais pas ça, je ne prends *(nehme)* pas ça » a pour but précisément de rendre le rêve innocent. La veille, en effet, la rêveuse avait répondu à une phrase désobligeante de sa cuisinière : « Je ne connais pas ça, soyez correcte *(benehmen Sie)* je vous prie. » De cela elle n'avait pris dans le rêve que la première partie, indifférente, et elle s'en était servie comme allusion à l'autre qui allait avec la rêverie qui était à la base de son rêve, mais qui, énoncée, l'aurait trahie.

une image pour le *Siegesfest* de Schiller, avec une citation ainsi tronquée

> *Und des frisch erkämpften Weibes*
> *Freut sich der Atrid und strickt...*

(La suite est :

> *Um den Reiz des schönen Leibes*
> *Seine Arme hochbeglückt.)*

C'est-à-dire :

> *Et vers la femme récemment conquise*
> *Bondit le cœur de l'Atride, il tricote...*

au lieu de :

> ..... *il enlace*
> *De ses bras extasiés*
> *La grâce du beau corps.*

Voici un exemple analogue, il tiendra la place de beaucoup d'autres qui donneraient les mêmes résultats :

Une grande cour où l'on brûle des cadavres. Il dit : « Je m'en vais, je ne peux pas regarder ça. » (Pas de discours distinct.) *Puis il rencontre deux petits commis de boucherie à qui il demande : « Eh bien ! était-ce bon ? » L'un d'eux répond : « Non, guère. » Comme s'il s'était agi de chair humaine.*

Le prétexte innocent de ce rêve est le suivant. Après dîner, il est passé, avec sa femme, chez les voisins, qui sont de braves gens, mais nullement « *appétissants* ». La bonne vieille voisine était en train de dîner et elle les a *obligés* (on emploie pour dire cela, entre hommes, un mot composé équivoque (1)) à goûter à son dîner. Il a essayé de refuser en disant qu'il n'avait plus faim. « Mais allez donc, vous le supporterez encore. » Il a dû donc y goûter et il a fait force compliments : « Mais c'est que c'est fameusement bon ! » Une fois seul avec sa femme, il a pesté contre l'insistance de la voisine et contre la qualité des mets goûtés. La phrase du rêve : « Je ne peux pas regarder ça », qui, on l'a vu, n'est pas nettement du discours, est une pensée qui se rapporte à l'aspect physique de la dame; il faut traduire : « Voilà quelqu'un que je n'ai pas plaisir à regarder ! »

Plus instructive encore sera l'analyse d'un autre rêve. Je le rapporte ici à cause du discours très clair qui en forme le centre, mais je ne l'expliquerai que plus loin, à propos du rôle des états affectifs dans le rêve.

Je suis allé, pendant la nuit, dans le laboratoire de Brücke ; on frappe légèrement à la porte, et j'ouvre au (feu) Pr Fleischl, qui entre avec plusieurs étrangers et qui, après quelques mots, s'assied à sa table. Puis vient un second rêve : *Mon ami Fl. est venu sans prévenir à Vienne en juillet ; je le rencontre dans la rue, qui cause avec (feu) mon ami P... et je vais avec eux dans un endroit où ils s'assoient comme à une petite table l'un en face de l'autre ; je m'assieds au petit côté de la table. Fl. parle de sa sœur et dit : « Elle mourut en trois quarts d'heure », puis quelque chose comme : « C'est le seuil. » Comme P... ne le comprend pas, Fl. se tourne vers moi et me demande ce que j'ai dit de lui à P... Là-dessus, saisi d'un sentiment étrange, je veux dire à Fl. que P... (ne peut absolument rien savoir car il) n'est plus en vie. Mais*

_____

(1) [N. d. T.] : *Notzüchtigen*, violer, à la place de *nötigen*, obliger.

je dis, tout en remarquant moi-même l'erreur : NON VIXIT.
*Ensuite je regarde P... d'une manière pénétrante, et, sous mon
regard, il devient pâle, évanescent, ses yeux deviennent d'un bleu
maladif — enfin il se dissout. J'en suis extraordinairement
heureux, je comprends maintenant qu'Ernst Fleischl n'était lui
aussi qu'une apparition, un revenant, et je trouve tout à fait
vraisemblable qu'un personnage de cette sorte n'existe qu'aussi
longtemps qu'on le désire et qu'il puisse être écarté par un
souhait.*

Ce bel exemple est un véritable répertoire des énigmes
du rêve. On y trouve : la critique pendant le rêve même
qui me fait remarquer mon erreur : « *non vixit* » au lieu de
« non vivit »; les relations avec des morts déclarés morts
dans le rêve même et que l'on trouve tout naturelles;
l'absurdité de la conclusion et la grande satisfaction que
j'en tire. Je donnerais beaucoup pour pouvoir communiquer la solution complète de toutes ces énigmes. Malheureusement je ne puis le faire, je ne puis, comme dans le
rêve, sacrifier des gens que j'aime à mon ambition; et
la moindre dissimulation détruirait toute la signification
de ce rêve, que je connais bien. Je me contente donc de
choisir, ici d'abord, puis un peu plus loin, quelques éléments
du rêve.

Le centre du rêve est une scène où j'anéantis P... en le
regardant. Ses yeux deviennent étrangement bleus, puis il se
dissout. Cette scène imite d'une façon très claire une autre
scène réellement vécue. J'ai été moniteur à l'Institut de
Physiologie; mon service commençait de bonne heure, et
Brücke avait appris que j'étais arrivé plusieurs fois en retard
au laboratoire d'enseignement. Il vint un jour à l'heure
où j'aurais dû arriver et m'attendit. Ce qu'il me dit fut
court et net, mais les mots n'ont pas d'importance en ces
cas. L'essentiel fut dans ses terribles yeux bleus dont le
regard m'anéantit (comme P... dans le rêve où, à mon
grand soulagement, les rôles sont changés). Ceux qui se
rappellent les yeux merveilleux que le maître avait gardés
jusque dans sa vieillesse, et qui l'ont vu en colère, peuvent
imaginer ce que je ressentis alors.

Je passai longtemps sans trouver l'origine du « *non
vixit* » que j'emploie dans le rêve ; mais je m'aperçus
que ces mots avaient été clairs dans le rêve, non pas
en tant qu'entendus ou prononcés, mais en tant que
vus. Je sus alors aussitôt d'où ils venaient. Sur le socle

du monument de l'empereur *Joseph*, à Vienne, on lit ces
belles paroles :

> Saluti patriae *vixit*
> *Non* diu sed totus (1).

J'avais donc pris dans cette inscription ce qui répondait à
l'attitude de pensée hostile de mon rêve et ce qui signifiait :
« Il n'a rien à dire, il ne vit pas. » Je me rappelai alors que le
rêve avait été fait peu de jours après l'inauguration du
buste de *Fleischl* à l'Université. A cette occasion, j'avais
revu le buste de *Brücke* et (inconsciemment) j'avais dû
regretter que mon ami P..., si bien doué et si passionné pour
la science, fût mort trop jeune pour qu'on lui en eût érigé
un aussi. Mon rêve le lui érigeait; mon ami P... s'appelait
Joseph (2).

Les règles de l'interprétation ne permettaient pas encore
de remplacer le *non vivit* dont j'ai besoin par le *non vixit* que
me procure le souvenir du monument de l'empereur
Joseph. Il faut qu'un autre élément des pensées du rêve y
ait contribué. Je me rends compte que dans la scène du
rêve se rencontrent deux courants de pensée, l'un hostile
et l'autre tendre à l'égard de P...; le premier est superficiel,
le second caché; ils sont représentés par ces mêmes mots :
non vixit. Parce qu'il a rendu des services à la science, je
lui érige un monument; mais parce qu'il s'est rendu
coupable d'un souhait méchant, qui est exprimé à la fin
du rêve, je l'anéantis. Voilà une phrase d'une forme bien
particulière et dont je dois avoir trouvé le modèle quelque
part. Où ai-je vu une semblable antithèse, un rapprochement
de réactions opposées à l'égard de la même personne, toutes
deux bien fondées et qui cependant ne s'entredétruisent
pas ? Il n'y a qu'un texte semblable : le discours saisissant où
Brutus se justifie, dans le *Jules César* de Shakespeare : « Parce

---

(1) En fait l'inscription est

> *Saluti publicae vixit*
> *non diu sed totus.*

La raison de mon lapsus : *patriae* pour « publicae », a été devinée, sans
doute correctement, par Wittels.
(2) Ceci pour indiquer la surdétermination du rêve : mon retard du
matin venait de ce que, après avoir longtemps travaillé la nuit, je devais
faire le matin le long chemin qui va de la Kaiser-*Josef*-Strasse à la
Währingerstrasse.

que César m'aimait, je le pleure; parce qu'il était heureux, je me suis réjoui; parce qu'il était brave, je l'honore; mais parce qu'il voulait le pouvoir, je l'ai tué. » N'est-ce pas la même construction, le même heurt de pensée que j'ai découvert dans la pensée du rêve ? Je joue donc dans le rêve le rôle de *Brutus*. Une autre indication vient encore le confirmer : Mon ami Fl. vient à Vienne en *juillet*. Ceci ne repose sur aucune réalité. Jamais, à ma connaissance, Fl. n'est venu en juillet à Vienne. Mais le mois de *juillet* tire son nom de *Jules César*, et c'est pourquoi il pourrait fort bien représenter l'indication d'une pensée intermédiaire qui me fait jouer le rôle de Brutus (1).

Il se trouve, chose bizarre, que j'ai joué autrefois *Brutus*. J'ai joué devant un auditoire d'enfants la scène de Brutus et de César dans Schiller. J'avais alors 14 ans et je jouais avec mon neveu, mon aîné d'un an, qui revenait d'Angleterre; — c'était donc un revenant : il avait été le camarade de jeu de mes années d'enfance dont le souvenir revenait avec lui. Jusqu'à mes trois ans accomplis, nous avions été inséparables, nous nous aimions beaucoup, nous nous battions, et, ainsi que je l'ai déjà indiqué, ces relations d'enfance ont agi d'une manière décisive sur mes sentiments à l'égard de mes camarades, plus tard. Mon neveu John a connu depuis lors bien des avatars qui ont fait revivre tantôt l'un tantôt l'autre aspect de son caractère, inaltérablement fixé dans mes souvenirs inconscients. A l'occasion il m'a probablement fort maltraité et j'ai dû me défendre courageusement contre mon tyran, car on m'a souvent raconté plus tard comment je me justifiais devant mon père, son grand-père, quand j'avais deux ans : « *Pourquoi as-tu battu John ? — Je l'ai battu parce qu'il m'a battu !* » Ce doit être le souvenir de cette scène d'enfance qui a transformé *non vivit* en *non vixit*, car, dans la langue des enfants, battre se dit *wichsen ;* le travail du rêve ne méprise pas ces sortes de relations. L'inimitié, si peu fondée, contre P..., qui m'était très supérieur et rappelait par là mon camarade d'enfance, se rapporte sûrement à des relations infantiles compliquées avec John.

Je reviendrai encore sur ce rêve.

_____

(1) Noter encore : *César = Kaiser.*

VII. — LES RÊVES ABSURDES
L'ACTIVITÉ INTELLECTUELLE EN RÊVE

Dans les exemples que nous avons vus jusqu'ici, nous avons rencontré si fréquemment l'*absurdité* dans le contenu du rêve que nous ne voulons plus attendre pour en rechercher l'origine et la signification. On se rappelle, en effet, qu'elle a été l'argument capital de ceux qui ne considèrent le rêve que comme un produit, dépourvu de sens, d'une activité psychique réduite et fragmentée.

Je vais commencer par examiner quelques cas où l'absurdité du contenu du rêve n'est qu'une apparence qui s'évanouit dès qu'on pénètre mieux le sens du rêve. Ce sont des rêves qui — par hasard, semble-t-il d'abord — ont trait au père mort.

I. Voici le rêve d'un malade qui a perdu son père il y a six ans :

Un grand malheur est arrivé à son père. Il a pris le train de nuit qui a déraillé, les banquettes se sont rejointes et sa tête a été broyée. Il le voit couché sur son lit avec, au-dessus du sourcil gauche, une plaie verticale. Il s'étonne de cet accident (car son père est déjà mort, comme il l'ajoute lui-même en racontant le songe). Les yeux sont si clairs.

D'après les théories classiques, on devrait expliquer le contenu de ce rêve de la manière suivante : Le rêveur avait d'abord oublié, au moment où il voyait l'accident de son père, que celui-ci était mort depuis des années. Puis, le rêve continuant, il se l'est rappelé ; d'où sentiment de surprise, encore pendant le rêve même. Mais l'analyse apprend qu'il est bien superflu de recourir à de pareilles explications. Le rêveur avait commandé à un artiste un buste de son père, qu'il a vu deux jours avant le rêve. C'est ce buste qui lui apparaît comme *ayant eu un accident.* Le sculpteur n'avait jamais vu le père. Il avait travaillé d'après des photographies qu'on lui avait fournies. La veille du rêve, le fils a, dans un sentiment de piété, envoyé à l'atelier un vieux serviteur de la famille pour voir si la tête de marbre produirait sur ce dernier la même impression que sur lui : si elle lui paraîtrait *trop étroite*, d'une tempe à l'autre. — Voici maintenant les souvenirs qui ont contribué à la construction du rêve. Le père avait l'habitude, lorsqu'il était tourmenté par des soucis d'affaires ou des difficultés de famille, de se prendre les tempes dans les mains comme s'il voulait comprimer sa tête devenue trop large. Notre rêveur, à l'âge de quatre ans, un jour avait vu les yeux de son père noircis à la suite d'un coup de pistolet accidentel *(les yeux sont si clairs)*. A la place où le rêve montre la blessure du père, celui-ci avait, de son vivant, quand il était pensif ou triste, un profond sillon vertical. Le fait que cette ride a été remplacée dans le rêve par une plaie conduit au second motif du rêve. Le rêveur avait photographié sa petite fille, la plaque lui était tombée des mains et présentait, lorsqu'il la ramassa, une fêlure qui formait un sillon vertical sur le front de l'enfant allant jusqu'à l'arcade sourcilière. Il ne put se garder d'un pressentiment superstitieux, parce que, la veille de la mort de sa mère, il avait cassé une plaque photographique représentant celle-ci.

L'absurdité de ce rêve est donc seulement le résultat d'un laisser-aller dans l'expression orale, qui ne fait pas de distinction entre buste et photographie d'une part et la personne elle-même de l'autre. Nous avons l'habitude de dire : « Ne trouves-tu pas père très ressemblant ? » L'absurdité, ici, aurait donc pu être évitée facilement. S'il était permis de juger sur un seul cas, on pourrait dire que cette apparence d'absurdité a été consentie ou voulue.

II. Voici un second exemple, très semblable, tiré de mes propres rêves (j'ai perdu mon père en 1896) :

Mon père a joué, après sa mort, un rôle politique chez les Magyars ; il les a unis politiquement. Je vois ici un petit tableau peu distinct : *Une foule comme au Reichstag ; une personne debout sur une ou deux chaises, d'autres autour d'elle. Je me rappelle que sur son lit de mort il ressemblait beaucoup à Garibaldi et je me réjouis que cette promesse se soit réalisée.*

Ceci est, n'est-ce pas, suffisamment absurde. J'ai fait ce rêve au temps où les Hongrois, par l'*obstruction* parlementaire continue, aboutirent à un état extralégal et traversèrent une crise dont ils furent tirés par Koloman Szell. Le fait que la scène vue en rêve se compose d'images très petites n'est pas sans importance pour l'explication. Les images que nous voyons habituellement en rêve nous paraissent être de grandeur naturelle, l'image de mon rêve est en réalité la reproduction d'une gravure d'une

histoire d'Autriche illustrée qui montre Marie-Thérèse à
la tête de la diète de Presbourg, la fameuse scène du « Moria-
mur pro rege nostro » (1). De même que Marie-Thérèse
sur cette gravure, mon père est dans mon rêve entouré
par la foule, mais il est debout sur une ou deux chaises
(Stuhl), donc en « *Stuhlrichter* » (juge assis). (« Il les a *unis* » :
ici le lien associatif est fourni par la locution : « Nous
n'aurons pas besoin d'un *juge*. » (Il est exact que sur son lit
de mort mon père ressemblait à *Garibaldi*; nous l'avons tous
constaté. Il a présenté une élévation de température *après
la mort*, ses joues sont devenues de plus en plus rouges...
nous continuons involontairement : « et derrière lui gisait,
vaine apparence et néant, le commun, le vulgaire qui tous
nous assujettit » (2).

Cette « élévation » de nos pensées nous montre que c'est
au vulgaire, au commun que nous aurons affaire. L'élévation de température *après la mort* correspond aux mots
« *après sa mort* » dans le contenu du rêve. Ce dont mon
père avait le plus souffert, ç'avait été l'*obstruction* intestinale
totale de ses dernières semaines. A ceci se lient toutes
sortes de pensées irrévérencieuses. Un de mes camarades
avait perdu son père lorsqu'il était au lycée. Son deuil
m'avait profondément ému et je lui offris mon amitié.
Il me raconta un jour, en s'en moquant, la douleur d'une
parente dont le père était mort dans la rue. On l'avait
rapporté chez lui, et, en dévêtant le cadavre, on constata
qu'il avait eu une selle *(Stuhl)* au moment de sa mort ou
après la mort. La fille fut profondément malheureuse que ce
détail très laid vînt gâter le souvenir de son père. Nous voici
arrivés au désir que traduit ce rêve : *Apparaître après sa mort
pur et grand aux yeux de ses enfants,* qui ne le souhaiterait ?

(1) Je ne sais plus bien chez quel auteur j'ai trouvé la mention d'un
rêve où grouillaient des figures minuscules et dont la source était une
eau-forte de Jacques Callot, que le rêveur avait contemplée dans la
journée. Ces eaux-fortes contiennent d'innombrables petites figures ; une
série représente les horreurs de la guerre de Trente ans.

(2)   *Und hinter ihm, in wesenlosem Scheine,*
         Lag, was uns alle bändigt, das Gemeine. (GŒTHE.)

Ces vers sont précédés de ceux-ci :

         Nun glühte seine Wange rot und röter
         Von jener Jugend, die uns nie entflieg ...

De là l'association avec les *joues rouges.*

On voit que l'apparence d'absurdité de ce rêve tient à ce qu'il rend fidèlement l'absurdité d'une expression consacrée, absurdité que l'usage nous a fait oublier. Ici encore nous ne pouvons nous empêcher de croire que l'apparence d'absurdité est voulue, délibérément créée.

La fréquence avec laquelle en rêve des morts vivent, agissent et entrent en rapport avec nous a provoqué un étonnement excessif et des explications singulières qui montrent combien peu nous comprenons le rêve. Et pourtant, l'explication est bien simple. Combien de fois ne sommes-nous pas conduits à penser : « Si mon père vivait, que dirait-il ? » Ce « si », le rêve ne peut se représenter que par le présent dans une situation déterminée. Par exemple, un jeune homme à qui son grand-père a laissé un gros héritage rêve, à l'occasion d'un reproche au sujet d'une grosse dépense, que son grand-père est vivant et lui en demande compte. Ce qui nous apparaît comme une protestation contre le rêve, protestation fondée sur la certitude que nous avons de la mort de la personne en question, est en réalité simplement ou une pensée de consolation (« le mort n'aura plus vu cela ») ou une pensée de satisfaction (« il n'a plus rien à dire »).

Une autre forme d'absurdité qu'on trouve dans les rêves de parents morts traduit, non la moquerie et le sarcasme, mais le refus énergique ; elle représente, refoulée, une pensée que nous préférerions juger inconcevable. On ne peut expliquer ces rêves que si l'on se rappelle que le rêve ne fait pas de différence entre le désir et la réalité. Par exemple, un homme qui a soigné son père malade et qui a beaucoup souffert de sa mort, fait, peu de temps après cette mort, le rêve absurde suivant : *Son père était de nouveau en vie et lui parlait comme d'habitude, mais* (chose étrange) *il était mort quand même et ne le savait pas.* On comprend ce rêve si, après « il était mort quand même », on ajoute : « *à la suite du vœu du rêveur* », et, après « ne le savait pas », « *que le rêveur faisait ce vœu* ». Le fils avait, pendant qu'il soignait son père, bien souvent souhaité sa mort ; exactement, il avait eu la pensée charitable : « La mort devrait mettre fin à ces souffrances ». Dans le deuil qui avait suivi, inconsciemment il s'était reproché ce souhait dicté par la compassion, comme si par là il avait vraiment contribué à raccourcir la vie du malade. L'éveil des tendances infantiles contre le père permit d'exprimer ce reproche sous la forme d'un rêve, mais justement l'opposition totale entre la source du rêve et la pensée de la veille devait rendre ce rêve absurde. (Cf. Formulierungen über die zwei Prinzipien des seelischen Geschehens, *Jahrb. f. Psychoan.*, III, 1911, *Ges. Werke*, t. VIII.)

Les rêves de morts aimés posent à l'interprétation des problèmes difficiles, qu'on n'arrive pas toujours à résoudre de façon satisfaisante. On en peut chercher la raison dans l'ambivalence affective à l'égard du mort. Il est habituel que, dans de pareils rêves, le mort soit tout d'abord traité comme vivant, puis que, brusquement, on considère qu'il est mort, et que, dans la suite, il vive cependant. Je suis arrivé à la conclusion que ces alternances de vie et de mort représentent *l'indifférence du rêveur* (« cela m'est égal qu'il soit vivant ou mort »). Bien entendu, cette indifférence n'est pas réelle, elle est désirée; elle est destinée à déguiser les attitudes affectives, souvent contradictoires, du rêveur; elle est ainsi la figuration en rêve de son *ambivalence*. Dans d'autres rêves où on est en relation avec des morts, j'ai pu souvent me guider d'après la règle suivante : Lorsque dans le rêve il n'est pas rappelé que le mort est mort, c'est que le rêveur lui-même s'identifie au mort : il rêve de sa propre mort. Quand on pense brusquement avec surprise : « Mais il est mort depuis longtemps », on se défend ainsi contre cette identification, on nie qu'il s'agisse de sa propre mort.

III. Dans l'exemple que je vais analyser maintenant, nous pourrons saisir sur le vif le travail d'élaboration du rêve, au moment où il fabrique intentionnellement une absurdité nullement justifiée par la matière même du rêve. Il s'agit du rêve provoqué par la rencontre avec le comte Thun, au moment de mon départ en vacances (cf. p. 184). *Je prends un fiacre et me fais conduire à une gare. Je dis au cocher qui me reproche de le surmener : « Je ne puis évidemment pas faire avec vous le trajet du train. » Tout se passe, en effet, comme si j'avais accompli avec lui déjà une partie du parcours qu'on fait ordinairement par le train.*

A cette histoire confuse et absurde l'analyse apporte les éclaircissements suivants : J'avais pris dans la journée une voiture qui devait me conduire à Dornbach dans une rue perdue. Le cocher ne connaissait pas le chemin et, à la manière de ces braves gens, alla devant lui jusqu'à ce que je remarque son ignorance et lui montre le chemin, non sans me moquer de lui un peu. A ce cocher se rattache une association d'idées avec les aristocrates, association que nous allons retrouver plus loin. Rappelons pour le moment seulement que, pour nous autres bourgeois, l'aristocrate se fait remarquer par ce fait qu'il se met sur le siège. Remarquons aussi que le comte *Thun conduit* le char de l'Etat autrichien. Mais la phrase suivante a trait à mon frère; c'est donc lui que j'identifie avec le cocher. J'avais, dans la journée, refusé de l'accompagner en Italie *(« je ne puis pas faire avec vous le trajet du train »)*, et ce refus était une sorte de réponse à son reproche habituel que dans nos voyages je le *surmenais* (ce qui apparaît sans changement dans le rêve), en lui imposant trop de déplacements et en lui montrant trop de belles choses le même jour. Mon frère m'avait accompagné ce soir-là à la gare, mais m'avait quitté un peu avant, à la station Ouest-Ceinture, pour prendre un train de ceinture pour Purkersdorf. Je lui avais fait remarquer qu'il pouvait rester quelques instants de plus avec moi, en prenant non pas la ceinture, mais la ligne de l'Ouest. C'est de là que vient le fragment du rêve où je fais en *voiture* un trajet *qu'on fait ordinairement par le train*. Dans la réalité, c'était l'inverse (et ici je pense au proverbe allemand : « *En sens inverse de la marche on avance aussi* », ce qui veut dire : « le contraire est vrai aussi »). J'avais dit à mon frère : « Le voyage que tu fais par la Ceinture, tu pourrais le faire avec moi par le train de l'Ouest. » Toute la confusion du rêve est due au fait qu'il a remplacé « train de ceinture », par « voiture », ce qui réunit les figures de mon frère et du cocher. Et j'obtiens quelque chose qui n'a aucun sens, qui paraît inexplicable et qui est presque en contradiction avec mes précédentes paroles (« je ne puis pas faire avec vous le trajet du train »). Comme rien ne m'oblige à confondre le train de ceinture et un fiacre, il faut que j'aie intentionnellement construit dans mon rêve cette histoire bizarre.

Mais dans quel but ? Nous allons voir ce que signifie l'absurdité dans le rêve et pour quels motifs elle est tolérée ou suscitée. L'explication dans le cas présent est la suivante : J'ai besoin, dans mon rêve, d'absurde et d'incompréhensible en rapport avec le mot *fahren* (= voyager, aller en voiture), parce que, dans les pensées du rêve, il y a un certain jugement qui demande à être exprimé. Un soir, chez

la dame aimable et spirituelle qui apparaît dans une autre
scène de ce même rêve comme « femme de charge », on
m'a posé deux devinettes que je n'ai pu résoudre. Comme
elles étaient connues de tout le monde, mes vains efforts
me rendirent un peu ridicule. Les devinettes portaient sur
les mots : *Vorfahren* et *Nachkommen* (1).

La première était :

> Le maître l'ordonne,
> Le cocher le fait.
> Chacun le possède,
> Il repose dans la tombe (2).

La seconde répétait les deux premiers vers de l'autre, ce
qui contribuait à augmenter la difficulté :

> Le maître l'ordonne,
> Le cocher le fait.
> Tout le monde n'en possède pas,
> Il repose dans le berceau (3).

Lorsque après cela je vis le comte *Thun arriver en voiture*
avec un air majestueux et que je trouvai, comme Figaro,
que le mérite des grands seigneurs consiste à s'être donné
la peine de naître (d'être des *descendants*), ces deux devinettes
ont pu servir de pensées intermédiaires dans le travail du
rêve. Comme on peut facilement confondre des aristocrates
avec des cochers, et que dans nos pays on avait coutume
autrefois de dire au cocher : *Herr Schwager* (monsieur mon
beau-frère), le travail de condensation pouvait englober
mon frère dans cet ensemble. Mais la pensée du rêve a été :
*Il est absurde de se glorifier de ses ancêtres. J'aime mieux être
moi-même un aïeul, un ancêtre.* Il y a absurdité dans le rêve à
cause de ce jugement : « Il est absurde... » Maintenant on

---

(1) [N. d. T.] : *Vorfahren* = verbe intransitif : venir en voiture ; substantif : ancêtres. — *Nachkommen* = verbe : venir après, suivre, obéir ;
substantif : descendants.

(2)   *Der Herr befiehlt's.*
         Der Kutscher tut's.
         Ein jeder hat's,
         Im Grabe ruht's. — (*Vorfahren.*)

(3)   *Der Herr befiehlt's,*
         Der Kutscher tut's,
         Nicht jeder hat's,
         In der Wiege ruht's. — (*Nachkommen.*)

comprend aussi la dernière difficulté de ce passage obscur du rêve, où il est entendu que j'ai « *voyagé avant* » avec ce cocher *(vorhergefahren, vorgefahren)*.

Le rêve est donc rendu absurde quand, parmi les pensées, il y a un jugement comme : « *C'est un non-sens* », quand, d'une façon plus générale, une suite d'idées du rêveur est motivée par la critique ou l'ironie. L'absurde est ainsi un des procédés à l'aide desquels le travail du rêve traduit la contradiction, tout comme l'interversion de la relation entre les pensées latentes et le contenu ou l'emploi de l'impression d'inhibition motrice. Mais l'absurde du rêve n'est pas un simple « non », c'est la reproduction d'une tendance des pensées latentes à rire de la contradiction. C'est seulement dans ce but que l'élaboration du rêve produit du risible. Elle donne, ici encore, *une forme manifeste à un fragment du contenu latent* (1).

En fait, nous avons déjà vu un exemple qui nous a montré cette signification des rêves absurdes. Le rêve de la représentation de Wagner que nous avons expliqué sans analyse, représentation qui dure jusqu'à 7 heures 3/4 du matin et où l'orchestre est dirigé du haut d'une tour, etc. (cf. page 294), signifie clairement : C'est un monde à l'*envers* et une société de *fous*; celui qui l'a mérité ne l'obtient pas et celui-là l'obtient qui ne s'en est pas soucié; c'est de la sorte que la rêveuse compare son sort à celui de sa cousine.

Ce n'est pas par hasard que l'on rencontre parmi les rêves absurdes tant de rêves de père mort. Les conditions pour la formation de tels rêves s'y trouvent réunies de façon typique. L'autorité paternelle a éveillé la critique de l'enfant, il apprend de bonne heure à voir toutes les fai-

---

(1) Le travail du rêve parodie donc la pensée considérée comme ridicule en créant quelque chose de ridicule en rapport avec elle. C'est à peu près ce que fait Heine quand il veut railler les mauvais vers du roi de Bavière. Il le fait en vers encore plus mauvais :

> *Herr Ludwig ist ein grosser Poet,*
> *Und singt er, so stürzt Apollo*
> *Vor ihm auf die Knie und bittet und fleht*
> *« Halt ein, ich werde sonst toll oh ! »*

> (*Le Seigneur Louis est un grand poète.*
> *Dès qu'il chante, Apollon se jette*
> *A ses genoux et implore et prie :*
> *« Arrête, ou je deviens fou hi ! »*)

blesses de son père afin d'échapper à la sévérité de ses exigences; mais la piété dont s'entoure la personne du père, spécialement après sa mort, rend plus rigoureuse la censure qui écarte toute expression consciente de cette critique.

IV. Voici un autre rêve absurde de père mort :

Je reçois une lettre du conseil municipal de ma ville natale concernant les frais d'une hospitalisation en 1851 nécessitée par une attaque. Cela me paraît très comique, car d'abord en 1851 je n'étais pas né, et en second lieu mon père, à qui cela pourrait se rapporter, est déjà mort. Je vais le trouver dans la chambre à côté où il est couché et je le lui raconte. A mon grand étonnement, il se rappelle qu'en 1851 il s'était un jour enivré et fut conduit au poste ou enfermé. C'était au temps où il travaillait pour la maison T... « Tu as donc bu aussi ? » lui demandé-je. « Et tu t'es marié aussitôt après ? » Je calcule que je suis, en effet, né en 1856, date qui me paraît suivre immédiatement l'autre.

L'indiscrétion avec laquelle ce rêve étale son absurdité peut être interprétée comme le signe d'un conflit particulièrement véhément entre ses pensées latentes. Nous serons d'autant plus étonnés de constater qu'il y a dans le rêve même conflit ouvert et que la raillerie est dirigée contre mon père. Une telle franchise paraît contredire nos hypothèses sur l'action de la censure. L'explication en est que la présence de mon père n'est ici qu'un faux-semblant; la discussion a lieu avec une autre personne indiquée par une seule allusion. Alors que le plus souvent il s'agit en rêve d'une révolte contre d'autres personnes derrière lesquelles se cache le père, c'est ici le contraire : le père sert d'homme de paille pour en couvrir d'autres, et c'est pourquoi le rêve peut ouvertement mettre en jeu sa personne, à l'ordinaire sacrée : on sait bien que ce n'est pas lui qui est visé en réalité. On apprend ces faits par la cause du rêve. Il se produisit en effet après que j'eus appris qu'un confrère plus âgé, dont le jugement passe pour inattaquable, exprimait dédaigneusement son étonnement de ce qu'un de mes malades continuât un traitement psychanalytique avec moi *depuis cinq ans*. Les premières phrases du rêve indiquent clairement que ce confrère avait, pendant un temps, pris à sa charge les obligations que mon père ne pouvait pas remplir *(frais, hospitalisation)*. Lorsque nos relations amicales commencèrent à se relâcher, je me trouvai dans un conflit de sentiments analogue à celui d'une brouille

entre père et fils, où la position et les mérites antérieurs du
père continuent à exercer leur action. Les pensées du rêve
me défendent énergiquement contre le reproche de *ne
pas avancer plus vite*, reproche qui, du traitement de ce malade,
s'étend à autre chose. Connaît-il donc quelqu'un qui puisse
faire plus vite ? Ne sait-il pas que de tels états sont incurables
et durent toute la vie ? Que sont *quatre ou cinq ans* comparés
à la durée d'une vie, surtout lorsque l'existence est très
allégée pour le malade pendant le traitement ?

Le cachet d'absurdité est dû ici en grande partie à ce
fait que des propositions appartenant à des domaines différents de la pensée du rêve se succèdent sans transition.
La phrase : « *je vais le trouver dans la chambre à côté* », etc.,
n'a plus rien de commun avec le thème de la précédente.
Elle reproduit fidèlement les circonstances dans lesquelles
j'annonçai à mon père mes fiançailles, sans lui avoir
demandé, au préalable, son autorisation. Elle veut donc me
rappeler la bonté que le vieillard me témoigna alors,
l'opposant à la conduite d'une autre personne. Je note
ici que le rêve peut railler le père, parce que la pensée du
rêve lui rend pleinement justice et le donne comme exemple
à tout le monde. Il est de la nature de toute censure de
laisser dire, quand il s'agit de choses défendues, plutôt ce
qui est inexact que ce qui est vrai. La phrase suivante, où
il se rappelle *s'être un jour enivré et avoir été conduit au poste*,
n'a plus rien qui dans la réalité se rapporte à mon père.
Celui que ces mots dissimulent n'est autre que le grand
Meynert, dont je suivis les traces avec tant de respect et
dont l'attitude à mon égard, après une courte période de
faveur, se changea en inimitié ouverte. Le rêve me rappelle
son propre aveu que, dans sa jeunesse, il avait eu l'habitude
de se griser au chloroforme et que ça lui avait valu un *séjour
dans une maison de santé*, et aussi un deuxième événement
vers la fin de sa vie. J'avais eu avec lui une discussion
très âpre dans des publications scientifiques au sujet de
l'hystérie chez l'homme dont il niait l'existence. Lorsque
j'allai le voir, gravement malade, et que je lui demandai
comment il allait, il me décrivit longuement les symptômes
de sa maladie et conclut en disant : « Vous savez, j'ai toujours été un des plus beaux cas masculin d'hystérie. » Il
avait donc, à ma satisfaction et *à mon étonnement*, admis ce
contre quoi il s'était rebiffé si longtemps. Si j'ai remplacé
Meynert par mon père, ce n'est pas parce qu'ils m'ont paru

se ressembler, mais plutôt par suite d'une proposition conditionnelle, condensée mais très suffisamment nette, et qui, explicitée, serait la suivante : « Oui, si j'étais de la seconde génération, fils de professeur ou d'un Hofrat, *j'avancerais sans doute plus vite.* » Dans le rêve je fais de mon père un professeur et un Hofrat.

L'absurdité la plus forte et la plus déroutante du rêve est dans ma façon de considérer l'année 1851 qui ne me paraît pas différente de 1856, *comme si un intervalle de cinq années ne comptait pas.* Mais c'est cela précisément que veulent exprimer les pensées du rêve; *quatre ou cinq ans* c'est le temps pendant lequel j'ai été aidé par le confrère dont j'ai parlé plus haut, mais aussi le temps pendant lequel j'ai différé mon mariage et fait attendre ma fiancée et, par un hasard que les pensées du rêve utilisent souvent, la durée du traitement que j'indique actuellement à ceux de mes malades avec qui je suis le plus en confiance. « *Qu'est-ce que cinq ans ?* », demandent les pensées du rêve. « *Ça n'est rien pour moi, ça ne compte pas.* J'ai le temps devant moi et j'arriverai bien à mes fins : il est bien arrivé d'autres choses que vous croyiez impossibles. » De plus, le nombre 51, isolé, a encore un autre sens, celui d'une opposition. C'est pourquoi il intervient dans le rêve à plusieurs reprises. 51, c'est l'âge où l'homme semble le plus exposé, où j'ai vu mourir subitement des collègues, un, entre autres, qui, après avoir longtemps attendu, venait d'être nommé professeur peu de jours avant.

V. Voici encore un rêve absurde qui joue avec des nombres :

Une de mes relations, M. M..., a été attaquée dans un article par Gœthe lui-même et, d'après notre avis à tous, avec une violence injustifiée. M. M... est naturellement écrasé par cette attaque. Il s'en plaint amèrement à un dîner ; mais son admiration pour Gœthe n'a pas souffert de ce qui lui arrive. Je cherche à m'expliquer un peu les rapports de temps qui me paraissent invraisemblables. Gœthe est mort en 1832 ; puisque son attaque contre M... a naturellement dû se produire avant, M... devait être alors un tout jeune homme. Il me paraît plausible qu'il eût à ce moment 18 ans. Mais je ne sais pas très bien en quelle année nous sommes, et tout mon calcul sombre dans le brouillard. L'attaque se trouve d'ailleurs dans le célèbre article de Gœthe « Nature ».

Nous pouvons facilement expliquer l'absurdité de ce

rêve. M. M..., dont j'ai d'ailleurs fait la connaissance à un *dîner*, m'avait prié récemment d'examiner son frère qui donnait des signes de *troubles mentaux paralytiques*. La supposition était exacte. Pendant la visite, il se produisit un incident pénible : Le malade, sans aucune raison, s'en prit à son frère lui rappelant ses *frasques de jeunesse*. J'avais demandé au malade sa date de naissance et je lui avais fait faire de petits calculs pour voir s'il y avait de l'affaiblissement de la mémoire (il s'est d'ailleurs assez bien tiré de ces épreuves). Je remarque que je me conduis en rêve comme un paralytique général (*« je ne sais pas exactement en quelle année nous sommes »*).

D'autres éléments du matériel du rêve proviennent d'une autre source récente. Un de mes bons amis, directeur d'une revue médicale, avait accepté un compte rendu très défavorable, « écrasant », du dernier livre de mon ami Fl. de Berlin, compte rendu fait par quelqu'un de *très jeune* et peu compétent. J'ai cru avoir le droit d'intervenir et j'ai amené le directeur à dire qu'il regrettait vivement d'avoir accepté le compte rendu, mais qu'il ne pouvait promettre d'insérer une rectification. Là-dessus je rompis mes relations avec la revue et dans ma lettre de rupture j'émis l'espoir *que nos relations personnelles n'auraient pas à souffrir de l'incident*.

La troisième source du rêve est le récit d'une malade concernant la maladie mentale de son frère. Celui-ci a eu un accès de folie furieuse qui a débuté par ce cri : « *Nature, Nature* ». Les médecins ont pensé que ce cri provenait de la lecture *de l'étude de Gœthe* et indiquait un surmenage au cours de ses études scientifiques. Je préférai songer au sens sexuel que donnent chez nous les gens peu cultivés au mot « Nature », et comme le malheureux mutila par la suite ses organes génitaux, j'en ai conclu que je n'avais pas eu tort. Le malade avait *18 ans* lors de cette crise.

Si j'ajoute que le livre si violemment critiqué de mon ami (« on se demande en le lisant si l'auteur est fou ou si on l'est soi-même », avait écrit un autre critique) a trait aux problèmes de durée *(rapports de temps)* de la vie et qu'il ramène la durée de la vie de Gœthe au multiple d'un nombre important pour la biologie, on apercevra facilement que je me mets en rêve au lieu et place de mon ami. (*« Je cherche à m'expliquer un peu les rapports de temps... »*) Mais je me conduis comme un paralytique général et le rêve nage dans l'absurdité. C'est en somme comme si les pensées du rêve disaient : « *Naturellement*, c'est lui le dément, le fou, et vous, vous êtes des hommes de génie, vous comprenez mieux. A moins que ce ne soit l'inverse. » Et cette *interversion* est abondamment représentée dans le contenu du rêve, où *Gœthe* attaque un tout jeune homme, ce qui est absurde, alors qu'un tout jeune homme pourrait évidemment aujourd'hui facilement attaquer l'immortel *Gœthe*, et où je calcule à partir de *la date de la mort de Gœthe*, alors que j'avais fait faire un calcul à mon paralytique général en partant de *la date de sa naissance*.

Mais j'ai aussi promis de montrer qu'il n'y a pas de rêves qui ne soient dus à des tendances égoïstes. Il me faut donc expliquer pourquoi, dans le rêve, je fais mienne la cause de mon ami, en m'identifiant avec lui. Ma conviction scientifique de la veille n'y suffit pas. L'histoire du malade de 18 ans et les diverses interprétations de son cri « *Nature* » font allusion au conflit dans lequel je me trouve avec la plupart des médecins à cause de ma théorie sur l'étiologie sexuelle des psychonévroses. Je puis me dire : « Les critiques diront de toi ce qu'ils ont dit de ton ami; c'est même déjà arrivé. » Cela me permet de remplacer dans les pensées du rêve « *il* » par « *nous* » : « Oui, vous avez raison, nous sommes deux imbéciles. » J'ai encore un autre argument qui montre qu'il s'agit bien de moi : c'est la mention en rêve de l'étude de Gœthe. Je l'ai entendu lire dans une conférence publique, et c'est cela qui me décida, jeune bachelier hésitant, à étudier les sciences naturelles.

VI. Il faut que j'indique encore un autre rêve, qui est également égoïste, et dans lequel cependant mon moi n'intervient pas. J'ai mentionné (cf. p. 234) un court rêve où le professeur M... dit : « *Mon fils, le myope...* », et j'ai dit qu'il n'était que le prélude d'un autre rêve où je joue un rôle. Voici le rêve principal que je n'avais pas donné et qui nous offre l'occasion d'expliquer un néologisme absurde et incompréhensible :

A cause d'événements quelconques survenus à Rome, il est nécessaire de faire partir les enfants ; on y procède. La scène est alors devant une porte, double porte à l'antique (la Porta Romana de Sienne, comme je le sais déjà en rêve). Je suis assis au bord d'un puits, je suis très ému, je pleure presque. Une femme — infirmière, religieuse — amène les deux garçons et les tend au père qui n'est pas moi. Le plus âgé des deux est nettement mon fils aîné, je ne vois pas le visage de l'autre ; la femme qui amène le garçon lui demande en partant de l'embrasser. Elle se distingue par un nez rouge. Le garçon ne veut pas l'embrasser, mais lui dit en lui tendant la main : AUF GESERES, et à nous deux (ou à l'un d'entre nous) : AUF UNGESERES. J'ai idée que la seconde formule implique une préférence.

Ce rêve est dû à un ensemble confus de pensées suscitées par la représentation d'une pièce : *Das neue Ghetto.* On reconnaît facilement, dans les pensées du rêve, la question juive, le souci de l'avenir des enfants à qui on ne peut donner une patrie, le souci de les élever en sorte qu'ils puissent devenir indépendants.

« *Nous étions assis près des flots de Babylone et nous pleurions.* » — Sienne est, comme Rome, célèbre par ses fontaines. Il faut que je cherche, dans le rêve, une ville que je connaisse, pour remplacer Rome (cf. p. 172). Près de la Porta Romana de Sienne nous avions vu une grande maison avec beaucoup de lumières. On nous avait dit que c'était le Manicomio, l'asile d'aliénés. Peu avant le rêve, j'avais appris qu'un coreligionnaire avait dû abandonner sa situation péniblement acquise dans un asile de l'État.

Notre curiosité est éveillée par les mots : *Auf Geseres.* D'après la situation représentée par le rêve on attendrait : *Auf Wiedersehen* (au revoir). Nous sommes frappés également par son pendant absurde : *Auf Ungeseres.*

Geseres est, d'après les renseignements donnés par les spécialistes, un mot hébreu, dérivé d'un verbe *goiser*, et peut être traduit par : « douleur prédestinée, fatalité ». D'après l'emploi du mot dans le jargon juif, on devrait penser qu'il signifie : « plaintes et gémissements ». *Ungeseres* est de ma propre formation; il attire d'abord mon attention, mais me laisse perplexe. Ma brève remarque à la fin du rêve que « *Ungeseres* » implique une préférence par rapport à « *Geseres* » ouvre la voie à une explication. C'est comme pour le caviar : le *non-salé (ungesalzen)* est préféré au *salé (gesalzen)*. Le « caviar pour le peuple » est un symbole de luxe. C'est une allusion plaisante à une personne de ma maison, qui est plus jeune que moi et qui, pour cette raison, pourra, je l'espère, veiller sur mes enfants, si je viens à disparaître. Ceci concorde avec le fait qu'une autre personne de ma maison, notre brave bonne d'enfants, est nettement représentée dans ce rêve : c'est l'infirmière (ou religieuse).

Entre les deux couples *Geseres-Ungeseres* et *Gesalzen-Unge-salzen* manque encore une transition. On la découvre dans « *Gesäuert — Ungesäuert* » (= levé et non-levé). Dans leur *fuite* hors d'*Egypte*, les Juifs n'eurent pas le temps de laisser lever la pâte, et, en souvenir, ils mangent encore de nos jours à Pâques du pain sans levain. A ce point de l'analyse, je me rappelle brusquement les détails d'une promenade à *Pâques* dernières avec mon ami berlinois, à travers les rues de Breslau, que nous ne connaissions pas. Une petite fille me demanda le chemin pour aller à une certaine rue. Je dus m'excuser de mon ignorance et dis à mon ami : « Espérons que cette petite montrera dans la vie plus de perspicacité dans le choix de ses guides. » Tout aussitôt j'aperçus une plaque : Docteur *Herodes*, consultations... Je dis à mon ami : « Espérons que le confrère n'est pas médecin d'enfants. » Mon ami, entre-temps, m'avait expliqué ses vues sur la signification biologique de la *symétrie bilatérale*, et il avait commencé une phrase par ces mots : « Si nous avions un œil au milieu du front comme le *cyclope*... » Cela conduit au discours du professeur dans le rêve-prologue : « *Mon fils, le myope...* » Me voici arrivé à la source principale de *Geseres*. Il y a de longues années, alors que ce fils du Dr M..., qui est aujourd'hui un penseur original, était encore un petit écolier que je voyais souvent à son pupitre, il eut une affection des yeux qui inquiéta le médecin. Celui-ci déclara qu'elle pouvait être considérée comme bénigne si elle restait unilatérale, mais si l'autre œil se prenait, ce serait grave. Le mal guérit entièrement d'un côté; mais peu après apparurent, en effet, des signes du côté opposé. La mère, affolée, appela aussitôt le médecin dans la campagne isolée où elle se trouvait. Celui-ci le prit *du bon côté : « Vous en faites un Geseres !* Il a guéri *d'un côté*, il guérira bien de de *l'autre.* » C'est ce qui arriva.

Et voici maintenant ce qui a trait à moi et aux miens. Le pupitre sur lequel le fils du Pr M... avait travaillé quand il était petit fut donné par sa mère à mon fils aîné. C'est l'enfant, qui, dans mon rêve, prononce les bizarres mots d'adieu. L'un des souhaits qui se rattachent à ce transfert est maintenant facile à deviner. Mais le pupitre doit aussi, par sa construction, empêcher l'enfant de devenir *myope* (= à courte vue) et *unilatéral*. De là dans le rêve : *myope* (et dans l'analyse : *cyclope*) et les considérations sur la

bilatéralité. La crainte de l'unilatéralité a plusieurs sens :
à côté d'une déviation physique, il peut s'agir là d'un trait
du développement intellectuel. Il semble bien que la scène
du rêve, à travers son absurdité apparente, réponde à ce
souci. L'enfant, après avoir dit son mot d'adieu *d'un côté,* dit
d'un autre côté un mot contraire : comme pour garder l'équilibre. *Il agit en quelque sorte en observant la symétrie bilatérale.*

Ainsi c'est souvent là où il paraît le plus absurde que le
rêve veut dire le plus de choses. De tout temps, ceux qui
avaient quelque chose à dire et ne pouvaient le dire sans
danger ont fait les bouffons. L'auditeur à qui était destiné
le discours interdit le supportait plus facilement lorsqu'il
pouvait en rire et se consoler en jugeant que la chose
fâcheuse à entendre était visiblement une extravagance.
Le rêve fait comme Hamlet, quand, obligé de se faire passer
pour fou, il substitue aux faits réels des jeux de mots
inintelligibles et dit : « Je ne suis fou que par vent nord-
nord-ouest; par vent du sud je puis distinguer un héron
d'un faucon » (1).

L'étude du problème de l'absurdité du rêve aboutit donc
à la constatation que les pensées du rêve ne sont jamais
absurdes, du moins chez des sujets normaux. Le travail
du rêve produit des rêves absurdes, ou des morceaux
absurdes dans un rêve lorsque les pensées du rêve contiennent de la critique, de l'ironie et du sarcasme qu'il lui faut
figurer. Ce qu'il importe de retenir ici, c'est que le travail
du rêve est lié seulement à la combinaison des trois facteurs que nous avons indiqués et d'un quatrième dont
nous parlerons plus loin, et qu'il ne fait que traduire les
pensées du rêve en observant les quatre conditions pres-
crites. La question de savoir si l'esprit, en rêve, travaille
avec toutes ses facultés ou avec une partie seulement est mal
posée; on l'a traitée sans tenir compte des faits. Mais,
comme il est de nombreux rêves de jugement, de critique
et de reconnaissance, où apparaît de l'étonnement à propos
de tel élément, où on explique et où on argumente, il faut

---

(1) Ce rêve illustre bien le principe général que les rêves d'une même
nuit, tout en étant séparés dans le souvenir, viennent d'un même
ensemble d'idées. La scène du rêve où je me vois en train d'éloigner mes
enfants de Rome est d'ailleurs défigurée par une réminiscence de ma
jeunesse ayant trait à un événement analogue. Tout cela signifie que
j'envie des parents qui ont pu, il y a bien des années, mettre leurs
enfants à l'étranger.

d'abord que je réfute les objections que peuvent soulever de tels rêves. Je le ferai par des exemples appropriés.

Je soutiens que : *Tout ce qui nous apparaît comme acte de jugement accompli pendant le rêve ne doit pas être considéré comme activité intellectuelle du travail du rêve ; en fait, tout ceci appartient au matériel des pensées du rêve, et a pénétré, à partir de là, comme structures toutes « prêtes » dans son contenu manifeste.* Je dirai plus : Bon nombre de jugements que l'on porte, *après le réveil*, sur le rêve dont on se souvient, bon nombre des sensations qu'évoque en nous le rappel de ce rêve, font partie du contenu latent du rêve, et, par conséquent, il faut en tenir compte dans l'interprétation

I. J'en ai déjà mentionné un exemple frappant. Une malade ne veut pas raconter son rêve *parce qu'il n'est pas clair*. Elle a vu quelqu'un en rêve et elle ne sait pas si c'était *son mari ou son père*. Dans la seconde partie du rêve, il est question d'un « *Misttrügerl* », d'une poubelle, objet qui évoque les souvenirs suivants : Jeune ménagère, la malade avait dit en plaisantant, devant un jeune parent, que sa prochaine tâche était l'achat d'une nouvelle poubelle. Le lendemain elle en recevait une, pleine de muguet. Ce fragment du rêve sert à illustrer la locution : « Ça n'a pas poussé sur mon fumier » (*Nicht auf eigenem Mist gewachsen* = ce n'est pas de mon cru). En continuant l'analyse de ce rêve, on s'aperçoit qu'il y a dans les pensées du rêve l'écho d'une histoire que cette femme avait entendu raconter dans sa jeunesse. Il s'agissait d'une fille qui avait un enfant dont on ne savait pas qui était le père (« *ce n'était pas clair* »). La figuration du rêve déborde ici dans la pensée de veille : un des éléments des pensées latentes s'est fait représenter par un jugement porté, à l'état de veille, sur l'ensemble du rêve.

II. Voici un cas analogue : Un de mes malades a un rêve qui lui semble intéressant, car en se réveillant il se dit tout de suite : « Il faut que *je dise* ça au docteur. » A l'analyse, on trouve des allusions très claires à une liaison commencée depuis qu'il est en traitement chez moi : il avait l'intention de *ne rien m'en dire* (1).

---

(1) Quand il s'agit de rêves faits pendant le traitement psychanalytique, l'exhortation ou la résolution contenue dans le rêve : « Il faut raconter cela au docteur », est régulièrement suivie d'une forte résistance contre la confession du rêve. Il n'est pas rare que le rêve soit ensuite complètement oublié.

III. Un troisième exemple sera tiré de ma propre expérience : *Je vais à l'hôpital en compagnie de P... Nous traversons une région où il y a des maisons et des jardins. Il me semble avoir vu ce pays plusieurs fois dans mes rêves. Je ne connais pas très bien le chemin. Il m'en montre un qui, passant par un coin, conduit à un restaurant (salle fermée et non jardin). C'est là que je demande Mme Doni et j'apprends qu'elle habite une petite chambre au fond de la maison, avec trois enfants. J'y vais et, avant d'y arriver, je rencontre une personne que je distingue mal et qui accompagne mes deux fillettes. Je les emmène avec moi après être resté là un moment avec elles. J'en veux vaguement à ma femme de les avoir laissées là-bas.*

Au réveil j'éprouve une grande *satisfaction* que je m'explique par mon espoir de pouvoir, par l'analyse, apprendre le sens des mots : « J'ai déjà rêvé cela » (1). Mais l'analyse ne m'apprend rien de nouveau, elle me montre seulement que ma satisfaction fait partie du contenu latent du rêve et non d'un jugement porté sur ce dernier. *C'est ma satisfaction d'avoir eu des enfants de mon mariage.* P... est un homme avec qui j'ai fait un bout de chemin dans la vie et qui plus tard m'a devancé considérablement, tant au point de vue social qu'au point de vue matériel, mais qui n'a pas eu d'enfants. L'indication des deux motifs du rêve me permettra ici de ne pas recourir à une analyse complète. La veille, j'avais lu dans un journal qu'une certaine *Dona A...y* (nom que je transformai en Doni) était morte en couches; ma femme m'avait dit que la défunte avait été soignée par la sage-femme qui l'avait assistée elle-même lors de la naissance de nos deux derniers enfants. Le nom de Dona m'avait frappé, parce que, peu de temps avant, je l'avais rencontré pour la première fois dans un roman anglais. Le second motif du rêve est sa date. Il a eu lieu dans la nuit avant l'anniversaire de mon fils aîné, qui semble avoir un certain talent poétique.

IV. J'avais éprouvé une satisfaction analogue en me réveillant du rêve absurde qui me montrait mon père jouant, après sa mort, un rôle politique chez les Magyars. Cette satisfaction s'explique par la persistance du sentiment qui accompagnait la dernière phrase du rêve : *Je me souviens que sur son lit de mort il ressemblait à Garibaldi* ET JE ME

_____

(1) C'est là un sujet qui a prêté à une longue discussion dans la *Revue philosophique* (Paramnésie en rêve).

RÉJOUIS *que cela se soit réalisé tout de même... (Puis une suite que j'ai oubliée.)* L'analyse me permet de combler cette lacune. Il s'agit de mon second fils auquel j'ai donné le nom d'un illustre personnage historique qui m'avait attiré fortement pendant mon adolescence et surtout depuis mon séjour en Angleterre. Pendant l'année qui avait précédé la naissance de cet enfant, j'avais eu l'intention de lui donner précisément ce nom, si c'était un garçon, et, *très content,* je saluai le nouveau-né de ce nom. On remarquera facilement ici comment la mégalomanie réprimée du père passe, dans sa pensée, sur ses enfants. On admettra aisément, je pense, que c'est là une des façons dont s'opère cette répression nécessaire. La place de l'enfant dans l'ensemble du rêve est due à un accident excusable chez un enfant comme chez un mourant. Il avait sali son linge. On peut comparer à cette suite d'idées l'allusion que contient l'expression « *Stuhlrichter* » (juge assis) et le désir du rêve : apparaître *grand* et *pur* aux yeux de ses enfants.

V. Passons maintenant aux jugements qui sont portés pendant le rêve même, qui ne se prolongent pas pendant la veille et n'y sont pas transposés. Pour plus de facilité, je vais utiliser ici des rêves que j'ai déjà analysés dans un autre but. Le rêve de Gœthe qui a attaqué M. M... semble contenir toute une série de jugements. « *Je cherche à m'expliquer un peu les rapports de temps qui me paraissent invraisemblables.* » Cela ne revient-il pas à dire que mon esprit critique réagit contre l'absurdité qu'il y aurait à prétendre que Gœthe aurait attaqué un jeune homme de mes amis ? « *Il me paraît plausible* qu'il eût 18 ans. » Cela paraît bien être le résultat d'un calcul, idiot à vrai dire. Et « *je ne sais pas très bien en quelle année nous sommes* » serait un exemple d'incertitude, de doute dans le rêve.

Or je sais par l'analyse de ce rêve que les mots qui expriment ces jugements portés en rêve, semble-t-il, peuvent être interprétés d'une autre façon, qui à la fois montre leur véritable importance et fait disparaître l'absurdité. Par la phrase : « *J'essaie de m'expliquer un peu les rapports de temps* », je me mets à la place de mon ami qui a réellement étudié les problèmes du temps et de la durée de la vie. Ces mots perdent ainsi le sens d'un jugement critique contre l'absurdité des phrases précédentes. L'expression intercalée « *qui me paraît invraisemblable* » est liée à cette autre : « *il me paraît plausible* ». J'ai répondu en termes analogues à la dame qui me racontait l'histoire de la maladie de son frère : « *Il me paraît invraisemblable* que l'exclamation : Nature ! Nature ! ait un rapport quelconque avec Gœthe; *il me semble bien plus plausible* qu'elle ait la signification sexuelle que vous connaissez. » Ici, en effet, un jugement a été prononcé, non en rêve cependant, mais en réalité, à une occasion qui est rappelée et utilisée par les pensées du rêve. Le contenu du rêve s'approprie ce jugement, comme il fait de n'importe quel autre fragment des pensées du rêve.

Le chiffre 18, qui est associé d'une façon absurde au jugement du rêve, porte encore la marque de l'enchaînement d'où fut détaché le jugement réel. Et enfin l'idée que « *je ne sais pas très bien en quelle année nous sommes* » n'a d'autre sens que d'obtenir que je m'identifie avec le paralytique général qui, à l'examen médical, avait réellement présenté ce symptôme précis.

Lorsqu'on analyse les jugements apparents du rêve, il faut se souvenir des règles exposées au début, en vue de l'interprétation : il ne faut pas tenir compte de l'enchaînement des parties du rêve; il faut considérer cet enchaînement comme une apparence sans valeur et il faut séparément ramener à son origine chaque élément du rêve. Le rêve est un conglomérat qu'il s'agit de fragmenter en vue de la recherche. Mais, d'autre part, notre attention est attirée sur le fait que dans les rêves se manifeste un pouvoir psychique qui établit cet enchaînement apparent et qui, par conséquent, fait subir, au matériel produit par le travail du rêve, une *élaboration secondaire*. Nous étudierons plus loin ce pouvoir et nous montrerons qu'il est le quatrième élément participant à la formation du rêve.

VI. Recherchons d'autres exemples du travail de jugement dans les rêves déjà cités. Dans le rêve absurde qui contient l'histoire de la lettre du conseil municipal, je demande à mon père : « *Tu t'es marié aussitôt après ?* » *Je calcule que je suis né en 1856, date qui me paraît suivre immédiatement l'autre.* — Tout cela revêt bel et bien la forme d'une *conclusion logique*. Mon père s'est marié, bientôt après l'attaque, en 1851; je suis le fils aîné, né en 1856; donc cela est juste. Nous savons que cette conclusion est altérée par l'accomplissement d'un désir et que la pensée dominante du rêve est : *quatre ou cinq ans, ce n'est rien, ça ne compte pas.* Mais chaque partie de cette conclusion se détermine, d'après les pensées du rêve, quant au contenu et quant à la forme, d'une façon différente : C'est le malade dont un de mes collègues blâme la patience qui a l'intention de se marier dès la fin de la cure. La façon dont je m'entretiens en rêve avec mon père rappelle un *interrogatoire* ou un *examen*, et par là un professeur de la Faculté de Médecine qui, à sa première leçon, avait coutume de dresser un état civil complet de tous ses élèves : — Date de naissance ? — 1856. — Patre ? — On répondait en donnant le prénom du père avec une terminaison latine. Nous supposions que le professeur pouvait tirer du prénom du père des *conclusions* pour lesquelles le prénom de l'étudiant seul n'eût pas suffi. Ainsi le fait de *tirer des conclusions* dans le rêve ne serait que la répétition d'une conclusion qui apparaissait comme morceau du matériel des pensées du rêve. Il en résulte pour nous quelque chose de nouveau : quand, dans le rêve, il y a une conclusion, elle vient toujours des pensées du rêve, mais elle peut y figurer comme élément du matériel remémoré ou former un lien logique entre une série de pensées. Dans les deux cas, une conclusion tirée dans le rêve représente une conclusion des pensées du rêve (1).

On pourrait pousser plus loin l'analyse de ce rêve. A l'interrogatoire du professeur s'associe le souvenir du tableau des cours et conférences de la Faculté, rédigé en latin, de mon temps, et ensuite celui de la marche de mes études. Les *cinq années* prévues pour les études de médecine étaient, ici encore, *peu pour moi*. Je continuai à travailler des années encore, et, parmi mes amis, je passai pour un fruit sec : on disait que je ne *finirais* jamais. Brusquement je me décidai, passai mes examens et finis fort bien *en dépit du retard*. Ceci renforce à nouveau les idées du rêve, que j'oppose à mes détracteurs comme un défi : « Vous pouvez ne pas le croire, puisque j'y mets du temps, mais je finirai tout de même, j'aboutirai tout de même à une *conclusion*. Ce n'est pas la première fois que ça arrive. »

Le même rêve contient, dans sa partie initiale, quelques propositions auxquelles on ne saurait refuser le caractère d'une argumentation. Et cette argumentation n'est pas

---

(1) Ces résultats viennent corriger sur certains points mes indications antérieures sur la représentation des relations logiques (p. 269 sq.). Ces indications ne concernaient que les conditions générales de l'élaboration du rêve, non les détails de ce mécanisme infiniment délicat.

absurde, elle pourrait se présenter dans la pensée de la veille. *Je me moque, dans le rêve, de la lettre du conseil municipal, car premièrement, en 1851, je n'étais pas né, et deuxièmement mon père, que peut viser cette lettre, est déjà mort.* Non seulement ces deux raisons sont exactes, mais encore c'est bien ainsi que je répondrais si je recevais une pareille lettre. Nous savons, par notre analyse (p. 371), que ce rêve a pour base des pensées latentes très amères et sarcastiques. Si nous considérons que les motifs de la censure sont sans doute très puissants, nous comprendrons que le travail du rêve doive fournir, *pour réfuter la suggestion absurde, une argumentation irréprochable*, de forme semblable à celle des pensées du rêve. Or l'analyse nous montre qu'il n'y a point eu création, mais que le travail du rêve a dû utiliser le matériel des pensées du rêve. Tout se passe comme si quelqu'un copiant sans la comprendre une équation algébrique contenant, à côté des chiffres et des lettres, des signes +, —, de puissances ou de racines, avait tout mêlé. Les deux arguments peuvent être ramenés aux éléments suivants : Il m'est pénible de penser qu'un grand nombre des suppositions sur lesquelles je m'appuie dans mes solutions psychologiques des psychonévroses rencontreront des doutes, seront tournées en ridicule dès qu'elles seront connues. Ainsi, par exemple, j'affirme que des impressions remontant à la deuxième, parfois même à la première année de la vie de l'individu laissent une trace ineffaçable dans la vie psychique de ceux qui seront plus tard des malades, et que ces impressions — quoique souvent déformées et exagérées par le souvenir — peuvent être la première et la plus profonde raison d'un symptôme hystérique. Des malades à qui je donne ces explications quand je dois le faire se moquent de moi, se déclarant prêts à rechercher des souvenirs datant du temps *où ils n'étaient pas encore nés.* Je m'attends à ce que la révélation du rôle, inconnu jusqu'à présent, que joue, chez les malades femmes, *le père* dans les premières impulsions sexuelles, reçoive le même accueil (v. l'exposé de la p. 224). Et pourtant je suis profondément convaincu que les deux idées sont exactes et fondées. Elles sont confirmées par certains exemples où le père est mort alors que l'enfant était encore en bas âge, et où des événements survenus plus tard resteraient inexpliqués, si l'on ne pouvait admettre que l'enfant avait gardé de son père des souvenirs inconscients. Je sais que mes deux affirmations reposent sur des *conclusions* dont la validité sera contestée. Le rêve accomplit donc mon désir, en utilisant, pour établir des *conclusions incontestables*, précisément ces *conclusions* que je crains de voir contester.

VII. Dans un rêve que jusqu'à présent, je n'ai fait qu'effleurer, on constate, nettement exprimé dès le début, un sentiment d'étonnement causé par le thème même du rêve.

Le vieux Brücke doit m'avoir imposé une tâche quelconque. Et — CHOSE BIEN ÉTRANGE — cette tâche consiste dans la préparation de la partie inférieure de mon propre corps, bassin et jambes ; je vois cette partie de mon corps devant moi, comme dans la salle de dissection, sans cependant avoir la sensation que cette partie manque à mon corps, et sans le moindre sentiment d'horreur. Louise N... se trouve là et travaille avec moi. Le bassin est vidé, on le voit tantôt d'en haut, tantôt d'en bas, les deux aspects se mêlent. On aperçoit de grosses tubérosités couleur chair (qui me rappellent, dans le rêve même, des hémorroïdes). Il fallait aussi en dégager soigneusement quelque chose qui était posé dessus et qui ressemblait à du papier d'étain froissé (1). *Alors je fus de nouveau en possession de mes jambes, et je fis un tour à travers la ville, mais étant fatigué je pris une voiture. La voiture entra, à mon grand étonnement, par une porte cochère qui s'ouvrit et la laissa passer par un couloir qui, vers la fin, après un tournant rapide, reconduisait en plein air* (2). *— Finalement je me trouvai marchant avec un guide alpin qui portait mes affaires, à travers des paysages changeants. Il me porta un bout de chemin, parce que j'avais les jambes fatiguées. Le sol était marécageux ; nous passions le long du bord ; des gens étaient assis par terre, parmi eux une jeune fille ; on aurait dit des Indiens ou des Bohémiens. Auparavant je m'étais avancé moi-même sur le sol glissant, en m'étonnant constamment de pouvoir si bien marcher, après la préparation. Enfin nous arrivâmes à une petite maison en bois au bout de laquelle se trouvait une fenêtre ouverte. Là, le guide me déposa et mit deux planches, qui étaient là toutes prêtes, sur l'accoudoir de la fenêtre, jetant ainsi un pont sur l'abîme qu'il fallait franchir pour sortir. Alors, j'eus réellement peur pour*

---

(1) Staniol. Allusion au livre de STANNIUS, *Nervensystem der Fische* (cf. p. 353).

(2) Cette disposition est celle de l'entrée de ma maison : les locataires y laissent les voitures d'enfant. Il y a là d'ailleurs une surdétermination multiple.

mes jambes. Mais, au lieu de franchir l'abîme comme je m'atten-
dais à le faire, je vis, étendus sur les bancs, le long des parois de
la cabane, deux hommes adultes et, à côté d'eux, deux enfants
endormis. C'était comme si on devait passer, non pas sur les
planches, mais sur ces enfants. Je me réveillai dans un état
d'anxiété et de désarroi.

On imagine sans peine, après ce que nous avons dit de
l'ampleur de la condensation dans le rêve, combien de
pages prendrait l'analyse détaillée de ce long rêve. Aussi
n'allons-nous pas y procéder ici. Nous ne l'étudierons que
comme un exemple de l'étonnement; il s'y manifeste, nous
l'avons vu, dès le début, par ces mots : « *chose bien étrange* ».
Disons d'abord le point de départ du rêve. C'est une visite
à Mme Louise N... qui dans le rêve assiste à mon travail.
Elle me dit : « Prête-moi un livre. » Je lui proposai *She*
de Ridder Haggard et commençai à lui expliquer : « ... livre
étrange... rempli de sens caché... l'éternel féminin... l'immortalité de nos sentiments... » Elle m'interrompit : « Je
connais ce livre. N'as-tu rien de toi ? » — « Non, mes
propres œuvres immortelles ne sont pas encore écrites. » —
« Alors quand paraîtra donc ce qu'on est convenu d'appeler
tes dernières révélations dont tu promets qu'elles seront
lisibles pour nous autres également ? », demanda-t-elle
avec un air un peu agressif. — Je m'aperçois à présent que
c'est un autre qui me fait donner par elle un avertissement
et je me tais. Je pense combien il m'en coûtera déjà de
présenter au public ce seul travail sur le rêve où il faudra
livrer une si grande partie de mon être le plus intime :
« Pourtant ce que tu connais de meilleur ne peut être dit
à ces garçons » (1). La préparation sur *mon propre corps*,
dont je suis chargé en rêve, est donc cette *analyse de moi-*
même que comporte la publication de mon livre. Le vieux
Brücke intervient ici à bon droit; dans les premières années
de mon travail scientifique, il m'arriva plus d'une fois de
laisser là une découverte que ses ordres énergiques me
forcèrent enfin à publier. Les autres pensées qui se rattachent à la conversation avec Louise N... étaient enfouies
trop profondément pour devenir conscientes; elles sont
déviées en direction du matériel qu'a réveillé en moi la

(1)   *Das Beste was du wissen kannst,*
        Darfst du den Buben doch nicht sagen.
                    (GŒTHE, *Faust*, I).

mention du livre de Ridder Haggard. C'est à ce livre-là et à un autre du même auteur : *Heart of the world*, que se rapporte le jugement : « *chose bien étrange* ». Beaucoup d'éléments du rêve sont empruntés à ces deux romans fantastiques. Le sol marécageux par-dessus lequel on est porté, l'abîme qu'il faut franchir à l'aide des planches emportées proviennent de *She*; les Indiens, la jeune fille, la maison en bois de *Heart of the world*. Dans les deux romans, c'est une femme qui joue un rôle de premier plan; dans les deux il s'agit de voyages dangereux, dans *She* d'une marche à l'aventure vers un inconnu où nul n'a mis les pieds. La fatigue des jambes a été, d'après une note que je retrouve, une sensation réellement éprouvée ces jours-là. Il est probable qu'il s'en est suivi un état de dépression où, doutant de moi-même, je me suis demandé : Jusqu'où mes jambes me porteront-elles encore ? Dans *She*, l'aventure finit ainsi : la femme-guide, au lieu de rapporter, pour elle-même et pour les autres, l'immortalité, trouve la mort dans un mystérieux feu central. Il a dû y avoir, dans les pensées du rêve, la peur d'une triste mort. La « *maison en bois* » doit signifier le cercueil, donc le tombeau. Le rêve a été très habile en faisant passer comme un accomplissement de désir cette pensée, la moins souhaitée de toutes. J'ai déjà été, en effet, dans un tombeau, mais c'était un tombeau étrusque ouvert, près d'Orvieto, une étroite chambre avec, le long des murs, deux bancs de pierre sur lesquels on avait posé deux squelettes d'hommes adultes. L'intérieur de la « *maison de bois* » du rêve ressemble à ce tombeau, avec la seule différence que le bois a remplacé la pierre. Le rêve semble dire : « S'il faut que tu sois dans la tombe, que ce soit au moins dans ce tombeau étrusque. » Il transforme, au moyen de cette substitution, la perspective la plus triste en une chose assez enviable. Malheureusement, il ne peut transformer en son contraire que l'image qui accompagne l'affect et non l'affect lui-même. C'est pourquoi je me réveille avec angoisse et désarroi, et après qu'est encore apparue l'idée que peut-être les enfants obtiendront ce qui a été refusé au père — encore une allusion à cet *étrange* roman où l'identité d'un personnage se maintient à travers une suite de générations de 2 000 ans.

VIII. Nous allons retrouver l'étonnement au sujet de faits vus en rêve dans un autre exemple; il s'y joint, cette fois, un essai d'explication tellement surprenant, recherché, on pourrait dire presque : ingénieux, qu'il suffirait à lui seul à forcer notre intérêt même si notre attention n'était pas attirée par deux autres raisons encore.

Dans la nuit du 18 au 19 juillet, je voyage sur le réseau du Sud et, tout en dormant, j'entends appeler : « *Hollthurn, 10 minutes d'arrêt.* » *Je pense aussitôt aux Holothuries — un musée d'histoire naturelle — qui ici est un endroit où des hommes courageux se sont défendus sans succès contre les troupes de leur souverain supérieures en nombre. — Oui, la contre-réforme en Autriche ! — C'est comme s'il s'agissait d'un endroit en Styrie ou en Tyrol. J'aperçois maintenant, indistinctement, un petit musée, dans lequel sont conservés les restes ou les trophées de ces hommes. Je voudrais descendre du train, mais je retarde l'exécution de ce projet. Il y a, sur le quai de la gare, des femmes avec des fruits ; elles sont accroupies et présentent leurs paniers d'une manière très engageante. — J'ai hésité à descendre, me disant que je n'avais plus le temps, et nous voici toujours en gare. — Je suis brusquement dans un autre compartiment où les cuirs et les sièges sont si étroits que le dos se heurte directement au dossier* (1). Je m'en étonne, MAIS IL SE PEUT BIEN QUE J'AIE CHANGÉ DE COMPARTIMENT TOUT EN DORMANT. *Plusieurs personnes, entre autres deux Anglais, frère et sœur ; une rangée de livres bien en vue sur une étagère le long de la paroi. J'y vois* Wealth of nations, Matter and Motion *(de Maxwell), gros volumes reliés en toile marron. L'Anglais demande à sa sœur si elle n'a pas oublié tei livre de Schiller. Tantôt ces livres sont comme les miens, tantôt ce sont ceux des deux étrangers. Ici je voudrais prendre part à la conversation pour confirmer, insister...* Je me réveille, en transpiration, parce que les fenêtres sont fermées. Le train s'arrête à Marburg.

Pendant que je transcris ce récit, je me rappelle brusquement un fragment que j'ai failli oublier. *Je dis aux deux Anglais, au sujet d'un certain ouvrage.* « It is from... », *mais je me reprends :* « It is by ». *L'Anglais dit à sa sœur :* « Mais il avait bien dit. »

Le rêve commence par l'appel de la station qui a dû me réveiller à moitié. Je remplace ce nom, qui était *Marburg*, par celui de *Hollthurn*. Que j'aie entendu *Marburg* au premier appel, ou peut-être à un des appels suivants, cela est

_____

(1) Cette description me demeure à moi-même incompréhensible, mais je reste fidèle au principe de noter exactement les mots qui se présentent à mon esprit lorsque je transcris un rêve.

prouvé par l'allusion que mon rêve fait à *Schiller*, né à Marburg (1), dans un autre Marburg, il est vrai.

Je voyageais, cette fois, bien qu'en première, dans des conditions très désagréables. Le train était bondé; dans le compartiment j'avais trouvé un monsieur et une dame qui paraissaient très distingués, mais qui n'avaient pas assez de savoir-vivre, ou qui jugeaient inutile d'en faire preuve, pour cacher tant soit peu leur mécontentement de voir pénétrer un intrus. On n'a pas répondu à mon salut; bien que l'homme et la femme fussent assis l'un à côté de l'autre (« le dos à la locomotive »), la femme s'empressa de réserver, sous mes yeux, la place d'en face, près de la fenêtre en y posant un parapluie. On ferma la porte immédiatement; on dit bien haut qu'il ne fallait pas ouvrir les fenêtres; sans doute s'était-on aperçu aussitôt que je manquais d'air. Il faisait chaud, cette nuit-là, et dans le compartiment hermétiquement fermé on étouffa bientôt.

Mon expérience des voyages m'a appris qu'un tel manque d'égards et de politesse caractérise les gens qui voyagent gratuitement ou à demi-tarif. Lorsque le contrôleur vint à passer et que je présentai le billet qui m'avait coûté cher, la dame lança sur un ton hautain et comme menaçant : « Mon mari a une carte de circulation ! » De taille imposante, l'air maussade, elle était à l'âge où la beauté de la femme commence à décliner. Le mari n'essayait même pas de placer un mot, il était assis là sans bouger. Je m'enfonçai dans mon coin et fis des efforts pour dormir. Dans le rêve je tire une terrible vengeance de mes compagnons de voyage si peu aimables. On ne devinerait jamais quelles insultes je leur adresse, quelles humiliations je leur inflige : tout cela dissimulé sous les bribes incohérentes de la première moitié de mon rêve. — Mais, ce premier désir satisfait, un autre se fit jour : celui de changer de compartiment. Le rêve change souvent de scène sans que cela paraisse surprenant le moins du monde; il aurait donc pu également substituer à mes compagnons de voyage d'autres plus agréables pris dans mes souvenirs. Mais ici

(1) Ce n'est point à Marburg, mais à Marbach que Schiller est né. Tout collégien allemand le sait et je le savais également. C'est encore une de ces erreurs qui se glissent dans le rêve comme contrepartie d'une altération faite intentionnellement ailleurs. J'ai essayé d'expliquer ces erreurs dans ma *Psychopathologie des Alltagslebens* (*Ges. Werke*, Bd. IV).

quelque chose rend ce changement difficile, de sorte que j'éprouve le besoin de l'expliquer. Comment ai-je pu me trouver brusquement dans un autre compartiment ? Je ne me rappelle pas être descendu. Il n'y a qu'une explication possible : « *j'ai dû quitter le wagon tout en dormant* ». Ces faits sont rares, mais connus des neuropathologistes. On sait que certains sujets entreprennent des voyages dans un « état second », qui ne se manifeste par aucun symptôme extérieur, jusqu'au moment où, à une station quelconque, ils reprennent entièrement conscience d'eux-mêmes et s'étonnent de la lacune de leur mémoire. Je m'explique donc en rêve ce qui m'est arrivé par une atteinte d'*automatisme ambulatoire*.

L'analyse permet d'en donner une autre solution. L'essai d'explication, qui surprendrait si on devait le mettre sur le compte du travail du rêve, n'est pas original. Il reproduit les signes névrotiques d'un de mes malades. J'ai déjà raconté l'histoire de cet homme très cultivé et sensible qui, peu après la mort de ses parents, commença à s'accuser de penchants meurtriers et qui vécut dès lors écrasé par les mesures préventives qu'il devait inventer pour se défendre contre son obsession. C'était un cas de névrose obsessionnelle grave, avec conservation parfaite de l'autocritique. Il fallait qu'à tout instant le malade se rendît compte des allées et venues de tous les passants : quand, en effet, un passant quelconque échappait à ses regards inquisiteurs, il avait l'impression angoissante de l'avoir peut-être tué. Il y avait là, entre autres, une rêverie morbide sur le thème de Caïn, car « tous les hommes sont frères ». Traverser une rue lui devint bientôt une torture et il prit la résolution de ne plus sortir. Il passait sa vie entre ses quatre murs, prisonnier volontaire. Mais les journaux apportaient jusque dans sa chambre l'écho des assassinats commis dehors, et, chaque fois, il se demandait avec angoisse si ce n'était pas lui le meurtrier. La certitude de n'avoir pas quitté son appartement depuis des semaines l'avait défendu un certain temps contre ces accusations. Mais un jour l'idée lui vint qu'il *aurait pu quitter sa maison dans un état d'inconscience* et commettre un crime sans le savoir. Dès ce jour, il ferma à clef la porte de sa maison, remit la clef entre les mains de sa vieille femme de charge et lui défendit expressément de la lui rendre, même sur sa demande.

C'est de là que vient l'essai d'explication qui veut que j'aie changé de compartiment dans un état d'inconscience. Cette explication est passée toute faite des pensées du rêve dans le rêve lui-même. Elle a évidemment pour but de m'identifier avec mon malade. Le souvenir de celui-ci fut éveillé en moi par une association d'idées toute naturelle. C'est avec lui que j'avais fait, quelques semaines auparavant, mon dernier voyage de nuit. Il était guéri et m'accompagnait en province auprès de ses parents qui m'avaient appelé. Nous avions un compartiment pour nous deux. Les fenêtres étaient restées ouvertes toute la nuit et notre conversation avait été très animée jusqu'à ce que je m'endormisse. Je savais que son affection avait eu pour origine des impulsions hostiles contre son père datant de l'enfance et liées à la sexualité. En m'identifiant avec lui, je voulais m'avouer à moi-même des penchants analogues. En réalité, la seconde scène de mon rêve est due à ce fantasme bien impertinent, que mes deux compagnons de voyage, quoiqu'un peu vieux déjà, manquent de politesse à mon égard parce que mon arrivée les a empêchés d'échanger pendant la nuit les tendresses qu'ils s'étaient promises. Cette idée fantaisiste n'est qu'un écho d'une scène de la première enfance : l'enfant, poussé probablement par une curiosité sexuelle, pénètre dans la chambre de ses parents et en est chassé par un mot énergique du père.

Je crois inutile de multiplier les exemples. Ils ne feraient que confirmer ce que nous venons de voir, à savoir qu'un jugement, en rêve, n'est que la reproduction d'un prototype dans les pensées du rêve. Cette reproduction, le plus souvent, est mal adaptée à l'ensemble ; mais quelquefois, comme dans nos derniers exemples, elle peut y être insérée si habilement qu'elle donne l'impression d'un travail intellectuel effectué en rêve, propre au rêve.

Nous sommes ainsi conduits à nous occuper d'une activité de rêve, dont nous avons parlé déjà, et qui, si elle n'est pas constante, a pour effet, chaque fois qu'elle intervient, d'effacer les contradictions entre les éléments disparates du rêve et de les fondre en un ensemble cohérent. Mais avant d'aborder cette étude, il nous faut encore — et cela nous paraît pressant — consacrer quelques instants à l'examen des manifestations de la vie affective dans le rêve et de les comparer avec les affects que l'analyse découvre dans les pensées du rêve.

VIII. — LES AFFECTS DANS LE RÊVE

Dans une remarque pénétrante Stricker nous a fait constater que les manifestations de la vie affective dans le rêve ne doivent pas être méprisées au réveil comme le reste du contenu du rêve. « Quand, dans le rêve, j'ai peur des brigands, les brigands sont imaginaires, mais la peur est réelle. » Il en est de même lorsque j'éprouve de la joie. Nous sentons qu'un affect dont nous avons l'expérience en rêve n'est inférieur en rien à celui de même intensité dont nous avons l'expérience pendant la veille. C'est bien plus par son fond affectif que par son contenu représentatif que le rêve s'impose à nous comme expérience psychologique. A l'état de veille nous n'arrivons pas à le considérer ainsi, car, psychiquement, nous ne pouvons apprécier un élément affectif que lorsqu'il est lié à un contenu représentatif. Aussi, lorsque l'affect et la représentation ne s'accordent pas l'un avec l'autre, quant à la nature et quant à l'intensité, notre jugement est troublé.

Ce qui, de tout temps, a frappé dans les rêves, c'est que des contenus représentatifs n'entraînent pas l'effet affectif auquel nous nous attendrions nécessairement si tout se passait à l'état de veille. Strümpell a prétendu que, dans le rêve, les images n'avaient plus leurs valeurs psychiques. Mais le contraire s'observe aussi. Une manifestation affective intense peut être accompagnée d'un contenu qui n'y prête guère. Je peux me trouver en rêve dans une situation horrible, dangereuse, écœurante, sans en éprouver la moindre peur ou le moindre dégoût; par contre, il arrive que je me fâche pour des motifs bien futiles ou que je me réjouisse de choses puériles.

Tout cela s'explique fort bien et même mieux que toutes les autres énigmes du rêve si, au lieu d'envisager le contenu manifeste du rêve, on considère son contenu latent. *L'analyse nous apprend, en effet, que les contenus représentatifs ont subi des déplacements et des substitutions, tandis que les affects n'ont pas changé.* Rien d'étonnant à ce que le contenu représentatif modifié par la déformation du rêve ne s'accorde plus avec l'affect resté le même; mais on n'aura non plus aucun motif de s'étonner quand l'analyse rendra sa place au contenu véritable (1).

Dans un complexe psychique qui a subi l'influence de la censure imposée par la résistance, les affects forment la partie résistante, qui seule peut nous indiquer comment il faut compléter l'ensemble. Cet état de choses se manifeste dans les psychonévroses plus clairement encore que dans le rêve. Là l'affect a toujours raison, du moins pour ce qui est de sa qualité; son intensité peut être augmentée, comme on sait, par des déplacements de l'attention névrotique. Lorsqu'un hystérique s'étonne qu'une bagatelle lui inspire une telle peur, lorsqu'un homme atteint d'obsessions est surpris qu'une futilité devienne pour lui un remords angoissant, tous deux se trompent en tenant le contenu représentatif, la bagatelle, la futilité, pour l'essentiel, et ils se défendent en vain tant qu'ils prennent ce contenu représentatif pour point de départ du travail de leur pensée. C'est la psychanalyse qui leur montre le bon chemin en reconnaissant, à l'encontre de leur façon de faire, l'affect comme justifié et en recherchant la représentation qui s'y rapporte et qui a été refoulée et remplacée par un substitut. Nous supposons ici que le déclenchement affectif et le contenu représentatif ne forment pas une unité organique et indissoluble, mais qu'ils sont simplement accolés l'un à l'autre, que l'analyse peut les séparer. L'interprétation des rêves nous montre qu'en réalité il en est ainsi.

Voici, pour commencer, un exemple dont l'analyse nous expliquera l'absence apparente de l'affect là où le contenu représentatif aurait dû normalement en déclencher.

---

(1) Si je ne me trompe, le premier rêve que j'ai pu connaître de mon petit-fils, âgé de 20 mois, prouve que l'élaboration du rêve réussit à transformer les éléments représentatifs en vue de l'accomplissement d'un désir, tandis que les états affectifs correspondants demeurent sans changement. La nuit avant le départ de son père pour le front, l'enfant crie en sanglotant : « Papa, papa — Bebi ! » Cela ne peut signifier que : Papa et Bebi restent ensemble, alors qu'au contraire les larmes montrent que l'enfant sait le départ imminent. L'enfant savait parfaitement, à ce moment, exprimer le concept de séparation. L'un de ses premiers mots a été un « oooh ! » prolongé et accentué d'une manière particulière qui signifiait « Fort » (parti). Plusieurs mois avant ce premier rêve, il réalisait l'idée de « parti » avec tous ses jouets, donnant par là en même temps le témoignage d'une précoce maîtrise de soi : cela équivalait à laisser partir sa mère.

I. *Elle aperçoit, dans un désert, trois lions. L'un d'entre eux rit. Elle n'en a pas peur. Ensuite elle les a sans doute fuis tout de même, car elle veut grimper à un arbre. Mais là-haut elle trouve sa cousine qui est professeur de français*, etc.

L'analyse nous apprend les faits suivants. Le prétexte indifférent du rêve est une phrase de son devoir anglais : « La crinière est la parure du *lion* ». Son père portait une barbe qui encadrait son visage comme une *crinière*. Son professeur d'anglais s'appelle Miss *Lyons*. Un ami lui a envoyé les ballades du compositeur *Loewe* (= lion). Voilà donc les trois lions; — pourquoi en aurait-elle peur ? Elle a lu un récit où un nègre qui avait fomenté une rébellion est traqué avec des chiens braques et, pour se sauver, grimpe à un arbre. Suivent — avec une gaieté croissante — d'autres bribes de souvenirs. Le procédé pour attraper les lions préconisé par les *Fliegende Blätter* : on prend un désert; on le passe au tamis; les lions restent dessus. Puis une anecdote très drôle mais un peu osée : on demandait à un fonctionnaire pourquoi il ne faisait pas plus d'efforts pour gagner la faveur de son chef; il répondit : « J'ai bien essayé de me glisser là, mais mon ancien *était déjà dessus* ». Cet ensemble nous paraîtra très clair quand nous saurons que la dame a reçu, la veille du rêve, la visite du chef de son mari. Il a été très galant avec elle, lui baisa la main, — et *elle n'a pas eu peur du tout*, bien qu'il soit une « *grande bête* » (= « grosse légume ») et le « *lion de la société* » de la ville. Le lion du rêve est donc semblable à celui du *Songe d'une nuit d'été* (le menuisier), et tous les lions de rêve dont on n'a pas peur sont ainsi.

II. Comme second exemple, je puis citer le rêve de la jeune fille qui voyait son petit neveu mort, étendu dans un cercueil, et qui n'en éprouvait — je puis l'ajouter maintenant — aucune douleur, aucune tristesse. L'analyse (cf. p. 138) nous a montré pourquoi. Le rêve accomplissait, en le déguisant, son désir de revoir l'homme aimé. L'affect devait s'accorder au désir et non au déguisement. Elle n'avait donc aucune raison d'être triste.

Dans un certain nombre de rêves, l'affect garde encore quelques liens avec le contenu représentatif nouveau, qui a remplacé celui auquel l'affect était primitivement attaché. D'autres fois la dissolution du complexe est poussée plus loin. L'affect semble entièrement détaché de l'image correspondante, il est transporté dans un autre

endroit du rêve, adapté à un nouvel arrangement des
éléments du rêve. Il se produit alors ce que nous avons
déjà vu en examinant les actes de jugement dans le rêve.
Lorsqu'il y a, parmi les pensées du rêve, une conclusion
importante, le rêve en contient une aussi; mais la conclusion
du rêve peut être déplacée et porter sur un matériel tout
autre. Ce déplacement se fait souvent d'après le principe
du contraste.

Je vais expliquer cette dernière modalité par l'exemple
suivant que j'ai soumis à une analyse complète.

III. *Un château au bord de la mer. Plus tard il ne se trouve
plus directement au bord de la mer, mais près d'un étroit canal
qui conduit à la mer. Le gouverneur s'appelle P... Je me trouve
avec lui dans un grand salon à trois fenêtres devant lesquelles se
dressent, comme les créneaux d'une forteresse, les saillies d'un
mur. J'appartiens d'une façon quelconque, peut-être comme
officier de marine volontaire, aux troupes d'occupation. Nous
craignons l'arrivée de bâtiments de guerre ennemis, puisque nous
sommes en état de guerre. M. P... a l'intention de partir. Il me
donne des instructions sur ce qu'il faut faire si l'attaque se produit.
Sa femme malade se trouve avec les enfants dans le château en
danger. Quand commencera le bombardement, la grande salle
devra être évacuée. Il respire péniblement et veut s'éloigner. Je
le retiens et lui demande de quelle façon je devrais lui faire parvenir
des nouvelles, si cela était nécessaire. Il me répond encore quelque
chose, et aussitôt après il tombe mort. Je l'ai sans doute fatigué
inutilement par mes questions. Après sa mort, qui ne me fait
aucune impression, je me demande si la veuve restera dans le
château, si je dois annoncer la mort aux autorités supérieures, si
ie dois me charger, étant le premier après lui dans la hiérarchie,
du commandement du château. Voici que je me trouve à la fenêtre
en train de contempler les vaisseaux qui défilent. Ce sont des
navires marchands qui avancent avec une très grande rapidité,
sur les flots sombres, quelques-uns ont plusieurs cheminées,
d'autres ont une espèce de toit renflé* (comme dans les constructions de la gare que j'avais vues dans le rêve-prologue
[je ne le communique pas ici]). *Alors mon frère se tient à
côté de moi et tous deux nous regardons par la fenêtre vers le
canal. Un navire qui passe nous effraie, et nous nous écrions :
« Voilà le vaisseau de guerre qui vient ! » Mais on constate que
seuls les vaisseaux que je connais déjà reviennent. Et voici venir
un petit bateau qui est drôlement coupé : il se termine juste au
milieu de sa largeur. Sur le pont de ce bateau on voit des choses*

bizarres, qui ressemblent à des timbales ou à des boîtes. Nous nous écrions tous les deux : « Voici le navire du petit-déjeuner ! » (Frühstücksschiff).

La marche rapide des navires, le bleu foncé de l'eau, la fumée brune des cheminées : tout cet ensemble fait une impression dramatique et sombre.

Les localités dans ce rêve se rapportent à des souvenirs de plusieurs voyages au bord de l'Adriatique (Miramare, Duino, Venise, Aquileia). Je me rappelais encore très bien un voyage court, mais très beau, que j'avais fait à Aquileia avec mon frère, à Pâques, quelques semaines avant le rêve. — La *guerre navale* entre l'Amérique et l'Espagne et les soucis qu'elle m'avait donnés au sujet de parents vivant en Amérique ont également laissé leur empreinte. — Des affects se manifestent à deux moments de ce rêve; une première fois, un affect auquel on s'attendrait ne se produit pas : il est dit nettement que la mort du gouverneur ne me fait aucune impression; une seconde fois, lorsque je crois voir le bâtiment de guerre : j'ai une *frayeur* dont j'éprouve pendant le sommeil toutes les sensations. Dans ce rêve bien construit, les affects sont placés de façon à éviter toute contradiction apparente. Il n'y a, en effet, aucune raison pour que je m'effraie à la mort du gouverneur et il est tout à fait naturel que je m'effraie comme commandant du château à la vue du bâtiment de guerre. Or l'analyse prouve que M. P... ne fait que se substituer à moi-même (en rêve, c'est moi qui suis son remplaçant). C'est moi le gouverneur qui meurt subitement. Les pensées du rêve ont pour objet l'avenir des miens après ma mort prématurée. Elles ne contiennent aucune autre idée angoissante. La frayeur qui en rêve est liée à la vue du bâtiment de guerre doit en être détachée et placée ici. Inversement, l'analyse montre que le groupe de pensées du rêve, d'où provient le bâtiment de guerre, est plein de souvenirs agréables. C'était un an avant, à Venise. Une journée splendide. Nous étions aux fenêtres de notre chambre qui donnait sur le quai des Esclavons et nous regardions vers la lagune bleue, qui était plus animée ce jour-là que d'habitude. On attendait des navires anglais qu'on allait recevoir solennellement; brusquement ma femme s'écria, joyeuse comme un enfant : « *Voici le bâtiment de guerre anglais !* » En rêve ces mêmes mots m'effraient. (Nous pouvons constater à nouveau que les discours prononcés en rêve viennent toujours des discours de la veille. Nous verrons tout à l'heure que le mot « *anglais* » n'a pas été perdu non plus pour le travail du rêve). En passant des pensées au contenu manifeste du rêve la gaieté s'est donc transformée en frayeur. Cette transformation même est destinée à exprimer un fragment du contenu latent du rêve; mais je ne fais que le signaler ici. Ce que cet exemple montre bien, c'est l'aisance avec laquelle le travail du rêve sépare les affects des faits qui les ont déclenchés et les transporte au hasard en quelque autre point de son contenu.

Examinons maintenant de plus près le « *navire du petit-déjeuner* » (*Frühstücksschiff*), dont l'apparition termine d'une manière absurde une situation par ailleurs plausible. Lorsque je considère ce navire, il me vient à l'esprit que, tel que je l'ai vu en rêve (noir et coupé dans sa plus grande largeur), il ressemble à un objet qui nous avait frappés dans les musées des villes étrusques. Il s'agissait d'une sorte de coupe rectangulaire à deux anses, en terre noire, sur laquelle se trouvaient des objets comme des tasses à café ou à thé. Le tout ressemblait un peu à un service à *petit déjeuner* d'aujourd'hui. On nous apprit que c'était une garniture de *toilette* féminine, avec les boîtes à fard et à poudre. Nous déclarâmes en riant que cet objet ne ferait pas mal comme cadeau pour la maîtresse de maison. L'objet du rêve signifie donc : *toilette noire*, deuil; c'est une allusion directe à la mort. Par son autre bout il rappelle une barque (1) de l'espèce de celles sur lesquelles, en des temps préhistoriques, on abandonnait les cadavres pour que la mer les ensevelît. C'est à cela que se rattache en rêve le retour des vaisseaux : « Silencieux, sur la barque sauvée, le vieillard retourne au port » (2). C'est le retour après le naufrage; le « navire du déjeuner » est, en effet, comme brisé dans sa largeur. Mais d'où vient le nom de navire « du déjeuner » ? C'est ici que l' « anglais » va intervenir. *Frühstück* = petit déjeuner = *breakfast*, *Fasten-brecher* (brise-jeûne). L'idée de *briser* nous ramène au *naufrage*, l'idée du *jeûne* à la toilette noire.

Mais dans ce « navire du déjeuner » il n'y a que le nom qui soit une création du rêve. La chose a existé et elle me

---

(1) *Nachen*, d'après un ami philologue, même racine que νέκυς (cadavre).
(2) Still, auf gerettetem Boote, treibt in den Hafen der Greis (Schiller).

rappelle une des heures les plus agréables de mon dernier voyage. Nous méfiant de la nourriture à Aquileia, nous avions apporté des provisions de Görz et acheté à Aquileia une bouteille de bon vin d'Istrie. Et pendant que le petit paquebot avançait lentement par le canal delle Mee et les lagunes désertes vers Grado, nous déjeunâmes d'excellente humeur sur le pont du bateau, où nous étions les seuls voyageurs. Jamais déjeuner ne nous parut si bon. Voilà donc le « navire du déjeuner », et c'est justement derrière ce joyeux souvenir que le rêve cache les allusions les plus attristantes à un avenir inconnu et lugubre.

Le fait que les affects sont détachés des images qui les ont déclenchés est l'un de leurs avatars les plus frappants. Mais ce n'est pas le seul ni le plus important de ceux qu'ils subissent en passant des pensées au contenu manifeste. Quand on compare les affects des pensées du rêve avec ceux du rêve même, on constate ceci : là où un état affectif existe dans le rêve, on le retrouve également dans les pensées du rêve; mais l'inverse n'est pas vrai. Le rêve est en général plus pauvre en affects que le matériel psychique dont l'élaboration lui a donné naissance. Lorsqu'on a reconstitué les pensées du rêve, on y aperçoit le plus souvent des tendances très marquées, en lutte les unes avec les autres. Si alors on revient au rêve, on le trouve fréquemment terne, dépourvu de toute espèce de tonalité affective intense. Le travail du rêve réduit non seulement le contenu mais encore la tonalité affective de la pensée, au niveau de l'indifférence. Je pourrais dire que le travail du rêve aboutit à une *répression des affects*. Qu'on se rappelle par exemple le rêve de la monographie botanique. Ce qui lui correspond dans la pensée, c'est un plaidoyer passionné en faveur de ma liberté d'agir à ma guise, de vivre ma vie comme il me plaît. Le rêve qui en est issu est indifférent : J'ai écrit une monographie qui se trouve devant moi. Elle contient des planches en couleur et des plantes séchées sont jointes à chaque exemplaire. C'est la paix après la bataille...

Il n'en est pas toujours ainsi : le rêve peut quelquefois exprimer des manifestations affectives très vives. Mais arrêtons-nous encore un instant à ce fait, incontestable, que tant de rêves paraissent indifférents, alors que les pensées qui les ont provoqués nous donnent une profonde émotion.

Nous n'avons pas à donner ici une explication théorique complète de cette répression des affects pendant le travail du rêve. Cette explication devrait être précédée d'une étude approfondie de la théorie des affects et du mécanisme de refoulement. Je ne voudrais discuter ici que deux idées. Je suis amené — pour des raisons que je n'ai pas à exposer ici — à me représenter le déclenchement d'un affect comme un processus centrifuge, mais orienté vers l'intérieur du corps, analogue aux processus d'innervation motrice et sécrétoire. Par analogie avec la suppression, durant le sommeil, des impulsions motrices dirigées vers le monde extérieur, je pourrais admettre que l'appel centrifuge d'affects, par la pensée inconsciente est, pendant le sommeil, rendu très difficile. Les impulsions affectives qui se produisent pendant que le rêve se forme seraient, dans cette hypothèse, des impulsions faibles par elles-mêmes. Celles qui parviennent jusqu'au rêve ne sauraient être plus fortes. D'après ce raisonnement, la « répression des affects » ne serait pas un effet du travail du rêve, mais une conséquence du sommeil. Cette façon de voir les faits est plausible, mais elle n'explique pas tout. Il faut aussi nous rappeler que tout rêve un peu complexe est, ainsi que nous l'avons vu, un compromis entre des forces psychiques antagonistes. D'une part, les pensées qui forment le désir ont à lutter contre la censure. D'autre part, nous l'avons constaté souvent, même dans l'inconscient toute pensée est liée à son contraire. Comme toutes ces suites d'idées peuvent déclencher des affects, nous pourrions peut-être, sans risquer de nous tromper, concevoir cette répression de l'affectivité comme une conséquence de l'inhibition qu'exercent les contraires les uns sur les autres et la censure sur les impulsions qu'elle réprime. *L'inhibition affective serait alors le second effet de la censure, dont la déformation était le premier.*

Je vais citer ici un exemple dans lequel l'indifférence affective peut s'expliquer par l'opposition des pensées. Je m'excuse par avance du caractère particulier et un peu choquant de son contenu.

IV. *Une colline ; sur celle-ci quelque chose comme des w.-c. en plein air, un banc très long, avec au bout un grand trou. Le bord de ce trou entièrement couvert de petits tas d'ordures, plus ou moins grands et plus ou moins frais. Derrière le banc un buisson. J'urine sur le banc ; un long filet d'urine nettoie tout, les*

ordures se détachent facilement et tombent dans le trou. A la fin,
c'est comme s'il restait encore quelque chose.

Pourquoi n'ai-je pas éprouvé de dégoût pendant ce
rêve ?

C'est que, comme l'analyse le montrera, les pensées
les plus agréables et les plus satisfaisantes y ont concouru.
A l'analyse, je songe tout de suite aux *écuries d'Augias*
que nettoie Hercule. Cet Hercule, c'est moi. La colline
et le buisson se trouvent à Aussee, où mes enfants séjournent
actuellement. J'ai découvert l'étiologie infantile des névroses
et ainsi j'ai préservé de la maladie mes propres enfants.
Le banc est (sauf le trou, naturellement) la fidèle imitation
d'un meuble dont une malade reconnaissante m'a fait
cadeau. Il me fait penser à la considération dont je jouis
auprès de mes malades. Même le musée d'excréments
humains est susceptible d'une explication réconfortante.
Il me rappelle en effet l'Italie où, dans les petites villes,
les w.-c. ont cet aspect. Le filet d'urine qui nettoie tout est,
sans nul doute, de la mégalomanie. C'est ainsi que Gulliver,
chez les Lilliputiens, éteint un grand incendie et que Gar-
gantua, du haut des tours de Notre-Dame, se venge des
Parisiens. J'avais justement feuilleté la veille, avant d'aller
me coucher, l'édition de Rabelais illustrée par Garnier.
Et, chose remarquable, voilà encore une preuve que
l'homme puissant, le surhomme, c'est moi : la plate-forme
de Notre-Dame était l'endroit que j'aimais entre tous
quand j'étais à Paris. J'avais l'habitude d'y passer tous
mes après-midi libres entre les mascarons et les gargouilles.
Le fait que toutes les ordures sont enlevées si vite est une
allusion à cette épigraphe : *Affiavit et dissipati sunt*, qu'un
jour je mettrai en tête de mon chapitre sur la thérapeutique
de l'hystérie.

Voici maintenant l'événement qui a produit le rêve.
Ç'avait été une après-midi d'été très chaude. Le soir, j'avais
fait mon cours sur les rapports de l'hystérie et des perversions. Tout ce que j'avais dit m'avais déplu profondément
et m'avait paru sans valeur. J'étais fatigué et je ne trouvais
pas le moindre plaisir à mon rude travail. J'en avais assez
de me vautrer ainsi dans toutes les saletés humaines et
j'aurais voulu être auprès de mes enfants, ou encore voir
les beautés de l'Italie. Dans cet état d'esprit, je quittai
l'amphithéâtre et allai dans un café pour y prendre un
sandwich en plein air, car je n'avais plus envie de dîner.

Mais un de mes auditeurs m'accompagna. Il demanda la permission de s'asseoir à côté de moi pendant que je buvais mon café et m'étouffais avec mon croissant, et il se mit à me flagorner. Il avait énormément appris de moi; il voyait tout maintenant avec d'autres yeux; j'avais nettoyé les *écuries d'Augias* de la science des névroses de toutes les erreurs et de tous les préjugés; bref, j'étais un grand homme. Cet hymne de louanges allait mal avec mon humeur du moment. Je dominai mal mon dégoût, et, pour me débarrasser du gêneur, je rentrai vite. Avant d'aller me coucher, je feuilletai encore Rabelais et lus une nouvelle de C. F. Meyer : *Die Leiden eines Knaben (Les souffrances d'un petit garçon)*.

Voilà les éléments qui ont produit le rêve. La nouvelle de Meyer y ajouta des souvenirs d'enfance (cf. le rêve du comte *Thun*, dernière scène). L'état de lassitude et de dégoût dans lequel j'avais été pendant la journée persista dans le rêve : il fournit à son contenu presque tous les éléments. Mais, pendant la nuit, se réveilla le sentiment contraire, qui consistait à affirmer fortement et même outre mesure ma propre personnalité. Ce second sentiment annihila le premier. Le contenu du rêve devait s'organiser d'une manière telle que le même matériel pût exprimer à la fois le sentiment de ma non-valeur et ma mégalomanie. Le résultat de ce compromis a été un contenu équivoque, mais aussi une indifférence affective par inhibition réciproque des oppositions.

D'après la théorie de l'accomplissement du désir, ce rêve n'aurait pas été possible si le sentiment de dégoût n'avait pas rencontré les idées de grandeur, évoquées avec plaisir en dépit de la répression habituelle. Le rêve en effet ne veut pas représenter de sentiments pénibles. Le pénible de nos pensées de rêve ne peut pénétrer dans le contenu du rêve que sous le masque d'un accomplissement de désir.

Au lieu de neutraliser les affects ou de les laisser tels quels, le travail du rêve peut encore *les transformer en leur contraire*. Nous avons vu déjà qu'une des règles de l'interprétation établissait que chaque élément du rêve pouvait tantôt avoir son sens propre, tantôt signifier le contraire. On ne sait jamais d'avance s'il faut admettre l'un ou l'autre, le contexte seul en décide. La conscience populaire paraît avoir pressenti ce fait. Les clefs des songes appliquent fréquemment le principe du contraste. Une telle transformation en son contraire est possible grâce à l'enchaînement associatif très serré des idées qui lie la représentation d'une chose à son opposé. Comme toute autre forme de déplacement, cette transformation est un des procédés qui sert la censure, mais souvent elle est aussi le résultat d'un accomplissement de désir, qui, au fond, ne fait que remplacer une chose désagréable par son contraire. Tout comme les figurations de choses, les affects des pensées du rêve peuvent apparaître sous la forme de leur contraire. Il est probable que cette interversion des états affectifs est le plus souvent l'œuvre de la censure. La répression et le renversement sont utilisés, en effet, dans la vie sociale, pour déguiser nos sentiments, et nous avons vu quelles analogies profondes il y avait entre la vie sociale et la censure du rêve, avant tout la dissimulation. Quand je parle à quelqu'un qui m'inspire des sentiments hostiles, mais à qui je dois des égards, il faut surtout que je dissimule à mon interlocuteur mes sentiments. Cela est plus important que l'atténuation que je pourrais par ailleurs apporter à l'expression de ma pensée. Si je lui adresse des paroles courtoises en les accompagnant d'un geste haineux ou méprisant, l'effet obtenu est le même que si je lui avais jeté mon mépris à la face. La censure me fait donc avant tout réprimer mes affects : maître dans l'art de la dissimulation, je manifesterai le sentiment contraire, je sourirai au lieu de montrer ma colère, et je serai aimable quand je voudrai terrasser mon ennemi.

Nous connaissons déjà un exemple excellent de renversement affectif sous l'action de la censure du rêve. Dans le rêve « de la barbe de l'oncle » j'éprouve une grande tendresse pour mon ami R..., tandis que et parce que les pensées du rêve le traitent d'imbécile. Cet exemple de renversement nous a apporté le premier indice de l'existence d'une censure dans le rêve. Ici il n'est pas nécessaire non plus d'admettre que le travail du rêve crée de toutes pièces un état affectif contraire. Il le trouve en général tout préparé dans le matériel des pensées du rêve. Il ne fait qu'augmenter sa tension en y ajoutant le pouvoir psychique de nos réactions de défense; ainsi renforcé, l'affect peut contribuer à la formation du rêve. Dans le rêve de l'oncle que je viens de mentionner, l'affect opposé qu'est la tendresse provient probablement d'une source infantile (comme la suite du rêve le laisse supposer). Car les rapports entre oncle et neveu sont chez moi, à cause des souvenirs de ma première enfance (cf. l'analyse, p. 362), au fond de toutes les amitiés et de toutes les haines.

Ferenczi rapporte un autre très bon exemple de renversement affectif (1) : Un homme d'un certain âge est réveillé pendant la nuit par sa femme, inquiète de l'entendre rire à gorge déployée pendant son sommeil. Il raconta plus tard qu'il avait fait le rêve suivant : « *J'étais couché dans mon lit. Quelqu'un que je connaissais entra ; je voulais donner de la lumière, sans y réussir ; j'essayai de nouveau, mais en vain. Là-dessus ma femme sauta du lit pour venir à mon aide ; elle n'eut pas plus de succès, et, gênée de se trouver en négligé devant un homme, elle renonça à poursuivre et se recoucha ; tout cela était si comique que je ne pus m'empêcher de rire comme un fou. Ma femme dit : " Pourquoi ris-tu ? pourquoi ris-tu ? " Et moi je continuai à rire jusqu'à mon réveil.* » — Le lendemain l'homme était épuisé et avait mal à la tête, — « C'est parce que j'ai tellement ri », dit-il.

A l'analyse, le rêve paraît beaucoup moins amusant. La « personne connue » qui entre est, dans les pensées latentes du rêve, l'image de la mort, de la « grande inconnue », évoquée la veille. Le vieil homme atteint d'artériosclérose avait eu ce jour-là des raisons de songer à la mort. Le rire convulsif remplace les pleurs et les sanglots à l'idée de la mort, et c'est la lumière de la vie que le malade ne peut plus allumer. Cette triste pensée peut se rattacher à des tentatives conjugales infructueuses récentes au cours desquelles l'aide de sa femme en négligé n'a été d'aucun secours. Il a remarqué qu'il s'en allait à la dérive. Le travail du rêve a su transformer la triste idée de l'impuissance et de la mort en une scène comique et changer en rires les sanglots.

Il y a une catégorie de rêves qui méritent la qualification d' « hypocrites » et qui font subir à la théorie de la réalisation des désirs une rude épreuve. Mon attention fut attirée sur eux lorsque Mme Hilferding discuta, à la Société psychanalytique de Vienne, le récit du rêve ci-dessous raconté par Rosegger.

Rosegger écrit, dans le récit intitulé « Fremd gemacht » (*Waldheimat*, II, p. 303) : « Je dors ordinairement très

bien, mais un rêve a gâté mon sommeil pendant beaucoup
de nuits : je traînais, à côté de ma modeste vie d'étudiant
et d'écrivain, l'ombre d'une véritable vie de tailleur, comme
un fantôme dont je ne pouvais me débarrasser. Cela dura
des années.

« Ce n'est pas que je me sois tous les jours occupé de
mon passé et que j'en aie eu l'image vivante. Un garçon
qui veut conquérir le monde et escalader le ciel, et qui est
sorti de la peau d'un philistin, a autre chose à faire. Il a
moins encore le temps de songer aux rêves de ses nuits.
Ce n'est que plus tard, lorsque je fus habitué à réfléchir
à tout — est-ce parce que le philistin reparut en moi ? —,
que je me demandai pourquoi, toutes les fois où je rêvais,
je me voyais aide-tailleur, et comment je faisais pour
travailler indéfiniment chez mon patron, sans jamais être
payé. Assis près de lui, cousant, repassant, je savais fort
bien que ce n'était plus là ma place, que j'étais un homme
de la ville et devais m'occuper d'autres choses; mais j'avais
toujours des vacances, j'étais perpétuellement en villégiature, et j'étais là et j'aidais le patron. Cela me mettait
mal à l'aise, je regrettais de perdre un temps que j'aurais
su employer mieux et d'une manière plus utile. Souvent,
quand les choses n'allaient pas à sa guise, je devais subir
les reproches du patron; mais de salaire point de nouvelles.
Souvent, le dos courbé, dans l'atelier obscur, je décidais
de lâcher le travail et de me libérer. Une fois même, je le
dis, mais le maître n'en tint pas compte, et bientôt après
j'étais de nouveau assis près de lui, je cousais...

« Quelle joie le réveil apportait, après ces lourdes heures !
Je décidai, si ce rêve obsédant revenait, de le repousser
énergiquement et de m'écrier : " C'est une mauvaise plaisanterie, je suis au lit, je prétends dormir tranquille ! "...
Mais la nuit suivante je me retrouvais à l'atelier.

« Cela continua pendant des années avec la même régularité obsédante. Il arriva, un jour, alors que mon maître
et moi travaillions chez Alpelhofer, le paysan chez qui
j'étais entré en apprentissage, que mon patron se montra
particulièrement mécontent de mon travail. " Je voudrais
bien savoir où tu as la tête ! " dit-il, et il me regarda d'un
air sombre. Je pensai que le plus raisonnable était de me
lever, de signifier au patron que j'étais chez lui par pure
complaisance et de partir. Mais je n'en fis rien. Je ne pro-
testai pas non plus, lorsqu'il prit un apprenti et m'ordonna

de lui faire une place sur la banquette. Je me reculai dans le coin et continuai à coudre. Le même jour, encore un apprenti fut embauché, un bigot : c'était Böhm, qui dix-neuf ans plus tôt avait travaillé chez nous et qui, en traversant la route de l'auberge, était tombé à la rivière. Lorsqu'il voulut s'asseoir, il n'y avait plus de place. Je regardai le patron d'un air interrogateur, et il me dit : "Tu n'as aucune habileté pour le métier de tailleur, *tu peux partir, je te donne ton congé*, te voilà libre." — Mon épouvante fut telle que je m'éveillai.

« Le jour commençait à poindre et ses premiers rayons pénétraient dans ma chambre. Des objets d'art m'entouraient; dans ma bibliothèque m'attendaient l'éternel Homère, le gigantesque Dante, l'incomparable Shakespeare, le glorieux Gœthe — tous ces hommes illustres et immortels. Dans la chambre voisine retentissaient les petites voix claires des enfants qui s'éveillaient et jouaient avec leur mère. J'avais l'impression d'avoir retrouvé cette vie douce et idyllique, cette vie paisible, riche de poésie, transfigurée de lumière, dans laquelle j'avais senti si souvent et d'une manière si profonde le bonheur humain, la joie contemplative. Et pourtant j'étais tourmenté par l'idée de n'avoir pas devancé mon patron et d'avoir au contraire reçu de lui mon congé.

« Et voici ce qu'il y a de remarquable : depuis la nuit où le patron m'a donné mon congé, je goûte le repos, je ne rêve plus du temps lointain où j'étais apprenti tailleur; ce temps était agréable dans sa simplicité et il a pourtant jeté une grande ombre sur les années de ma vie qui suivirent. »

Dans cette série de rêves du poète, qui avait été en effet dans ses jeunes années apprenti tailleur, il est difficile de reconnaître l'influence de l'accomplissement d'un désir. Toute la joie appartient au jour, et le rêve, au contraire, traîne avec lui le fantôme d'une époque triste, enfin dépassée. L'étude de quelques exemples analogues me permet de donner le sens de ces sortes de rêves. Lorsque j'étais jeune médecin, j'ai travaillé à l'Institut de Chimie, sans grand succès; je pense rarement, et jamais sans quelque honte, à cette triste période de ma vie. En revanche, il m'est arrivé souvent de rêver que je travaille au laboratoire de chimie, fais des analyses, éprouve telle ou telle chose, etc. Ces rêves me donnent le même malaise que les rêves d'examen; ils ne sont jamais très nets. Comme j'interprétais un de ces rêves, mon attention s'arrêta enfin sur le mot « *analyse* » qui me livra la clef du problème. Je suis devenu, depuis, « *analyste* », je procède à des analyses, que l'on apprécie beaucoup, à des *psychanalyses*. Alors je compris tout : lorsque, pendant le jour, je me suis enorgueilli de ces sortes d'analyses et que je me suis félicité de mon succès, la nuit le rêve vient évoquer les autres analyses qui ont échoué et dont je n'ai aucune raison d'être fier; ce sont les rêves de châtiment que fait l'homme arrivé : tels ceux de l'apprenti tailleur devenu poète célèbre. Mais comment se peut-il que le rêve, dans le conflit entre l'orgueil du parvenu et l'autocritique, se mette du côté de cette dernière et cherche sa matière dans un avertissement raisonnable plutôt que dans la réalisation interdite d'un désir ? J'ai déjà dit que la réponse à cette question présente des difficultés. Il semble qu'on puisse conclure ceci : il y a eu d'abord au fond de ce rêve un fantasme exagéré d'ambition; mais ce qui a pris sa place dans le contenu du rêve, c'est l'étouffement de ce fantasme et l'humiliation. On peut attribuer ce renversement à un certain masochisme de l'esprit. Je ne verrais pas d'inconvénients à ce qu'on distingue ces *rêves-châtiments* des *rêves-accomplissement de désirs*. Ceci ne restreint en rien la portée de la théorie que j'ai jusqu'à présent exposée : ce n'est qu'un artifice de nomenclature destiné à prévenir le lecteur que choquerait cette contradiction. Une étude plus précise de quelques-uns de ces rêves montre encore autre chose. Dans le fatras imprécis d'un de mes rêves de laboratoire, j'ai retrouvé l'âge qui me ramenait à l'année la plus sombre et la plus dépourvue de succès de ma carrière médicale; je n'avais pas encore de situation et ne savais comment je pourrais gagner ma vie; en même temps il me vint tout d'un coup à l'esprit que j'avais le choix entre plusieurs femmes que je pourrais épouser ! J'étais de nouveau jeune et elle était de nouveau jeune aussi la femme qui avait partagé avec moi ces années pénibles. Par là se trahissait le mobile inconscient de ce rêve : le désir de jeunesse, douloureux et jamais apaisé, de l'homme qui vieillit. Le combat qui s'est livré dans d'autres couches psychiques entre la vanité et la critique a bien déterminé le contenu du rêve; mais seul le désir de jeunesse, plus profond, l'a rendu possible. On dit souvent : « Maintenant ça va bien; on a eu de mauvais jours; mais c'était tout de même le bon temps : on était jeune (1) ! »

Un autre groupe de rêves hypocrites, que j'ai eu l'occasion de constater chez moi-même, a pour contenu la réconciliation avec des personnes qui ne sont plus nos amis depuis longtemps. L'analyse découvre toujours, dans ce cas, un motif de n'avoir plus d'égards pour ces anciens amis et de les traiter comme des étrangers ou des ennemis. Mais le rêve se complaît à dépeindre le contraire.

En examinant les rêves communiqués par des poètes, il faut souvent admettre qu'ils ont omis dans leur récit les détails considérés comme gênants et accessoires. Ces rêves paraissent alors énigmatiques, ils ne le seraient pas si nous avions leur contenu exact.

O. Rank m'a fait remarquer aussi qu'il y a, dans le conte de Grimm : *Le vaillant petit tailleur* ou *Sept d'un coup (Sieben auf einen Streich)*, un rêve analogue de parvenu. Le tailleur, qui est devenu héros et gendre du roi, rêve une nuit de son ancien métier auprès de la princesse son épouse; celle-ci, rendue méfiante, demande des gardes pour la nuit suivante : ils écoutent ce que dit le dormeur et veulent s'assurer de sa personne. Mais le petit tailleur est averti et sait maintenant corriger son rêve.

Les processus compliqués de suppression, de soustraction et de renversement, par lesquels les affects qui accompagnent des pensées du rêve deviennent les affects du rêve lui-même, sont faciles à voir dans des synthèses appropriées de rêves analysés entièrement. Je voudrais examiner encore quelques exemples de tendances affectives dans le rêve; ils illustreront ce qui précède.

V. Dans le rêve de l'étrange tâche que me propose le vieux Brücke : préparer mon propre bassin, je *n'éprouve pas l'horreur qui devrait être liée à cette opération*. Ceci est une réalisation de désir à plus d'un point de vue. La préparation symbolise l'analyse intérieure que j'accomplis en un sens par la publication du livre sur le rêve. Celle-ci m'était en réalité si pénible que j'avais reculé de plus d'un an l'impression du manuscrit. Mon désir actuel est de dominer ce sentiment, c'est pourquoi je n'éprouve dans le rêve aucun

---

(1) Depuis que la psychanalyse a séparé la personne en moi et surmoi (*Massenpsychologie und Ich-Analyse*, 1921, *Ges. Werke*, t. XIII), on a pu aisément reconnaître dans ces rêves de châtiment l'accomplissement de désirs du surmoi.

sentiment d'horreur (Grauen). J'aurais bien voulu éviter le *Grauen* en un autre sens (= grisonnement); je blanchis beaucoup, et ces cheveux gris *(grau)* m'engagent à ne pas tarder davantage. On se rappelle la pensée qui apparaît à la fin du rêve : ce sont mes enfants qui achèveront la longue route, qui atteindront le but.

Dans les deux rêves où l'expression de la satisfaction est transportée aux moments qui suivent le réveil, cette satisfaction est motivée : dans le premier cas, par le sentiment que je vais apprendre ce que signifient les mots : « j'ai déjà rêvé cela » (il s'agit de la naissance de mes premiers enfants); dans le second cas, par la conviction qu'il arrivera un événement « annoncé par un présage » (sentiment analogue à celui qui a accueilli la naissance du second fils). Ici les affects sont demeurés les mêmes dans les pensées du rêve et dans le rêve, mais il est rare que les choses se passent d'une manière aussi simple. Si l'on approfondit un peu les deux analyses, on constate que le sentiment de satisfaction, qui n'a rien à redouter de la censure, a reçu un apport d'une source qui n'est pas dans le même cas; ce second affect provoquerait sûrement une résistance s'il n'avait eu soin de se dissimuler derrière l'affect semblable et autorisé, qui provient de la source permise, de se glisser sous son aile, en quelque sorte. Je ne puis malheureusement le démontrer par un rêve, mais un exemple emprunté à un autre domaine va rendre mon idée intelligible : Supposez à côté de moi une personne que je haïsse au point d'être heureux s'il lui arrive malheur. Mes tendances morales s'opposent à ce sentiment, je n'ose souhaiter une chose pareille, et, si un malheur immérité lui arrivait, je réprimerais ma satisfaction et me contraindrais à des regrets (en pensées et en actes). Tout homme a dû se trouver dans une situation analogue. Supposez maintenant que la personne que je hais s'attire par une faute un désagrément bien mérité : je puis dans ce cas donner libre cours à ma satisfaction de voir qu'elle a été frappée par un juste châtiment, et j'en dirai alors ce que tout le monde en a dit. Je puis toutefois constater que ma satisfaction est beaucoup plus vive que celle des autres; elle bénéficie de l'apport que lui fournit ma haine, jusque-là empêchée par la censure de donner libre cours à ses affects. On constate des faits analogues dans la vie sociale, quand des personnes anti-pathiques ou appartenant à des minorités mal vues commettent une faute. Leur châtiment est accru par la malveillance latente qui se donne alors libre cours. Les juges sont injustes, mais ils n'en ont pas conscience, tant est grande leur satisfaction d'être libérés d'une longue répression intérieure. Dans de pareils cas, la qualité de l'affect est justifiée mais non ses proportions; la critique intérieure rassurée sur un point néglige de vérifier le second.

C'est d'une manière analogue que l'on pourrait expliquer, dans la mesure où son explication peut être de nature psychologique, ce trait frappant que présentent les névropathes : une cause capable de déclencher un affect a, chez eux, un effet justifié dans le fond mais démesuré. L'excès provient de sources inconscientes d'affects, jusque-là réprimées mais aptes à former une liaison associative avec l'événement actuel. L'affect permis fraie à ces affects réprimés la voie nécessaire. Nous apprenons ainsi qu'entre les deux instances psychiques, celle qui réprime et celle qui est réprimée, il n'y a pas seulement des actions d'inhibition réciproques; il y a lieu d'envisager des cas où elles collaborent et où leur renforcement mutuel a un effet pathologique. Ces constatations touchant la mécanique psychique trouvent leur application dans l'expression des affects par le rêve. Quand, dans un rêve, on trouve un sentiment de satisfaction et qu'on le retrouve dans les pensées du rêve, cela ne suffit pas à l'expliquer. Il faut en chercher une seconde source, étouffée par la censure, dans les pensées du rêve. Sous la pression de cette censure, cette seconde source aurait donné naissance à un affect contraire à la satisfaction. La présence de la première source permet à la seconde de soustraire la satisfaction au refoulement et de renforcer ainsi l'affect de la première. Les affects du rêve nous apparaissent ainsi comme formés de plusieurs affluents et comme surdéterminés par rapport aux pensées du rêve : *des sources affectives qui peuvent fournir le même affect agissent de concert dans le travail du rêve pour la production de cet affect* (1).

L'analyse du bel exemple dans lequel « *non vixit* » constitue le point central (voir p. 360) nous apporte quelque lumière sur ces relations complexes. Dans ce rêve, les manifestations d'affects de qualité différente sont rassemblées en deux en-

---

(1) J'explique de la même manière le grand plaisir que donnent les mots d'esprit tendancieux.

droits du contenu manifeste. Au moment où j'anéantis en deux mots l'ami rival, on observe une superposition d'émotions hostiles et pénibles que le rêve lui-même qualifie d'étranges. A la fin du rêve, je suis extraordinairement heureux et considère comme possible ce que la veille sait absurde : qu'il y a des revenants que l'on peut écarter par le simple désir.

Je n'ai pas encore fait connaître le point de départ de ce rêve. Il est essentiel et nous mène bien loin dans l'interprétation. J'avais reçu de mon ami de Berlin (que j'ai désigné par les lettres Fl.) la nouvelle qu'il allait être opéré, et que des parents à lui, vivant à Vienne, pourraient me tenir au courant de son état. Les premières nouvelles après l'opération ne furent pas bonnes et me donnèrent de l'inquiétude. J'aurais aimé y aller, mais j'avais à ce moment des douleurs rhumatismales qui me rendaient tout mouvement très pénible. Les pensées du rêve montrent que je craignais pour la vie de mon ami. Je savais que son unique sœur, que je n'avais pas connue, était morte toute jeune après une très courte maladie. (Dans le rêve, *Fl. parle de sa sœur et dit :* « *Elle mourut en trois quarts d'heure* ».) J'ai dû m'imaginer qu'il n'était pas plus solide et me représenter qu'ayant reçu de bien plus mauvaises nouvelles je partais enfin — et arrivais *trop tard*, ce qui pouvait m'être une source de durables remords (1). Le reproche d'être arrivé *trop tard* est devenu le centre du rêve; il est représenté par la scène où *Brücke*, le maître vénéré, me jette un regard effroyable. On va voir ce que produit cette dérivation. Le rêve ne peut rendre la scène telle que je l'ai vécue. Il laisse bien à un autre les yeux bleus de Brücke, mais c'est moi qui joue le rôle terrifiant, qui anéantis d'un regard. Cette interversion est l'œuvre d'un accomplissement de désir. Mes inquiétudes pour la vie de mon ami, le remords de n'y pas aller, ma confusion (il est venu me voir à Vienne *sans prévenir*), la nécessité où je suis de m'excuser pour cause de maladie, tout cela donne l'émotion complexe et intense qui domine tout ce groupe de pensées du rêve et qui est nettement sentie à travers le sommeil.

---

(1) Ce sont ces constructions, issues des pensées inconscientes du rêve qui exigent *non vivit* au lieu de *non vixit*. « Tu es arrivé trop tard, il ne vit plus. » On a vu, p. 360, que la situation manifeste du rêve entraînait aussi : *non vivit*.

Il y a dans le motif de ce rêve un autre élément encore, qui avait produit sur moi une impression tout opposée. En me donnant les nouvelles inquiétantes des premiers jours après l'opération, on me demanda de n'en rien dire à personne. Cet avertissement me blessa, parce qu'il prouvait qu'on n'avait pas confiance en ma discrétion. Je savais, à vrai dire, que cela venait, non de mon ami, mais d'un intermédiaire maladroit ou trop inquiet; mais je fus très vivement touché par le reproche que cela enveloppait parce qu'il n'était pas entièrement injustifié. Des reproches sans fondement ne portent pas comme l'on sait, n'ont pas la force d'émouvoir. J'avais autrefois, dans un passé lointain, dans une affaire concernant non point l'ami en question, mais deux autres amis qui voulaient bien m'honorer de ce nom, répété bien inutilement des paroles dites par l'un sur le compte de l'autre. Les reproches que j'eus à subir à cette occasion, je ne les ai pas oubliés. L'un des deux amis que je brouillai ainsi était le Pr *Fleischl*; l'autre peut être désigné par le prénom de *Joseph*, que portait également mon ami et adversaire P... du rêve.

Le rêve laisse apparaître le reproche d'indiscrétion dans les mots « *sans prévenir* » et dans la question de Fl. qui me demande « *ce que j'ai dit de lui à P...* ». Ce sont ces souvenirs qui ravivent le reproche d'arriver trop tard du temps où j'étais assistant au laboratoire de *Brücke*. En remplaçant le second personnage du rêve dans la scène de l'anéantissement par un certain *Joseph*, je fais exprimer à cette scène, non seulement le reproche au sujet du retard, mais encore le reproche d'indiscrétion, plus profondément refoulé. On saisit ici nettement le travail de condensation et le travail de déplacement ainsi que leurs motifs.

L'agacement tout superficiel que j'ai éprouvé quand on m'a demandé d'être discret est renforcé par des éléments plus profonds et se tourne contre des personnes qui en réalité me sont chères. La source qui fournit ces apports remonte jusqu'à l'enfance. J'ai déjà raconté que mes amitiés intimes et mes inimitiés s'expliquent par mon enfance et mes relations avec un neveu plus âgé que moi d'un an : il était plus fort que moi, et de bonne heure j'appris à me défendre; nous étions inséparables et nous nous aimions, mais, par moments, à ce qu'on m'a dit, nous nous disputions et nous *accusions* l'un l'autre. Tous mes amis sont en un certain sens des incarnations de cette première figure qui « s'est montrée autrefois à mon œil assombri » (1), ce sont des *revenants*. Mon neveu revint lui-même pendant notre adolescence, et c'est à ce moment que nous représentâmes ensemble César et Brutus. L'intimité d'une amitié, la haine pour un ennemi furent toujours essentielles à ma vie affective; je n'ai jamais pu m'en passer, et la vie a souvent réalisé mon idéal d'enfant si parfaitement qu'une seule personne a pu être l'ami et l'ennemi; mais naturellement, ce n'était plus en même temps ou avec des alternatives répétées et fréquentes comme celles qu'avait connues ma première enfance.

Je ne rechercherai pas ici comment, en pareil cas, un événement récent générateur d'affect peut replonger jusque dans l'enfance et s'approprier la réaction affective d'un événement de celle-ci. Cela appartient à la psychologie de l'inconscient et a sa place dans une étude psychologique des névroses. Admettons, pour notre interprétation du rêve, qu'un souvenir d'enfance se présente à l'esprit — ou bien que l'imagination crée une représentation — dont le contenu sera le suivant : Les deux enfants viennent à se disputer pour un objet, ne précisons pas sa nature, bien que le souvenir, ou le faux souvenir, l'indique; chacun prétend être arrivé le premier *(arriver plus tôt)* et avoir par conséquent droit à l'objet. On en vient aux coups; la force prime le droit; d'après les indications du rêve, j'aurais pu savoir que je suis dans mon tort *(« je remarque moi-même mon erreur »)*; je reste cependant cette fois le plus fort, et maître du champ de bataille. Le vaincu court chez mon père, qui est son grand-père, m'accuse, et je me défends avec les mots que je connais par le récit de mon père : « *Je l'ai battu parce qu'il m'a battu.* » Ainsi ce souvenir, ou plus vraisemblablement ce fantasme, qui s'impose pendant l'analyse du rêve — sans autre garantie, je ne peux dire comment —, se présente comme un lieu de rencontre des pensées du rêve, il rassemble les émotions dont les pensées sont sous-tendues comme un bassin de fontaine recueille l'eau. De là les pensées du rêve continuent de la manière suivante : C'est bien fait pour toi si tu as dû me céder la place; pourquoi voulais-tu me chasser? Je

---

(1)   *Die früh sich einst dem trüben Blick gezeit.*
          (GŒTHE, *Faust*, I, Zueignung).

n'ai pas besoin de toi; je trouverai un autre ami avec qui je pourrai jouer, etc. Nous débouchons ainsi sur le rêve. Cet « ôte-toi de là que je m'y mette » rappelle, en effet, le reproche d'arrivisme que j'ai dû adresser autrefois à mon ami Joseph, mort aujourd'hui. Il m'avait succédé comme moniteur dans le laboratoire de Brücke, mais là l'avancement était lent. Aucun des deux assistants ne bougeait; la jeunesse devenait impatiente. Mon ami savait que sa vie serait courte; rien ne l'attachait à celui qui lui bouchait la place. Un jour il dit ouvertement son impatience. Comme l'assistant en question était gravement malade, le désir de l'écarter pouvait (en dehors du cas où il aurait un avancement) avoir une signification choquante. Quelques années auparavant j'avais éprouvé plus vivement encore, comme il est naturel, ce même désir de prendre une place libre; partout où il y a hiérarchie et avancement, le chemin est ouvert à des désirs qu'il faut réprimer; le prince Hal, dans Shakespeare, ne peut s'empêcher d'essayer la couronne au lit de mort de son père. Mais le rêve, comme il sied, punit Joseph (1) et non moi.

« Parce qu'il était ambitieux je l'ai tué. » Parce qu'il ne pouvait attendre que l'autre lui cédât la place, il a dû partir lui-même. Ces pensées, je les nourris en moi, après avoir assisté, à l'Université, à l'inauguration du monument qu'on élève à l'autre. Une partie de la satisfaction que j'éprouve en rêve s'explique ainsi : « Châtiment mérité; c'est bien fait. »

Lors de l'enterrement de cet ami, un jeune homme fit une remarque qui parut déplacée : l'orateur avait parlé comme si le monde ne pouvait subsister sans le disparu. Le jeune homme sincère, dont on troublait la douleur par cette exagération, s'indigna. Des pensées du rêve s'accrochent à ce discours : « Personne n'est véritablement irremplaçable; combien en ai-je déjà conduits au tombeau; moi, je vis encore; je leur ai survécu et garde la place. » Une telle pensée, au moment où je redoute de ne plus trouver mon ami en vie, en arrivant à Berlin, amène un nouveau développement. Je me réjouis à l'idée de survivre encore à

---

(1) On a dû remarquer que le nom de *Joseph* joue un grand rôle dans mes rêves (cf. le rêve de l'oncle). Derrière les personnes qui portent ce nom, je puis avec une facilité particulière dissimuler mon moi, car Joseph est l'oniromancien de la Bible.

quelqu'un, à l'idée que ce n'est pas moi qui suis mort mais lui, que je garde la place, comme autrefois dans la scène d'enfants imaginée. Cette satisfaction, d'origine infantile, de garder la place fournit l'essentiel à l'affect qui apparaît dans le rêve. Je suis heureux de voir que je survis à l'autre et j'exprime ce sentiment avec l'égoïsme naïf que peut illustrer la plaisanterie des gens mariés classique à Vienne : « Si l'un de nous deux meurt, je pars pour Paris. » Il va de soi que ce n'est pas moi qui mourrai.

On ne peut se dissimuler qu'il faut une grande maîtrise de soi pour interpréter et communiquer ses propres rêves. Il faut se résigner à paraître l'unique scélérat parmi tant de belles natures qui peuplent la terre. Dans le cas présent, je trouve tout à fait naturel que des *revenants* ne vivent qu'autant qu'on le leur permet et qu'on puisse les écarter au gré de son désir. C'est ainsi que mon ami Joseph a été puni. Mais les revenants sont des incarnations successives de mon camarade d'enfance; je suis heureux de voir que je le remplace toujours, et, en ce moment même, où je suis sur le point de perdre quelqu'un, je lui trouverai un remplaçant. Personne n'est irremplaçable.

Mais que devient la censure dans ce rêve ? Pourquoi ne s'oppose-t-elle pas vigoureusement à ces pensées empreintes de l'égoïsme le plus brutal et pourquoi ne transforme-t-elle pas en profond déplaisir cette satisfaction de mauvaise qualité ? C'est, me semble-t-il, parce que d'autres courants de pensée irréprochables, se rapportant à ces mêmes personnes, donnent un sentiment de satisfaction et couvrent de leurs affects, l'affect venu de la source infantile interdite. Lors de l'inauguration du buste, je me suis dit encore : « J'ai perdu tant d'amis bien aimés, les uns sont morts, les autres ne m'aiment plus; comme il fait bon penser que mon cœur n'est pas vide et que j'ai gagné cet ami qui signifie pour moi plus que ne pouvaient signifier les autres et que je garderai toute la vie, maintenant que me voici à un âge où on ne se fait pas facilement de nouveaux amis. » Je puis paisiblement transporter dans le rêve ma satisfaction d'avoir remplacé les amis perdus, mais derrière elle se glisse la satisfaction hostile, dérivée de la source infantile. Ma tendresse d'enfant renforce sans doute mon amitié d'aujourd'hui, mais ma haine infantile a su également trouver sa place et être représentée.

Le rêve contient encore une autre série d'idées qui

doivent apporter de la satisfaction. Mon ami a eu, peu de temps avant, une petite fille; il y avait longtemps qu'il le désirait. Je sais qu'il avait été très douloureusement frappé par la mort prématurée de sa sœur. Je lui ai écrit qu'il transporterait sur cette enfant l'affection qu'il avait pour sa sœur; que cette petite fille lui ferait enfin oublier sa perte irremplaçable.

Ainsi cette suite d'idées se rattache à la pensée-carrefour du contenu latent du rêve : personne n'est irremplaçable. Regarde, ce sont des *revenants*; tout ce qu'on a perdu, revient. Il se trouve par hasard que la fille de mon ami porte le même nom que ma propre petite camarade d'enfance, qui a le même âge que moi et qui est la sœur de mon plus vieil ami et adversaire. Ce hasard rend plus étroits les liens d'association entre les éléments contradictoires des pensées. J'ai entendu le nom de « Pauline » avec *satisfaction*. C'est cette coïncidence que le rêve rappelle en substituant un Joseph à un autre, et en se gardant de supprimer la similarité entre les sons initiaux dans les noms Fleischl et Fl. Ce détail m'amène à penser à la façon dont j'ai nommé mes enfants. Je tenais à ce que leurs noms ne fussent pas choisis d'après la mode du jour, mais déterminés par le souvenir de personnes chères. Leurs noms font des enfants des *revenants*. Enfin le seul moyen d'atteindre l'*immortalité* n'est-il pas pour nous d'avoir des enfants ?

Je voudrais, en terminant, envisager le rôle des affects en rêve d'un autre point de vue encore. Nous pouvons, pendant notre sommeil, être dominés par un penchant affectif, par un « état d'âme »; cet état d'âme peut alors contribuer à déterminer le rêve. Il peut provenir d'événements ou de pensées de la veille ou avoir une origine somatique. Dans les deux cas il sera accompagné de pensées correspondantes. Le contenu représentatif de ces pensées dans le premier cas conditionnera directement l'état affectif en question, dans le second cas il sera l'effet d'une tendance affective qu'il faudra rattacher à l'état organique et expliquer par cet état. Mais pour la formation du rêve les deux sont équivalents. Dans les deux cas, celui-ci ne pourra rigoureusement représenter que ce qui est accomplissement de désir et ne pourra emprunter sa force pulsionnelle psychique qu'au désir. L'état d'âme passager sera traité comme la sensation passagère qui s'éveille et agit pendant le sommeil (cf. p. 197) : négligé ou utilisé pour l'accomplissement d'un

désir. S'il est pénible, il deviendra une force pulsionnelle
du rêve, il réveillera des désirs vigoureux que le rêve devra
accomplir. Le matériel auquel il se rattache sera remanié
afin d'être rendu utilisable pour cet accomplissement.
Plus la part des sentiments pénibles dans les pensées du
rêve sera intense et impérieuse, plus les désirs *(Wunschregungen)* les plus fortement réprimés tendront à être représentés. Car le déplaisir qu'ils trouvent, et qu'autrement
ils devraient créer en quelque sorte de toutes pièces,
les aide puissamment à pénétrer de force dans le monde de
la représentation. Ces observations touchent de nouveau
au problème du cauchemar qui représente un cas limite.

IX. — L'ÉLABORATION SECONDAIRE

Abordons maintenant l'étude du quatrième facteur de
la formation du rêve.

Si nous poursuivons l'examen du contenu du rêve comme
précédemment, en recherchant dans les pensées du rêve
l'origine d'événements bizarres du contenu, nous buterions
sur des faits dont l'explication exige une hypothèse toute
nouvelle. Rappelons les cas où, dans le rêve même, on
s'étonne, on s'irrite, on se révolte, et cela contre une partie
du contenu même du rêve. La plupart de ces sentiments
de critique ne sont pas dirigés en réalité contre le contenu
du rêve, mais, ainsi que j'ai pu le montrer grâce à quelques
exemples particulièrement favorables, ils en sont des
éléments; nous les avons reçus tels quels et n'avons fait
que les adapter. Certains d'entre eux cependant n'ont pas
cette origine, rien n'y correspond dans le matériel du rêve.
Quel peut bien être, par exemple, le sens de la notion que
nous avons assez souvent en rêve : « Mais ce ne peut être
qu'un rêve » ? C'est bien là une vraie critique du rêve comme
celles que nous formulons quand nous sommes éveillés.
D'ailleurs c'est souvent un signe de réveil; précédé, plus
souvent encore, par un sentiment pénible, qui s'apaise
quand nous constatons qu'il s'agissait bien d'un rêve en
effet. L'idée : « Mais ce ne peut être qu'un rêve » au cours
du rêve a le même sens que dans la bouche de la Belle
Hélène d'Offenbach : elle sert à rabaisser l'importance des

événements qui viennent d'être vécus et à rendre plus supportable ce qui va suivre. Elle endort une certaine instance qui commence à s'exercer et qui rendrait impossible la continuation du rêve — ou de la scène. Or il est plus agréable de continuer à dormir, et d'endurer le rêve, « parce qu'au fond ce n'est qu'un rêve ». J'imagine que cette critique dédaigneuse intervient toutes les fois que la censure, qui ne s'endort jamais entièrement, se sent débordée par le rêve qu'elle a déjà accepté. Il est trop tard pour le réprimer; elle essaie de parer à l'angoisse ou au malaise à l'aide de cette observation critique. C'est de la part de la censure une manifestation de l'esprit de l'escalier.

Cet exemple prouve d'une manière irréfutable que le contenu du rêve ne provient pas tout entier des pensées du rêve, mais qu'une fonction psychique, inséparable de notre pensée de veille, peut lui fournir une partie de ses éléments. Il s'agit maintenant de savoir si c'est un fait exceptionnel, ou s'il faut accorder à l'instance psychique qui d'ordinaire n'exerce qu'un pouvoir de censure un rôle régulier dans la formation du rêve.

C'est la seconde hypothèse qui est la vraie. Il est indubitable que la fonction qui censure, dont nous n'avons jusqu'ici constaté l'influence que dans les limitations et les omissions du contenu du rêve, peut aussi produire des adjonctions et des accroissements. Ces adjonctions sont souvent faciles à reconnaître, elles sont rapportées timidement, introduites par un « comme si... », ne possèdent pas en elles-mêmes une grande vivacité et n'interviennent que là où elles peuvent servir à créer une liaison entre deux morceaux du contenu, permettre l'assemblage de deux parties du rêve. Elles sont moins bien conservées par la mémoire que les rejetons du matériel du rêve; elles sont oubliées les premières; je suis même persuadé que, quand nous nous plaignons de n'avoir retenu qu'une faible partie de nos rêves, c'est à cause de la disparition de ces pensées intermédiaires. Dans une analyse complète, ces adjonctions se trahissent quelquefois par l'absence de matériel correspondant dans les pensées du rêve. Toutefois un examen attentif montre que ce cas est rare; la plupart du temps, ces éléments surajoutés peuvent être rattachés au matériel des pensées latentes; mais ce matériel ne pouvait, ni par sa valeur ni par sa surdétermination, prétendre à la pénétration dans le rêve. La fonction psychique de formation

du rêve que nous analysons paraît ne créer du nouveau
que lorsqu'elle n'a aucun moyen de faire autrement; elle
utilise autant qu'elle le peut ce qu'elle trouve dans le
matériel du rêve.

Cette partie du travail du rêve se distingue par son caractère tendancieux. Elle procède comme le philosophe allemand raillé par le poète : il y a des trous dans son système,
elle les bouche avec les pièces et les morceaux qu'elle tire
de son propre fond. Ainsi elle enlève au rêve son apparence d'absurdité et d'incohérence et finit par en faire une
sorte d'événement compréhensible. Le succès de l'opération
est inégal. Il y a des rêves qui sont, à première vue, d'une
logique irréprochable et parfaitement corrects; ils partent
d'une situation possible, ne lui font pas subir de changements contradictoires et, ce qui est plus rare, s'achèvent
sans étrangeté. Ces rêves ont été très profondément élaborés
par la fonction psychique en question pareille à la pensée
de veille; ils semblent avoir un sens, mais celui-ci est extrêmement éloigné du sens véritable du rêve. Si on les analyse, on se convainc qu'ici l'*élaboration secondaire* a disposé
très librement du matériel et a conservé le minimum de
ses relations. Ce sont là des rêves qui ont pour ainsi dire
déjà été interprétés une fois, avant d'être soumis à notre
interprétation au réveil. Dans d'autres rêves, ce remaniement tendancieux ne s'est fait sentir que partiellement :
après un passage cohérent, le rêve devient absurde
ou confus, pour retrouver quelquefois, plus loin, un
aspect intelligible. Ailleurs, l'élaboration a complètement
échoué ; nous nous heurtons à un amas incohérent de
fragments.

Ce quatrième facteur du rêve, ce pouvoir qui nous apparaîtra vite comme connu (c'est même le seul qui nous
soit familier) peut donc apporter au rêve sa contribution,
et je ne saurais lui dénier absolument toute activité créatrice. Mais assurément son influence, comme celle des autres
facteurs, se manifeste surtout par une préférence, un choix
fait dans le matériel psychique des pensées du rêve, matériel
déjà formé. Il y a même un cas où l'effort de construire,
pour ainsi dire, une façade au rêve lui est en grande
partie épargné, c'est lorsque celle-ci est toute prête dans
le matériel des pensées du rêve et n'attend plus que
d'être utilisée.

J'appelle d'ordinaire *fantasme* cet élément particulier;

pour éviter tout malentendu, disons aussitôt que ce qui y correspond pendant la veille c'est le rêve diurne (1). Les psychiatres n'ont pas encore suffisamment étudié son rôle dans la vie psychique. On peut attendre beaucoup à cet égard des recherches de M. Benedikt. L'importance du rêve diurne n'a pas échappé aux romanciers; on connaît le type de rêveur que Daudet décrit dans *Le Nabab*. L'étude des psychonévroses montre pour notre stupéfaction que ces fantasmes ou rêveries diurnes sont les prodromes des symptômes hystériques, du moins d'un certain nombre d'entre eux; ces symptômes se rattachent, en effet, aux fantasmes édifiés sur des souvenirs et non à ces souvenirs mêmes. La fréquence de ces fantasmes diurnes facilite notre connaissance de ces phénomènes; mais de même qu'il y a des fantasmes conscients, il y en a une masse d'inconscients, et qui doivent rester tels à cause de leur contenu et parce qu'ils proviennent de matériel refoulé. Une analyse plus approfondie des caractères de ces fantasmes diurnes nous apprend à quel point ils sont analogues à nos rêves, et méritent le nom de « rêves ». Leurs traits essentiels sont les mêmes que ceux des rêves nocturnes; leur étude aurait pu, en fait, nous ouvrir l'accès le plus court et le meilleur vers l'intelligence de ceux-ci.

De même que les rêves, ce sont des accomplissements d'un désir; de même que les rêves, ils reposent pour une bonne part sur les impressions laissées par l'expérience infantile; de même que les rêves, ils bénéficient de la part de la censure d'une certaine indulgence. Quand on examine leur structure, on s'aperçoit que le motif de désir qui les a produits a mêlé les éléments dont ils sont faits et les a ordonnés en un ensemble nouveau. Ils sont à l'égard des souvenirs d'enfance sur lesquels ils se fondent à peu près dans le même rapport que maint palais romain de style baroque à l'égard des ruines antiques : les moellons et les colonnes des édifices anciens ont fourni le matériel pour la construction des palais modernes.

Nous retrouvons dans l'*élaboration secondaire* notre quatrième facteur de formation du contenu du rêve, une activité libre de toute contrainte, analogue à celle qui s'exerce dans la création de nos rêves diurnes. Nous pourrions dire

_____

(1) *Tagtraum, day-dream, story, rêve, petit roman.*

dès maintenant que le quatrième facteur cherche à créer, à l'aide du matériel dont il dispose, *quelque chose comme un rêve diurne*. Mais quand un rêve diurne de cette sorte est déjà tout formé dans les pensées du rêve, il préfère s'en emparer et le faire entrer dans le contenu. Il y a des rêves qui ne font que reproduire un fantasme diurne peut-être inconscient, comme celui du petit garçon qui se voit en songe dans le char des héros d'Homère. La seconde partie tout au moins de mon rêve « Autodidasker » reproduit un fantasme bien innocent sur mes rapports avec le professeur N... Les conditions compliquées auxquelles le rêve doit satisfaire pour pouvoir apparaître font que le plus souvent le fantasme n'en est qu'une partie ou qu'une part seulement du fantasme pénètre dans le contenu du rêve. On peut dire qu'en gros le fantasme est traité comme n'importe quel autre élément du matériel latent; mais il est fréquent qu'il forme un tout bien délimité à l'intérieur du rêve. Dans mes propres rêves je constate souvent des parties qui laissent une impression particulière. Elles me paraissent aisées, plus cohérentes et, en même temps, plus fugitives que d'autres passages du même rêve; je sais que ce sont là des fantasmes inconscients, incorporés au contenu du rêve, mais je ne suis jamais parvenu à en fixer un. Du reste, ces fantasmes, comme tous les autres éléments des pensées du rêve, subissent un tassement, une condensation, ils se recouvrent l'un l'autre, etc.; et il y a des cas intermédiaires entre celui où il leur est permis de former le contenu ou du moins la façade du rêve, et celui où, au contraire, elles ne sont représentées dans le contenu du rêve que par l'un de leurs éléments ou par une allusion lointaine à l'un d'entre eux. Le destin réservé aux fantasmes par la pensée du rêve est visiblement déterminé par la facilité avec laquelle ils sont capables de se plier aux exigences de la censure et à la nécessité d'une condensation.

J'ai évité autant que possible, en choisissant des exemples d'interprétation, ceux où les fantasmes inconscients jouaient un grand rôle. L'introduction de cet élément aurait obligé à de trop longues explications sur la psychologie de l'inconscient. Mais je ne puis le négliger entièrement, puisque souvent le fantasme pénètre tout entier dans le rêve et plus souvent encore y transparaît. Voici un rêve qui paraît composé de deux fantasmes différents, opposés, et qui en certains points se recouvrent. L'un est superficiel, l'autre, est pour ainsi dire, l'interprétation du premier (1).

Le rêve en question — c'est le seul que je n'aie pas noté de façon précise — est à peu près le suivant : *Le rêveur (un jeune célibataire) est assis dans son restaurant habituel. Diverses personnes veulent l'emmener, l'une d'elles vient l'arrêter. Il dit à ses compagnons de table :* « *Je paierai plus tard, je reviens.* » *Mais ils se moquent de lui et crient :* « *Nous connaissons ça, c'est ce qu'on dit toujours !* » *Un des convives dit :* « *En voilà encore un qui s'en va.* » *On le conduit alors dans un local étroit, où il trouve une femme avec un enfant dans les bras. L'un de ceux qui l'ont accompagné dit :* « *C'est monsieur Müller.* » *Un commissaire ou quelque autre fonctionnaire feuillette un tas de papiers en répétant :* « *Müller, Müller, Müller...* » *Finalement, il lui pose une question, à laquelle le rêveur répond :* « *Oui.* » *Il se retourne pour regarder la femme et s'aperçoit qu'il lui a poussé une longue barbe.*

Les deux éléments sont ici faciles à séparer. Le plus superficiel est *un fantasme de l'arrestation ;* il semble nouvellement formé par le travail du rêve. Au-dessous se montre le matériel qui a subi au cours de ce même travail un léger remaniement : c'est le *fantasme du mariage ;* et les traits qui peuvent être communs aux deux ressortent tout particulièrement comme sur une image composite de Galton. La promesse du célibataire : reprendre sa place à la table habituelle, l'incrédulité de ses compagnons de restaurant, rendus perspicaces par de nombreuses expériences, l'adieu : « En voilà encore un qui s'en va (se marie) », tous ces traits conviennent également aux deux. De même le « oui » répondu au fonctionnaire. L'action de feuilleter une masse de papiers en répétant le même mot correspond à un détail secondaire, mais reconnaissable, des cérémonies nuptiales : la lecture des télégrammes de félicitation, arrivés en masse et qui tous portent le même nom. L'apparition de la fiancée en personne atteste le triomphe du

---

(1) J'ai commenté, dans *Bruchstück einer Hysterieanalyse* (1905), un bon exemple d'un rêve analogue, produit par l'accumulation de plusieurs fantasmes. Je dois signaler que j'ai sous-estimé l'importance de ces rêves diurnes dans la formation des rêves tant que j'ai travaillé surtout sur mes propres rêves, qui s'appuyaient rarement sur des fantasmes, mais le plus souvent sur des discussions et des conflits d'idées. Chez d'autres, il est beaucoup plus facile de montrer la complète analogie du rêve diurne et du rêve nocturne. Les hystériques substituent souvent un rêve à une crise ; on voit donc que le fantasme du rêve diurne est le précurseur de ces deux structures psychiques.

thème du mariage sur celui de l'arrestation, qui le double. Le fait que cette fiancée à la fin a de la barbe pourrait s'expliquer par un renseignement qui m'a été communiqué (il n'y a pas eu d'analyse). Le rêveur avait, la veille, traversé la rue avec un ami, adversaire du mariage comme lui-même, et lui avait signalé une belle brune qui venait en sens inverse. Mais l'ami avait déclaré : « Ces femmes-là finissent par avoir autant de barbe que leur père. »

Naturellement, ce rêve présente bien des éléments où la déformation a été profonde. Ainsi la réponse : « Je paierai plus tard » peut se rapporter à des craintes relatives à la dot. Visiblement, toutes sortes de scrupules empêchent le rêveur de s'abandonner avec plaisir au fantasme de mariage. L'un de ces scrupules, la crainte de perdre sa liberté, s'est incarné, au cours de la transformation, en une scène d'arrestation.

Si je reviens encore une fois sur le fait que le travail du rêve utilise volontiers un fantasme tout fait au lieu d'en forger un à partir du matériel fourni par les pensées du rêve, c'est que j'espère ainsi résoudre une des énigmes les plus intéressantes du rêve. J'ai raconté, p. 32, le rêve de Maury qui, atteint à la nuque par son ciel de lit, se réveille ayant construit un long rêve qui était un roman complet du temps de la Révolution. Comme ce rêve paraît cohérent et vise tout entier à expliquer le choc que le dormeur ne pouvait prévoir, il nous faudrait donc admettre que tout ce rêve complexe a été composé et s'est déroulé dans le court intervalle entre la chute du ciel de lit et le réveil ainsi provoqué. Nous n'oserions pas attribuer à l'activité intellectuelle de la veille une telle rapidité, nous serions donc amenés à reconnaître au travail du rêve le privilège d'une accélération remarquable.

Le Lorrain, Egger, d'autres encore ont protesté contre cette conclusion, qui s'était rapidement répandue. D'une part ils contestent l'exactitude du récit de Maury, et d'autre part ils essaient de montrer que la rapidité de nos opérations intellectuelles pendant la veille ne le cède en rien à celle que l'on attribue au rêve. Ce sont là des questions de principe dont la solution me semble lointaine. Mais je dois avouer que leurs arguments contre le rêve de Maury, ceux d'Egger notamment, ne m'ont pas convaincu. Je proposerais volontiers l'explication suivante : serait-il donc si invraisemblable qu'il y eût là un fantasme conservé

tout prêt durant des années et éveillé — je pourrais dire
évoqué par allusion — au moment du choc ? Ainsi dispa-
raîtrait tout d'abord la grosse invraisemblance, la composition d'une si longue histoire avec tous ses détails dans
l'espace d'un très court instant : elle était composée
d'avance. Si le morceau de bois avait touché Maury éveillé,
il aurait pu avoir le temps de se dire : « Tiens, on croirait
la guillotine ! ». Mais comme cela se passe pendant son
sommeil, le travail du rêve utilise aussitôt le stimulus qui
agit pour accomplir un désir, *comme si* il pouvait penser
(tout cela au figuré) : « Voici une bonne occasion de réaliser
le désir *(Wunschphantasie)* que telle et telle lecture a laissé
dans mon imagination. » Il ne me paraît pas contestable
que le roman rêvé ait été précisément du genre des rêveries d'adolescent. Qui ne se serait senti captivé — surtout
étant Français et historien — par les descriptions de l'époque
de la Terreur ? La noblesse, hommes et femmes, fleur de la
nation, montrait comment on peut mourir l'âme joyeuse,
et conservait jusqu'au fatal appel nominal la vivacité de
son esprit et le raffinement de ses manières. Comme il
était tentant de se rêver au milieu d'eux sous la figure
d'un jeune homme qui se sépare d'une dame en lui baisant
la main, pour monter sans crainte sur l'échafaud ! Peut-être
aussi l'ambition aura-t-elle été le thème principal de ce
fantasme : l'auteur se sera mis à la place d'une de ces puissantes individualités qui dominent la ville par la seule
force de leur pensée et de leur éloquence brûlante; qui
sentent battre tumultueusement en elles le cœur de l'humanité; qui envoient par pure conviction des milliers d'hommes
à la mort, et amorcent le remaniement de l'Europe; qui en
même temps sentent leur tête branler sur leurs épaules et
qui finissent un jour par l'engager sous le couteau de la
guillotine; c'est un peu le rôle d'un des Girondins ou de
Danton. Que le fantasme de Maury ait eu ce caractère
ambitieux, c'est ce que semble montrer le détail, conservé
par sa mémoire, qu'il était « accompagné d'un immense
concours de peuple ».

Mais ce fantasme prêt depuis longtemps n'a pas besoin
d'être refait en entier durant le sommeil; il suffit qu'il
soit pour ainsi dire effleuré. Voici ce que j'entends par là.
Lorsqu'au bout de quelques mesures quelqu'un dit, comme
dans le *Don Juan* : « C'est des *Noces de Figaro* », cela soulève
en moi un tourbillon de souvenirs dont aucun sur le

moment ne peut parvenir au seuil de la conscience. La
formule prononcée déclenche tout un ensemble en même
temps. C'est précisément ce qui pourrait bien se passer
dans l'inconscient. Le choc extérieur détermine le mouvement psychique qui conduit à l'ensemble du fantasme
révolutionnaire. Ce dernier n'est pas vécu dans le sommeil,
mais seulement dans le souvenir après le réveil. Une fois
éveillé, l'on se rappelle dans ses détails le fantasme qui au
cours du rêve a été aperçu en bloc. Cela ne permet pas
d'affirmer que l'on se souvient de quelque chose qui a été
réellement rêvé.

Cette explication d'un fantasme tout prêt, déclenché
dans son ensemble par un choc extérieur, vaut pour
d'autres rêves-réveils, par exemple le rêve de bataille de
Napoléon à l'occasion de l'explosion de la machine infernale. Parmi les rêves que Justine Tobolowska a rassemblés
dans sa thèse sur la durée apparente du rêve, le plus
convaincant me paraît être celui d'un auteur dramatique,
Casimir Bonjour, rapporté par Macario (1875) (1). Cet
homme voulut un soir assister à la première représentation
d'une de ses pièces, mais il se trouva si fatigué qu'il s'assou-
pit sur son siège derrière les coulisses, juste au moment
où le rideau se levait. Dans son sommeil, il suivit les cinq
actes de la pièce, et observa tous les signes d'émotion
donnés par les spectateurs à chaque scène. A la fin de la
représentation, il entendit avec bonheur son nom proclamé
au milieu des applaudissements les plus vifs. Soudain il
s'éveilla, et n'en put croire ses oreilles et ses yeux. La représentation était encore aux premiers vers de la première
scène, il ne pouvait avoir dormi plus de deux minutes.
Il n'est certainement pas risqué d'affirmer que la reproduction des cinq actes de la tragédie, ainsi que l'observation
de l'attitude du public à chaque scène, ne proviennent pas
d'une création renouvelée, mais doivent être tout bonnement la reproduction d'une ancienne rêverie. Mlle Tobolowska signale, avec d'autres auteurs, les deux caractères
suivants, communs à tous les rêves qui présentent une
succession accélérée de représentations : ils paraissent
particulièrement cohérents, au contraire de beaucoup
d'autres; le souvenir qu'ils laissent est sommaire plutôt
qu'explicite. Mais ce sont là les caractères mêmes de ces

(1) TOBOLOWSKA, p. 53.

fantasmes tous prêts que le travail du rêve effleure. Les auteurs précités n'ont pas vu ce côté de la question. Je ne prétends pas d'ailleurs que tous les rêves de réveil admettent cette interprétation, ni que, d'une façon générale, le problème de la succession accélérée des représentations dans le rêve soit résolu par là.

Il nous faut maintenant examiner les rapports entre l'élaboration secondaire et les autres facteurs du travail du rêve. Dirons-nous que les facteurs créateurs du rêve : la tendance à la condensation, l'obligation d'échapper à la censure et la prise en considération de la figurabilité par les moyens psychologiques du rêve construisent un contenu préalable, lequel est remanié après coup et adapté le mieux possible aux exigences d'une seconde instance psychique ? C'est peu vraisemblable. On doit admettre que ces exigences de cette seconde instance constituent dès le début une des conditions auxquelles doit satisfaire le rêve, condition qui exerce une influence élective sur tout le vaste matériel des pensées du rêve — en même temps et de la même manière que la condensation, la censure imposée par la résistance et la figurabilité. Mais, des quatre conditions de la formation du rêve, c'est la dernière qui semble la moins contraignante. L'identité de cette fonction psychique, de cette élaboration secondaire du contenu du rêve, avec le travail de notre pensée de veille résulte à notre avis de la constatation suivante : notre pensée de veille (pensée préconsciente) se comporte à l'égard des éléments fournis par la perception exactement comme la fonction que nous venons d'étudier vis-à-vis du contenu du rêve. Elle met de l'ordre, introduit des relations, apporte une cohésion intelligible conforme à notre attente. Nous allons plutôt trop loin dans ce sens; les escamoteurs le savent bien, et leurs tours se fondent en grande partie sur cette habitude intellectuelle. Au cours de notre effort pour ajuster suivant un plan intelligible les impressions que nous offrent nos sens, nous commettons souvent les erreurs les plus étranges ou faussons même la vérité des faits dont nous disposons. Mais tout cela, on le sait du reste. En lisant, nous sautons des fautes d'impression qui dénaturent le texte : un effet d'illusion nous le fait voir correct. Un rédacteur d'un journal français très lu aurait, dit-on, fait le pari d'intercaler dans chaque phrase d'un long article les mots : « par-devant » ou « par-derrière », sans qu'un seul lecteur s'en aperçoive.

Il gagna le pari. Un exemple comique de fausse cohésion m'a surpris il y a quelques années, tandis que je lisais un journal. Après la séance de la Chambre française où Dupuy fit cesser, par son mot courageux : « La séance continue », l'effroi répandu par l'explosion d'une bombe anarchiste, les occupants de la galerie furent entendus comme témoins et questionnés sur l'impression que leur avait causée l'attentat. Parmi eux se trouvaient deux provinciaux, dont l'un raconta qu'il avait bien entendu une détonation, juste après la fin du discours, mais qu'il avait cru qu'il était d'usage au Parlement de tirer un coup de feu pour signaler la fin de chaque discours. L'autre, qui avait entendu probablement déjà plusieurs orateurs, avait commis la même bévue; il s'imaginait seulement que ce procédé était réservé aux discours particulièrement réussis.

C'est donc bien l'intervention de notre pensée normale, et non d'une autre instance psychique, qui impose au contenu du rêve l'intelligibilité, le soumet à une première interprétation et l'amène par là à être tout à fait mal compris. Notre interprétation doit donc observer le précepte suivant : négliger dans tous les cas la cohésion apparente du rêve comme suspecte, et accorder aux éléments clairs et aux éléments obscurs la même attention dans nos recherches pour retrouver le matériel du rêve.

Nous voyons bien, après cela, de quoi dépend essentiellement l'échelle d'intensité et de netteté des rêves (mentionnée p. 283) qui va de la confusion à la clarté. Les éléments qui nous paraissent clairs sont ceux que l'élaboration secondaire a pu ajuster; les autres, où ce travail a échoué, nous paraissent obscurs. Comme ces derniers sont souvent aussi les moins accusés, nous pouvons conclure que l'élaboration secondaire du rêve doit être tenue pour responsable d'une partie de l'intensité plastique que possèdent certains tableaux du rêve.

On ne saurait mieux comparer l'élaboration définitive, telle qu'elle a lieu sous l'effet de la pensée normale, qu'aux « inscriptions » mystérieuses dont les *Fliegende Blätter* ont si longtemps amusé leurs lecteurs. Il s'agissait de leur faire croire qu'une certaine phrase, rédigée en patois pour plus de contraste, et d'une signification aussi bouffonne que possible, contenait une inscription latine. Pour cela, les lettres contenues dans ces mots étaient mêlées, et, au lieu d'être agencées en syllabes, elles étaient disposées suivant un ordre nouveau. Çà et là apparaissait un véritable mot latin, à d'autres endroits on croyait avoir affaire à des abréviations de mots latins, et à d'autres passages encore l'apparence d'un effacement partiel ou d'une lacune faisait oublier que chaque lettre prise isolément ne présentait aucun sens. Pour comprendre l'attrape, il fallait renoncer à chercher la prétendue inscription, réunir du regard les lettres disjointes et reconstituer, sans souci de l'ordre qu'on leur avait imposé, des mots de notre langue maternelle.

L'élaboration secondaire est le facteur du travail du rêve qui a été le mieux remarqué et compris par la plupart des auteurs. Havelock Ellis (Introduction, p. 10) en donne une vivante image :

« Nous pouvons nous représenter les choses de la façon suivante. La conscience sommeillante se dit : voici venir notre maître, la conscience éveillée, qui attache tant d'importance à la raison, à la logique, etc. Vite ! Prenons les choses, mettons-les en ordre, — n'importe quel ordre est bon —, avant qu'il entre occuper la scène. »

L'identité de ce genre de travail et de celui de la pensée de veille est affirmée avec une clarté particulière par H. Delacroix (p. 526) :

« Cette fonction d'interprétation n'est pas particulière au rêve ; c'est le même travail de coordination logique que nous faisons sur nos sensations pendant la veille. »

J. Sully défend la même conception. De même Tobolowska :

« Sur ces successions incohérentes d'hallucinations, l'esprit s'efforce de faire le même travail de coordination logique qu'il fait pendant la veille sur les sensations. Il relie entre elles par un lien imaginaire toutes ces images décousues et bouche les écarts trop grands qui se trouvaient entre elles » (p. 93).

Quelques auteurs font commencer cette activité coordinatrice et interprétative durant le rêve lui-même, et la font continuer dans l'état de veille. Ainsi F. Paulhan (p. 547) :

« Cependant j'ai souvent pensé qu'il pouvait y avoir une certaine déformation ou plutôt reformation du rêve dans le souvenir... La tendance systématisante de l'imagination pourrait fort bien achever après le réveil ce qu'elle a ébauché pendant le sommeil. De la sorte, la rapidité réelle de la pensée serait augmentée en apparence par les perfectionnements dus à l'imagination éveillée. »

De même Leroy et Tobolowska (p. 592) :

« ... dans le rêve au contraire, l'interprétation et la coordination se font non seulement à l'aide des données du rêve, mais encore à l'aide de celles de la veille... »

Ce facteur étant seul connu, il était inévitable qu'on en surestimât l'importance, en lui attribuant tout l'effort de création du rêve. Cette création se ferait au moment du réveil, selon la théorie de Goblot et surtout celle de Foucault, qui mettent sur le compte de l'activité de veille la faculté de fabriquer le rêve avec les pensées apparues au cours du sommeil.

Leroy et Tobolowska disent de cette conception : « On a cru pouvoir placer le rêve au moment du réveil et on a attribué à la pensée de la veille la fonction de construire le rêve avec les images présentes dans la pensée du sommeil. »

Ces appréciations du rôle de l'élaboration secondaire me donnent l'occasion de rendre justice aux sagaces observations de H. Silberer. Silberer a, comme nous l'avons signalé plus haut (cf. p. 296), pris sur le fait, si l'on peut dire, la transformation des pensées en images, en s'imposant une activité intellectuelle alors qu'il était fatigué et tombait de sommeil. La pensée, abstraite en général, qu'il suivait s'évanouissait alors et était remplacée par une vision (cf. les exemples cités). Au cours de ces expériences, Silberer constata que l'image qui surgissait dans ces conditions et que l'on peut comparer à un élément du rêve figurait autre chose que la pensée soumise à l'élaboration, à savoir la fatigue elle-même, la difficulté de ce travail ou le déplaisir qu'il provoquait, c'est-à-dire l'état subjectif et les réactions fonctionnelles de la personne faisant un effort, et non pas l'objet de cet effort. Silberer appela ce phénomène, très fréquent chez lui, « *phénomène fonctionnel* », par opposition au « phénomène matériel » attendu.

« Par exemple : Je suis étendu un après-midi sur mon divan avec une extrême envie de dormir, mais je me contrains à réfléchir à un problème philosophique. Je cherche, en effet, à comparer les opinions de Kant et de Schopenhauer sur le problème du temps. Par suite de ma torpeur, je ne parviens pas à avoir présentes à l'esprit en même temps, comme il est nécessaire pour une comparaison, les deux suites d'idées. Après plusieurs essais infructueux, je m'enfonce dans la tête une fois de plus, de toute mon énergie, la déduction kantienne, pour la comparer ensuite à la position du problème chez Schopenhauer. Là-dessus, je dirige mon attention sur cette dernière, et lorsque je veux revenir à Kant, je constate qu'il m'a échappé de nouveau; je m'efforce en vain de le rejoindre. Cette tentative inutile pour retrouver aussitôt « le dossier Kant » égaré dans quelque coin de ma tête se présente à moi brusquement, quand je ferme les yeux, sous la forme d'un symbole plastique et concret, semblable en tous points à une vision de rêve : *je demande un renseignement à un secrétaire maussade qui, penché sur un bureau, ne se laisse pas déranger par mon insistance. Se levant à demi, il me regarde avec l'air d'un homme qui vous éconduit* » (*Jahrb.*, I, p. 314).

Voici d'autres exemples, qui se rapportent à l'état d'oscillation entre le sommeil et la veille.

« Exemple n° 2. — Circonstances : Le matin au réveil. Encore quelque peu plongé dans le sommeil (état crépusculaire), je réfléchis à un rêve que je viens d'avoir, je le repense et le complète en rêve; je me sens en même temps avancer vers la conscience de veille, mais veux rester encore dans cet état crépusculaire.

« Scène : *Je pose le pied sur l'autre bord d'un ruisseau, mais le ramène aussitôt, avec l'intention de rester de ce côté-ci* » (*Jahrb.*, III, p. 625).

« Exemple n° 6. — Mêmes circonstances que dans l'exemple n° 4 [il veut rester encore un moment au lit sans s'endormir]. Je veux cependant m'abandonner encore un peu au sommeil.

« Scène : *Je prends congé de quelqu'un et conviens d'un nouveau rendez-vous.* »

Le « phénomène fonctionnel » — la « figuration de l'état à la place de l'objet » — a été observé par Silberer surtout au moment de l'assoupissement et du réveil. Il est facile de comprendre que seul le dernier cas est à considérer pour l'interprétation des rêves. Silberer a montré par de bons exemples que la partie terminale du contenu manifeste de beaucoup de rêves, que suit immédiatement le réveil, représente précisément le prélude ou le processus du réveil lui-même. On utilise dans ce but : un seuil que l'on franchit (« symbolique du seuil »), un endroit que l'on quitte pour un autre, le départ en voyage, le retour chez soi, la séparation d'avec un compagnon de route, l'entrée dans l'eau, etc. Je ne puis m'empêcher, il est vrai, de remarquer que, dans mes propres rêves, comme dans ceux des personnes que j'ai examinées, le nombre des éléments de rêve se rapportant au symbole du seuil se rencontre incomparablement moins souvent que ne le font supposer les observations de Silberer.

Il est très possible que cette symbolique du seuil explique également maint élément d'états qui apparaissent au milieu du rêve, tels que les oscillations de la profondeur du sommeil ou la tendance à rompre le rêve. Cependant on n'a pas encore apporté d'exemples sûrs de ces faits. Il est plus fréquent de constater une surdétermination grâce à laquelle un fragment de rêve dont le contenu sort de la trame des pensées, sert *en même temps* à représenter quelque état fonctionnel.

Le très intéressant phénomène fonctionnel de Silberer a — sans qu'il y ait de sa faute — conduit à bien des abus, en fournissant un appui à la vieille tendance à interpréter les rêves d'une manière symbolique abstraite. Dans leur complaisance pour la « catégorie fonctionnelle », certains auteurs en arrivent à parler de « phénomène fonctionnel » chaque fois qu'ils trouvent dans le contenu du rêve des activités intellectuelles ou des processus affectifs, bien qu'évidemment ces états fonctionnels ne puissent entrer dans le rêve dans une mesure plus grande que tous les autres restes diurnes.

Il faut convenir que les phénomènes observés par Silberer montrent un second aspect de la contribution de la pensée de veille à la formation du rêve; cette contribution est d'ailleurs moins constante et moins significative que celle que nous avons désignée sous le nom d'élaboration secondaire. — Il nous était apparu qu'une partie de l'attention qui fonctionne durant le jour reste, pendant le sommeil, appliquée au rêve, le contrôle, le critique et se réserve le pouvoir de l'interrompre. Nous étions amené tout naturellement à reconnaître dans cette instance psychique restée éveillée le censeur qui exerce sur la forme du rêve une influence si restrictive. Ce que les observations de Silberer y ajoutent, c'est le fait que, dans certaines circonstances, une sorte d'auto-observation entre aussi en jeu et contribue à alimenter le contenu du rêve. J'ai parlé ailleurs (1) des rapports qui existent vraisemblablement entre cette instance

(1) Zur Einführung des Narzissmus, *Jahrbuch der Psychoanalyse*, V, 1914 ; *Ges. Werke*, Bd. X.

d'auto-observation (particulièrement active sans doute chez les esprits philosophiques) et la perception endopsychique, le délire d'observation, la conscience morale et la censure du rêve.

* *

Résumons ce long exposé sur le travail du rêve. La question qui se présentait à nous était celle-ci : l'esprit s'emploie-t-il tout entier ou en partie seulement à l'élaboration du rêve ? Nos recherches nous ont montré que le problème était mal posé. Mais si cependant l'on voulait répondre à la question dans les termes mêmes où elle a été posée, il faudrait accepter les deux aspects de l'alternative qui semblent s'exclure l'un l'autre. Le travail psychique dans la formation du rêve se divise en deux opérations : la production des pensées du rêve, leur transformation en contenu du rêve. Les pensées sont entièrement normales, « correctes »; elles sont formées à l'aide de tout ce que peuvent offrir nos facultés mentales; elles appartiennent au domaine de la pensée qui n'est pas devenue consciente, dont dérive également, par une certaine transformation, notre pensée consciente. Les énigmes qu'elles présentent, si intéressantes et captivante qu'elles soient, n'ont pas de relation spéciale avec le rêve et ne doivent pas être traitées parmi les problèmes qu'il soulève (1). Par contre, l'autre portion

---

(1) Autrefois, je trouvais très difficile d'habituer les lecteurs à distinguer entre contenu manifeste et pensées latentes. On me rétorquait toujours avec des arguments basés sur des rêves non interprétés et présentés tels que la mémoire les retient ; on semblait ignorer la nécessité d'une interprétation.

Maintenant, les analystes, au moins, se sont réconciliés avec le fait de remplacer le contenu manifeste par ce qui ressort de l'interprétation ; beaucoup d'entre eux, par contre, tombent dans une autre erreur à laquelle ils s'accrochent non moins obstinément. Ils recherchent l'essence du rêve dans son contenu latent ; ce faisant, la distinction entre les pensées latentes du rêve et le travail du rêve leur échappe.

Le rêve n'est, au fond, qu'une forme particulière de pensée que permettent les conditions propres à l'état de sommeil.

C'est le *travail du rêve* qui crée cette forme. C'est lui qui est l'essence du rêve ; c'est lui qui explique la nature particulière du rêve.

Si je tiens à dire ceci, c'est pour justifier la fameuse « tendance prospective » du rêve. Le fait que le rêve cherche à résoudre les problèmes qui sont présentés à notre vie mentale n'est pas plus étrange que le fait que notre vie inconsciente d'éveil cherche à résoudre ces mêmes problèmes. Cela signifie simplement que cette activité se déploie aussi dans le préconscient, ce que nous savons déjà.

du travail, qui transforme les pensées inconscientes en
contenu du rêve, est propre à la vie du rêve. Ce travail,
qui est vraiment celui du rêve, diffère beaucoup plus de la
pensée éveillée que ne l'ont cru même les théoriciens les
plus acharnés à réduire la part de l'activité psychique dans
l'élaboration du rêve. Ce n'est point que ce travail soit plus
négligé, incorrect, incomplet que la pensée éveillée, ni qu'il
présente plus d'oublis. La différence entre ces deux formes
de pensée est une différence de nature, c'est pourquoi on
ne peut les comparer. Le travail du rêve ne pense ni ne
calcule; d'une façon plus générale, il ne juge pas; il se
contente de transformer. On en a donné une description
complète, quand on a réuni et analysé les conditions auxquelles doit satisfaire son produit. Ce produit, le rêve,
doit avant tout être soustrait à la *censure*. Pour cela, le travail
du rêve se sert du *déplacement des intensités psychiques*, qui
peut aller jusqu'à une « transvaluation de toutes les valeurs »
psychiques. Il doit, en second lieu, rendre des pensées, uniquement ùu surtout, à l'aide des traces-mnésiques, visuelles
ou auditives. Cette obligation lui impose la prise en considération de la figurabilité, ce qui entraîne de nouveaux
déplacements. Il faut de plus, semble-t-il, qu'il produise
des intensités plus fortes que celles qu'il trouve dans les
pensées du rêve, la nuit. Il procède, à cet effet, à une
condensation qui ramasse et concentre des pensées éparses
du rêve. Il s'intéresse peu à leurs *relations logiques* : lorsqu'il consent à les figurer, c'est de façon dissimulée, par
des particularités de *forme*. Les affects liés aux pensées du
rêve subissent moins de transformation que leur contenu
représentatif. En général, ils sont réprimés. Là où ils
subsistent, ils sont détachés des représentations et groupés
selon leur nature. Une seule partie du travail du rêve,
le remaniement, plus ou moins important, du matériel
par la pensée partiellement éveillée, correspond quelque
peu à la conception que les auteurs ont eue de l'activité
de formation du rêve.

CHAPITRE VII

PSYCHOLOGIE DES PROCESSUS DU RÊVE

Au nombre des rêves qui m'ont été rapportés, il en est un qui mérite une attention particulière. Je le tiens d'une malade qui l'a entendu raconter dans une conférence sur le rêve; je ne sais exactement quelle est sa source; mais il fit sur cette dame une impression telle qu'elle s'empressa de le rêver à son tour, c'est-à-dire de reprendre des éléments de ce rêve dans le sien, pour exprimer par ce transfert un accord sur un point déterminé.

Les données de ce rêve modèle sont les suivantes. Un père a veillé jour et nuit, pendant longtemps, auprès du lit de son enfant malade. Après la mort de l'enfant, il va se reposer dans une chambre à côté, mais laisse la porte ouverte, afin de pouvoir, de sa chambre, regarder celle où le cadavre de son enfant gît dans le cercueil, entouré de grands cierges. Un vieillard a été chargé de la veillée mortuaire, il est assis auprès du cadavre et marmotte des prières. Au bout de quelques heures de sommeil, le père rêve que *l'enfant est près de son lit, lui prend le bras, et murmure d'un ton plein de reproche :* « *Ne vois-tu donc pas que je brûle ?* » Il s'éveille, aperçoit une vive lumière provenant de la chambre mortuaire, s'y précipite, trouve le vieillard assoupi, le linceul et un bras du petit cadavre ont été brûlés par un cierge qui est tombé dessus.

L'explication de ce rêve poignant est assez simple, et, d'après ce que m'a dit ma malade, je vois que le conférencier a su la donner. La lumière très vive avait pénétré par la

porte ouverte dans la chambre du père endormi et lui avait
inspiré la conclusion même qu'il en aurait tirée en état de
veille, c'est-à-dire que la chute d'un cierge avait provoqué
un incendie près du cadavre. Peut-être même le père s'était-il
couché avec la crainte que le vieillard ne sût pas s'acquitter
de sa tâche.

Je n'ai rien à objecter à cette interprétation, si ce n'est
qu'il y a eu sans aucun doute surdétermination : le discours
de l'enfant doit être composé de propos qu'il a réellement
tenus pendant sa vie, et qui, dans l'esprit de son père, se
rattachent à des événements importants. Il aura dit : « Je
brûle » (de fièvre, au cours de sa dernière maladie) et,
probablement aussi : « Père, ne vois-tu donc pas ? » à
propos d'un autre événement que nous ignorons, mais qui
devait être émouvant.

Mais, ayant reconnu que le rêve, processus sensé, peut
s'insérer logiquement dans la trame de l'expérience psychique, nous pouvons nous étonner qu'il ait pu y avoir
rêve là où s'imposait un réveil précipité. On peut répondre :
même ce rêve est l'accomplissement d'un désir. L'enfant
mort s'y comporte comme s'il était vivant, il avertit lui-
même son père, vient près de son lit et le tire par le bras,
comme il a dû le faire dans l'une des circonstances d'où
proviennent les propos tenus dans le rêve. Le père a prolongé un moment un sommeil qui satisfait son désir en lui
montrant son enfant vivant. Sur la pensée éveillée, le rêve
a eu le privilège de montrer l'enfant encore une fois vivant.
Si le père s'était réveillé aussitôt, il aurait pour ainsi dire
abrégé la vie de son enfant de toute la durée du rêve.

On voit tout de suite en quoi ce petit rêve nous intéresse.
Nous avons cherché surtout jusqu'à présent le sens caché
des rêves, les moyens de le découvrir et les procédés que
le travail du rêve emploie pour le dissimuler. L'interprétation des rêves a été jusqu'ici l'objectif principal de notre
enquête; or voici un rêve qui ne pose aucun problème
d'interprétation, dont le sens est immédiatement accessible, et cependant nous remarquons qu'il garde encore ce
caractère essentiel qui sépare nettement les rêves de la
pensée éveillée et exige une explication. Ce n'est qu'une
fois le travail d'interprétation déblayé que nous pouvons
voir combien notre étude psychologique du rêve est restée
incomplète.

Mais, avant de nous engager dans une nouvelle direction,

peut-être ne serait-il pas inutile de nous demander si nous n'avons jusqu'à présent rien omis d'important. L'effort qui nous attend, en effet, est le plus difficile. Tous les chemins que nous avons jusqu'ici empruntés nous ont conduit à des solutions claires et satisfaisantes, — nous allons maintenant vers l'obscurité. Il nous est impossible d'*expliquer* le rêve en tant que phénomène psychique, car expliquer signifie ramener à ce qui est déjà connu, or il n'existe jusqu'à présent aucune notion psychologique sous laquelle nous puissions ranger les éléments de base qui se dégagent de l'examen psychologique du rêve. Nous serons amenés, au contraire, à faire de nouvelles hypothèses sur la structure de l'appareil psychique et le jeu de ses forces, et nous devons avoir grand soin de ne pas étendre nos conjectures au-delà de la première articulation logique, car sinon elles deviendraient tout à fait imprécises. Même si nous ne commettons aucune faute dans nos conclusions et si nous tenons compte de toutes les possibilités logiques, nous nous exposons à être vraisemblablement incomplet dans le montage des éléments et, du même coup, à ne pouvoir reconstituer l'ensemble. L'étude du rêve, et, d'une façon plus générale, l'étude d'une fonction psychique quelconque *isolée*, ne sauraient nous apporter de conclusions touchant la structure et le fonctionnement de l'esprit dans son ensemble. Ce but ne peut être atteint que par une étude comparative de toute une série de fonctions et activités, qui seule permet de dégager les éléments constants. Il en résulte que les hypothèses auxquelles nous aura conduit l'analyse des processus du rêve devront être acceptées à titre temporaire, si on peut ainsi dire, jusqu'à ce qu'on puisse les rattacher aux résultats d'autres recherches, qui, parties d'autres points, s'efforcent d'élucider les mêmes problèmes.

I. — L'OUBLI DES RÊVES

Commençons par examiner une difficulté que nous avons négligée jusqu'à présent, et qui cependant pourrait sembler de nature à retirer tout fondement à nos tentatives d'interprétation. Nous avons vu plus d'une fois que nous ne connaissions pas du tout le rêve que nous voulions inter-

prêter; ou, plus exactement, que rien ne pouvait nous
garantir que nous le connaissions tel qu'il a réellement eu
lieu (cf. p. 46). Les souvenirs du rêve que nous étudions
sont tout d'abord mutilés par l'infidélité de notre mémoire,
qui paraît tout à fait incapable de conserver le rêve, et en
laisse perdre peut-être précisément les éléments les plus
intéressants. Lorsque nous voulons examiner un rêve de
près, nous avons toujours le sentiment que nous avons rêvé
beaucoup plus que le court fragment dont il nous souvient,
et même ce fragment nous paraît incertain. De plus, tout
semble indiquer que notre souvenir n'est pas seulement
fragmentaire, mais infidèle et déformé. Peut-être le rêve
n'a-t-il été ni aussi incohérent et indistinct que dans notre
mémoire, ni aussi cohérent que dans notre récit ; il se peut
fort bien qu'en essayant de le raconter nous comblions à
l'aide de nouveaux matériaux arbitrairement choisis les
lacunes créées par l'oubli, que nous agrémentions, arran-
gions, accommodions le rêve; si bien que tout jugement
sur son véritable contenu est rendu impossible. Nous
avons même trouvé chez un auteur (Spitta) (1), une hypothèse d'après laquelle tout ordre, toute cohésion ne sont
introduits dans le rêve qu'après coup, lorsqu'on essaie de
se le remémorer. Nous sommes donc exposés au danger
que l'on nous arrache des mains l'objet même dont nous
avons entrepris de préciser la valeur.

Dans nos essais d'interprétation, nous avons jusqu'ici
négligé ces avertissements. Nous avons même au contraire
trouvé dans les éléments les plus petits, les moins saillants
et les moins certains du rêve une invitation à l'interprétation aussi prononcée que dans ses éléments les plus
clairs et les mieux conservés. Dans le rêve de l'injection
faite à Irma, il était dit : « J'appelle *vite* le Dr M... », et
nous avons admis que même ce petit détail ne se serait
pas incorporé au rêve s'il ne se laissait pas rattacher à
quelque point particulier. C'est ainsi que nous sommes
venus à l'histoire de cette malheureuse malade auprès
de qui je fis *vite* appeler un collègue plus âgé. Dans le rêve,
absurde en apparence, qui traite comme quantité négli-
geable l'intervalle de 51 à 56, le chiffre 51 revenait *plusieurs
fois*. Au lieu de trouver çela naturel ou indifférent, nous
en avons conclu qu'il y avait dans le contenu latent du

---

(1) Et aussi chez Foucault et Tannery.

rêve une seconde série de pensées qui conduit au chiffre 51 ;
et la piste ainsi suivie nous a révélé des craintes qui considéraient 51 ans comme terme de la vie, en contradiction
absolue avec une pensée dominante qui au contraire
tirait du nombre des années vécues une fierté. Dans le
rêve « *Non vixit* », je trouvai un détail peu apparent qui
m'avait échappé tout d'abord ; c'est le passage : « *comme P...
ne le comprend pas..., Fl. me demande...* », etc. C'est seulement
lorsque mon interprétation se trouva arrêtée que je revins
à ces mots, et ils me conduisirent aux souvenirs infantiles
qui sont le point de rencontre, le nœud des pensées du
rêve. Ce fut comme dans les vers du poète :

Vous m'avez rarement *compris*,
Et je vous compris bien rarement aussi,
Ce n'est que quand ensemble nous roulâmes dans la *boue*
Que nous nous comprîmes aussitôt (1).

Chaque analyse fournirait des exemples analogues prouvant que les plus petits détails sont indispensables pour
l'interprétation des rêves et qu'en les négligeant on s'expose
à ne pas aboutir. Nous avons, en interprétant les rêves,
accordé la même attention à chaque nuance des termes
dans lesquels ils nous étaient rapportés ; même lorsque
nous rencontrions un mot dépourvu de sens ou insuffisant,
semblant indiquer qu'on ne trouvait pas de traduction
exacte du rêve, nous avons respecté cette lacune. Bref, nous
avons traité comme un texte sacré ce qui, d'après nombre
d'auteurs, serait une improvisation arbitraire, édifiée à la
hâte en un moment d'embarras. Cette contradiction demande
à être expliquée.

Ce faisant nous nous donnerons raison sans pour cela
donner tort à ces auteurs. Du point de vue de nos nouvelles
théories sur l'origine du rêve, les contradictions s'apla-
nissent intégralement. Il est exact que nous déformons
le rêve lorsque nous le reproduisons : nous retrouvons
alors ce que nous avons appelé l'élaboration secondaire,
souvent capable de méprise, par l'instance de la pensée

(1)　　　　　 *Selten habt Ihr mich* verstanden,
　　　　　　　 Selten auch verstand ich Euch,
　　　　　　　 Nur wenn wir im Kot *uns fanden,*
　　　　　　　 So verstanden wir uns gleich.
　　　　　　　　　　(HEINE, *Die Heimkehr.*)

normale. Mais cette déformation fait partie de l'élaboration secondaire à laquelle sont soumises régulièrement, par suite de la censure, les pensées du rêve. Les auteurs que nous avons cités ont pressenti ou remarqué ici la partie apparente de cette déformation; elle nous frappe moins parce que nous savons qu'une déformation bien plus étendue et bien plus difficile à saisir s'est déjà exercée au niveau des pensées latentes du rêve. Leur erreur est de croire que les modifications que subit le rêve quand il est remémoré et traduit par des paroles sont arbitraires, donc ne peuvent être expliquées et ne peuvent que nous donner un tableau erroné du rêve. Ils sous-estiment le déterminisme dans le domaine psychique. Or il n'y a là rien d'arbitraire. On peut toujours montrer qu'un second courant de pensées détermine les éléments que le premier n'avait pas déterminés. Si, par exemple, je voulais imaginer un nombre d'une façon tout à fait arbitraire, je ne le pourrais pas : le nombre qui me viendrait à l'esprit serait déterminé par des pensées qui peuvent être éloignées de mes intentions immédiates, mais qui n'en agissent pas moins d'une manière univoque et nécessaire (1). Les transformations que le rêve subit quand nous le racontons sont tout aussi peu arbitraires. Il y a une association d'idées entre elles et le contenu qu'elles remplacent, de sorte qu'elles nous aident à trouver ce contenu, qui peut-être a déjà été substitué à un autre.

Quand j'analyse les rêves de mes malades, je fais une expérience qui réussit toujours. Le récit d'un rêve me paraît-il difficile à comprendre, je demande qu'on le recommence. Il est rare que le malade emploie les mêmes mots. Or je sais que les passages autrement exprimés sont les points faibles qui pourraient trahir le rêve. L'indication est aussi sûre que le signe brodé sur la tunique de Siegfried. L'interprétation peut partir de là. Quand je demande au malade de répéter son rêve, il comprend que je vais m'efforcer de l'expliquer; une certaine résistance lui fait aussitôt protéger les parties faibles de son déguisement, il essaie de remplacer l'expression qui aurait pu le trahir par une autre, plus éloignée. De cette manière, il attire mon attention sur la première. Plus il se défend, mieux je remarque que le rêve fut attentif à se déguiser.

(1) Cf. *Psychopathologie des Alltagslebens*, 1901, *Ges. Werke*, Bd. IV.

Les auteurs ont mal compris, en lui donnant trop de place, le rôle du doute envers les récits de rêve. Rien ne nous prouve qu'il s'agisse d'un doute intellectuel. Rien ne garantit jamais que notre mémoire soit fidèle, nous cédons, bien plus souvent que de raison, à l'obsession de lui faire confiance. Le doute qu'un rêve ou un morceau de rêve ait été bien raconté n'est que qu'un rejeton de la censure de la résistance qui empêche les pensées du rêve de parvenir à la conscience. Les déplacements, les substitutions n'ont pas suffi à cette résistance, elle s'attache encore, sous forme de doute, à ce qui a subsisté. Doute prudent, qui n'attaque jamais les éléments intenses, mais seulement ceux qui sont faibles et peu précis. Or nous savons maintenant qu'il y a eu, entre les pensées du rêve et le rêve lui-même, une « transvaluation totale de toutes les valeurs psychiques » ; la déformation n'a pu se faire que grâce à une diminution de valeur : c'est ainsi qu'elle se révèle toujours, parfois même elle ne se manifeste qu'ainsi. Quand, à un élément déjà imprécis du rêve, le doute vient encore s'ajouter, c'est l'indice que cet élément est un rejeton direct d'une des pensées du rêve que l'on voulait bannir. On peut comparer cette situation à celle des républiques de l'Antiquité ou de la Renaissance après une révolution. Les grandes familles, puissantes naguère, sont bannies, des parvenus occupent toutes les hautes situations, on ne supporte dans la ville que des membres infimes des familles qui ont exercé le pouvoir ou quelques partisans peu actifs; et même ceux-là n'ont pas tous leurs droits civiques, on les observe avec méfiance. Le doute du rêve tient lieu de cette méfiance. C'est pourquoi j'exige que, pour l'analyse d'un rêve, on s'affranchisse de toute espèce de jugement fondé sur un degré de certitude et que l'on considère comme une certitude totale la moindre possibilité qu'un fait de telle ou telle espèce a pu se produire dans le rêve. L'analyse ne progresse que si on observe cette règle. Sinon la conséquence psychologique de cette dépréciation est que celui dont on analyse le rêve ne découvre aucune des représentations involontaires que cache ce doute. Cet effet ne paraît pas aller de soi; il ne serait pas absurde de dire : Je ne puis garantir qu'il y a eu dans le rêve telle ou telle chose, mais voilà ce qui, à ce propos, me vient à l'esprit. Jamais cela ne se passe ainsi, et c'est précisément la perturbation que le doute provoque dans l'analyse qui le démasque comme un rejeton et un

instrument de la résistance psychique. La psychanalyse se
méfie à bon droit. Un de ses principes est : *Tout ce qui
interrompt la progression de l'interprétation est une résistance* (1).

Tout comme le doute, l'oubli des rêves ne s'explique
que par l'action de la censure. Le sentiment d'avoir beaucoup rêvé pendant une nuit et de n'en avoir retenu que
peu de chose peut bien signifier dans de nombreux cas
que le travail du rêve a bien fonctionné pendant toute la
nuit mais n'a laissé passer en fin de compte qu'un très
court rêve. On ne peut douter qu'un oublie progressivement le rêve après le réveil. On l'oublie souvent en dépit
de toute la peine que l'on se donne pour le retenir. Mais
je pense que, de même qu'on surestime en général l'étendue
de cet oubli, on s'exagère la difficulté à connaître le rêve
liée à ces lacunes. On peut souvent retrouver par l'analyse
tout ce que l'oubli a perdu; dans toute une série de cas, du
moins, quelques bribes permettent de retrouver non point
le rêve même, ce qui est accessoire, mais les pensées qui
sont à sa base. Il faut beaucoup d'attention et de maîtrise
de soi pour ces sortes d'analyses, et cela montre que l'oubli
du rêve est intentionnel en quelque sorte (2).

---

(1) Il ne faut pas se méprendre sur cette formule un peu péremptoire :
« tout ce qui interrompt la progression de l'analyse est une résistance ».
Il faut la prendre, bien sûr, comme une simple règle technique, un
avertissement pour l'analyste. Il est hors de doute que beaucoup d'incidents dont la responsabilité n'incombe pas aux malades peuvent se
produire, au cours de l'analyse. Il peut perdre son père sans y être pour
rien, il peut y avoir la guerre, qui mette fin à l'analyse. Il reste, malgré
tout, que cette formule a du vrai. Même si la cause qui interrompt l'analyse est réelle et indépendante de l'analysé, c'est de lui souvent que
dépend l'importance de l'interruption. Le fait qu'il est prêt à l'accepter
ou même à en exagérer la durée est une preuve évidente de sa résistance.
(2) Je prends, dans mon *Introduction à la psychanalyse*, l'exemple suivant pour illustrer la signification du doute et de l'incertitude dans le
rêve, alors que le contenu du rêve a été réduit à un seul élément. L'analyse, que je différai quelque temps, finit par réussir.
Une malade sceptique a un rêve assez long au cours duquel certaines
personnes lui parlent de mon livre sur *Le mot d'esprit* et lui en disent du
bien. Il est ensuite question de quelque chose à propos d'un *canal, peut-
être d'un autre livre où il y a le mot canal, ou de quelque chose où il est
question de canal... elle ne le sait pas... c'est tout à fait obscur.*
Il ne faut pas croire que le mot « canal » échappera à l'interprétation à
cause de son imprécision. L'interprétation sera difficile, mais non pour
cette raison. Imprécision et difficulté ont le même motif. D'abord rien
ne vient à l'esprit de la rêveuse et je ne peux naturellement rien dire non
plus. Plus tard, le lendemain exactement, elle me raconte qu'elle a une
idée qui se rattache *peut-être* à cela. C'est précisément un trait d'esprit,

La nature tendancieuse de l'oubli du rêve (1), profitable à la résistance, apparaît nettement, lors de l'analyse, à l'examen d'une première étape de l'oubli. Il est assez fréquent que, pendant l'interprétation, une partie du rêve que l'on avait considérée comme oubliée surgisse brusquement. Ce fragment de rêve arraché à l'oubli se trouve être toujours le plus important : il mène directement à la solution, et a donc été plus fortement exposé à la résistance. Parmi les rêves éparpillés dans ce livre, il en est un dans lequel j'ai dû ainsi replacer, après coup, un fragment de contenu (v. p. 388). C'est un rêve de voyage où je me venge d'une voyageuse désagréable et que je n'interprète à peu près pas, parce qu'une partie de son contenu est grossièrement scatologique. Le fragment est celui-ci : *Je dis d'un livre de Schiller : « It is from... »,* *mais je rectifie, remarquant moi-même mon erreur : « It is by...».* *L'homme le remarque et dit à sa sœur : « Il l'a bien dit »* (2).

Le fait qu'on se corrige soi-même en rêve, si étonnant pour de nombreux auteurs, ne mérite pas de nous occuper ici. Il est plus intéressant de montrer le souvenir qui a servi de matière à cette faute de langue du rêve. Je suis allé en Angleterre pour la première fois à 19 ans et je passai

qu'elle a entendu raconter. Pendant la traversée de Douvre à Calais, un écrivain connu parle avec un Anglais qui, au cours de la conversation, cite le mot « Du sublime au ridicule, il n'y a qu'un pas ». L'écrivain répond : « Oui, le Pas de Calais », voulant dire par là que la France est sublime et que l'Angleterre est ridicule. Mais le Pas de Calais est un canal, le canal de la Manche. Si je crois que cette idée se rattache au rêve ? Tiens ! bien sûr, elle s'y rattache : elle apporte la solution de l'énigme. On ne peut douter que ce trait d'esprit n'ait existé dans l'inconscient dès avant le rêve et que le mot « canal » n'en provienne ; il n'a certes pas été trouvé après coup ! L'idée qui est venue à ma malade prouve que, derrière l'admiration excessive qu'elle me témoigne, se cache du scepticisme ; c'est à cause de sa résistance que l'idée est apparue si timidement, et que l'élément de rêve correspondant a été si peu précis : la résistance est le fond commun des deux. On voit ici quelle est la relation entre l'élément du rêve et son fondement inconscient. Il est comme une parcelle de cet inconscient, comme une allusion à celui-ci ; son isolement l'a rendu tout à fait incompréhensible.

(1) Cf. au sujet de l'oubli intentionnel mon petit travail : Der psychische Mechanismus der Vergesslichkeit, in *Monatschrift für Psychiatrie und Neurologie*, 1918, recueilli dans ma *Psychopathologie des Alltagslebens*, ch. I, *Ges. Werke*, Bd. IV.

(2) Il est assez fréquent que le rêve présente ces sortes de corrections pour des phrases en langue étrangère. MAURY (p. 143) rêva, à l'époque où il apprenait l'anglais, qu'il disait à une autre personne qu'il était allé là voir la veille : « I called for you yesterday. » L'autre répondit en indiquant l'expression correcte : « On dit : I called on you yesterday. »

une journée au bord de la mer d'Irlande. Je ramassai naturellement les animaux marins que la marée avait laissés sur le sable en se retirant, et je prenais une étoile de mer (le rêve commence par *Hollthurn* — *Holothurien*), quand une charmante petite fille vint à moi et me demanda : « Is it a starfish ? » Je répondis : « Yes he is alive », mais j'eus honte de ma faute de grammaire et répétai la phrase correctement cette fois. Le rêve substitue à cette faute une autre incorrection grammaticale, que les Allemands commettent fréquemment aussi. On ne doit pas traduire : le livre est *de* Schiller par *from*, mais par *by*. Après ce que nous avons vu des buts du travail du rêve et de son indifférence dans le choix des moyens, nous ne serons pas étonnés que le mot *from* soit apparu ici, parce que, ayant le même son que l'adjectif allemand *fromm (pieux)*, il autorisait une vaste condensation. Que signifie dans ce rêve le souvenir ingénu de cette rencontre au bord de la mer ? Il l'explique, par l'exemple le plus innocent qui soit, que j'ai mal utilisé le sexe, que j'ai mis là où il ne convenait pas un mot qui signifie le genre ou le sexe. C'est un des moyens d'arriver à la solution du rêve. Si, de plus, on veut rétablir les associations issues du titre du livre : « *Matter and Motion* » (*Molière* dans le *Malade* imaginaire : la *matière* est-elle laudable ? — a *motion* of the bowels), on complétera aisément.

Je peux montrer que l'oubli du rêve est en grande partie le fait de la résistance sur un exemple particulièrement probant. Un malade me raconte qu'il a eu un rêve, mais qui a disparu sans laisser de traces ; c'est donc comme s'il n'y avait rien eu. Nous nous mettons à l'œuvre, je rencontre une résistance, je donne une explication, à force d'encouragement et d'insistance j'arrive à réconcilier le malade avec une idée désagréable, et, à peine y ai-je réussi, qu'il s'écrie : « Maintenant je sais ce que j'ai rêvé ! » La résistance que j'avais dû vaincre était celle-là même qui lui avait fait oublier le rêve. En la surmontant j'avais permis au rêve de reparaître.

De même, le malade, à un certain moment de l'analyse, peut se rappeler un rêve d'il y a trois ou quatre jours, peut-être même plus, et qui a été jusque-là oublié (1).

---

(1) E. Jones raconte un cas analogue et qui se produit d'ailleurs fréquemment. On retrouve, au cours de l'analyse d'un rêve, le souvenir d'un second rêve de la même nuit, si bien oublié qu'on n'en soupçonnait même pas l'existence.

L'expérience de la psychanalyse nous prouve d'une autre manière encore que l'oubli du rêve dépend beaucoup plus de la résistance que de la distance entre la veille et le sommeil, invoquée par les auteurs. Il m'est arrivé souvent ainsi qu'à d'autres psychanalystes et à des malades suivant un traitement psychanalytique d'être, si l'on peut dire, réveillés par une rêve et de commencer aussitôt après à l'interpréter, avec une pensée pleinement éveillée et lucide. J'ai souvent refusé de me rendormir jusqu'à ce que j'ai eu entièrement compris le rêve, et quelquefois pourtant, au réveil, j'avais oublié le travail d'interprétation aussi complètement que le contenu lui-même, tout en sachant que j'avais rêvé et que j'avais interprété mon rêve. C'est plus souvent le rêve qui entraîne avec lui dans l'oubli les résultats de l'interprétation et moins souvent l'activité intellectuelle qui parvient à préserver le rêve dans la mémoire. Il n'y a cependant pas, entre mon interprétation et la pensée éveillée, l'abîme psychique par lequel les auteurs veulent expliquer l'oubli du rêve. Morton Prince objecte à ma théorie de l'oubli du rêve qu'il n'y a là qu'un cas spécial d'amnésie d'états dissociés *(dissociated states)*, et qu'on ne saurait étendre mon explication de cette amnésie particulière à d'autres types, de sorte qu'elle perd toute valeur. Il rappelle par là au lecteur que, dans toutes ses descriptions d'états dissociés, il n'a jamais tenté d'interprétation dynamique. Sinon, il aurait découvert que le refoulement (ou la résistance qu'il provoque) est à l'origine des dissociations, tout autant que de l'amnésie qui frappe leur contenu psychique.

Je peux affirmer que les rêves sont aussi peu oubliés que les autres actes psychiques et, quant à leur rétention par la mémoire, valent les autres fonctions mentales — une expérience faite au cours de la rédaction de ce livre me l'a prouvé. J'avais conservé dans mes fiches un grand nombre de mes propres rêves que, pour une raison quelconque, je n'avais interprétés qu'incomplètement ou pas du tout. J'ai essayé, un ou deux ans plus tard, de les interpréter pour illustrer mes théories. J'ai réussi pour tous sans exception. Je peux même dire que l'interprétation était beaucoup plus aisée que lorsque les rêves étaient encore récents, ce que je ne peux expliquer qu'en supposant que j'ai, depuis, triomphé de beaucoup de résistances intérieures. Lors de ces interprétations après coup, j'ai comparé les pen-

sées du rêve que j'avais alors découvertes avec celles récemment trouvées, le plus souvent beaucoup plus riches, et j'ai
toujours retrouvé les anciennes sous les récentes, elles
n'avaient pas changé. Je ne m'en étonnai pas trop, puisque
j'avais dès longtemps coutume de faire interpréter à mes
malades des rêves de leurs jeunes années, qu'ils me racontaient à l'occasion, de la même manière et avec autant
de succès que si ces rêves avaient été faits la nuit précédente.
Quand je parlerai des cauchemars, je donnerai des exemples
de cette interprétation à retardement. Quand je l'essayai
pour la première fois, c'est parce que je m'attendais, et
l'événement me donna raison, à ce que le rêve se comportât
à cet égard comme un symptôme névropathique. Quand
je traite par la psychanalyse un névropathe, un hystérique
par exemple, il me faut des indications sur les premiers
symptômes de sa maladie, maintenant dépassés, tout
autant que sur ceux qui subsistent encore aujourd'hui et
l'on conduit à moi. Les premiers sont ordinairement plus
faciles à découvrir. Dès 1895, je pus, dans mes *Studien
über Hysterie*, communiquer l'explication d'une première
crise d'angoisse hystérique qu'une malade âgée de 40 ans
avait eue dans sa quinzième année (1).

Voici maintenant quelques indications destinées aux
lecteurs qui désireraient vérifier l'exactitude de mes théories, en interprétant leurs propres rêves.

Il ne faut pas s'attendre à ce que l'interprétation tombe
du ciel. Un certain entraînement est nécessaire même
quand il s'agit de percevoir des phénomènes endoptiques,
ou d'autres sensations sur lesquelles notre attention ne
s'exerce pas d'habitude, et cela bien qu'aucun facteur
psychique ne s'y oppose. Il est beaucoup plus ardu de
saisir les « représentations involontaires ». Celui qui veut
y parvenir devra se pénétrer des tendances exprimées dans
cet ouvrage et suivre les règles données ici : faire taire
pendant l'interprétation toute critique, tout préjugé, tout
parti pris affectif ou intellectuel. Il se rappellera le principe
de Claude Bernard : « Travailler comme une bête », c'est-à-

---

(1) Les rêves des premières années d'enfance, qui demeurent souvent
dans la mémoire pendant des années avec toute leur fraîcheur, aident
presque toujours beaucoup à comprendre l'évolution et la névrose du
rêveur. Leur analyse épargne au médecin les erreurs et les incertitudes
qui pourraient entre autres l'égarer dans ses déductions.

dire avec autant d'acharnement et en se préoccupant aussi peu des résultats. A qui suivra ces conseils, la tâche cessera d'être rude. L'interprétation d'un rêve ne se fait pas toujours d'une seule traite, il est fréquent que l'on se sente épuisé lorsqu'on a poursuivi une série d'idées, le rêve ne vous dit plus rien ce jour-là; en pareil cas, il est bon d'interrompre et de reprendre le travail un autre jour. Une autre partie du rêve attire alors l'attention et l'on pénètre dans une autre couche des pensées. C'est ce qu'on pourrait appeler l'interprétation « fractionnée ».

Le plus difficile est de convaincre le débutant que sa tâche n'est pas achevée quand il est parvenu à une interprétation complète, sensée, cohérente et qui explique tous les éléments du contenu du rêve. Il se peut qu'il y en ait encore une autre, une surinterprétation du même rêve, et qu'elle lui ait échappé. On se représente malaisément d'une part la quantité prodigieuse d'associations d'idées inconscientes qui se pressent en nous et veulent être exprimées, et de l'autre la dextérité du rêve qui s'efforce par des expressions à sens multiple, comme le petit tailleur du conte, de tuer sept mouches à la fois. Le lecteur est toujours tenté au début de dire que l'auteur a vraiment trop d'esprit; quand il aura lui-même un peu d'expérience, il en jugera autrement et mieux.

Je ne puis d'autre part me rallier à une théorie qui a été énoncée pour la première fois par H. Silberer et selon laquelle tout rêve (ou tout au moins beaucoup de rêves et certains groupes spécialement) exigerait deux interprétations distinctes, qui seraient entre elles dans un rapport précis. Une de ces interprétations, celle que H. Silberer appelle *psychanalytique*, donne au rêve un sens quelconque, le plus souvent sexuel-infantile; l'autre, plus importante, qu'il nomme *anagogique*, montre les pensées plus sérieuses et souvent profondes qui ont servi d'étoffe au travail du rêve. Silberer n'a pas étayé cette théorie par des exemples de rêves analysés de ces deux manières. A mon avis, les faits qu'il avance n'existent pas. La plupart des rêves n'exigent pas de surinterprétation et, en particulier, d'interprétation anagogique. Il y a dans la théorie de Silberer, comme dans beaucoup d'autres théories récentes, une tendance à voiler les conditions fondamentales de la formation des rêves et à nous détourner de leurs racines pulsionnelles. Pour un certain nombre de rêves j'ai pu vérifier les indications de Silberer; l'analyse m'a montré que le travail du rêve s'était donné pour tâche de transformer en rêve une série de pensées de la veille, très abstraites et qui n'auraient pu être figurées directement. Il s'efforçait d'atteindre son but avec un matériel de pensées qui se trouvaient dans des relations plus lâches et pour ainsi dire *allégoriques* avec les pensées abstraites, et qui, en même temps, étaient plus aisées à représenter. L'interprétation allégorique d'un rêve ainsi formé est donnée aussitôt par le rêveur, l'interprétation véritable des éléments substitués doit être poursuivie par notre technique.

Il faut bien dire que tous les rêves ne peuvent pas être interprétés. Il ne faut pas oublier que les forces psychiques qui ont déformé le rêve s'opposent au travail d'interprétation. La question dépend du rapport des forces : d'une part la curiosité intellectuelle, la maîtrise de soi, les connaissances psychologiques et l'expérience de l'interprétateur, de l'autre les résistances intérieures. Nous pouvons tous en surmonter quelques-unes, assez du moins pour nous convaincre que le rêve a un sens et souvent aussi pour deviner ce sens quelque peu. Souvent un second rêve permet de préciser la signification du premier et de faire progresser son interprétation. Souvent toute une série de rêves, qui s'est déroulée à travers des semaines ou même des mois, a un fond commun, et il faut alors la soumettre à une interprétation d'ensemble. Quand deux rêves se succèdent, on peut souvent remarquer que l'un a pour centre ce qui est seulement indiqué en surface chez l'autre et inversement, de sorte qu'ils se complètent pour l'interprétation. J'ai déjà prouvé par des exemples que les rêves d'une même nuit doivent être toujours interprétés comme un tout.

Les rêves les mieux interprétés gardent souvent un point obscur; on remarque là un nœud de pensées que l'on ne peut défaire, mais qui n'apporterait rien de plus au contenu du rêve. C'est l' « ombilic » du rêve, le point où il se rattache à l'Inconnu. Les pensées du rêve que l'on rencontre pendant l'interprétation n'ont en général pas d'aboutissement, elles se ramifient en tous sens dans le réseau enchevêtré de nos pensées. Le désir du rêve surgit d'un point plus épais de ce tissu, comme le champignon de son mycélium.

Revenons à l'oubli du rêve. Nous avons négligé d'en

tirer une conclusion importante. S'il est évident que la veille veut oublier le rêve, soit d'un seul coup au réveil, soit par fragments pendant la journée, et que le principal agent de cet oubli est la résistance psychique qui a déjà, pendant la nuit, fait tout ce qu'elle pouvait contre le rêve, comment expliquer que le rêve ait pu se former malgré la résistance ? Prenons le cas le plus frappant, celui où la veille efface le rêve, où il semble n'avoir pas existé, considérons le jeu des forces psychiques. Il faut bien dire que, si la résistance avait été la nuit ce qu'elle est le jour, le rêve ne se serait pas produit. Concluons donc que, la nuit, la résistance s'affaiblit; nous savons qu'elle n'est pas abolie, puisque nous avons pu montrer son rôle au cours de la formation du rêve dans la déformation. Sa diminution permettrait au rêve de se former, mais au réveil elle retrouverait ses forces, et écarterait alors ce qu'elle a dû supporter auparavant. La psychologie descriptive nous a appris que la condition essentielle de la formation des rêves est le sommeil de l'esprit; à quoi nous pouvons ajouter : *le sommeil permet la formation des rêves parce qu'il diminue la censure endopsychique.*

On pourrait être tenté de considérer que c'est là la seule conclusion où puisse nous mener l'oubli du rêve; et d'en tirer d'autres déductions sur les rapports d'énergie entre la veille et le sommeil. Mais arrêtons-nous dans cette voie. Quand nous aurons pénétré plus avant dans la psychologie du rêve, nous verrons que l'on peut se représenter sa formation autrement encore. Sans avoir vraiment fléchi, la résistance contre les pensées du rêve devenant consciente serait contournée. On peut penser que le sommeil permet à la fois de diminuer et de contourner la résistance, favorisant ainsi deux facteurs de la création du rêve. Mais laissons cela, nous y reviendrons plus tard.

Il faut maintenant nous occuper d'une autre série d'objections faites à notre méthode. Nous procédons, on le sait, de la façon suivante : nous repoussons toute idée de représentations-but, nous dirigeons notre attention sur un élément isolé du rêve et nous notons les pensées involontaires qui nous viennent à l'esprit à ce sujet. Nous prenons ensuite un autre morceau du contenu du rêve, opérons de la même manière et nous laissons mener du coq à l'âne, par nos pensées, sans nous inquiéter de la direction suivie. Cela faisant, nous supposons qu'au bout du compte nous finirons bien par tomber sur les pensées latentes, source du

rêve. La critique a beau jeu pour objecter : il n'est pas
étonnant qu'un élément quelconque du rêve mène n'importe où, on peut toujours associer quelque chose à une
représentation; la seule chose surprenante serait que cette
succession d'idées arbitraire et sans but parvînt précisément
aux pensées du rêve. Il est probable qu'on se trompe soi-
même, on poursuit la série d'associations à partir d'un élément, jusqu'à ce qu'on doive s'arrêter pour une raison quelconque; quand on en prend un second, il est tout naturel
que l'association, d'abord illimitée, trouve une partie du
terrain occupée. On se rappelle encore les associations
précédentes, de sorte que l'analyse des deuxièmes représentations ramène plus aisément à des idées qui ont des
points de contact avec celle-ci. On s'imagine alors avoir
trouvé un nœud d'où partent deux éléments du rêve.
Comme on se permet n'importe quelle association et qu'on
ne s'interdit que les passages d'une représentation à une
autre habituels à la pensée normale, il n'est finalement pas
difficile de fabriquer, à l'aide d'une série de « pensées
intermédiaires », quelque chose qu'on appellera les pensées
du rêve et qu'on donnera pour le substitut psychique de
celui-ci. Sans preuves évidemment, puisqu'on ne saurait
les connaître d'autre façon. Tout cela est entièrement
arbitraire, on utilise ingénieusement le hasard, mais n'importe qui, pourvu qu'il se donne cette peine inutile, pourra
fabriquer de cette manière, à n'importe quel rêve, n'importe
quelle interprétation.

A ces sortes de critiques nous pouvons d'abord opposer
l'impression que donnent nos interprétations de rêves, les
liaisons étonnantes avec des éléments du rêve, qui surgissent
pendant qu'on poursuit les représentations isolées, et
l'invraisemblance de l'hypothèse qu'on pourrait parvenir
à une interprétation aussi parfaitement exhaustive autrement qu'en retrouvant les associations psychiques préexis-
tantes. Nous pourrions nous justifier aussi en alléguant la
solution des symptômes hystériques, dont l'exactitude est
prouvée par l'apparition et la disparition des symptômes à
la place indiquée, où le texte est, en quelque sorte, précisé
par l'illustration. Mais puisqu'on nous demande comment
une succession de pensées arbitraire et sans but peut
conduire à un but préexistant, nous ne chercherons pas
d'échappatoires; nous avons le moyen, non certes de
résoudre le problème mais de l'éminer complètement.

En effet, il est tout à fait inexact de prétendre que nous cédons à des représentations sans but si comme, lors de l'interprétation, nous laissons tomber la réflexion et apparaître en nous les représentations involontaires. On peut montrer que nous ne renonçons alors qu'aux représentations-but que nous connaissons et que, celles-ci arrêtées, d'autres, inconnues — ou, selon l'expression moins précise : inconscientes — manifestent leur force et déterminent le cours de nos représentations involontaires. Notre influence personnelle sur notre vie psychique ne permet pas d'imaginer une pensée dépourvue de représentations-but; j'ignore l'état de désagrégation psychique qui pourrait le permettre (1). Les psychiatres ont désespéré trop tôt de

(1) On m'a fait remarquer depuis que E. v. HARTMANN avait eu la même opinion sur ce point important. Dans un article de la *Intern. Zeitschr. f. ärztl. Ps.-A.* (I, 1913, p. 605 sq.), N. E. POHORILLES écrit à ce sujet : « Pour ce qui est du rôle de l'inconscient dans la création artistique, Ed. v. Hartmann (*Philos. d. Unbew.*, t. I, liv. B, chap. V) a énoncé clairement la loi d'après laquelle les associations d'idées sont dirigées par des représentations de but inconscientes, sans toutefois se rendre compte de la portée de cette loi. Il veut prouver que " toute combinaison de représentations sensibles, si elle n'est pas l'effet du seul hasard, mais doit conduire à un but, a besoin d'être soutenue par l'inconscient ", et que l'intérêt conscient que nous prenons à une certaine association d'idées pousse l'inconscient à trouver, parmi les innombrables représentations possibles, celles qui sont le mieux adaptées à ce but. " C'est l'inconscient qui choisit selon les fins de l'intérêt : ceci vaut également pour les associations d'idées de la pensée abstraite et pour les représentations sensibles ou les groupements artistiques " et pour les traits d'esprit. C'est pourquoi on ne saurait réduire ces associations d'idées aux représentations évoquées et évocatrices telles que nous les présente la psychologie associationniste classique. Cette réduction " ne serait légitime que si l'homme pouvait s'affranchir, non seulement de tout but conscient, mais encore de toute espèce d'intérêt inconscient et même d'état d'âme, de disposition affective. Mais on ne peut imaginer un pareil état, car, même lorsqu'on paraît abandonner complètement au hasard ses associations d'idées, ou lorsqu'on se laisse complètement entraîner par ses rêveries, d'autres intérêts agissent, des sentiments et des états d'âme prévalent et ils exercent leur influence sur nos associations d'idées " (*Philos. d. Unbew.*, 11e éd., I, p. 246). On ne trouve dans les rêves à demi inconscients que les représentations qui correspondent à l'intérêt principal (inconscient) du moment *(l. c.)*. Du point de vue même de Hartmann, la façon dont la méthode psychanalytique comprend l'influence des sentiments et des états d'âme sur les libres associations d'idées est parfaitement justifiée. » — DU PREL (*Philos. d. Mystik*, p. 107) conclut, du fait qu'un nom longtemps cherché nous revient brusquement et sans intermédiaire, semble-t-il, qu'il existe une pensée inconsciente et cependant dirigée vers un but dont le résultat apparaît brusquement à la conscience.

la solidité de notre construction psychique. Je sais que, pas plus que le rêve, l'hystérie ou la pranoïa ne présentent un cours de pensées déréglé et sans représentations-but. Cela ne se produit peut-être même pas dans les affections psychiques endogènes; les délires mêmes des confus ont un sens, selon la fine remarque de Leuret, et sont incompréhensibles à cause de leurs lacunes seulement. J'ai pu faire la même observation chaque fois que j'ai eu l'occasion d'en voir. Les délires sont l'œuvre d'une censure qui ne se donne plus la peine de dissimuler son action et qui, au lieu d'agir pour élaborer des transformations moins choquantes, efface brutalement tout ce qui lui déplaît, de sorte que ce qui reste devient incohérent. Elle agit tout à fait comme procédait la censure russe des journaux à la frontière, qui caviarde les journaux étrangers avant de les mettre entre les mains des lecteurs qu'elle avait à protéger.

Que, dans des lésions organiques de l'encéphale, on puisse observer le libre jeu des représentations associées au hasard, cela n'a rien d'impossible; mais ce que l'on a interprété comme tel dans les psychonévroses s'explique toujours par l'action de la censure sur une suite de pensées qui est poussée au premier plan par des représentations-but restées cachées (1). On a considéré comme une preuve irréfutable de l'existence d'associations libres de représentations-but le fait que des représentations ou des images pouvaient être unies « superficiellement », c'est-à-dire par assonance, double sens d'un mot, rencontre dans le temps sans rapport profond de signification, tous procédés qu'utilisent les traits d'esprit et les jeux de mots. Ces indications sont justes pour ce qui concerne les liaisons de pensées qui conduisent des éléments du contenu du rêve aux pensées intermédiaires et de celles-ci aux pensées mêmes du rêve; nous en avons trouvé, lors de nos analyses, d'étranges exemples. Il n'y avait pas de lien si lâche, de plaisanterie si rebutante qu'ils ne pussent servir à passer d'une pensée à l'autre. Mais on voit aisément d'où vient cette indulgence. *Chaque fois qu'un élément psychique est lié à un autre par une association choquante ou superficielle, il y a*

(1) Cf. une confirmation éclatante de cette supposition donnée par C. G. JUNG à propos de la démence précoce (*Zur Psychologie der Dementia praecox*, 1907).

entre les deux un lien naturel et profond soumis à la résistance de la censure.

Les associations superficielles dominent à cause de la pression de la censure et non parce que les représentations-but font défaut. Dans la figuration, les associations superficielles remplacent les profondes quand la censure rend ces voies normales impraticables. C'est comme lorsqu'une inondation rend les bonnes routes de la montagne inutilisables : on continue à circuler, mais par les sentiers abrupts et incommodes que seuls les chasseurs prennent d'ordinaire.

On peut ici distinguer deux cas, qui au fond n'en forment qu'un. Ou la censure ne s'attaque qu'au lien entre deux pensées qui, isolées, lui échappent. En ce cas les deux pensées apparaissent successivement dans la conscience; leur enchaînement reste caché; en revanche nous saisissons entre les deux une liaison superficielle à laquelle nous n'aurions jamais pensé et qui en général part d'un point du complexe représentatif tout différent de celui auquel se rattache la liaison essentielle réprimée. Ou les deux pensées sont soumises à cause de leur contenu à la censure; en ce cas elles n'apparaissent pas sous leur forme véritable, mais sous une forme modifiée, qui remplace la première, et les deux pensées qui les remplacent sont choisies d'une manière telle qu'une association superficielle entre elles traduit la liaison essentielle de celles qu'elles représentent. *Dans les deux cas, sous la pression de la censure, il y a eu déplacement, passage d'une association normale et sérieuse à une association superficielle et d'apparence absurde.*

C'est parce que nous sommes au fait de ces déplacements que nous pouvons nous fier sans inquiétude aux associations même superficielles (1).

La psychanalyse des névroses met largement à profit

---

(1) Ces indications valent naturellement aussi pour le cas où les associations superficielles apparaissent sous leur forme la plus simple dans le contenu du rêve, comme par exemple dans les deux rêves de MAURY, cités p. 60 (pèlerinage — Pelletier — pelle ; kilomètre — kilogramme — Gilolo — Lobelia — Lopez — loto). Mes travaux sur les névropathes m'ont appris quelle est l'espèce de réminiscences qui se présente ainsi. Il s'agit de recherches dans des encyclopédies ou dans des dictionnaires, où les malades ont essayé de trouver, à l'époque de leur puberté le plus souvent, l'explication des problèmes qui excitaient leur curiosité sexuelle.

les deux règles que nous avons indiquées : elle sait que, quand nous renonçons aux représentations-but conscientes, ce sont les représentations-but cachées qui dirigent le cours de nos représentations; et que les associations superficielles ne font que se substituer, grâce au déplacement, aux associations réprimées profondes. Ces deux règles constituent la base de notre technique. Lorsque je demande à un malade de ne pas réfléchir et de me dire tout ce qui lui passe par la tête, je pose en principe qu'il garde dans l'esprit les représentations-but du traitement, et je considère que je dois trouver un rapport entre les choses en apparence les plus innocentes et les plus fortuites qu'il pourra me dire et son état. Il y a une autre représentation-but que le malade ne soupçonne pas : c'est la personne de son médecin. La technique psychanalytique doit, pour ses buts thérapeutiques, comprendre toute la portée de ces règles fondamentales et en rechercher toutes les applications possibles.

Nous voici parvenu à l'un des points où nous devons abandonner à dessein le problème de l'interprétation (1).

Ce qu'il faut retenir des objections qui nous ont été faites, c'est qu'il n'est pas nécessaire d'attribuer au travail nocturne toutes les idées qui surgissent au cours du travail d'interprétation. Eveillés, nous refaisons le chemin qui mènera des éléments du rêve aux pensées du rêve. Le travail du rêve l'a fait en sens inverse, et il n'est pas du tout vraisemblable que ce chemin puisse être suivi dans les deux sens. Il semble bien plutôt que pendant le jour nous pratiquions par nos nouvelles liaisons d'idées des espèces de sondages qui touchent les pensées intermédiaires et les pensées du rêve tantôt ici, tantôt là. Nous voyons comment les éléments nouveaux de la journée s'intercalent dans l'interprétation, et il est vraisemblable aussi que l'augmentation, depuis la nuit, de la résistance oblige à des détours nouveaux et plus compliqués. Le nombre et le genre des pensées collatérales que nous tissons ainsi pendant le jour n'ont pas d'importance psychologique, l'essentiel est qu'elles nous conduisent vers les pensées du rêve que nous recherchons.

---

(1) Les principes que j'expose ici, et qui ont d'abord paru bien invraisemblables, ont depuis été prouvés expérimentalement et mis en valeur par les *Diagnostische Assoziationsstudien* de JUNG et de ses élèves.

II. — LA RÉGRESSION

Maintenant que nous nous sommes défendu contre les objections que l'on pourrait nous faire, ou que du moins nous avons laissé entrevoir nos moyens de défense, il s'agit d'entreprendre la recherche psychologique à laquelle nous nous sommes préparé dès longtemps. Réunissons les principaux résultats obtenus jusqu'ici. Le rêve est un acte psychique complet; sa force pulsionnelle est toujours un désir à accomplir; sa non-reconnaissance en tant que désir, ses bizarreries et ses absurdités multiples proviennent de la censure psychique qu'il a subie lors de sa formation. En dehors de l'obligation d'échapper à cette censure, ont encore contribué à sa formation l'obligation de condenser le matériel psychique, une considération de sa figurabilité par des images sensorielles et — bien qu'irrégulièrement — la préoccupation de donner à l'ensemble un aspect rationnel et intelligible. Chacun de ces principes mène à des postulats et à des conjectures de caractère psychologique; il faut examiner les relations opposées du motif du désir et des quatre conditions du rêve, ainsi que les relations que celles-ci ont entre elles; il faut insérer le rêve dans l'enchaînement de la vie psychique.

Nous avons placé, au début de ce chapitre, un rêve qui doit nous rappeler une énigme encore non résolue. L'interprétation du rêve de l'enfant qui brûle, que nous n'avons pas, il est vrai, poussée jusqu'au bout, ne nous a pas paru difficile. Mais nous nous sommes demandé pourquoi il y avait eu rêve et non réveil immédiat, et nous avons reconnu que le motif du rêve était le désir de représenter l'enfant encore vivant. Nous verrons un peu plus loin qu'un autre désir encore a joué ici un rôle. C'est donc tout d'abord en vue de l'accomplissement du désir que la pensée du sommeil est devenue un rêve.

Si l'on supprimait ce but, une seule différence subsisterait entre les deux espèces de processus psychiques. Les pensées du rêve auraient été : Je vois une vive lumière dans la chambre mortuaire, un cierge est peut-être tombé et l'enfant brûle ! Le rêve reproduit sans changement le résultat de cette réflexion, mais le représente par une scène que l'on considère comme actuelle et que les sens saisissent comme un événement de veille. Mais c'est bien là son caractère le plus général et le plus frappant : une pensée, le plus souvent une pensée de désir, est objectivée, mise en scène, vécue.

Comment s'expliquer cette particularité du travail du rêve, ou, plus modestement, comment la faire entrer dans l'enchaînement des processus psychiques ?

Si on serre l'analyse de plus près, on reconnaîtra dans les manifestations du rêve deux caractères presque indépendants l'un de l'autre. L'un est la figuration de la scène comme actuelle et avec omission du « peut-être »; l'autre la transformation de la pensée en images visuelles et en discours.

La transformation qu'éprouvent les pensées du rêve par le fait que l'attente qu'elles expriment est mise au présent frappe moins dans ce rêve que dans d'autres. Cela vient du rôle particulier et accessoire, ce qui est contraire à l'habitude, qu'y joue l'accomplissement du désir. Prenons un autre rêve où le désir ne fait que poursuivre dans le sommeil la pensée de la veille, par exemple le rêve de l'injection faite à Irma. La pensée qui parvient à être figurée est un souhait : je voudrais bien qu'Otto fût responsable de la maladie d'Irma. Le rêve refoule le souhait et le remplace par une affirmation actuelle : c'est Otto qui est responsable de la maladie d'Irma. Voilà donc la première transformation que même un rêve qui ne déforme pas fait subir à la pensée. Ne nous y attardons pas. Il suffit de la rapprocher du fantasme conscient du rêve diurne qui fait de même avec son contenu représentatif. Le héros de Daudet, M. Joyeuse, errant dans les rues de Paris pendant que ses filles croient qu'il a une situation et qu'il est à son bureau, rêve de même que, grâce à de hautes protections, il a obtenu un emploi : ce rêve diurne est au présent. C'est de la même manière et au même titre que le rêve se sert de ce temps. Le présent est le temps où l'on représente le souhait comme accompli.

Le second caractère en revanche n'apparaît pas dans le rêve diurne; c'est dans le rêve seulement que le contenu représentatif n'est pas pensé, mais est transformé en images sensibles, auxquelles on ajoute foi et que l'on croit vivre. Disons aussitôt que tous les rêves ne présentent pas cette transformation des représentations en images sensorielles;

certains sont faits de pensées uniquement tout en étant,
par essence, des rêves, tel mon rêve : « *Autodidasker* » et
le fantasme diurne au sujet du Pr N..., qui ne contient guère
plus d'éléments sensoriels que les pensées de la veille qui lui
auraient correspondu. De même, on peut trouver dans tous
les rêves un peu longs des éléments qui n'ont pas été trans-
formés en images, qui sont simplement pensés ou conscients,
comme pendant la veille. Il faut dire de plus que cette sorte
de transformation n'est pas particulière au rêve, mais apparaît également dans les hallucinations, les visions qui peuvent survenir indépendamment même chez des normaux
ou celles que l'on constate dans les psychonévroses. Bref,
le caractère que nous étudions ici n'est nullement exclusif,
mais il est de fait que, partout où il apparaît, il tient la première place, de sorte que nous ne pouvons imaginer le
rêve sans lui. Il nécessite des explications approfondies.

Au nombre des remarques sur la théorie du rêve que
l'on peut trouver chez les auteurs, il en est une dont je
voudrais souligner ici l'intérêt comme point de départ.
Le grand Fechner, dans sa *Psychophysique* (2e partie, p. 520),
émet, après quelques considérations sur le rêve, l'hypothèse que *la scène où le rêve se meut est peut-être bien autre que
celle de la vie de représentation éveillée*; nulle autre supposition
ne permet de comprendre les particularités du rêve.

L'idée qui nous est ainsi offerte est celle d'un *lieu psychique*.
Écartons aussitôt la notion de localisation anatomique.
Restons sur le terrain psychologique et essayons seulement
de nous représenter l'instrument qui sert aux productions
psychiques comme une sorte de microscope compliqué,
d'appareil photographique, etc. Le lieu psychique corres-
pondra à un point de cet appareil où se forme l'image.
Dans le microscope et le télescope, on sait que ce sont là
des points idéaux auxquels ne correspond aucune partie
tangible de l'appareil. Il me paraît inutile de m'excuser de
ce que ma comparaison peut avoir d'imparfait. Je ne
l'emploie que pour faire comprendre l'agencement du
mécanisme psychique en le décomposant et en déterminant
la fonction de chacune de ses parties. Je ne crois pas que
personne ait encore jamais tenté de reconstruire ainsi
l'appareil psychique. L'essai est sans risque. Je veux dire
que nous pouvons laisser libre cours à nos hypothèses,
pourvu que nous gardions notre jugement critique et
que nous n'allions pas prendre l'échafaudage pour le

bâtiment lui-même. Nous n'avons besoin que de représentations auxiliaires pour nous rapprocher d'un fait inconnu, les plus simples et les plus tangibles seront les meilleures.

Représentons-nous donc l'appareil psychique comme un instrument, dont nous appellerons les parties composantes : « instances » ou, pour plus de clarté, « systèmes ». Imaginons ensuite que ces systèmes ont une orientation spatiale constante les uns à l'égard des autres, un peu comme les lentilles du télescope. Nous n'avons d'ailleurs même pas besoin d'imaginer un ordre spatial véritable. Il nous suffit qu'une succession constante soit établie grâce au fait que lors de certains processus psychiques, l'excitation parcourt les systèmes psychiques, selon un ordre temporel déterminé. Réservons-nous une possibilité : cette succession pourra être modifiée selon les processus. Pour plus de brièveté, nommons les diverses parties de l'appareil : « systèmes Ψ ».

Nous sommes d'abord frappé par le fait que l'appareil composé de ces systèmes Ψ a une direction. Toute notre activité psychique part de stimuli (internes ou externes) et aboutit à des innervations. L'appareil aura donc une extrémité sensitive et une extrémité motrice; à l'extrémité sensitive se trouve un système qui reçoit les perceptions, à l'extrémité motrice s'en trouve un autre qui ouvre les écluses de la motricité. Le processus psychique va en général de l'extrémité perceptive à l'extrémité motrice. Le schéma le plus général de l'appareil psychique serait donc à peu près celui de la figure 1.

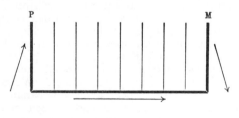

Fig. 1

Mais c'est là seulement la réalisation d'une exigence dès longtemps connue, selon laquelle l'appareil psychique serait construit comme l'appareil réflexe. Le réflexe reste le modèle de toute production psychique.

Il faut maintenant introduire une première différenciation à l'extrémité sensible. Nos perceptions laissent dans notre appareil psychique une trace, que nous pouvons appeler trace mnésique (S). Nous appelons mémoire la fonction qui s'y rapporte. Si nous voulons vraiment rattacher les processus psychiques à nos systèmes, la trace mnésique ne peut consister qu'en modifications persistantes de leurs éléments. Or, comme nous l'avons déjà dit, il est difficile qu'un seul et même système garde fidèlement des transformations de ses éléments et offre en même temps aux nouvelles possibilités de changement une réceptivité toujours fraîche. En vertu du principe qui préside à notre tentative, il nous faudra donc répartir ces deux opérations entre des systèmes différents. Nous supposerons qu'un système externe (superficiel) de l'appareil reçoit les stimuli perceptifs, mais n'en retient rien, n'a donc pas de mémoire, et que derrière ce système il s'en trouve un autre, qui transforme l'excitation momentanée du premier en traces durables. Le schéma de l'appareil psychique prendrait la forme de la figure 2.

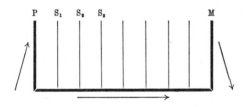

Fig. 2

On sait que, des perceptions qui agissent sur le système P, nous conservons autre chose encore que le contenu. Nos perceptions sont unies les unes aux autres dans notre mémoire et cela tout d'abord d'après leur première rencontre dans la simultanéité. Nous appelons cela le fait de l'*association*. Or, il est clair que, si le système P ne possède aucune sorte de mémoire, il ne peut non plus conserver les traces en vue de l'association; les divers éléments de P pourraient difficilement remplir leur fonction, si un reste d'association antérieure devait entraver la nouvelle perception. Il nous faut donc chercher le fondement de l'association plutôt dans les systèmes de souvenirs. Le fait de l'association consisterait alors en ceci : par suite des diminutions de résistance et de l'ouverture (du frayage) de l'un des éléments S, l'excitation se transmet plutôt à un second des éléments S qu'à un troisième.

Une étude plus attentive révèle la nécessité d'admettre, non pas un, mais plusieurs de ces systèmes S dans lesquels la même excitation, transmise par les éléments P, se trouve fixée de façons différentes. Le premier de ces systèmes S fixera l'association par simultanéité; dans les systèmes plus éloignés, ce même matériel, d'excitation sera rangée selon des modes différents de rencontre, de façon, par exemple, que ces systèmes ultérieurs représentent des rapports de ressemblance, ou autres. Il serait oiseux, évidemment, de vouloir indiquer en paroles la signification psychique d'un tel système. Sa caractéristique serait l'étroitesse de ses relations avec les matières premières du souvenir, c'est-à-dire, si nous voulons évoquer une théorie plus profonde, les dégradations de la résistance dans le sens de ces éléments.

Une remarque de nature générale qui peut avoir d'importantes implications s'impose ici. Le système P, qui n'a pas la capacité de retenir des modifications et est donc dépourvu de mémoire, donne à notre conscience toute la multiplicité des qualités sensibles. Inversement, nos souvenirs, y compris les plus profondément gravés en nous, sont par nature inconscients. Ils peuvent être rendus conscients; mais on ne saurait douter qu'ils déploient tous leurs effets à l'état inconscient. Ce que nous appelons notre caractère repose sur des traces mnésiques de nos impressions; et ce sont précisément les impressions qui ont agi le plus fortement sur nous, celles de notre première jeunesse, qui ne deviennent presque jamais conscientes. Mais si des souvenirs redeviennent conscients, ils ne témoignent d'aucune qualité sensible ou d'une très faible seulement en comparaison avec les perceptions. Si maintenant nous trouvions confirmation de ce fait que *la mémoire et la qualité qui caractérise la conscience s'excluent l'une l'autre dans les systèmes* Ψ, nous aurions des aperçus gros de promesses sur les conditions de l'excitation des neurones (1).

---

(1) J'ai suggéré depuis que la conscience apparaît à la place de la trace mnésique (v. *Notiz über den Wunderblock*, 1925 ; *Ges. Werke*, t. XIV).

Dans ce que nous avons admis jusqu'ici au sujet de la composition de l'appareil psychique à son extrémité sensorielle, nous n'avons fait intervenir ni le rêve, ni les explications psychologiques que l'on peut en déduire. Mais pour la connaissance d'une autre portion de l'appareil, le rêve nous devient une source d'arguments. Nous avons vu qu'il nous était impossible d'expliquer la formation du rêve, si nous ne voulions pas admettre délibérément deux instances psychiques dont l'une soumet l'activité de l'autre à sa critique, ce qui a pour conséquence de lui interdire l'accès de la conscience.

Ainsi que nous l'avons vu, l'instance qui critique est en relation plus étroite avec la conscience que l'instance critiquée. Elle se dresse comme un écran entre celle-ci et la conscience. Nous avons trouvé quelques points de repère nous permettant d'identifier l'instance qui critique avec le principe directeur de notre vie éveillée, le même qui décide de nos actions volontaires et conscientes. Si nous remplaçons ces instances par des systèmes dans le sens de nos hypothèses, le système chargé de la critique se trouve amené à la suite de ce que nous avons vu à l'extrémité motrice. Introduisons maintenant nos deux systèmes dans notre schéma et exprimons par les noms que nous leur donnerons leur relation avec la conscience (v. fig. 3).

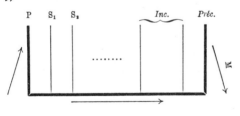

Fig. 3

Nous appellerons *préconscient* le dernier des systèmes à l'extrémité motrice, pour indiquer que de là les phénomènes d'excitation peuvent parvenir à la conscience sans autre délai, si certaines autres conditions sont remplies, par exemple un certain degré d'intensité, une certaine distribution de la fonction que nous appelons attention.

C'est, en même temps, le système qui contient les clefs de la motilité volontaire.

Nous donnerons le nom d'*inconscient* au système placé plus en arrière : il ne saurait accéder à la conscience, *si ce n'est en passant par le préconscient*, et durant ce passage le processus d'excitation devra se plier à certaines modifications (1).

Dans lequel de ces systèmes allons-nous situer l'impulsion à former un rêve ? Disons pour simplifier : dans le système *inconscient* (2). Nous verrons ultérieurement que ce n'est pas tout à fait exact, que la formation du rêve est forcée de s'attacher à des pensées de rêve qui appartiennent au système du *préconscient*. Mais nous apprendrons ailleurs, quand nous traiterons du désir du rêve, que la force pulsionnelle du rêve est fournie par l'*inconscient*, et, à cause de ce dernier élément, nous admettrons que c'est le système inconscient qui est le point de départ de la formation du rêve. De là, l'excitation tendra comme tous les autres faits de pensée à se prolonger dans le *préconscient* et à parvenir par ce relais à la *conscience*.

L'expérience nous enseigne que pendant le jour ce chemin menant à la conscience à travers le préconscient est interdit aux pensées du rêve par la censure provenant de la résistance. Elles y ont accès pendant la nuit, mais la question se pose de savoir par quelle voie et au moyen de quelles transformations. S'il s'agissait là d'une diminution de la résistance qui veille à la limite de l'inconscient et du préconscient, nous aurions des rêves faits du matériel de nos représentations et qui n'auraient pas le caractère hallucinatoire qui nous intéresse en ce moment.

L'abaissement de la censure entre les deux systèmes inconscient et préconscient ne peut donc nous expliquer que des formations de rêve du genre « *Autodidasker* », mais non pas des rêves comme celui de l'enfant qui brûle que nous nous sommes posé comme problème au seuil de cette étude.

Nous ne pouvons décrire la marche du rêve hallucinatoire autrement qu'en disant : l'excitation suit une voie *rétrograde*. Au lieu de se transmettre vers l'extrémité motrice

---

(1) Le développement ultérieur de ce schéma déroulé linéairement devra tenir compte de notre supposition que le système succédant au *préconscient* est celui à qui nous devons attribuer la *conscience* et qu'ainsi P = C.

(2) [N. d. T.] : dans tout le reste du chapitre Freud utilisera l'abréviation *Ubw* pour inconscient *(Unbewusste)* *Vbw* pour préconscient *(Vorbewusste)*.

de l'appareil, elle se transmet vers son extrémité sensorielle et arrive finalement au système des perceptions. Si nous appelons « *progrédiente* » la direction dans laquelle se propage le processus psychologique au sortir de l'inconscient dans l'état de veille, nous sommes en droit de dire du rêve qu'il a un caractère « *régrédient* » (1).

Cette *régression* est certainement une des particularités psychologiques du processus du rêve; mais il ne nous faut pas oublier qu'elle n'est pas l'apanage du rêve. Le souvenir intentionnel, la réflexion et d'autres processus particuliers de notre pensée normale correspondent aussi à la marche en arrière, dans notre appareil psychique, de quelque acte complexe de représentation vers la matière première de traces mnésiques qui est à sa base. Mais pendant la veille, ce retour en arrière ne va jamais au-delà des images mnésiques; il n'a pas le pouvoir de faire revivre de façon hallucinatoire les images de perception. Pourquoi en est-il autrement dans le rêve ? Quand nous avons parlé du travail de condensation dans le rêve, nous n'avons pu nous dérober à l'hypothèse qu'au cours du travail du rêve les intensités inhérentes aux représentations sont entièrement transférées de l'une à l'autre. C'est probablement cette modification du processus psychique habituel qui permet d'investir le système de la perception jusqu'à la pleine vivacité sensorielle, en suivant une marche inverse, à partir des pensées.

Nous sommes très loin de nous faire illusion sur la portée de ces considérations. Nous n'avons fait que donner un nom à un phénomène inexplicable. Nous appelons régression le fait que dans le rêve la représentation retourne à l'image sensorielle d'où elle est sortie un jour. Mais cette attitude même exige une justification. A quoi bon donner des noms si nous n'apprenons rien de nouveau ? C'est que, à mon avis, le nom de « régression » nous est utile en ce sens qu'il rattache le fait connu au schéma d'un appareil psychique doué d'une direction. Et c'est ici que notre schéma va servir.

(1) La première indication de ce phénomène de régression se trouve déjà chez ALBERT LE GRAND. L'imagination, dit-il, bâtit le rêve avec les images qu'elle a conservées des objets sensibles. Le processus se déroule en sens inverse de celui de la vie éveillée. (Cité d'après DIEPGEN, p. 14.) Et HOBBES dit (dans le *Leviathan*, 1651) : « In sum, our dreams are the reverse of our waking imaginations, the motion, when we are awake, beginning at one end, and when we dream at another. » (D'après H. ELLIS, p. 112.)

Car il nous expliquera une autre particularité de la formation du rêve. Si nous considérons le rêve comme une régression à l'intérieur de l'appareil psychique tel que nous le concevons, nous pourrons comprendre par là même que tout processus de relation dans les pensées du rêve se perd au cours du travail du rêve ou ne s'exprime que péniblement. Les processus de relation sont contenus, d'après notre schéma, non dans les premiers systèmes S, mais dans d'autres situés plus en avant, et dans la régression ils sont dépouillés de leur expression : il ne subsiste que les images de perception. *L'assemblage des pensées du rêve se trouve désagrégé au cours de la régression et ramené à sa matière première.*

Mais quel changement va permettre une régression impossible pendant le jour ? Ici nous nous en tiendrons à des hypothèses. Il doit s'agir probablement de changements dans les investissements d'énergie à l'intérieur des différents systèmes qui deviennent alors plus ou moins praticables pour la marche de l'excitation; mais dans chacun de ces appareils, le même effet peut être atteint de diverses manières. On pense naturellement aussitôt à l'état de sommeil et aux changements d'investissement qu'il provoque à l'extrémité sensorielle de l'appareil. Pendant le jour, il y a un courant continu du système Ψ de la perception vers la motilité; ce courant s'arrête la nuit et ne pourrait opposer aucun obstacle à un courant régressif de l'excitation. Ce serait là « la coupure d'avec le monde extérieur » qui, dans la théorie de certains auteurs, doit expliquer les caractères psychologiques du rêve (cf. p. 53). En fait, il faudra, pour expliquer la régression du rêve, tenir compte d'autres régressions : celles qui se produisent dans les états de veille morbides. Pour ces formes, l'opinion que nous venons d'indiquer ne nous est naturellement d'aucun secours. La régression a lieu malgré un courant sensoriel continu dans le sens « progrédient ».

Pour les hallucinations de l'hystérie, de la paranoïa, pour les visions des normaux, je puis donner une explication : elles correspondent effectivement à des régressions, c'est-à-dire qu'elles sont des pensées transformées en images, et seules subissent cette transformation les pensées qui sont en relations intimes avec des souvenirs réprimés ou demeurés inconscients. Par exemple, un de mes plus jeunes hystériques, un enfant de douze ans, ne peut s'endormir, terrifié par « *des visages verts avec des yeux rouges* ». La source de ce phénomène est le souvenir réprimé, mais autrefois conscient, d'un enfant qu'il voyait souvent il y a quatre ans et qui lui offrait l'image repoussante de nombreuses mauvaises habitudes d'enfant, entre autres de l'onanisme, qu'il se reproche à lui-même maintenant de façon rétrospective. La maman avait remarqué à cette époque que cet enfant mal élevé avait le teint *verdâtre* et *des yeux rouges* (c'est-à-dire cernés de rouge). D'où l'image terrifiante, qui d'ailleurs devait uniquement servir à lui rappeler une autre prédiction de sa mère : elle disait que de tels enfants deviennent idiots, ne peuvent rien apprendre à l'école et meurent de bonne heure. Notre petit malade laisse une partie de la prédiction se réaliser : il n'avance pas au lycée, et, comme le montrent ses déclarations involontaires, il a une peur horrible que la seconde partie ne se réalise aussi. Le traitement a d'ailleurs bientôt de bons résultats : il dort, perd son anxiété et a des prix à la fin de l'année scolaire.

Je puis y joindre l'histoire de la disparition d'une vision que m'a racontée une hystérique âgée de quarante ans et qui datait de l'époque où elle se portait bien. Un matin, elle ouvre les yeux et voit dans sa chambre son frère, qu'elle savait pourtant être dans un asile d'aliénés. Son petit enfant dort dans le lit à côté d'elle. Pour que l'enfant ne vienne pas *à s'effrayer* et n'ait pas une crise de *convulsions* s'il aperçoit *son oncle*, elle tire sur lui la *couverture*, et alors la vision s'évanouit. La vision n'est que le remaniement d'un souvenir d'enfance de cette dame, qui sans doute était conscient, mais qui avait dans son inconscient de très profondes racines. Sa bonne avait raconté autrefois à la malade que sa mère, morte de très bonne heure (la malade était âgée, à cette époque, d'un an et demi seulement), avait souffert de *convulsions* épileptiques ou hystériques, et cela à la suite d'une frayeur que son frère (*l'oncle* de ma malade) lui causa un jour où il s'était déguisé en revenant avec une *couverture* sur la tête. La vision contient les mêmes éléments que le souvenir : l'apparition du frère, la couverture, la frayeur et sa conséquence. Mais ces éléments sont arrangés dans un nouvel ensemble et appliqués à d'autres personnes. Le motif évident de la vision, la pensée qu'elle remplace, est la crainte que le petit enfant, ressemblant physiquement à son oncle, ne partage le sort de celui-ci.

Les deux exemples cités ici ne sont pas dégagés de toute
relation avec l'état de sommeil et donc peut-être peu
propres à fournir la démonstration que je cherche. C'est
pourquoi je renvoie à mon analyse d'un cas de paranoïa
hallucinatoire (1) et aux résultats de mes recherches, non
encore publiées, sur la psychologie des psychonévroses,
qui montrent que, dans tous ces cas de transformation
régressive des pensées, il ne faut pas négliger l'influence
d'un souvenir réprimé ou demeuré inconscient, remontant
le plus souvent à l'enfance. Ce souvenir entraîne pour
ainsi dire la pensée à laquelle il est lié — pensée que la
censure empêche de s'exprimer — vers la régression, dont
il porte lui-même l'empreinte. Je puis indiquer ici un résultat de mes études sur l'hystérie : les scènes infantiles (souvenirs ou fantasmes), quand on réussit à les rendre conscientes, sont vues de manière hallucinatoire et ne perdent
ce caractère qu'après avoir été racontées. C'est également
un fait connu que, chez des personnes qui par ailleurs
n'ont pas de mémoire de type visuel, les premières impressions d'enfance conservent jusqu'à un âge avancé le caractère de vivacité sensorielle.

Si l'on se souvient du rôle qui revient aux événements
de l'enfance ou aux fantasmes fondés sur ces événements
dans les pensées du rêve; si l'on se rappelle combien de
fois des fragments de ces faits surgissent à nouveau dans
le contenu du rêve, que de fois les désirs du rêve eux-mêmes
en sont dérivés, on ne trouvera pas invraisemblable l'hypothèse suivante : la transformation des pensées en images
visuelles peut être une suite de l'attraction que le souvenir
visuel qui cherche à reprendre vie exerce sur la pensée
séparée de la conscience et avide de s'exprimer. D'après
cette conception, le rêve serait un *substitut d'une scène infantile modifié par le transfert dans un domaine récent*. La scène
infantile ne peut réaliser sa propre réapparition; elle doit
se contenter de revenir en tant que rêve.

En mettant en avant l'importance en quelque sorte
exemplaire des scènes infantiles (ou de leurs répétitions
en forme de fantasme) pour le contenu du rêve, nous
rendons superflue une des hypothèses de Scherner et de
ses disciples sur les sources internes de stimulation. Scherner

(1) Weitere Bemerkungen Über die Abwehr-Neuropsychosen, *Neurologisches Zentralblatt*, 1896, n° 10 (*Ges. Werke*, Bd. I).

admet un état de « stimulus visuel », c'est-à-dire d'excitation interne de l'appareil visuel dans les cas où l'on reconnaît dans les rêves une vivacité ou une richesse particulières des éléments visuels. Nous n'avons pas à nous élever contre cette hypothèse; nous nous contenterons d'admettre un tel état d'excitation uniquement pour le système psychique de la perception visuelle; mais nous montrerons que cet état d'excitation est un produit du souvenir, la reviviscence d'une excitation visuelle réelle. Je n'ai à ma disposition aucun exemple tiré de ma propre expérience pour illustrer cette influence du souvenir infantile; d'une façon générale mes rêves sont moins riches en éléments sensoriels qu'ils ne me paraissent l'être chez d'autres; mais dans mon rêve le plus beau et le plus vif de ces dernières années, il m'est facile de ramener la netteté hallucinatoire du contenu du rêve à des qualités sensorielles d'impressions récentes que j'ai eues peu auparavant. J'ai mentionné page 395 un rêve au cours duquel la couleur bleu sombre de l'eau, le brun de la fumée sortant de la cheminée d'un bateau et le brun ou rouge foncé des bâtiments que je voyais firent sur moi une impression profonde et durable. Si jamais rêve dut être interprété comme résultant d'un « stimulus visuel », c'était bien celui-là. Et qu'est-ce qui avait mis mes organes visuels dans cet état de stimulation ? Une impression récente, qui s'associait à toute une série d'impressions antérieures. Les couleurs que je voyais étaient d'abord celles de la boîte de constructions avec laquelle les enfants avaient bâti un édifice grandiose le jour avant mon rêve, pour me le faire admirer. Il y avait là le même rouge sombre sur les grosses pierres, le bleu et le brun sur les petites. Il s'y joignait les impressions colorées de mon dernier voyage en Italie, le beau bleu de l'Isonzo et des lagunes, le brun des montagnes du Karst. La splendeur colorée du rêve n'était qu'une répétition de celle que j'avais vue dans le souvenir.

Résumons ce que nous avons appris sur la faculté propre au rêve de refondre son contenu représentatif en images sensorielles. Nous n'avons pas, le moins du monde, expliqué ce caractère du travail du rêve, nous ne l'avons pas ramené à des lois connues de la psychologie. Nous l'avons pris à part comme nous fournissant des indices de réalités inconnues et nous avons marqué sa tendance propre par le terme de caractère « *régrédient* ». Nous avons émis l'opinion que cette régression est sans doute, partout où elle se manifeste, un effet de la résistance qui empêche la pensée d'accéder à la conscience par la voie normale, et est un effet de l'attraction concomittante qu'exercent sur elle des souvenirs qui ont gardé une grande vivacité sensorielle (1).

Dans le cas des rêves, la régression est peut-être aussi facilitée par la cessation du courant « progrédient » qui, le jour, s'écoule des organes des sens; dans les autres cas de régression, un renforcement des autres motifs de régression doit tenir lieu de cette facilitation. Il faut noter aussi que, dans ces formes pathologiques de la régression, aussi bien que dans le rêve, le transfert d'énergie doit être différent de ce qu'il est dans la régression normale, puisqu'il aboutit à un investissement hallucinatoire total des systèmes perceptifs. Ce que nous avons dit, en analysant le travail du rêve, la prise en considération de la figurabilité, pourrait être mis en réalité sur le compte d'une *attraction sélective* qu'exercent, au contact des pensées du rêve, des évocations visuelles vives.

Nous remarquerons encore, au sujet de la régression, qu'elle joue dans la théorie de la formation des symptômes névrotiques un rôle aussi important que dans la théorie du rêve.

On peut distinguer trois sortes de régression : *a)* une régression *topique* dans le sens du système Ψ exposé ici; *b)* une régression *temporelle* quand il s'agit d'une reprise de formations psychiques antérieures; *c)* une régression *formelle* quand des modes primitifs d'expression et de figuration remplacent les modes habituels. Ces trois sortes de régression n'en font pourtant qu'une à la base et se rejoignent dans la plupart des cas, car ce qui est plus ancien dans le temps est aussi primitif au point de vue formel et est situé dans la topique psychique le plus près de l'extrémité de perception.

Nous ne voulons pas abandonner le thème de la régression dans le rêve sans dire un mot d'une impression qui s'est déjà imposée à nous à diverses reprises et qui sera renforcée

(1) Dans un exposé de la théorie du refoulement, il faudrait montrer qu'une pensée est refoulée par suite de l'action combinée de deux facteurs qui influent sur elle. Elle est repoussée d'un côté (par la censure de la conscience), attirée de l'autre (par l'inconscient) comme les gens qui atteignent le sommet de la grande pyramide. (Cf. mon étude *Die Verdrängung, Ges. Werke*, t. X.)

encore par l'étude des psychonévroses : le rêve est en somme comme une régression au plus ancien passé du rêveur, comme une reviviscence de son enfance, des motions pulsionnelles qui ont dominé celle-ci, des modes d'expression dont elle a disposé. Derrière cette enfance individuelle, nous entrevoyons l'enfance phylogénétique, le développement du genre humain, dont le développement de l'individu n'est en fait qu'une répétition abrégée, influencée par les circonstances fortuites de la vie. Nous pressentons toute la justesse des paroles de Nietzsche, disant que « dans le rêve se perpétue une époque primitive de l'humanité, que nous ne pourrions guère plus atteindre par une voie directe » ; nous pouvons espérer parvenir, par l'analyse des rêves, à connaître l'héritage archaïque de l'homme, à découvrir ce qui psychiquement est inné. Il semble que rêve et névrose nous aient conservé de la préhistoire de l'esprit bien plus que nous ne pouvions supposer, si bien que la psychanalyse est en droit de réclamer un rang élevé parmi les sciences qui s'efforcent de reconstruire les phases les plus anciennes et les plus obscures des origines de l'humanité.

Cette première partie de notre utilisation psychologique du rêve ne paraît peut-être pas entièrement satisfaisante. Consolons-nous en pensant que nous sommes obligé de poser dans les ténèbres les fondements de notre édifice. Si nous ne nous sommes pas égaré complètement, nous pourrons, en partant d'un nouveau point de vue, aboutir à des résultats analogues et qui, cette fois, paraîtront peut-être plus clairs.

III. — L'ACCOMPLISSEMENT DE DÉSIR

Le rêve de l'enfant qui brûle nous est une excellente occasion de reconnaître les difficultés auxquelles se heurte la théorie de l'accomplissement de désirs. Nous avons à coup sûr été très surpris d'apprendre que le rêve n'était rien d'autre que l'accomplissement de désirs, et pas seulement à cause de la contradiction qu'apporte, à cette théorie, le cauchemar.

Après que l'analyse nous eut appris que derrière le rêve

se cachent un sens et une valeur psychique, nous ne nous attendions nullement à voir ce sens interprété de façon unilatérale. Selon la définition exacte, mais sommaire, d'Aristote, le rêve est la pensée continuée dans le sommeil, pour autant que l'on dorme. Mais d'où vient que notre pensée, qui crée pendant le jour des actes psychiques si divers : jugements, raisonnements, réfutations, attentes, projets, etc., soit forcée pendant la nuit de s'en tenir uniquement à la production de désirs ? N'y a-t-il pas plutôt beaucoup de rêves qui peuvent montrer un acte psychique d'une autre sorte, par exemple une crainte, transformé en rêve. Le rêve du père, cité plus haut, rêve tout particulièrement transparent, n'est-il pas de cette nature ? De la lueur qui pendant son sommeil frappe ses yeux, il tire cette conclusion angoissée qu'un cierge s'est renversé et a pu brûler le cadavre. Il transforme cette conclusion en un rêve, en l'introduisant dans une situation qui frappe les sens et en la mettant au présent. Quel rôle joue dans ce rêve l'accomplissement des désirs ? Peut-on ne pas y voir le rôle prépondérant de la pensée qui persiste de la veille ou que stimule une impression sensorielle nouvelle ?

Tout cela est exact et nous oblige à étudier de plus près le rôle de l'accomplissement de désirs dans le rêve et la signification des pensées de la veille qui se prolongent dans le sommeil.

C'est précisément à propos de l'accomplissement de désirs que nous avons déjà été amené à diviser les rêves en deux groupes. Nous avons trouvé des rêves qui se donnaient ouvertement pour des accomplissements de désirs; d'autres où cet accomplissement était méconnaissable, souvent dissimulé par tous les moyens. Dans ces derniers, nous reconnaissions les effets de la censure du rêve. C'est chez les enfants que nous avons découvert les rêves de désir les moins déformés; des rêves de désir *courts* et sincères *paraissaient* — j'insiste sur cette réserve — se produire aussi chez les adultes.

Nous pouvons nous demander maintenant d'où vient chaque fois le désir qui se réalise dans le rêve. Mais d'abord à quel contraste ou à quelle diversité appliquons-nous cette question d'origine ? Je pense : au contraste entre la vie diurne devenue consciente et une activité psychique inconsciente qui ne se manifeste que pendant la nuit. De ce point de vue, l'origine du désir pourrait revêtir les trois aspects suivants : 1º le désir peut avoir été suscité pendant le jour et n'avoir pu se satisfaire par suite de circonstances extérieures; il reste alors pour la nuit un désir reconnu et qui n'a pas été accompli; 2º le désir peut avoir surgi pendant le jour, mais avoir été rejeté; il nous reste alors un désir non accompli, mais réprimé; 3º le désir peut être sans relations avec la vie du jour et appartenir à cette catégorie de désirs toujours réprimés qui ne s'agitent en nous que la nuit. Si nous reprenons notre schéma de l'appareil psychique, nous localiserons un désir de la première espèce dans le système préconscient; pour le désir de la deuxième espèce, nous admettons qu'il a été refoulé du système préconscient dans l'inconscient et que, s'il est conservé quelque part, ce ne peut être que là; et quant au désir de la troisième espèce nous croyons qu'il ne peut en aucun cas dépasser le système inconscient.

Faut-il dire maintenant que les désirs provenant de ces diverses sources possèdent la même valeur pour le rêve, le même pouvoir de provoquer un rêve ?

Un coup d'œil sur les rêves dont nous disposons pour répondre à cette question nous avertit tout d'abord qu'il faut ajouter, comme quatrième source du désir qui s'exprime dans le rêve, les impulsions de désirs *(Wunsch-regungen)* actuelles se produisant au cours de la nuit (par exemple la soif, le besoin sexuel). L'examen de ces cas nous incline à penser que, d'une façon générale, l'origine du désir ne modifie en rien sa faculté de provoquer un rêve. — Je rappelle, pour illustrer les désirs de la première espèce, le rêve de la petite fille, qui prolonge la promenade sur le lac interrompue pendant le jour, et tous les rêves analogues des enfants; ils s'expliquent par un désir diurne qui n'a pas été exaucé, mais qui n'était pas réprimé. — Les exemples de désirs réprimés pendant le jour et se manifestant en rêve (type 2) sont innombrables; en voici un très simple. Une dame un peu railleuse répond, à une jeune amie qui vient de se fiancer et qui lui demande ce qu'elle pense du jeune homme, par des louanges sans réserve; ce faisant, elle impose silence à son jugement, car elle aurait volontiers dit la vérité : « C'est un homme comme on en trouve à la douzaine. » La nuit, elle rêve que la même question lui est posée et qu'elle répond par la formule : « *Pour toute commande ultérieure, il suffit d'indiquer le numéro.* » — Enfin, nos analyses précédentes nous ont déjà montré des exemples nombreux de rêves déformés où le désir vient de l'inconscient et n'a pu être perçu pendant le jour. Ainsi, au premier abord, tous les désirs ont la même valeur, la même force pour la formation du rêve.

Je ne puis ici démontrer qu'il n'en est pas tout à fait ainsi, mais je suis porté à admettre, pour le désir exprimé par le rêve, une détermination plus étroite. Il est incontestable que, chez l'enfant, un désir non satisfait pendant le jour peut provoquer le rêve; mais il ne faut pas oublier la force qu'ont ces désirs d'enfant. Je doute fort que, chez l'adulte, un désir non satisfait pendant le jour suffise à susciter un rêve. Il me semble plutôt qu'en acquérant progressivement le contrôle de notre vie pulsionnelle par notre activité intellectuelle, nous renonçons à la formation ou au maintien de désirs aussi intenses que ceux de l'enfant, parce qu'ils nous semblent vains. Sans doute, des différences individuelles peuvent jouer; tel conserve plus longtemps que tel autre le type infantile : de semblables différences interviennent aussi dans l'affaiblissement de l'imagerie nettement visuelle primitivement. Mais en général, je crois, le désir laissé inassouvi par la journée ne suffit pas chez l'adulte à créer un rêve. J'accorde volontiers que les impulsions de désirs *(Wunschregungen)* provenant de la conscience contribuent à provoquer le rêve; mais il ne se serait pas produit si le désir préconscient n'avait su se procurer un renforcement ailleurs.

C'est-à-dire dans l'inconscient. *Je me représente que le désir conscient ne suscite le rêve que lorsqu'il parvient à éveiller un autre désir, inconscient et de même teneur, par lequel il se trouve fortifié.* La psychanalyse des névroses m'a persuadé que les désirs inconscients sont toujours actifs, toujours prêts à s'exprimer, lorsqu'ils peuvent s'allier à une excitation venue du conscient et transférer sur lui leur intensité supérieure (1). En apparence, seul le désir conscient se

(1) Ils partagent ce caractère d'être indestructibles avec tous les autres actes psychiques vraiment inconscients, c'est-à-dire qui n'appartiennent qu'au système inconscient. Ces actes constituent des voies frayées une fois pour toutes, jamais hors d'usage et qui entraînent l'excitation inconsciente chaque fois qu'elle les réinvestit. Pour employer une comparaison : il n'existe pas pour eux d'autre anéantissement que pour les ombres des enfers dans l'*Odyssée*, qui s'éveillent à une nouvelle vie dès qu'elles ont bu du sang. Les phénomènes qui dépendent du système préconscient sont destructibles dans un tout autre sens. C'est sur cette différence que repose la psychothérapie des névroses.

réalise, mais un petit détail de l'aspect du rêve permet de découvrir l'auxiliaire puissant venu de l'inconscient. Ces désirs refoulés, mais toujours actifs, pour ainsi dire immortels, de notre inconscient sont, comme nous l'apprend l'étude psychologique des névroses, d'origine infantile. Ils sont, comme les Titans de la légende, écrasés depuis l'origine des temps sous les lourdes masses de montagnes que les dieux vainqueurs roulèrent sur eux : les tressaillements de leurs membres ébranlent encore aujourd'hui parfois ces montagnes. Je suis donc amené à remplacer le principe énoncé plus haut, selon lequel l'origine du désir est indifférente, par le suivant : *le désir représenté dans le rêve est nécessairement infantile*. Il provient, chez l'adulte, de l'inconscient; chez l'enfant, qui ne connaît pas encore de séparation et de censure entre le préconscient et l'inconscient ou chez qui elles ne se forment que peu à peu, c'est un désir de la veille, non assouvi et non refoulé. Je sais que cette conception ne peut être démontrée toujours, mais elle peut l'être très fréquemment et même dans des cas où l'on ne s'y attendrait point. On ne peut la réfuter de façon générale.

Je considère donc les impulsions de désirs, restes de la vie consciente de veille, comme d'importance secondaire pour la formation du rêve. Elles ne contribuent pas plus à son contenu que les sensations actives pendant le sommeil (cf. p. 205 sq.). Je suis ainsi amené à parler des impulsions et virtualités psychiques que l'activité de la veille n'a pas épuisées. Nous réussissons quelquefois à mettre un terme à cet investissement d'énergie qui est attaché à notre pensée de veille lorsque nous nous décidons à dormir. Celui qui le peut est un bon dormeur. Napoléon y excellait. Mais nous n'y parvenons pas toujours, et pas toujours complètement. Des problèmes non résolus, des soucis très pénibles, une surabondance d'impressions prolongent l'activité de la pensée pendant le sommeil et maintiennent des processus psychiques dans le système que nous avons appelé préconscient. On peut classer ces manifestations de la pensée qui se poursuit pendant le sommeil de la manière suivante : 1º ce qui durant le jour n'est pas terminé à cause d'un obstacle fortuit; 2º ce qui n'est pas résolu par suite de notre fatigue psychique; 3º ce qui pendant le jour est repoussé et réprimé; 4º ce que le travail du préconscient a, durant le jour, suscité dans notre inconscient (groupe

particulièrement important) ; 5° les impressions du jour
non liquidées parce qu'indifférentes.

Les intensités psychiques que ces restes de la vie diurne
introduisent dans le sommeil, spécialement celles du
deuxième groupe, ne doivent pas être trop sous-estimées.
Il est certain que ces excitations tendent aussi à s'exprimer
la nuit et que le sommeil rend impossible leur continuation
habituelle dans le préconscient et leur aboutissement à
la conscience. Quand nous prenons conscience normalement de notre pensée, même pendant la nuit, c'est que
nous ne dormons pas. Je ne puis indiquer ici quelles modifications exactes l'état de sommeil provoque dans le système
préconscient (1) ; mais il n'est pas douteux que la caractéristique psychologique du sommeil doive être cherchée
essentiellement dans les changements d'investissement de
ce système qui commande aussi l'accès à la motilité paralysée
dans le sommeil. Par contre, je ne connais rien dans la
psychologie du rêve qui puisse nous amener à croire que
le sommeil exerce sur la nature du système inconscient
une influence autre que secondaire. L'excitation nocturne
dans le préconscient ne trouve pas d'autre chemin que
celui pris par les désirs *(Wunschregungen)* qui viennent
de l'inconscient ; elle doit chercher un renforcement dans
l'inconscient et suivre les mêmes détours que les excitations
inconscientes. Mais quels sont les rapports des restes
diurnes préconscients avec le rêve ? Il n'est pas douteux
qu'ils pénètrent en nombre dans le rêve, qu'ils utilisent le
contenu du rêve pour s'imposer jusque pendant la nuit
à la conscience ; même ils dominent à l'occasion le contenu
du rêve, le contraignent à poursuivre le travail de la
veille. Il est également certain que les restes diurnes peuvent fort bien ne pas avoir le caractère de désirs ; mais il
est très instructif, et capital pour la théorie qui fait du
rêve un accomplissement de désir, de voir à quelles conditions ils doivent se plier pour être accueillis dans le rêve.

Prenons un des rêves cités plus haut, par exemple celui
qui me montre mon ami Otto atteint de la maladie de
Basedow (p. 234). Je suis très sensible à tout ce qui

_____

(1) J'ai tenté de pénétrer mieux les conditions du sommeil et de
l'hallucination dans mon article Metapsychologische Ergänzung zur
Traumlehre (*Intern. Zeitschr. f. Psychoan.*, IV, 1916-18, et *Ges. Werke*,
t. X).

concerne Otto et j'avais été très préoccupé la veille de sa mauvaise mine. Je suppose que ce souci m'accompagna dans mon sommeil — j'ai dû me demander ce que mon ami pouvait bien avoir —, et se traduisit par le rêve que j'ai communiqué. Le contenu de ce rêve d'une part était dépourvu de sens, et de l'autre ne correspondait à l'accomplissement d'aucun désir. Je recherchai l'origine de cette expression inadéquate du souci ressenti pendant le jour; l'analyse me la révéla. J'avais identifié Otto avec le baron L... et moi-même avec le Pr R... Pourquoi avais-je dû choisir ce substitut de la pensée diurne, il n'y avait qu'une explication à ce fait. L'identification avec le Pr R... devait constamment être présente dans mon inconscient : elle réalisait un désir infantile impérissable, la manie des grandeurs. De mauvaises pensées à l'égard de mon ami, que j'aurais sûrement repoussées pendant le jour, avaient utilisé l'occasion pour se glisser jusque dans le rêve, mais le souci de la veille était lui aussi parvenu à s'exprimer par un substitut dans le contenu du rêve. La pensée diurne qui n'était pas un désir, mais au contraire une crainte, était obligée de s'associer d'une façon quelconque à un désir infantile, maintenant, inconscient et réprimé, qui puisse la faire « naître » convenablement accommodée, il est vrai, pour la conscience. Plus ce souci était dominant, plus la liaison à établir devait être forte; entre le contenu du désir et celui du souci, il n'était pas besoin de relation — et il n'y en avait pas non plus dans notre exemple.

Il me paraît utile, pour éclairer la question que nous nous sommes posée, de rechercher ce que fait le rêve lorsqu'il se trouve en présence de pensées nettement contraires au désir : soucis fondés, méditations douloureuses, idées pénibles. On peut grouper de la manière suivante les divers aspects possibles : *A)* Le travail du rêve réussit à remplacer toutes les représentations pénibles par leurs contraires, et à réprimer les sentiments désagréables correspondants; cela produit alors un rêve de satisfaction pure, un accomplissement de désir manifeste et dont il n'y a plus rien à dire, semble-t-il. *B)* Les représentations pénibles parviennent, plus ou moins transformées, mais bien reconnaissables encore, dans le contenu manifeste; c'est le cas qui éveille des doutes sur la théorie du rêve-désir, et réclame un examen plus serré. Ces rêves à contenu pénible peuvent, ou bien être accueillis avec indifférence, ou bien apporter avec eux tout l'affect pénible qui semble correspondre à leur contenu représentatif, ou même provoquer le réveil à force d'angoisse.

L'analyse montre que ces rêves à déplaisir *(Unlusttraüme)* eux-mêmes sont la satisfaction d'un désir. Un désir inconscient et refoulé dont l'accomplissement serait ressenti par le moi du rêveur comme pénible a profité de l'occasion que lui offrait l'investissement persistant des restes diurnes pénibles, leur a prêté son appui et les a ainsi rendus capables de passer dans le rêve. Mais, tandis que dans les rêves du groupe *A* le désir inconscient coïncidait avec le désir conscient, dans ceux du groupe *B* il y a désaccord entre l'inconscient et le conscient, entre le refoulé et le moi, situation analogue à celle du conte des trois souhaits qu'une fée promet aux deux paysans d'exaucer (voir plus loin, p. 493, note). L'accomplissement du désir refoulé peut donner une satisfaction assez grande pour compenser les affects pénibles que la veille a laissés derrière elle. Le ton affectif du rêve, bien que ce dernier accomplisse à la fois un désir et une crainte, est alors « indifférent ». D'autres fois, le moi qui dort prend à l'élaboration du rêve une part plus importante : il réagit avec une violente indignation contre la tendance à satisfaire le désir refoulé et interrompt le rêve par l'angoisse. On voit donc aisément que les rêves à déplaisir et les cauchemars expriment, comme je l'ai dit, l'accomplissement d'un désir au même titre que les rêves d'apaisement pur et simple.

Les rêves à déplaisir peuvent être aussi des « *rêves de châtiment* ». Il faut avouer qu'en en reconnaissant l'existence on ajoute, d'une certaine manière, quelque chose de nouveau à la théorie du rêve. Ce que ces rêves accomplissent, c'est aussi un désir inconscient, celui d'un châtiment infligé au rêveur pour un désir défendu et refoulé. Ils se conforment à la règle que nous avons formulée, en ce sens que leur force pulsionnelle est un désir venu de l'inconscient. Mais une analyse psychologique plus poussée indique ce qui les distingue des autres rêves-désir. Dans les cas du groupe *B*, le désir inconscient, créateur du rêve, appartenait au domaine du refoulé; dans les rêves de châtiment, c'est également un désir inconscient mais qui ne vient plus du refoulé : il est du domaine du « moi ». Les rêves de châtiment révèlent donc la possibilité d'une participation encore plus active du *moi* à la formation du rêve.

D'une façon générale, le mécanisme de cette formation devient bien plus transparent lorsqu'on substitue à l'opposition du « conscient » et de l'« inconscient » celle du « moi » et du « refoulé ». Mais, pour opérer cette substitution, il faudrait entrer dans le mécanisme des psychonévroses, c'est pourquoi nous n'avons pu le faire dans ce livre. Notons ici seulement que les rêves de châtiment ne sont pas nécessairement liés à la persistance de restes diurnes pénibles. Ils naissent, au contraire, le plus souvent, semble-t-il, lorsque ces restes diurnes sont par nature des éléments de satisfaction, mais expriment des satisfactions interdites. De toutes ces pensées interdites ne parviennent dans le contenu manifeste du rêve que leur contraire, comme dans les rêves du groupe *A*. Le caractère essentiel des rêves de châtiment me paraît donc être le suivant : ce qui les produit, ce n'est pas un désir inconscient venu du refoulé (du système inconscient), mais un désir de sens contraire, réagissant contre celui-ci, désir de châtiment qui, bien qu'inconscient (plus exactement préconscient), appartient au moi (1).

Je voudrais donner ici un exemple destiné à illustrer ce qui précède et à montrer en particulier la manière dont le travail du rêve procède avec les restes d'une attente pénible de la veille.

« Début imprécis. *Je dis à ma femme que j'ai une nouvelle pour elle, quelque chose de très particulier. Elle prend peur et ne veut rien entendre ; je lui garantis quelque chose qui, au contraire, lui fera grand plaisir, et je commence à raconter que le corps d'officiers de notre fils a envoyé une somme d'argent (5 000 couronnes ?)... une histoire de récompense... partage. En même temps, je suis passé avec elle dans une petite chambre qui ressemble à un office, pour chercher quelque chose. Soudain je vois apparaître mon fils, il n'est pas en uniforme, mais plutôt en costume de sport collant (comme un phoque ?), avec un petit capuchon. Il monte sur une corbeille qui se trouve sur le côté, près d'une caisse, comme pour poser quelque chose sur cette caisse. Je l'appelle ; pas de réponse. Il me semble qu'il a le visage ou le front bandés ; il arrange quelque chose dans sa bouche, il y introduit quelque chose. Ses cheveux ont un reflet gris. Je pense : serait-il si épuisé ? Et a-t-il de fausses dents ? Avant d'avoir pu l'appeler*

---

(1) C'est ici l'endroit où insérer le *sur-moi* découvert ultérieurement par la psychanalyse. [N. d. T.] : cette note a été ajoutée en 1930.

à nouveau, je m'éveille sans angoisse, mais avec des battements de cœur. Mon réveil indique deux heures et demie. »

Je ne puis communiquer cette fois encore une analyse complète. Je me contente d'indiquer quelques points décisifs. L'occasion de ce rêve avait été fournie par une attente angoissante de la veille : il y avait de nouveau plus de huit jours que nous n'avions reçu de nouvelles de notre fils qui était au front. Il est facile de voir que le contenu du rêve exprime la conviction qu'il était blessé ou tombé. Au début du rêve, on remarque l'effort énergique pour remplacer par leur contraire ces pénibles pensées. J'ai à communiquer quelque chose de joyeux, une histoire d'argent envoyé, de récompense, de partage (la somme d'argent provient d'un événement heureux survenu dans l'exercice de ma profession, et tend par conséquent à rompre avec le thème donné). Mais cet effort échoue. La mère pressent quelque chose de terrible et ne veut pas m'écouter. C'est qu'aussi le déguisement est trop mince, partout transparaît ce qu'il prétend cacher. Si mon fils est tombé, ses camarades renverront ce qu'il possède; je partagerai ce qu'il laisse entre ses frères et sœurs et ses intimes. Quant aux récompenses, elles sont accordées fréquemment à l'officier après sa « mort héroïque ». Le rêve tend donc à exprimer directement ce qu'il voulait tout d'abord cacher, et l'on reconnaît, sous les déformations, sa tendance à satisfaire un désir. (Le changement de lieu dans le rêve a sans doute le sens de symbolique du seuil que lui assigne Silberer.) Nous ne devinons pas encore quelle est sa force pulsionnelle. Je remarque que mon fils n'apparaît pas comme quelqu'un qui « tombe », mais comme quelqu'un qui « monte ». En effet, il a été un alpiniste audacieux. Il n'est pas en uniforme, mais en costume de sport, c'est-à-dire qu'à l'accident actuellement redouté s'en est substitué un autre, ancien, survenu dans sa vie sportive, une chute en ski où il s'est fait une fracture du fémur. Mais son costume, qui le fait ressembler à un phoque, rappelle quelqu'un de plus jeune, notre petit-fils, enfant amusant; les cheveux gris rappellent le père de celui-ci, notre gendre, dont la santé a été très éprouvée par la guerre. Que veut dire tout cela ? Mais voyons d'autres détails; le lieu, un office, la caisse où il veut prendre quelque chose (poser quelque chose dans le rêve) sont des allusions indéniables à un accident qui m'advint entre deux et trois ans. Je montai sur un escabeau dans l'office, pour prendre une friandise posée sur une caisse ou une table. L'escabeau se renversa et me frappa de son arête derrière la mâchoire inférieure. J'aurais pu y laisser toutes mes dents. C'est un avertissement : « c'est bien fait pour toi », un mouvement d'hostilité contre le brave soldat. En approfondissant l'analyse, je découvre la tendance cachée que pourrait satisfaire la mort redoutée de mon fils. C'est la jalousie contre la jeunesse, que je croyais avoir complètement étouffée — et il est certain que, lorsque pareil malheur arrive, l'intensité de la douleur, cherchant quelque apaisement, va jusqu'à susciter dans notre inconscient ces désirs refoulés.

Je puis maintenant définir nettement l'importance du désir inconscient dans le rêve. J'accorde volontiers qu'il existe toute une classe de rêve *provoqués* principalement ou même exclusivement par des restes de la vie de la journée; et je pense que même mon désir de devenir professeur extraordinaire aurait pu, cette nuit-là, me laisser dormir en repos, si le souci au sujet de la santé de mon ami n'était pas resté éveillé. Mais ce souci n'aurait provoqué aucun rêve; la *force pulsionnelle* nécessaire à l'apparition d'un rêve supposait un désir; il appartenait au souci de se procurer un désir qui pût remplir ce rôle. S'il nous est permis de recourir à une comparaison : il est très possible qu'une pensée diurne joue le rôle d'*entrepreneur* de rêve; mais l'entrepreneur, qui, comme on dit, a l'idée et veut la réaliser, ne peut rien faire sans capital; il lui faut recourir à un *capitaliste* qui subvienne aux frais; et ce capitaliste qui engage la mise de fonds psychologique nécessaire pour le lancement du rêve est toujours, absolument, quelle que soit la pensée diurne, *un désir venant de l'inconscient.*

D'autres fois, le capitaliste est lui-même l'entrepreneur; c'est même le cas le plus ordinaire dans le rêve. L'activité diurne a suscité un désir inconscient, et celui-ci crée maintenant le rêve. Les différents cas que comporte cet exemple tiré de la vie économique s'appliquent aux processus du rêve : l'entrepreneur peut lui-même apporter une petite contribution au capital; plusieurs entrepreneurs peuvent s'adresser au même capitaliste; plusieurs capitalistes peuvent fournir en commun la contribution nécessaire à l'entreprise. Il y a donc aussi des rêves qui reposent sur plus d'un désir, et toutes sortes d'autres variantes qu'il est

facile d'apercevoir et dont l'examen n'offre pas grand
intérêt. Nous aurons l'occasion de compléter par la suite
cette discussion sur le rêve-désir.

Le terme commun de toutes ces comparaisons, la quantité
mesurée dont on peut disposer librement, permet d'éclairer
mieux encore le problème de la structure du rêve. Dans
la plupart des rêves, on reconnaît un centre présentant
une intensité sensible particulière (cf. p. 263 sq.). C'est,
en règle générale, la figuration directe de l'accomplissement du désir; car, lorsque nous reconstituons les
déplacements du travail du rêve, nous constatons que
l'intensité psychique des éléments des pensées du rêve
se traduit par l'intensité sensorielle des éléments du contenu
de ce rêve. Les éléments voisins du noyau d'accomplissement de désir n'ont souvent aucun rapport avec celui-ci;
ils sont souvent des rejetons de pensées pénibles contraires
au désir. Mais leurs rapports (souvent artificiels) avec le
noyau central font qu'ils en reçoivent assez d'intensité
pour être capables d'être figurés. Le pouvoir de figuration
que possède l'accomplissement du désir rayonne sur une
certaine sphère, à l'intérieur de laquelle tous les éléments
arrivent à être représentés, même ceux qui, laissés à eux-
mêmes, ne l'auraient pas pu. Dans les rêves où agissent
plusieurs désirs, il est facile de distinguer la sphère de
chaque accomplissement de désir, et, souvent, de saisir,
dans les lacunes du rêve, les zones frontières.

Les remarques précédentes ont beaucoup limité l'importance des restes diurnes dans le rêve, nous devons cependant leur accorder encore quelque attention. Il faut bien
qu'ils soient une partie essentielle de la formation du rêve,
puisque, si surprenant que cela puisse paraître, nous sommes
bien obligés de constater que l'on trouve dans le contenu
de tout rêve quelque chose qui le relie à une impression
de la veille, souvent à la plus indifférente que l'on puisse
imaginer. Nous n'avons pu encore examiner d'où venait
la nécessité de cet élément additionnel dans le rêve (cf.
p. 161). Pour cela il faut bien comprendre l'importance
du désir inconscient, et recourir à la psychologie des
névroses. Elle nous apprend que la représentation inconsciente ne peut, en tant que telle, pénétrer dans le
préconscient et qu'elle ne peut agir dans ce domaine que si
elle s'allie à quelque représentation sans importance qui
s'y trouvait déjà, à laquelle elle transfère son intensité et

qui lui sert de couverture. C'est là le phénomène du *trans-fert*, qui explique tant de faits frappants de la vie psychique des névropathes. Le transfert peut ne rien changer à la représentation préconsciente, qui acquerra seulement une intensité disproportionnée; il peut aussi la modifier, lui imposer le contenu de la représentation transférée. Qu'on me pardonne une comparaison triviale : je suis tenté de dire que la représentation refoulée est comme le dentiste américain, qui ne peut exercer son métier dans nos pays que s'il trouve un médecin régulièrement diplômé qui lui serve d'enseigne et le couvre aux yeux de la loi. Et, de même que ce ne sont pas les médecins les plus occupés qui concluent ces sortes d'alliances, ce ne sont pas, dans la vie psychique, les représentations préconscientes ou conscientes qui ont attiré sur elles une part suffisante de l'attention qui agit dans le préconscient qui serviront à couvrir des représentations refoulées. L'inconscient tisse ses liaisons autour des impressions et des représentations du préconscient que l'attention n'a jamais distinguées parce que indifférentes, ou qu'elle a bientôt abandonnées. On connaît le principe associationniste, toujours confirmé par l'expérience, selon lequel toutes les représentations qui sont déjà étroitement associées à d'autres se refusent à contracter des associations nouvelles; j'ai essayé de fonder sur ce principe une théorie des paralysies hystériques.

Si nous admettons que ce même besoin de transfert venant des représentations refoulées joue dans le rêve, nous expliquons du même coup deux de ses énigmes : la présence dans la trame du rêve de l'impression récente que décèle toute analyse, le fait que cette impression est souvent des plus indifférentes. Nous pouvons ajouter ce que nous avons déjà appris ailleurs : si ces éléments récents et indifférents remplacent si souvent les plus anciennes des pensées du rêve dans son contenu, c'est qu'ils sont en même temps ceux qui ont le moins à craindre la censure qui provient de la résistance. Le fait que des éléments indifférents sont préférés s'explique par leur indépendance vis-à-vis de la censure; le fait que des éléments récents se présentent ici régulièrement ne s'explique que par la nécessité du transfert. Les deux espèces d'impressions peuvent convenir au refoulé qui cherche des éléments encore libres d'asso-ciations : celles qui sont indifférentes, parce qu'elles n'ont pu donner lieu à de nombreuses liaisons, celles qui sont récentes, parce qu'elles n'ont pas eu le temps d'en former.

Ainsi donc les restes diurnes auxquels nous pouvons maintenant rattacher les impressions indifférentes, non seulement empruntent à l'inconscient, quand ils parviennent à jouer un rôle dans la formation du rêve, la force pulsionnelle dont dispose le désir refoulé, mais encore offrent à l'inconscient quelque chose : le point où il faut s'attacher pour réaliser le transfert. Si nous voulions ici pénétrer plus avant dans ces processus psychiques, il nous faudrait mettre davantage en lumière le jeu des excitations entre le préconscient et l'inconscient : c'est à quoi tend l'étude des psychonévroses, mais le rêve ne nous en fournit pas l'occasion.

Une dernière remarque sur les restes diurnes : ce sont eux très évidemment qui troublent le sommeil, et non point le rêve, qui s'efforce plutôt de le protéger. Nous reviendrons là-dessus.

Nous avons jusqu'ici suivi pas à pas le désir du rêve. Nous l'avons vu sortir de l'inconscient, nous avons analysé ses relations avec les restes diurnes : désirs conscients, autres impulsions psychiques, simples impressions récentes. Nous avons ainsi réservé la place qui revient pour la formation du rêve à l'activité diverse et multiple de la pensée de veille. Il ne nous paraît pas impossible d'expliquer, à l'aide de notre conception, même les cas extrêmes où le rêve, continuant le travail de la veille, résout un problème resté en suspens. Il ne nous manque que l'analyse d'un exemple de cette sorte, permettant de montrer la source du désir infantile ou refoulé dont l'aide a pu seconder si puissamment l'activité préconsciente. Mais nous ne savons toujours pas pourquoi dans le sommeil l'inconscient ne nous offre que la force pulsionnelle vers la satisfaction d'un désir. La réponse à cette question jettera une vive lumière sur la nature psychologique du désir; nous allons la tenter à l'aide de notre schéma de l'appareil psychique.

Cet appareil n'a pu atteindre sa perfection actuelle qu'au bout d'un long développement. Essayons de le ramener à un stade antérieur. Selon des hypothèses que nous n'avons pas à justifier ici, cet appareil a tendu tout d'abord à se maintenir le plus possible à l'abri des stimuli : et c'est pourquoi sa première structure a été celle d'un appareil réflexe; il pouvait ainsi aiguiller aussitôt sur la voie motrice toute excitation sensorielle qui l'atteignait. Mais la vie trouble cette fonction simple; elle donne l'impulsion qui mène à une structure plus complexe. D'abord les grands besoins du corps apparaissent. L'excitation provoquée par le besoin interne cherche une issue dans la motilité que l'on peut appeler « modification interne » ou « expression d'un changement d'humeur ». L'enfant qui a faim criera désespérément ou bien s'agitera. Mais la situation demeure la même; car l'excitation provenant d'un besoin intérieur répond à une action continue et non à un heurt momentané. Il ne peut y avoir changement que quand, d'une façon ou d'une autre (dans le cas de l'enfant par suite d'une intervention étrangère), l'on acquiert *l'expérience de la satisfaction* qui met fin à l'excitation interne. Un élément essentiel de cette expérience, c'est l'apparition d'une certaine perception (l'aliment dans l'exemple choisi) dont l'image mnésique restera associée avec la trace mémorielle de l'excitation du besoin. Dès que le besoin se re-présentera, il y aura, grâce à la relation établie, déclenchement d'une impulsion *(Regung)* psychique qui investira à nouveau l'image mnésique de cette perception dans la mémoire, et provoquera à nouveau la perception elle-même, c'est-à-dire reconstituera la situation de la première satisfaction. C'est ce mouvement que nous appelons désir; la réapparition de la perception est l'accomplissement du désir et l'investissement total de la perception depuis l'excitation du besoin est le chemin le plus court vers l'accomplissement du désir. Rien ne nous empêche d'admettre un état primitif de l'appareil psychique où ce chemin est réellement parcouru et où le désir, par conséquent, aboutit en hallucinatoire. Cette première activité psychique tend donc à une *identité de perception*, c'est-à-dire à la répétition de la perception, laquelle se trouve liée à la satisfaction du besoin.

Une dure expérience vitale doit avoir transformé cette activité psychique primitive en une activité mieux adaptée secondaire. L'identité de perception obtenue par la voie régrédiente rapide, intérieure à l'appareil, n'a pas d'autre part les conséquences qui sont reliées à l'investissement, depuis l'extérieur, de cette même perception. La satisfaction ne se produit pas, le besoin continue. Il n'y a qu'un moyen de rendre cet investissement interne équivalent à la perception extérieure : c'est de le maintenir d'une manière permanente, continue; c'est ce que réalisent les psychoses hallucinatoires et les fantasmes des inanités, où l'activité psychique s'épuise à retenir l'objet désiré. Pour obtenir un emploi mieux approprié de la force psychique, il est nécessaire d'arrêter la régression dans sa marche, en sorte qu'elle ne dépasse pas l'image-souvenir, et puisse à partir de là chercher d'autres voies qui permettent d'établir de l'extérieur l'identité souhaitée (1). Cette inhibition, et la déviation de l'excitation qui suit, est le fait d'un deuxième système qui contrôle la motilité volontaire, c'est-à-dire l'utilisation des mouvements pour des fins que nous offre notre mémoire. Mais toute cette activité de pensée compliquée qui va de l'image mnésique jusqu'au rétablissement de l'identité de perception par les objets du monde extérieur n'est qu'un détour dans l'accomplissement du désir, rendu nécessaire par l'expérience (2). La pensée n'est qu'un substitut du désir hallucinatoire, et on comprend aisément que le rêve ne soit qu'accomplissement de désir, puisque seul le désir peut pousser au travail notre appareil psychique. Le rêve, qui réalise ses désirs par le court chemin « régrédient », ne fait là que nous conserver un exemple du mode de travail primaire de l'appareil psychique qui a été banni à cause de son inefficacité. La vie nocturne a recueilli ce qui fut autrefois notre vie éveillée, quand notre vie psychique était jeune et inhabile, un peu comme nos enfants retrouvent les armes aujourd'hui périmées de l'humanité primitive, l'arc et les flèches. *Le rêve est un fragment de vie psychique infantile qui a été supplantée.* Dans les psychoses, ces modes de travail psychique anciens et réprimés retrouvent leur force et révèlent par là leur impuissance à satisfaire nos besoins vis-à-vis du monde extérieur (3).

Les impulsions de désirs *(Wunschregungen)* inconscients tendent visiblement à se manifester aussi pendant le jour; le transfert aussi bien que les psychoses nous montrent qu'elles voudraient pénétrer de force à travers le préconscient, jusqu'à la conscience et à la motilité volontaire. La censure

---

(1) En d'autres termes : on reconnaît la nécessité d'une « épreuve par la réalité ».

(2) LE LORRAIN dit avec raison que le rêve satisfait le désir, « sans fatigue sérieuse, sans être obligé de recourir à cette lutte opiniâtre et longue qui use et corrode les jouissances poursuivies ».

(3) J'ai développé ailleurs ces idées (Formulierungen über die zwei Prinzipien des psychischen Geschehens, *Sammlung kleiner Schriften zur Neurosenlehre*, 3. Folge, 1913), et montré le rôle des deux principes fondamentaux : le principe de plaisir et le principe de réalité.

entre l'inconscient et le préconscient, dont le rêve nous a révélé l'existence, il nous faut donc la reconnaître et l'honorer comme le gardien de notre santé mentale. Mais ce gardien n'a-t-il pas tort de diminuer pendant la nuit sa vigilance et de laisser ainsi s'exprimer les impulsions refoulées de l'inconscient, de rendre possible la régression hallucinatoire ? Je ne le pense pas. Car, lorsque ce veilleur-censeur s'en va dormir — et nous avons la preuve qu'il ne sommeille pas profondément —, il ferme la porte menant à la motilité. Les impulsions venues de l'inconscient, ordinairement inhibé, peuvent s'ébattre sur la scène; on peut les laisser faire : elles demeurent inoffensives, car elles ne sont pas en mesure de mettre en mouvement l'appareil moteur, qui seul peut modifier le monde extérieur. L'état de sommeil assure la sécurité de la forteresse à garder. Il n'y a danger que lorsque le déplacement de forces est réalisé, non par le relâchement nocturne de la censure critique, mais par un affaiblissement pathologique de celle-ci ou par le renforcement pathologique des excitations inconscientes, alors que le préconscient est investi et que les portes de la motilité sont ouvertes. Alors le veilleur est terrassé, les excitations inconscientes soumettent à leur pouvoir le préconscient, dominent par lui nos paroles et nos actes ou s'emparent de la régression hallucinatoire et dirigent l'appareil qui n'était pas fait pour elle au moyen de l'attraction que les perceptions exercent sur la répartition de notre énergie psychique. C'est cet état que nous appelons psychose.

Nous voici dans d'excellentes conditions pour revenir à l'échafaudage psychologique que nous avons laissé après y avoir inséré les deux systèmes inconscient et préconscient. Mais auparavant il faut encore nous arrêter sur l'importance du désir, unique force pulsionnelle psychique du rêve. Nous avons démontré que le rêve est toujours accomplissement de désir, parce qu'il provient du système inconscient qui n'a d'autre but que l'accomplissement du désir, qui n'a d'autres forces que celles des impulsions de désir. Les vastes spéculations psychologiques que nous avons entreprises en partant de l'interprétation des rêves nous font un devoir de montrer comment grâce à elles le rêve s'insère dans un cadre où entrent aussi d'autres formations psychiques. S'il existe un système inconscient ou quelque chose d'analogue, le rêve ne peut en être la seule

manifestation; chaque rêve est sans doute l'accomplissement d'un désir, mais il doit y avoir des formes d'accomplissements anormaux de désir autres que le rêve. Cela est
si vrai que la théorie qui englobe tous les symptômes pathologiques aboutit à cette simple proposition : *ils doivent tous être
considérés comme des accomplissements de désir inconscients* (1).
Le rêve n'est, dans notre conception, que le premier terme
d'une série très importante pour le psychiatre et dont l'intelligence équivaut à la solution de la partie purement psychologique du problème psychiatrique (2).

L'étude des autres termes de cette série d'accomplissements de désir, tels que les symptômes hystériques, nous a
permis de découvrir un caractère essentiel que nous n'avons
pas retrouvé dans le rêve. Des recherches que nous avons
eu l'occasion de rappeler à diverses reprises au cours de ce
livre nous apprennent que les deux courants de notre vie
psychique doivent collaborer à la formation d'un symptôme
hystérique. Il n'est pas seulement la réalisation d'un désir
inconscient, il doit pouvoir réaliser en même temps un
désir issu du préconscient, en sorte qu'il est déterminé
à tout le moins deux fois : c'est-à-dire par chacun des deux
systèmes en conflit. Mais, comme pour le rêve, il n'y a
pas de limite à la surdétermination. La détermination, qui
n'a pas son origine dans l'inconscient, est toujours, d'après
ce que je sais, une suite de pensées réagissant contre le désir
inconscient, une auto-punition, par exemple. Nous pouvons donc dire, d'une façon générale, qu'*un symptôme hystérique ne peut apparaître que si deux accomplissements de désirs
opposés, issus de deux systèmes psychiques différents, viennent
concourir dans une même expression* (cf. ma dernière formule
de la naissance des symptômes hystériques, *in* Hysterische
Phantasien und ihre Beziehung zur Bisexualität, 1908, *Ges.
Werke*, t. VII). Des exemples seront de peu de poids ici,
car pour convaincre il faut élucider tout un ensemble
complexe; je me contenterai de fournir un exemple destiné,
non à apporter des éléments de preuve, mais à illustrer ce
qui vient d'être dit. J'ai eu l'occasion de soigner une malade

(1) Plus exactement, une partie du symptôme correspond à l'accomplissement du désir inconscient, une autre à la réaction contre
celle-ci.

(2) Hughlings JACKSON avait dit : « Find out all about dreams, and
you will have found out all about insanity. »

atteinte de vomissements hystériques. A l'analyse, ce symptôme apparut comme l'accomplissement d'un fantasme inconscient de la puberté, d'un désir d'être continuellement enceinte, d'avoir de très nombreux enfants, à quoi s'ajouta plus tard le désir de les avoir du plus grand nombre d'amants possible. Ce désir immodéré a suscité une forte réaction de défense. Mais comme ce vomissement pouvait faire perdre à la malade la beauté de son corps et de son visage, de sorte qu'elle ne pût plaire à aucun homme, le symptôme convenait également au châtiment; ainsi admis par les deux systèmes à la fois, il put se réaliser. La névrose agit ici comme la reine des Parthes à l'égard de Crassus. Croyant qu'il avait entrepris l'expédition par cupidité, elle fit verser de l'or fondu dans la gorge du cadavre : « Tiens ! voilà ce que tu avais désiré ! »

Le rêve, d'après ce que nous savons jusqu'à présent, exprime l'accomplissement d'un désir inconscient, le préconscient qui contrôle est d'accord et se borne à exiger certaines déformations. On ne trouve pas dans le rêve, de façon générale, de pensée opposée à ces désirs, et qui en réalise la contrepartie. Il nous est seulement arrivé de rencontrer, de-ci, de-là, en analysant des rêves, des traces de créations de réaction, comme par exemple ma tendresse pour mon ami R... dans le rêve de l'oncle (p. 126). Mais nous pourrons trouver ailleurs l'élément préconscient qu'il nous est impossible de découvrir ici. Le rêve peut exprimer un désir de l'inconscient par toutes sortes de déformations, tandis que le système dominant se retire *dans le désir de dormir*, réalise ce désir par la production de modifications de l'investissement, à l'intérieur de l'appareil psychique, et le maintient pendant toute la durée du sommeil (1).

Ce désir de dormir, ainsi décidé par le préconcient, facilite beaucoup la formation du rêve. Songeons au rêve du père qui, frappé par une vive lumière venue de la chambre mortuaire, conclut que le cadavre de son enfant brûle. Nous avons admis que le fait de tirer cette conclusion en rêve au lieu de s'éveiller trahissait le désir de prolonger un peu la vie de l'enfant, vu dans le rêve. C'est là une première force psychique. Il est vraisemblable que d'autres

(1) J'emprunte ces idées à LIÉBAULT (*Du sommeil provoqué*, etc., Paris, 1889).

désirs venant du refoulé nous échappent, puisque nous ne pouvons pas analyser ce rêve. Mais il faut bien voir une seconde force pulsionnelle dans le besoin de dormir qu'avait le père : le rêve prolongeait le sommeil du père en même temps que la vie de l'enfant. Le raisonnement est à peu près : laissons aller le rêve, sinon il faudra se réveiller. Il en est ainsi dans tous les rêves : le désir de dormir seconde les désirs inconscients. Nous avons parlé, page 114, des rêves de commodité. On pourrait dire que tous nos rêves méritent ce nom. C'est particulièrement clair pour les rêves de réveille-matin, qui remanient le stimulus sensoriel externe de façon qu'il permette de continuer à dormir et qui l'introduisent dans la trame du rêve pour lui enlever son caractère d'avertissement. Mais le désir de continuer à dormir doit se retrouver dans tous les autres rêves, là où la menace du réveil ne peut venir que de l'intérieur. On peut résumer notre attitude psychique dominante pendant le rêve sous la forme d'un avertissement que le préconscient donnerait à la conscience, quand le rêve irait par trop loin : laisse donc et dors, ce n'est qu'un rêve. Je dois en conclure que *pendant toute la durée de notre sommeil nous nous savons en train de rêver, aussi bien qu'en train de dormir*. Laissons là ceux qui nous objectent que notre conscience ignore le sommeil et ne connaît le rêve que dans le cas précis où la censure est débordée. Il y a des gens qui manifestement savent qu'ils dorment et qu'ils rêvent et qui paraissent pouvoir diriger leur vie de rêve d'une manière consciente. Quand un dormeur de cette espèce est mécontent de la tournure que prend un rêve, il l'interrompt, sans se réveiller, et le recommence pour lui donner une autre conclusion, de même qu'un écrivain populaire écrit, à la demande du public, un dénouement plus satisfaisant pour son drame. Ou bien, une autre fois, si son rêve l'a conduit dans une situation sexuelle excitante, il se dira : « Je ne continue pas ce rêve, une pollution me fatiguerait. J'aime mieux me réserver pour une situation réelle. »

Hervey de Saint-Denis (cit. *in* Vaschide, p. 139) affirmait avoir acquis sur ses rêves une telle puissance qu'il pouvait en accélérer le cours et leur donner la direction qui lui plaisait. Il semble que chez lui le désir de dormir ait fait place à un autre désir préconscient : observer ses rêves et s'en amuser. On peut dormir avec cette résolution, aussi bien que lorsqu'on s'impose une condition de réveil (sommeil des nourrices). On sait que l'intérêt que nous prenons à nos rêves augmente considérablement le nombre des souvenirs que nous gardons après le réveil. Ferenczi dit, à propos de la direction que nous donnons à nos rêves : « Le rêve élabore de toutes les manières possibles les pensées qui nous préoccupent actuellement. Il abandonne une image quand elle risque de ne pas satisfaire le désir, il recherche une autre solution, jusqu'à ce qu'il parvienne à un accomplissement de désir qui satisfasse par un compromis les deux instances de la vie mentale.

IV. — LE RÉVEIL PAR LE RÊVE
LA FONCTION DU RÊVE. LE CAUCHEMAR

Maintenant que nous savons que, pendant la nuit, le préconscient est orienté vers le désir de dormir, nous pouvons poursuivre plus utilement l'étude du processus du rêve. Résumons d'abord ce que nous avons appris jusqu'à présent. Le travail de la veille peut avoir laissé des restes diurnes dont l'investissement en énergie n'a pas été retiré; il peut avoir excité, le jour, un désir inconscient; les deux peuvent coïncider; nous avons indiqué ces multiples possibilités. Pendant la journée, ou seulement quand le sommeil est venu, le désir inconscient s'est frayé une voie jusqu'à ces restes diurnes et a réalisé sur eux son transfert. Un désir transféré sur le matériel récent apparaît alors, ou bien un désir récent réprimé se ranime, reprenant des forces dans l'inconscient. Il pénétrerait volontiers dans la conscience par la voie normale des processus de pensée, à travers le préconscient auquel il appartient déjà partiellement. Mais il se heurte à la censure qui fonctionne encore et à laquelle il se soumet. Il subit alors une nouvelle déformation dont la voie a été déjà préparée par le transfert sur l'élément récent. A ce moment, il est sur une voie qui pourrait le mener à l'obsession, à l'idée délirante, etc. — à toutes pensées renforcées par le transfert et déformées par la censure. Mais le sommeil du préconscient ne lui permet pas d'aller plus loin; le système paraît s'être protégé contre l'invasion en abaissant son excitabilité. Le processus du rêve prend alors la voie de la régression, que précisément le sommeil ouvre; il obéit par là à l'attraction qu'exercent sur lui des groupes de souvenirs qui n'existent, en partie, que sous la forme d'investissements visuels, non comme traduction en termes de systèmes ultérieurs. C'est sur cette route qu'il acquiert la possibilité de figuration. Nous parlerons plus tard de la compression. Il a maintenant franchi la seconde étape d'une carrière déjà bien accidentée. La première allait, de manière « progrédiente », des tableaux inconscients ou des fantasmes au préconscient; la seconde retourne des limites de la censure à la perception. Mais, en devenant contenu perceptif, il échappe aux difficultés que lui suscitaient dans le préconscient la censure et le sommeil. Il parvient maintenant à attirer sur lui l'attention et à se faire remarquer par la conscience. La conscience, sorte d'organe des sens pour l'appréhension des qualités psychiques, peut, dans la vie éveillée, subir deux sortes d'excitations : d'une part et surtout les excitations périphériques, excitations du système perceptif; de l'autre les excitations du plaisir et du déplaisir, qui se révèlent être presque les seules qualités psychiques caractérisant la transformation de l'énergie à l'intérieur de l'appareil. Les processus des systèmes Ψ, y compris ceux du préconscient, manquent de qualité psychique, c'est pourquoi ils ne peuvent apparaître comme un objet à la conscience que dans la mesure où ils offrent, à sa perception, du plaisir ou du déplaisir. Il faudra nous résoudre à admettre que *ces déclenchements de plaisir ou de déplaisir règlent automatiquement la marche des processus d'« investissement »*. Mais, ensuite, pour obtenir des activités plus délicates, il a été nécessaire de rendre la marche des représentations plus indépendantes des signes du déplaisir. Il fallait pour cela que le système préconscient eût des qualités propres qui pussent attirer la conscience; il les acquit très probablement en rattachant ses processus au système de souvenirs des signes du langage qui était, lui, pourvu de qualités. Grâce aux qualités de ce système, la conscience, qui n'avait été jusque-là que l'organe du sens des perceptions, devint aussi l'organe du sens d'une partie de nos processus de pensée. Elle avait dès lors en quelque sorte deux surfaces sensorielles, l'une tournée vers la perception, l'autre vers les processus de pensée préconscients.

Il y a tout lieu de penser que la surface sensorielle de la conscience qui est tournée vers le préconscient perd pendant le sommeil beaucoup plus d'excitabilité que celle qui est tournée vers les systèmes perceptifs. On s'explique fort bien cet abandon de l'intérêt pour les processus de pensée nocturnes. Nulle pensée ne doit surgir, le préconscient veut dormir. Mais si le rêve devient perception, il pourra exciter la conscience, grâce aux qualités qu'il vient d'acquérir. Cette excitation sensible remplira son office essentiel; elle canalisera, sous forme d'attention envers l'excitant, une partie de l'énergie d'investissement disponible dans le préconscient. Il faut donc convenir que chaque rêve *éveille*, fait agir une partie de la force inactivée du préconscient. Il subit alors, de sa part, cette influence que nous avons appelée élaboration secondaire pour bien caractériser sa place et son véritable rôle. Je veux dire par là qu'elle traite le rêve comme n'importe quel contenu perceptif; autant que son matériel le permet, il est soumis aux mêmes représentations d'attente. Dans la mesure où cette troisième étape du processus du rêve est orientée, c'est de nouveau dans le sens « progrédient ».

Un mot sur la durée de ce processus, pour éviter tout malentendu. Goblot, pensant probablement au rêve de la guillotine de Maury, a voulu démontrer que le rêve ne dure que pendant la période de transition entre le sommeil et le réveil. C'est là une idée très séduisante : il nous faut un moment pour nous réveiller, c'est le moment du rêve. On suppose que la dernière image du rêve est si forte qu'elle nécessite le réveil. Mais sa force vient en réalité de ce qu'elle est si proche du réveil : « Un rêve, c'est un réveil qui commence. »

Dugas a déjà fait remarquer que, pour maintenir la généralité de sa thèse, Goblot avait dû négliger bien des faits. Il y a des rêves qui n'entraînent pas le réveil : ceux où l'on rêve que l'on rêve, par exemple. Ce que nous savons du travail du rêve ne nous permet pas d'admettre que le seul moment du réveil y suffise. Il nous paraît, au contraire, vraisemblable que la première étape du travail du rêve commence le jour, sous le contrôle du préconscient. La seconde : modification par la censure, attraction exercée par des tableaux inconscients, pénétration de force dans la perception, peut durer toute la nuit; l'impression d'avoir rêvé toute la nuit, alors même qu'on ne peut dire quoi, serait donc toujours fondée. Il n'est pas nécessaire d'admettre qu'avant d'atteindre la conscience le processus du rêve suit vraiment la marche dans le temps que nous avons décrite : transfert du désir, puis déformation par la censure, puis changement de direction régressif, etc. Les besoins de la description nous ont imposé cet ordre; en réalité il n'y a pas succession, mais explorations simultanées sur ces diverses voies, fluctuation de l'excitation jusqu'à ce qu'un entassement opportun fasse triompher tel ou tel mode de groupement. Des expériences personnelles me porteraient à croire que le travail du rêve dure souvent plus d'un jour et une nuit, ce qui enlève tout caractère merveilleux à ses constructions. Je pense que la nécessité même d'être compréhensible en tant que phénomène perceptif peut s'exercer sur le rêve avant qu'il s'attire à lui la conscience. Mais dès cet instant le processus est accéléré, puisque le rêve est traité comme les autres objets de perception. Il en est de lui comme du feu d'artifice préparé pendant des heures et qui s'allume en un instant.

Deux éventualités sont possibles : ou bien le processus du rêve a reçu pendant le travail du rêve une intensité suffisante pour attirer sur lui la conscience et éveiller le préconscient, quelles que soient d'ailleurs la durée et la profondeur du sommeil; ou bien son intensité n'y suffit pas, et il reste là jusqu'au moment voisin du réveil où l'attention, devenue plus mobile, viendra jusqu'à lui. La plupart des rêves paraissent travailler avec des intensités psychiques relativement faibles, car ils attendent le réveil. Cela explique aussi pourquoi, en général, lorsqu'on nous arrache brusquement à un profond sommeil, nous percevons quelque fragment de rêve. Là, comme dans le réveil spontané, notre premier regard est pour le contenu perceptif créé par le rêve, le suivant pour celui qui vient de l'extérieur.

Mais notre plus grand intérêt théorique va aux rêves capables de nous éveiller au milieu de notre sommeil. Songeons à l'opportunité qui éclate partout ailleurs et demandons-nous d'où vient que le rêve, désir inconscient, puisse troubler le sommeil, accomplissement du désir préconscient ? Il faut qu'il y ait là des relations d'énergie qui nous échappent. Si nous les connaissions, nous verrions sans doute que laisser faire le rêve et ne lui accorder qu'une attention détachée exige moins d'énergie que brider l'inconscient comme pendant la veille. Nous savons par expérience que le rêve se concilie avec le sommeil, même quand il l'interrompt plusieurs fois dans une même nuit.

On s'éveille un moment pour se rendormir aussitôt après. C'est comme lorsque, tout endormi, on chasse une mouche : on ne s'éveille que pour cela et quand on se rendort on en est débarrassé. L'accomplissement du désir de dormir se concilie très bien avec le maintien d'une certaine attention dirigée dans un sens déterminé, comme le prouve le sommeil des nourrices.

Une autre objection vient de ce que nous savons de l'inconscient. Nous avons dit que les désirs inconscients étaient toujours là, mais qu'ils n'étaient pas assez forts pour devenir perceptibles le jour. D'où vient donc que pendant le sommeil, quand ils ont déjà manifesté leur puissance, formé un rêve, et éveillé ainsi le préconscient, leur force tarisse dès que nous avons pris connaissance du rêve ? Le rêve devrait, semble-t-il, se renouveler, de même que la mouche importune revient après qu'on l'a chassée. Sinon de quel droit disons-nous que le rêve écarte tout ce qui trouble le sommeil ?

Il est très vrai que les désirs inconscients sont toujours là. Ils représentent des voies toujours ouvertes à l'excitation qui les emprunte. L'indestructibilité est même une caractéristique proéminente des processus inconscients. Dans l'inconscient rien ne finit, rien ne passe, rien n'est oublié. C'est ce qui nous frappe le plus quand nous étudions les névroses et l'hystérie en particulier. La voie des pensées inconscientes qui mène à la crise libératrice pourra se rouvrir dès qu'une quantité d'excitation suffisante se sera amassée. Une offense reçue il y a trente ans, une fois qu'elle s'est frayé une voie vers les sources affectives inconscientes, continue à agir toujours comme si elle était actuelle. Elle revit au moindre rappel et se révèle alors investie d'une excitation qui a sa décharge motrice dans la crise. C'est là que doit agir la psychothérapie. Sa tâche est d'apporter aux phénomènes inconscients la libération et l'oubli. L'effacement des souvenirs, l'affaiblissement affectif des impressions éloignées qui nous paraissent tout naturels, et que nous expliquons par l'influence primaire du temps sur les traces mnésiques, sont en réalité des transformations secondaires, obtenues à la suite d'un pénible travail. C'est le travail du préconscient, et *la psychothérapie n'a d'autre démarche que de soumettre l'inconscient au préconscient.*

Chaque processus inconscient d'excitation dispose donc de deux issues : ou bien, laissé à lui-même, il finit par se frayer une voie et déverse son trop-plein d'excitation dans la motilité, ou bien il se soumet à l'influence du préconscient qui *endigue* son excitation au lieu de la laisser *s'écouler. C'est ce qui se produit dans le processus du rêve.* L'excitation de la conscience a conduit le préconscient à investir le rêve devenu perception; l'investissement endigue ainsi l'excitation inconsciente du rêve et la neutralise. Quand le rêveur s'éveille un instant, il chasse réellement la mouche. Nous voyons maintenant qu'il était vraiment plus opportun et plus avantageux de laisser faire le désir inconscient, de lui ouvrir la voie de la régression, pour qu'il forme un rêve, puis d'arrêter et de liquider celui-ci par un léger travail préconscient, que de brider l'inconscient pendant tout le sommeil. On pouvait s'attendre à ce que le rêve, même s'il n'avait pas primitivement d'utilité, en acquît une dans le jeu de forces de la vie mentale. Nous voyons laquelle. Il s'est chargé de ramener l'excitation inconsciente demeurée libre sous le contrôle du préconscient; il la détourne, lui sert de soupape de sécurité et assure par là, avec une faible dépense de vigilance, le sommeil du préconscient. Ainsi, tout comme les autres produits psychiques de cette série, le rêve est un compromis, il est au service des deux systèmes et accomplit les deux désirs dans la mesure où ils s'accordent. Si l'on jette un coup d'œil sur la théorie cathartique de Robert que nous avons exposée page 75, on verra que nous donnons raison à Robert sur le point principal, qui est la fonction du rêve, mais que nous nous séparons de lui dans les prémisses et dans l'appréciation que nous portons sur le rêve (1).

---

(1) Est-ce là le seul rôle que nous puissions accorder au rêve ? Je n'en connais pas d'autre. A. MAEDER a essayé de mettre à l'actif du rêve certaines fonctions « secondaires ». Il partait d'une observation juste : un certain nombre de rêves contiennent des essais de solutions de conflits que l'on mettra plus tard en pratique, ils sont donc comme un exercice préparatoire à l'activité de la veille. Il mettait le rêve en parallèle avec les jeux des animaux et des enfants : préexercice des instincts innés et préparation aux activités sérieuses ultérieures, et il établissait une « fonction ludique » du rêve. Peu de temps avant, Alf. ADLER avait aussi indiqué une fonction anticipatrice du rêve. (J'ai publié en 1905 l'analyse d'un rêve-projet qui s'est reproduit chaque nuit jusqu'à sa réalisation.)

Mais il suffit d'y réfléchir un peu pour voir que cette fonction « secondaire » n'entre pas dans le cadre de l'interprétation du rêve. Préméditer, former des projets, imaginer des solutions qui seront peut-être réalisées au réveil sont toutes activités inconscientes et préconscientes qui se continuent en tant que « restes diurnes » pendant le

La restriction : « *dans la mesure où ils s'accordent* », indique déjà qu'il y a des cas où le rêve peut échouer. Le processus du rêve est toléré parce que accomplissement d'un désir de l'inconscient. Si, pour accomplir ce désir, il heurte le préconscient de telle façon qu'il trouble son repos, le rêve n'est plus un compromis, il n'a pas rempli l'autre partie de sa mission. Aussi est-il immédiatement interrompu et remplacé par un réveil complet. Il ne faut pas accuser le rêve, gardien ordinaire du sommeil, s'il l'a cette fois troublé, cela ne doit pas nous prévenir contre son utilité. Ce n'est pas le seul exemple que nous offre l'organisme d'une disposition ordinairement utile qui devient inopportune et gênante lorsque les conditions de son fonctionnement sont un peu changées. Le trouble alors sert à tout le moins à attirer l'attention sur ce changement et à déclencher les fonctions régulatrices de l'organisme. Je pense ici, on l'a deviné, au cauchemar. Je serais bien fâché d'avoir l'air d'éviter systématiquement ce témoin à charge contre la théorie du désir. Je vais donc essayer au moins d'esquisser la théorie du cauchemar.

Qu'un phénomène psychique qui provoque l'angoisse puisse être cependant l'accomplissement d'un désir, cela n'est pas non plus une contradiction. Nous en connaissons l'explication. Le désir appartient à un système, celui de l'inconscient ; le système du préconscient l'a rejeté et réprimé (1). Mais, même en plein équilibre mental, cette

sommeil et peuvent ainsi concourir à   formation du rêve si elles sont soutenues par un désir inconscient (cf. p. 494). La fonction anticipatrice du rêve est donc bien plutôt une fonction de la pensée préconsciente de veille dont nous pouvons retrouver les résultats par l'analyse du rêve aussi bien que d'autres phénomènes. On a trop longtemps confondu le rêve avec son contenu manifeste, il faut se garder à présent de le confondre avec ses pensées latentes.

(1) « Une autre complication beaucoup plus importante et profonde, dont le profane ne tient pas compte, est la suivante. L'accomplissement d'un désir devrait certainement être une cause de plaisir. Mais pour qui ? Pour celui, naturellement, qui a ce désir. Or, nous savons que le rêveur entretient avec ses désirs des relations tout à fait particulières. Il les repousse, les censure, bref n'en veut rien savoir. Leur réalisation ne peut donc lui procurer de plaisir : bien au contraire. Et l'expérience montre que ce contraire, qui reste encore à expliquer, se manifeste sous la forme de l'angoisse. Dans son attitude à l'égard des désirs de ses rêves, le rêveur apparaît ainsi comme composé de deux personnes réunies cependant par une intime communauté. Au lieu de me livrer à ce sujet à de nouveaux développements, je vous rappellerai un conte connu où se trouve exactement la même situation. Une bonne fée promet à deux

domination du préconscient sur l'inconscient n'est pas absolue. On peut dire que le degré de la répression est en même temps celui de notre santé psychique. Dans la névrose les deux systèmes sont en conflit, le symptôme névropathique représente un compromis qui met provisoirement fin à ce conflit. D'une part, en effet, il ménage à l'inconscient une porte de secours, lui permet de déverser son excitation, de l'autre il laisse encore au préconscient une domination partielle sur l'inconscient. A ce point de vue, une phobie hystérique ou une agoraphobie sont particulièrement instructives. Lorsqu'un névropathe ne peut traverser seul une rue, nous disons avec raison que ce n'est qu'un symptôme. Essayons de réduire ce symptôme en l'obligeant à l'acte qu'il croit impossible. Il aura une crise d'angoisse; d'ailleurs c'est souvent une crise d'angoisse dans la rue qui a été le point de départ de l'agoraphobie. Nous apprenons ainsi que ce symptôme s'est constitué pour empêcher le développement de l'angoisse. La phobie est comme une forteresse-frontière pour l'angoisse.

Il nous est difficile de continuer notre exposé sans étudier le rôle des affects dans ces processus, ce qui ne peut être fait ici que très incomplètement. Posons en principe que ce qui rend surtout nécessaire la répression de l'inconscient, c'est que le libre cours dans l'inconscient des représentations développerait un état affectif qui primitivement était plaisir, mais qui, depuis le refoulement, porte la marque du déplaisir. La répression a pour but et aussi pour résultat d'empêcher le développement de ce déplaisir. Elle s'exerce sur le contenu représentatif de l'inconscient, parce que c'est

époux miséreux la réalisation de leurs trois premiers désirs. Heureux, ils se mettent en devoir de choisir ces trois désirs. Séduite par l'odeur de saucisse qui se dégage de la chaumière voisine, la femme est prise d'envie d'avoir une paire de saucisses. Un instant et les saucisses sont là : c'est la réalisation du premier désir. Furieux, l'homme souhaite de voir ces saucisses suspendues au nez de sa femme. Aussitôt dit, aussitôt fait, et les saucisses ne peuvent plus être détachées du nez de la femme : réalisation du deuxième désir, qui est celui du mari. Inutile de vous dire qu'il n'y a là pour la femme rien d'agréable. Vous connaissez la suite. Comme au fond l'homme et la femme ne font qu'un, le troisième désir doit être que les saucisses se détachent du nez de la femme. Nous pourrions encore utiliser ce conte dans beaucoup d'autres occasions ; nous nous en servons ici pour montrer que la réalisation du désir de l'un peut être une source de désagréments pour l'autre, lorsqu'il n'y a pas d'entente entre les deux. » (*Vorlesungen zür Einführung in die Psychoanalyse XIV*, *Ges. Werke*, t. XI.)

de là que pourrait se dégager le déplaisir. Tout cela est fondé sur une hypothèse déterminée concernant le développement de l'affect. Celui-ci est considéré ici comme un effet moteur ou sécrétoire, la clé de son innervation se trouve dans les représentations de l'inconscient. Le préconscient domine ce contenu représentatif de l'inconscient et l'empêche d'envoyer des impulsions qui deviendraient des affects. Si l'investissement par le préconscient cessait, il y aurait risque : les excitations inconscientes pourraient déclencher des affects qui — par suite du refoulement antérieur — apparaîtraient comme déplaisir, comme angoisse.

C'est ce danger que le laisser-aller du rêve précipite. Pour qu'il se réalise, il faut qu'il y ait eu refoulement et que les impulsions du désir réprimées puissent devenir assez fortes. Ces conditions sortent du cadre psychologique de la formation du rêve. N'était que le thème que je traite ici — la libération de l'inconscient pendant le sommeil — se rattache à celui du développement de l'angoisse, je pourrais renoncer à parler du cauchemar et m'épargner toutes les obscurités qui l'entourent.

Comme je l'ai déjà dit à diverses reprises, l'étude du cauchemar appartient à la psychologie des névroses. Une fois posés ses points de contact avec le thème du processus du rêve, ce qui est fait, nous n'avons plus rien à faire avec lui. Cependant, puisque j'ai affirmé que l'angoisse névropathique avait une origine sexuelle, je voudrais encore analyser quelques rêves d'angoisse pour montrer le matériel sexuel qu'ils renferment.

J'écarte les exemples surabondants que m'offriraient les rêves de mes malades et je choisis de préférence des rêves d'angoisse venant de sujets jeunes.

Pour ma part, je n'ai plus eu de vrai rêve d'angoisse depuis de longues années, mais je m'en rappelle un que j'ai eu vers sept ou huit ans et que j'ai interprété environ trente ans après. Il était extrêmement net et me montrait *ma mère chérie avec une expression de visage particulièrement tranquille et endormie, portée dans sa chambre et étendue sur le lit par deux (ou trois) personnages munis de becs d'oiseaux.* Je me réveillai pleurant et criant, et troublai le sommeil de mes parents. Les personnages très allongés, bizarrement drapés, à becs d'oiseaux, je les avais empruntés à la bible de *Philippson*. Je crois que c'étaient des dieux à tête d'épervier appartenant à un bas-relief funéraire égyptien. A part

cela, l'analyse m'offre le souvenir d'un fils de concierge mal
élevé qui avait coutume de jouer avec nous dans la prairie
devant la maison; je crois bien qu'il s'appelait *Philippe*.
Il me semble ensuite que j'ai dû entendre pour la première
fois de la bouche de ce garçon le mot vulgaire par lequel
on désigne le commerce sexuel et que les gens cultivés
appellent du mot latin *coïtus* mais qu'illustrait suffisamment
le choix des têtes d'épervier (1). J'avais dû sans doute
deviner la signification sexuelle de ce mot à la mine de ce
maître si averti des choses de l'existence. L'expression du
visage de ma mère dans le rêve était celle de mon grand-
père que j'avais vu peu de jours avant sa mort, râlant et
dans le coma. Le sens de l'élaboration secondaire du rêve
doit être la mort de ma mère, c'est ce que prouve aussi
le bas-relief funéraire. C'est dans cette angoisse que je
m'éveillai et je n'eus de cesse que je n'eusse éveillé mes
parents. Je me rappelle que je me calmai subitement en
apercevant ma mère, comme si j'avais eu besoin d'être
rassuré contre sa mort. Mais cette seconde interprétation a
eu lieu sous l'influence d'une angoisse déjà développée.
Ce n'est pas parce que j'avais rêvé la mort de ma mère
que j'étais angoissé, mais c'est parce que j'étais angoissé
que mon élaboration préconsciente a interprété ainsi le
rêve. Mais mon angoisse, effet du refoulement, peut se
ramener à un désir obscur, manifestement sexuel, qu'exprime bien le contenu visuel du rêve.

Un homme de 27 ans, gravement atteint depuis un an,
a fréquemment entre 11 et 13 ans un rêve accompagné
d'une angoisse très pénible : *Il est poursuivi par un homme
avec une hache, il voudrait courir, mais il est comme paralysé et
ne peut bouger.* C'est certainement un bon exemple de
cauchemar très commun et incontestablement sexuel. A
l'analyse, le rêveur se rappelle tout d'abord un récit ultérieur de son oncle. Celui-ci racontait qu'il avait été attaqué
la nuit par un individu de mauvaise mine. De là le malade
conclut qu'il a pu entendre parler d'une aventure analogue
à l'époque du rêve. A propos de la hache, il se rappelle
qu'à cette même époque il s'est blessé à la main avec une
hachette en fendant du bois. Brusquement, il pense à son
attitude envers son frère cadet, qu'il avait l'habitude de

---

(1) [N. d. T.] : dans l'argot allemand on dit *vögeln*, de *Vogel*
(oiseau).

maltraiter. Il se rappelle tout particulièrement qu'une fois où il le frappa à la tête avec sa chaussure de telle façon que l'enfant saigna, sa mère déclara : « J'ai peur qu'un jour il ne le tue. » Pendant qu'il semble ainsi arrêté par le thème de la violence, un souvenir de sa neuvième année surgit tout à coup. Ses parents étaient rentrés tard, ils se mirent au lit tandis qu'il feignait de dormir, et il entendit bientôt des soupirs et d'autres bruits qui l'effrayèrent; il put aussi deviner leur position dans le lit. Le cours ultérieur de sa pensée montre qu'il a établi une analogie entre les relations de ses parents et son attitude envers son jeune frère. Il rangea ce qu'il surprit entre ses parents sous le concept « violence et bataille ». Il en voyait une preuve dans le fait qu'il avait souvent remarqué du sang dans le lit de sa mère.

Que le commerce sexuel des adultes frappe les enfants et leur donne de l'angoisse, c'est un fait d'expérience quotidienne. J'explique cette angoisse par une excitation sexuelle qui échappe à leur intelligence et qui, de plus, est repoussée parce que les parents s'y trouvent mêlés. Elle est donc transformée en angoisse. Quant à l'enfant est plus jeune, ses impulsions sexuelles à l'égard de celui de ses parents qui est de sexe opposé ne sont pas encore refoulées et s'expriment librement, comme nous l'avons vu (p. 224).

J'expliquerais volontiers de la même manière les crises d'angoisse nocturne accompagnées d'hallucinations *(pavor nocturnus)*, si fréquentes chez les enfants. Il ne peut s'agir là aussi que de sexualité méconnue et repoussée. Si on relevait les dates des crises, on constaterait probablement une périodicité dans leur apparition; une recrudescence de la libido sexuelle peut, en effet, être liée à des impressions accidentelles, mais aussi à des poussées évolutives spontanées.

Je ne dispose pas des observations nécessaires pour cette démonstration (1). Les médecins d'enfants semblent malheureusement réfractaires aux idées qui seules permettraient d'éclairer cette série de phénomènes, aussi bien du point de vue somatique que du point de vue psychique. Un exemple frappant montrera à quel point les œillères de la

_____

(1) Elles ont été depuis recueillies en grand nombre par les psychanalystes.

mythologie médicale empêchent les médecins de voir les faits. Il s'agit d'une observation rapportée par Debacker dans sa thèse sur *Les hallucinations et terreurs nocturnes chez les enfants et adolescents* (1881, p. 66) (1).

« Albert G... était un garçon de 13 ans né de père et de mère très robustes et dont la santé débile contrastait avec celle de ses parents... Les informations que j'ai prises me permettent d'affirmer que son père avait été traité pour la syphilis au moment de son mariage. Ce fait expliquerait suffisamment la pauvre santé de cet enfant; depuis quelque temps (il y a de cela deux ans) Albert était rêveur; même pendant le jour la crainte semblait le dominer, et tout, dans sa démarche, ses mouvements, indiquait que ce sentiment ne le quittait point. Ses nuits étaient agitées et il était rare qu'une semaine se passât sans qu'il eût un accès très caractéristique de terreurs nocturnes et d'hallucinations. Le plus souvent, d'après son récit (car il avait le souvenir de son rêve très bien conservé), il apercevait le diable, seul ou avec d'autres, qui venait lui crier à tue-tête : " Nous t'avons ! Nous t'avons ! ", puis il sentait l'odeur de bitume et de soufre, le feu brûlait la surface de son corps préalablement dépouillé de ses vêtements. Ce moment était le plus terrible de son rêve et c'est alors probablement qu'il poussait les cris et faisait les gestes que j'ai pu observer deux fois au moins chez lui. Ces cris, d'abord étouffés dans le larynx, devenaient plus distincts, et alors on entendait : " Non ce n'est pas moi, ce n'est pas moi ! je n'ai rien fait ! " ou bien encore : " Laissez-moi, laissez-moi, je ne le ferai plus ! " — Quelquefois il semblait avoir perdu le sentiment de sa personnalité et il criait : " Albert n'a jamais fait ça ! "... Il arriva même qu'Albert refusât de se coucher et de se déshabiller : le feu ne l'atteignait, lui semblait-il, que lorsqu'il était déshabillé.

« Cet état... menaçait de devenir grave... Le directeur de l'établissement l'envoya à la campagne... où il resta un an et demi. La vie paisible et le grand air lui ont rendu la santé.

« Aujourd'hui il a quinze ans et rit de ses terreurs passées, dont le souvenir lui est très bien resté. Il est bien portant; sa formation a été complète dès le deuxième mois de son

---

(1) [N. d. T.] : nous donnons intégralement cette observation que Freud résume.

séjour à la campagne, et, pour son compte, il n'attribue qu'à ce travail de formation cet état intellectuel particulier : " Je n'osais pas l'avouer, disait-il depuis, mais j'éprouvais continuellement des picotements et des surexcitations aux parties; à la fin cela m'énervait tant que plusieurs fois j'ai pensé à me jeter par la fenêtre du dortoir ". »

Il n'est pas difficile de deviner : 1º que l'enfant se masturbait quand il était petit, qu'il ne voulait pas l'avouer et qu'il avait été menacé de punitions sévères (son aveu : « je ne le ferai plus »; ses dénégations : « Albert n'a jamais fait ça »); 2º que sous la poussée de la puberté la tentation de se masturber à cause des picotements dans ses organes génitaux a reparu; 3º qu'elle a provoqué un refoulement et une lutte où la libido réprimée s'est transformée en angoisse; cette angoisse a pris secondairement la forme des châtiments dont il avait été autrefois menacé.

Voyons par contre les conclusions de l'auteur :

« Cette observation est remarquable à un grand nombre de points de vue et son analyse fait ressortir les faits suivants :

« 1º Que le travail physiologique de la puberté chez un jeune garçon à santé débile amène un état d'affaiblissement très grand, et que *l'anémie cérébrale* (1) peut être très considérable;

« 2º Cette anémie cérébrale conduit à un changement de caractère, à des hallucinations démonomaniaques et à des terreurs nocturnes, peut-être aussi diurnes, très intenses;

« 3º Cette démonomanie et ces scrupules religieux tiennent évidemment au milieu religieux dans lequel s'est passée la jeunesse de l'enfant;

« 4º Tous les phénomènes ont disparu par un séjour prolongé à la campagne, l'exercice et le recouvrement des forces, après la puberté;

« 5º Peut-on ici attribuer à l'hérédité et à l'ancienne syphilis du père une prédisposition à l'état cérébral ? Il sera intéressant de le voir dans l'avenir. »

Et sa remarque terminale :

« Nous avons fait entrer cette observation dans le cadre des délires apyrétiques d'inanition, car c'est à l'ischémie cérébrale que nous rattachons cet état particulier. »

_____

(1) Souligné par moi, Freud.

V. — LE PROCESSUS PRIMAIRE
ET LE PROCESSUS SECONDAIRE —
LE REFOULEMENT

Pénétrer la psychologie des processus du rêve est une rude tâche. Il est bien difficile de rendre par la description d'une succession la simultanéité d'un processus compliqué, et en même temps de paraître aborder chaque nouvel exposé sans idée préconçue. Je vois bien maintenant à quelles difficultés je me heurte pour n'avoir pu suivre dans ce livre le développement historique de mes idées. Pour comprendre le rêve je suis parti de mes travaux sur la psychologie des névroses; je ne peux m'y reporter ici et je suis pourtant obligé de m'y reporter sans cesse, puisque je voudrais, suivant une direction inverse, retrouver, en partant du rêve, la psychologie des névroses. Je sais combien de difficultés cela crée pour le lecteur, mais je ne vois aucun moyen de les lui épargner.

Je préfère m'attarder à un autre point de vue d'où la valeur de mes efforts paraîtra plus grande. Le sujet que j'ai choisi était de ceux où s'affirmaient entre les auteurs les plus éclatants désaccords, comme on l'a vu dans l'exposé historique. Mon analyse des problèmes du rêve a fait une place à la plupart de ces contradictions. Il n'y en a que deux que j'ai dû repousser : le rêve est un processus dépourvu de sens; le rêve est un processus somatique. A toutes les autres j'ai fait justice à un moment ou un autre de l'exposé compliqué de ma thèse et j'ai pu montrer qu'elles représentaient des trouvailles judicieuses.

Le rêve continue les émotions et les intérêts de la vie éveillée : c'est ce qu'a montré d'une manière tout à fait générale la découverte des pensées latentes du rêve. Elles n'ont trait qu'à ce qui nous paraît important et à ce qui nous intéresse puissamment, jamais à des vétilles. — Mais nous avons vu aussi la valeur de l'opinion opposée : le rêve glane les restes indifférents du jour et ne s'empare d'un des grands intérêts de la vie éveillée que lorsque le travail de la veille le délaisse. Cela nous a paru caractériser le contenu du rêve, qui exprime les pensées du rêve de façon déformée. Le processus du rêve, avons-nous dit, s'empare volontiers, en vertu d'un mécanisme associatif, d'un matériel de représentation récent ou indifférent qu'ignore la pensée de la veille, et, en vertu de la censure, il transporte sur ces faits indifférents l'intensité psychique des éléments importants, mais choquants. — L'hypermnésie du rêve et le fait qu'il dispose du matériel de l'enfance sont un des piliers de notre théorie; nous avons également montré comment les désirs d'origine infantile sont, selon nous, le moteur essentiel de la formation de tout rêve. Nous n'avions pas à mettre en doute l'importance des stimuli sensoriels externes, importance prouvée expérimentalement pendant le sommeil. Mais ces stimuli nous ont paru jouer, à l'égard du désir du rêve, le même rôle que les restes de pensées de la veille. Nous n'avons pas contesté que le rêve interprète l'excitation extérieure objective comme fait la veille pour l'illusion, mais nous avons montré le motif de cette interprétation que les auteurs laissaient dans l'ombre. L'interprétation empêche l'objet perçu de troubler le sommeil et l'utilise pour l'accomplissement du désir. — L'état d'excitation subjectif des organes sensoriels pendant le sommeil, qui semble démontré par Trumbull Ladd, ne nous apparaît sans doute pas comme une source de rêves, mais nous l'expliquons comme une reviviscence « régrédiente » des souvenirs qui agissent derrière le rêve. — Les sensations internes de l'ensemble de l'organisme, dont on fait volontiers la pierre angulaire des explications du rêve, jouent aussi un rôle dans notre conception, mais un rôle plus modeste. Les sensations de chute, de vol plané, d'inhibition sont à nos yeux des éléments toujours disponibles, dont l'élaboration du rêve se sert pour représenter ses pensées chaque fois qu'il est nécessaire.

Il nous paraît exact de dire que le processus du rêve est brusque, instantané, si l'on songe seulement à la perception par la conscience d'un contenu de rêve déjà formé; mais pour ce qui est de sa formation, il est vraisemblable qu'elle suit un développement lent et hésitant. L'énigme du contenu du rêve, touffu et comprimé dans le moment le plus bref, nous a semblé pouvoir s'expliquer comme la brusque appréhension d'une production psychique longtemps préparée et achevée. — Le fait que le rêve est déformé et mutilé par le souvenir nous a paru vrai mais ne nous a pas gêné : c'est la dernière partie, et celle-ci est manifeste, d'un travail de déformation qui agit depuis le début de la formation du rêve. — La question de savoir si, pendant la nuit, la vie psychique sommeille ou garde tout son pouvoir a suscité un vif débat et qui paraissait ne pouvoir aboutir à une conciliation. Nous avons donné raison aux deux partis sans en approuver entièrement aucun. L'analyse des pensées du rêve nous a révélé une activité intellectuelle très compliquée disposant de presque toutes les ressources de l'appareil psychique, mais il paraît incontestable que ces pensées du rêve sont nées pendant le jour, et il est indispensable d'admettre un état de sommeil de la vie psychique. Ainsi la théorie du sommeil partiel elle-même peut être considérée comme fondée; mais la caractéristique du sommeil ne nous paraît pas être la rupture de la cohésion psychique, c'est bien plutôt l'orientation vers le désir de dormir du système psychique dominant pendant le jour. — Le fait que pour dormir nous nous détournons du monde extérieur garde son importance dans notre conception; il facilite la régression de la représentation, dans le rêve, bien qu'il n'en soit pas l'unique facteur. — L'abandon de la direction volontaire du cours de nos représentations est incontestable, mais la vie psychique n'en reste pas moins orientée, car nous avons vu comment, dans ce cas, des représentations-but involontaires remplaçaient les représentations voulues. — L'existence d'associations d'idées plus lâches dans le rêve nous a paru certaine, leur domaine nous a semblé même bien plus vaste qu'on ne l'a cru jusqu'ici; mais nous avons trouvé qu'elles ne faisaient qu'en remplacer d'autres, précises et sensées. — Le rêve est certainement absurde et nous en convenons; mais nous avons vu par des exemples à quel point un rêve d'apparence absurde peut être sensé.

Toutes les fonctions que l'on accorde au rêve nous paraissent bien fondées. Le rêve sert à l'esprit de soupape de sécurité; la représentation de faits nuisibles par le rêve leur enlève, selon l'expression de Robert, toute nocivité. Non seulement ces affirmations s'accordent avec notre théorie du double accomplissement de désirs, mais nous les formulons de façon plus claire que Robert. — Le jeu libre des facultés psychiques se retrouve chez nous dans la façon dont le préconscient laisse faire le rêve. — « Le retour de la vie psychique à l'état embryonnaire dans le rêve » et la définition de Havelock Ellis : « an archaic world of vast emotions and imperfect thoughts », nous paraissent être d'heureuses anticipations de notre théorie qui voit agir dans la formation du rêve des modes de pensée *primitifs*, réprimés pendant le jour. — Nous avons fait nôtre la remarque de J. Sully selon laquelle « le rêve fait revivre nos personnalités successives, nos anciennes façons d'envisager les choses, les impulsions et réactions qui nous ont dominé jadis ». — Chez nous comme chez Delage, le *réprimé* est le ressort du rêve.

Nous sommes d'accord avec Scherner quant au rôle qu'il attribue à l'imagination dans le rêve et quant à ses interprétations; mais nous souhaiterions qu'il leur assignât une autre place. Ce n'est pas le rêve qui crée l'imagination, c'est l'activité imaginative inconsciente qui joue, dans la formation des pensées du rêve, un rôle considérable. Nous devons à Scherner d'avoir indiqué les sources des pensées du rêve, mais presque tout ce qu'il attribue au travail du rêve doit être mis au compte de l'activité inconsciente pendant le jour : c'est elle qui suscite le rêve, aussi bien que les symptômes névropathiques. Nous avons dû séparer le « travail du rêve » de cette activité : il est bien différent et beaucoup plus cohérent.

Enfin, loin de nier les relations du rêve et des troubles mentaux, nous les avons solidement établies sur un nouveau terrain.

Ainsi les résultats les plus divers et les plus contradictoires des études faites jusqu'à présent se trouvent maintenus par ce que notre théorie du rêve a de nouveau comme par une unité supérieure. Nous les avons insérés dans notre construction. Beaucoup d'entre eux ont été employés autrement que leurs auteurs n'auraient pu le penser, bien peu ont été rejetés complètement. Mais notre édifice reste encore inachevé. Sans parler des multiples obstacles auxquels nous nous sommes heurté en pénétrant dans la partie obscure de la psychologie, nous avons une nouvelle contradiction à résoudre. D'une part les pensées du rêve nous ont paru être le résultat d'un travail psychique parfaitement normal; mais de l'autre nous avons trouvé parmi ces pensées et jusque dans le contenu du rêve une série de processus tout à fait anormaux que nous retrouvons ensuite dans l'interprétation du rêve. Ce que nous avons appelé « travail du rêve » paraît à tel point éloigné de tous les processus psychiques ordinaires connus que nous devrions accepter les plus sévères jugements portés par les auteurs sur les médiocres résultats que le rêve produit.

Essayons, pour nous tirer de cette situation, de serrer la question de plus près. Examinons l'une des constellations qui conduisent à la formation du rêve.

Nous avons appris que le rêve remplace un certain nombre de pensées issues de la vie de la veille et assemblées d'une façon parfaitement logique. Nous ne pouvons donc contester que ces pensées viennent de notre vie psychique normale. Nous retrouvons dans les pensées du rêve toutes les qualités que nous apprécions dans nos pensées de la veille et qui en font des créations complexes élevées et de haute valeur. Mais rien ne nous oblige à admettre que ce travail psychique a été fait pendant le sommeil — ce qui brouillerait singulièrement la conception de l'activité mentale pendant le sommeil qui a été la nôtre jusqu'ici. Ces pensées peuvent fort bien provenir de la veille, s'être développées sans que notre conscience les remarque, et avoir été toutes prêtes lors de l'endormissement. Tout ce que ces faits pourraient nous apprendre, c'est que *les activités de pensée les plus compliquées peuvent se produire sans que la conscience y prenne part*; nous le savions suffisamment par la psychanalyse des hystériques ou des obsédés. Prises en elles-mêmes, ces pensées de rêve ne sont certainement pas incapables de parvenir à la conscience; si nous les ignorons pendant le jour, cela peut avoir divers motifs. Le fait de devenir conscient dépend de l'orientation d'une certaine fonction psychique, l'attention, qui, semble-t-il, ne peut être dispensée qu'en certaines quantités et qui peut être détournée des pensées en question par d'autres buts. Il se peut que ces pensées échappent à la conscience pour une autre raison encore. Notre réflexion consciente nous montre que notre attention suit une voie déterminée. Si nous rencontrons sur notre route une représentation qui ne résiste pas à la critique, nous brisons là, nous laissons tomber l'investissement d'attention. Or il semble bien que les pensées abandonnées puissent suivre leur cours sans que l'attention se reporte sur elles; elles ne la forcent que lorsqu'elles atteignent une intensité particulièrement élevée. Ainsi, du fait que notre jugement a repoussé peut-être consciemment des pensées parce qu'elles lui paraissaient inexactes ou inutilisables pour un but immédiat peut résulter un processus ignoré par la conscience et qui se continuera jusqu'au sommeil.

Disons que nous appelons ce processus *préconscient*, et que nous le considérons comme tout à fait normal; il peut avoir été abandonné, aussi bien qu'interrompu, réprimé. Essayons aussi de donner une idée claire du cours des représentations. Nous croyons qu'une certaine quantité d'excitation, que nous appelons « énergie d'investissement », part d'une représentation-but et suit les voies associatives que celle-ci a choisies. Un courant de pensées « négligé » est celui qui n'a pas reçu cet investissement; celui qui est « réprimé » ou « repoussé » a vu cet investissement lui être retiré; tous deux sont abandonnés à leurs propres excitations. La chaîne de pensées investie d'un but peut, dans certaines conditions, attirer sur lui l'attention de la conscience et recevoir ainsi un « *surinvestissement* ». Nous dirons plus loin nos hypothèses au sujet de la nature et de l'activité de la conscience.

Un courant de pensée ainsi suscité dans le préconscient peut s'éteindre de lui-même ou se maintenir. Dans le premier cas, il semble que son énergie se diffuse dans toutes les directions associatives qui en partent et que cette énergie place toute la chaîne de pensées dans un état d'excitation qui persiste d'abord un moment, puis s'éteint, tandis que l'excitation qui cherche à se décharger se transforme en investissement quiescent. Dans ce cas le processus n'a plus d'intérêt pour la formation du rêve. Mais d'autres représentations-but sont aux aguets dans notre préconscient, elles jaillissent de nos désirs inconscients toujours actifs. Elles peuvent s'emparer de l'excitation liée à la sphère de pensées laissée à elle-même, elles feront la liaison entre elle et un désir inconscient, *transféreront* sur elle l'énergie propre à ce désir, et dès lors le cours de pensées délaissé ou réprimé pourra se maintenir, bien que ce renforcement ne lui ouvre nullement le droit d'accès à la conscience. Nous pouvons dire que des pensées jusque-là préconscientes ont été *attirées dans l'inconscient*.

Il peut y avoir d'autres constellations préliminaires à la formation du rêve. Le courant de pensée préconscient peut être déjà en relation avec le désir inconscient et avoir été rejeté, à cause de cela, par l'investissement de but qui domine; ou bien un désir inconscient jailli d'autres sources (somatiques par exemple), et à la rencontre duquel rien ne venait, a cherché à se transférer sur des résidus psychiques préconscients qui n'avaient pas encore reçu d'investissement. Ces trois cas aboutissent finalement au même résultat : il naît dans le préconscient une pensée qui, n'ayant pas reçu d'investissement du préconscient, a été investie par les désirs inconscients.

A partir de là, le courant de pensées subit une série de transformations, qui ne sont plus des processus psychiques normaux et dont le résultat surprenant est une formation psychopathologique.

1º Les intensités des diverses représentations paraissent capables de s'écouler en bloc et elles vont d'une représentation à l'autre, si bien qu'il se forme des représentations pourvues de grandes intensités. Comme ce processus peut se renouveler plusieurs fois, l'intensité de toute une suite de pensées peut finalement s'accumuler sur un seul élément représentatif. C'est là la *compression* ou *condensation*, que nous avons rencontrée dans le travail du rêve. Elle est la principale responsable de l'impression d'étrangeté que le rêve produit; nous ne connaissons, en effet, rien d'analogue dans la vie psychique normale accessible à la conscience. Nous connaissons sans doute des représentations qui sont le nœud ou le résultat final de longues chaînes de pensées et ont, comme telles, une grande importance psychique, mais cette valeur ne se manifeste par aucun caractère sensible, accessible à la perception interne ; ce qu'elles représentent ne devient pas pour cela plus intense. Dans le processus de condensation, toute la cohésion psychique est transposée en *intensité* du contenu représentatif. C'est comme lorsque je mets en italique ou en caractères gras un mot qui me paraît particulièrement important pour la compréhension d'un texte. En parlant, je prononcerais ce même mot plus haut et plus lentement que les autres, j'insisterais. La première comparaison rappelle aussitôt un exemple emprunté au travail du rêve (*triméthylamine* dans le rêve de l'injection faite à Irma). Les historiens de l'art nous font remarquer que les sculpteurs primitifs avaient un principe analogue : ils exprimaient le rang des personnages par leur taille. Le roi était figuré deux ou trois fois plus grand que les gens de sa suite ou que les ennemis vaincus. Un bas-relief romain emploiera dans le même but des moyens plus choisis. L'imperator sera placé au centre, dressé de toute sa hauteur, on soignera particulièrement cette figure, on mettra l'ennemi à ses pieds; mais on ne le représentera plus comme un géant parmi des nains. On pourrait dire que de nos jours encore le salut qui incline l'inférieur devant son supérieur rappelle cet antique procédé de figuration.

La direction dans laquelle se poursuit la condensation du rêve est prescrite d'une part par les relations ordinaires préconscientes des pensées de rêve, d'autre part par l'attraction des souvenirs visuels de l'inconscient. Le résultat du travail de condensation est d'obtenir les intensités nécessaires pour faire irruption dans le système perceptif.

2º Grâce au libre transfert des intensités et en vue de la condensation, il se forme des *représentations intermédiaires*, des compromis en quelque sorte (voir les exemples, très nombreux). C'est là encore quelque chose de tout à fait étranger au cours normal des représentations qui vise avant tout à choisir et à maintenir les éléments de représentations adéquats. On trouve fréquemment ces formes mixtes, ces compromis lorsqu'on cherche à exprimer verbalement des pensées préconscientes : ainsi les lapsus.

3º Les représentations qui transfèrent leurs intensités l'une sur l'autre sont dans les *relations les plus lâches* et elles sont unies par des associations que notre pensée méprise et qu'elle n'emploie que dans les jeux de mots. Ainsi, des associations par homophonie et par assonance sont considérées comme l'équivalent des autres.

4º Des pensées contradictoires non seulement ne tendent pas à se détruire, mais encore se juxtaposent et souvent se condensent, comme s'il n'y avait entre elles *aucune contradiction*, ou forment des compromis que nous n'admettrions jamais dans notre pensée normale, mais que notre action approuve souvent.

Voilà quelques-uns des processus anormaux les plus frappants que connaissent, au cours du travail du rêve, les pensées du rêve, rationnelles à l'origine. Leur caractère essentiel est de viser avant tout à rendre l'énergie d'investissement mobile et *susceptible de se décharger*; le contenu et la signification propre des éléments psychiques auxquels ces investissements s'attachent sont secondaires. On pourrait penser que la condensation et la formation de compromis n'ont lieu qu'en vue de la régression, quand il s'agit de transformer des pensées en images. Mais l'analyse et, plus nettement encore, la synthèse de rêves qui ne présentent pas de régression en images (par exemple, le rêve : « *Autodidasker* », la conversation avec le Pr N...), montrent l'existence des mêmes procédés de déplacement et de condensation.

Il faut donc admettre que deux processus psychiques essentiellement différents participent à la formation du rêve. L'un crée des pensées de rêve semblables en tout point à celles de la veille, l'autre en dispose d'une façon étrange et tout à fait anormale. C'est ce dernier processus, le travail du rêve au sens strict, que nous avons étudié séparément dans le chapitre VI. D'où le ferons-nous dériver maintenant ?

Nous ne saurions que répondre si nous n'avions pas quelque peu pénétré dans la psychologie des névroses et particulièrement de l'hystérie. Nous avons vu que ces mêmes processus psychiques incorrects — et d'autres encore d'ailleurs — dominent la production des symptômes hystériques. L'hystérie nous présente, elle aussi, une série de pensées correctes et tout aussi valables que les pensées conscientes mais nous ne savons rien de leur existence sous cette forme : nous ne les reconstruisons qu'après coup. Quand elles ont pénétré de force dans la perception par un moyen quelconque, l'analyse d'un symptôme hystérique nous montre que ces pensées normales ont été traitées d'une manière anormale et qu'elles sont parvenues dans le symptôme par *condensation* et *par formation de compromis, grâce à des associations superficielles, sans égard aux contradictions, éventuellement par régression.* L'identité totale que nous constatons entre les particularités du travail du rêve et l'activité psychique qui apparaît dans les psychonévroses nous autorise à transférer aux rêves les conclusions auxquelles nous avons été amené en étudiant l'hystérie.

Nous empruntons à la théorie de l'hystérie le principe suivant : *cette élaboration psychique anormale d'une pensée normale ne peut avoir lieu que lorsque a été transféré, sur cette pensée normale, un désir inconscient d'origine infantile et qui se trouve refoulé.* C'est à cause de ce principe que nous avons construit la théorie du rêve sur l'hypothèse que le désir formateur du rêve provenait toujours de l'inconscient. Ainsi que nous l'avons dit, on ne peut toujours le démontrer, mais on ne peut non plus prouver le contraire. Mais, pour définir exactement ce *refoulement* dont nous avons si souvent parlé, il faut que nous revenions à notre édifice psychologique.

Nous avons adopté la fiction d'un appareil psychique

primitif, dont le travail est caractérisé par la tendance à éviter une accumulation d'excitations et à se mettre le plus possible à l'abri de l'excitation. Il était construit sur le plan d'un appareil réflexe : la motilité, voie première des changements internes du corps, était sa voie de décharge. Nous avons ensuite indiqué les conséquences psychiques de la satisfaction et nous aurions pu introduire ici notre seconde hypothèse : l'accumulation de l'excitation, selon certaines modalités, dont nous n'avons pas à parler ici, est éprouvée comme déplaisir, et elle provoque l'activité de l'appareil en vue de répéter l'expérience de satisfaction qui impliquait une diminution de l'excitation et était ressentie comme plaisir. Nous avons appelé désir ce courant de l'appareil psychique qui va du déplaisir au plaisir; nous avons dit que seul un désir pouvait mettre l'appareil en mouvement et que le cours de l'excitation y était automatiquement réglé par la perception du plaisir et du déplaisir. Désirer a dû être d'abord un investissement hallucinatoire du souvenir de la satisfaction. Mais cette hallucination, si on ne voulait pas la maintenir jusqu'à l'épuisement, se révélait incapable de faire cesser le besoin, d'amener l'agréable lié à la satisfaction.

Ainsi une seconde activité — l'activité d'un second système, pour parler notre langage — était devenue nécessaire. Elle devait interdire à l'investissement mnésique d'atteindre la perception et de ficeler alors les forces psychiques; mais plutôt faire prendre à l'excitation née du besoin, un chemin détourné qui finalement, par la motilité volontaire, altère le monde externe, si bien qu'apparaisse la perception réelle de l'objet de satisfaction. Voilà jusqu'où nous avons déjà conduit notre schéma de l'appareil psychique; les deux systèmes sont le germe de ce que nous nommerons, dans l'appareil achevé, l'inconscient et le préconscient.

Pour que la motilité puisse transformer utilement le monde extérieur, il faut que le système mnésique ait accumulé un grand nombre d'expériences et que les relations qui peuvent exister entre les diverses représentations-but que nous nous rappelons soient fixées de multiples manières. Revenons à nos hypothèses. L'activité du second système, qui tâtonne, fluctue, fait des investissements en tous sens puis les retire, doit, d'une part, disposer librement de tout le matériel mnésique; mais, d'autre part, il serait tout à fait superflu de diriger, sur les diverses voies de la pensée, de grandes masses d'investissements, qui s'écouleraient sans utilité et diminueraient par là la quantité nécessaire à la transformation du monde extérieur. Je suppose donc, pour des motifs de finalité, que le second système parvient à réserver la plus grande partie de ses investissements d'énergie et à n'en employer que peu en vue du déplacement. J'ignore ce que peut être le mécanisme de ce processus; si quelqu'un s'y intéressait, il faudrait qu'il recourût à des analogies physiques et qu'il essayât de se représenter les processus moteurs qui accompagnent l'excitation des neurones. Je m'en tiens à l'idée que l'activité du premier système Ψ tend à faire *écouler librement* les quantités d'excitation, et que le second système, au moyen des investissements qui émanent de lui, *inhibe* cet écoulement et en fait un investissement tranquille, probablement en élevant son potentiel. J'admets donc que l'écoulement de l'excitation se trouve dans des conditions mécaniques toutes différentes selon que c'est le second système qui domine ou le premier. Quand le second système a achevé son travail exploratoire, il relâche inhibitions et digues et laisse les excitations s'écouler vers la motilité.

Il est intéressant d'examiner les rapports entre cette inhibition par le second système et la régularisation par le principe du déplaisir. Prenons la contrepartie de l'expérience primaire de satisfaction : l'expérience externe d'effroi. Un stimulus perceptif agit sur l'appareil primitif et ce stimulus est la source d'une excitation douloureuse. Il en résultera des manifestations motrices désordonnées qui dureront jusqu'à ce que l'une d'entre elles arrache l'appareil à la perception et en même temps à la douleur; cette manifestation motrice se répétera (sous forme de mouvements de fuite par exemple) chaque fois que la perception apparaîtra à nouveau. Mais il ne subsistera cette fois aucune tendance à réinvestir la perception de la source de douleur, d'une manière hallucinatoire ou non. Au contraire, l'appareil primaire conservera une tendance à abandonner cette image mnésique, pénible, chaque fois et dès qu'elle sera éveillée, parce que le débordement de son excitation sur la perception provoquerait du déplaisir (ou plus exactement parce qu'il commence déjà à en provoquer). Cet évitement *(Abwendung)* du souvenir, répétition de la fuite initiale devant la perception, est facilité par le fait que le souvenir ne possède pas, comme la perception, la somme de qualités nécessaires pour exciter la conscience et attirer par là un nouvel investissement. La fuite devant le souvenir de la douleur, qui apparaît régulièrement et sans nul effort, nous présente le modèle et le premier exemple du *refoulement psychique*. Chacun sait combien même l'adulte normal excelle à éviter tout ce qui est pénible, à pratiquer la politique de l'autruche.

En vertu du principe du déplaisir, le premier système Ψ est donc incapable d'introduire dans le cours de ses pensées un élément pénible. Il ne peut que désirer. S'il en restait là, le travail de pensée du second système serait entravé : il faut en effet que celui-ci puisse disposer de tous les souvenirs laissés par l'expérience. Deux voies s'ouvrent dès lors : ou bien le travail du second système se libère complètement du principe du déplaisir et poursuit sa route sans se préoccuper du déplaisir contenu dans les souvenirs, ou bien il trouve moyen d'investir ces souvenirs du déplaisir d'une manière telle qu'il évite le dégagement du déplaisir. Nous pouvons écarter la première possibilité : nous savons en effet que le principe du déplaisir règle aussi le cours des excitations du second système; nous sommes donc ramené à la seconde, selon laquelle le second système investit le souvenir de telle sorte qu'il en inhibe l'écoulement, donc aussi l'écoulement, comparable à une innervation motrice, du développement du déplaisir. Nous sommes ainsi conduit, en partant de deux principes différents, à l'hypothèse selon laquelle l'investissement par le second système implique en même temps une inhibition de l'écoulement de l'excitation; ces deux principes de départ sont le principe du déplaisir et le principe de la plus petite dépense possible d'innervation. Maintenons solidement — c'est la clef de la théorie du refoulement — que *le second système ne peut investir une représentation que lorsqu'il est capable d'inhiber le développement du déplaisir qui peut en venir.* Ce qui pourrait échapper à cette inhibition resterait inaccessible pour le second système aussi et serait bientôt abandonné par suite du principe du déplaisir. L'inhibition du déplaisir n'a pas besoin d'être complète; un début de déplaisir est nécessaire pour montrer au second système la nature du souvenir et son inaptitude éventuelle au but que poursuit la pensée.

J'appellerai *processus primaire* celui qu'admet le premier système seul, *processus secondaire* celui qui se produit sous l'influence inhibitrice du second. Je peux montrer sur un autre point encore dans quel but le second système doit corriger le processus primaire. Le processus primaire s'efforce de faire se décharger l'excitation pour établir, grâce aux quantités d'excitation ainsi rassemblées, une *identité de perception ;* le processus secondaire a abandonné cette intention et l'a remplacée par une autre : atteindre une *identité de pensée.* La pensée n'est qu'un chemin détourné, qui va du souvenir de la satisfaction, pris comme représentation-but, à l'investissement identique de ce même souvenir, investissement qui sera atteint par le moyen de l'expérience motrice. La pensée doit s'intéresser aux voies de communication entre les représentations sans se laisser détourner par leur intensité. Mais il est clair que les condensations de représentations, les formations intermédiaires et de compromis empêchent d'atteindre cette identité visée. Le remplacement d'une représentation par une autre entraîne un changement de direction. C'est pourquoi la pensée secondaire évite soigneusement ces sortes de processus. D'autre part, on voit aisément que le principe du déplaisir, qui par ailleurs offre à la pensée des points d'appui importants, la gêne dans sa poursuite de l'identité. La tendance de la pensée doit donc être de s'affranchir toujours davantage de la régularisation exclusive par le principe du déplaisir et de réduire le développement des affects à un minimum, utilisable comme signal. Cet affinement doit être obtenu par un nouveau surinvestissement, œuvre de la conscience. Mais nous savons qu'il est bien rarement atteint, même dans la vie psychique la plus normale, et que notre pensée risque toujours d'être faussée par l'interférence du principe du déplaisir.

Mais ce n'est pas cette lacune de l'efficience fonctionnelle de notre appareil psychique qui permet aux pensées produites par notre travail secondaire d'être happées par le processus psychique primaire : formule qui résume le travail qui mène aux rêves et aux symptômes hystériques. L'insuffisance provient de la rencontre de deux facteurs de notre évolution dont l'un est le propre de l'appareil psychique et a exercé une influence dominante sur le rapport des deux systèmes, dont l'autre agit de façon variable et introduit dans la vie‚ mentale des forces pulsionnelles d'origine organique. Tous deux proviennent de notre enfance et témoignent des transformations que notre organisme, tant psychique que somatique, a éprouvées à cette époque.

En appelant l'un des processus psychiques se déroulant dans l'appareil mental, « primaire », je ne songeais pas seulement à sa place et à son efficacité, mais aux rapports dans le temps. Sans doute, nous ne connaissons pas d'appareil psychique qui ne présente que des processus primaires, et à ce point de vue c'est une fiction théorique. Mais il est de fait que les processus primaires sont donnés dès le début, alors que les processus secondaires se forment peu à peu au cours de la vie, entravent les processus primaires, les recouvrent et n'établissent peut-être sur eux leur entière domination qu'à notre maturité. Cette apparition tardive des processus secondaires fait que le fond même de notre être, constitué par des impulsions de désirs de l'inconscient, reste à l'abri des atteintes et des inhibitions du préconscient, dont le rôle est restreint une fois pour toutes à indiquer aux impulsions de désirs venus de l'inconscient les voies qui les mèneront le mieux à leur but. Ces désirs inconscients seront, pour tous nos efforts psychiques ultérieurs, une contrainte que ceux-ci devront accepter et qu'ils pourront tout au plus tenter de détourner et d'élever avec eux vers des buts plus nobles. C'est aussi à ce retard qu'est dû le fait qu'une partie de notre matériel mnésique demeure inaccessible à l'investissement préconscient.

Parmi ces désirs d'origine infantile que l'on ne saurait détruire ni inhiber, il en est aussi dont la réalisation serait contraire aux représentations-but de la pensée secondaire. L'accomplissement de ces désirs provoquerait un sentiment non de plaisir mais de déplaisir, et *c'est précisément cette transformation d'affects qui est l'essence de ce que nous avons appelé « refoulement »*. De quelles manières et sous l'influence de quelles forces pulsionnelles cette transformation peut-elle se produire ? C'est là le problème du refoulement, qu'il nous suffit d'indiquer ici. Maintenons que cette transformation affective se produit au cours du développement (que l'on songe à l'apparition du dégoût, qui, primitivement, n'existe pas chez l'enfant) et qu'elle est liée à l'activité du système secondaire. Les souvenirs à partir desquels le désir inconscient produit ce déclenchement des affects n'ont jamais été accessibles au préconscient qui, pour cette raison, ne peut inhiber ce déclenchement. C'est aussi à cause de ce développement affectif que ces représentations ne sont pas accessibles même aux pensées préconscientes, auxquelles elles ont transféré leur force de désir. Le principe du déplaisir fait, de plus, que le préconscient se détourne de ces pensées de transfert. Celles-ci sont laissées à elles-mêmes, « refoulées », et c'est ainsi que l'existence d'un fond de souvenirs infantile, soustraits dès le début à la surveillance du préconscient, est la première condition du refoulement.

Dans les cas les plus favorables, le développement du déplaisir prend fin avec le retrait de l'investissement des pensées de transfert, dans le préconscient; on voit par là quelle est l'utilité du déplaisir. Mais il en va autrement quand le désir inconscient refoulé est renforcé organiquement et prête cette force nouvelle à ses pensées de transfert, de sorte qu'elles peuvent essayer de pénétrer de force, lors même qu'elles ont été abandonnées par l'investissement du préconscient. Il y a alors renforcement de l'opposition du préconscient aux pensées refoulées (contre-investissement), puis compromis, passage des pensées de transfert (chargées du désir inconscient) sous une forme intermédiaire et création du symptôme. Mais à partir du moment où les pensées refoulées (fortement investies par le désir inconscient) sont abandonnées par l'investissement préconscient, elles succombent au processus primaire et ne peuvent dès lors se résoudre qu'en décharge motrice ou en reviviscence hallucinatoire de l'identité de perception désirée. Nous avons déjà trouvé empiriquement que les processus irrationnels que nous avons décrits ne se manifestent qu'avec les pensées refoulées. Nous voyons maintenant qu'il s'agit de processus *primaires*; ils apparaissent chaque fois que des représentations, abandonnées par l'investissement préconscient et laissées à elles-mêmes, se chargent de l'énergie de l'inconscient, libre et qui cherche à s'écouler. Quelques autres observations nous permettent d'affirmer que ces processus dits anormaux ne sont pas des déviations, des fautes de pensée, mais les modes de travail de l'appareil psychique lorsqu'il est libéré de toute inhibition. Nous voyons que le transport de l'excitation préconsciente sur la motilité se produit selon les mêmes modes, et que la liaison des mots avec des représentations préconscientes donne facilement lieu aux mêmes déplacements et confusions, attribués jusqu'à présent à l'inattention. On pourrait montrer quel surcroît de travail exige l'inhibition de ces modes primaires en signalant que nous obtenons un effet *comique,* un excédent qui se décharge en *rire, lorsque nous les laissons pénétrer dans la conscience.*

La théorie des psychonévroses affirme avec une certitude entière que seules les impulsions de désir sexuelles infantiles qui ont été refoulées (donc dont l'affect a été transformé) au cours du développement de l'enfant ont pu se renouveler au cours du développement ultérieur — soit par suite d'une constitution sexuelle qui s'est dégagée de la bisexualité primitive, soit par suite d'influences sexuelles défavorables — elles peuvent donc être les forces pulsionnelles des symptômes névropathiques. Seule l'introduction de ces forces sexuelles peut combler les lacunes qui subsistent encore dans la théorie du refoulement. Je laisse là la question de savoir si les notions de sexuel et d'infantile sont indispensables également à la théorie du rêve. En admettant que le désir du rêve jaillit toujours de l'inconscient, je suis déjà allé un peu au-delà de ce que je pouvais prouver (1). Je ne rechercherai pas non plus quelle est exactement la différence entre le jeu des forces psychiques dans la formation du rêve et dans celle de la névrose, l'un des termes de la comparaison nous est trop peu connu pour cela. Mais j'insiste sur un autre point important et j'avoue tout de suite que c'est pour cela que j'ai entrepris de donner

(1) Il y a des lacunes ici comme dans d'autres parties de cet exposé. Je les ai laissées intentionnellement. Les combler exigerait d'une part trop d'efforts et de l'autre l'emploi d'éléments étrangers au rêve. Par exemple, j'ai négligé de dire quelle différence je faisais entre les mots « réprimé » *(unterdrückt)* et « refoulé » *(verdrängt).* Le lecteur aura compris que le dernier accentue davantage le caractère inconscient. Je n'ai pas cherché à expliquer pourquoi les pensées du rêve subissent la déformation par la censure même dans le cas où elles renoncent à continuer leur marche progrédiente vers la conscience et choisissent la voie de la régression ; — il y a d'autres omissions analogues. J'avais surtout à cœur de faire sentir ce qu'étaient les problèmes que soulève une analyse plus poussée du travail du rêve, et d'indiquer quelles étaient les questions connexes. Il ne m'a pas toujours été facile de décider où il fallait m'arrêter. — Si je n'ai pas traité à fond le rôle des représentations sexuelles dans le rêve et si j'ai évité d'interpréter des rêves à contenu ouvertement sexuel, c'est pour une raison à laquelle le lecteur ne s'attend peut-être pas. Rien n'est plus étranger à mes conceptions personnelles et aux théories que je défends en neuropathologie que de considérer la vie sexuelle comme un *pudendum* qui ne devrait préoccuper ni les médecins, ni les hommes de science. J'ai trouvé ridicule l'indignation morale du traducteur d'Artemidore, qui avait supprimé tout bonnement le chapitre sur les rêves sexuels. Mon seul motif a été qu'il fallait, pour expliquer les rêves sexuels, s'enfoncer dans les questions encore obscures des perversions et de la bisexualité ; j'ai donc mis tout cela de côté.

toutes ces explications sur les deux systèmes psychiques, leur mode de travail et le refoulement. Il importe peu de savoir si je suis arrivé à une approximation exacte des faits psychologiques en question, ou si, comme il est possible en des matières aussi difficiles, j'ai dit des choses fausses et incomplètes. Ce qu'il faut retenir, c'est le point suivant. De quelque manière que l'on interprète la censure psychique et l'élaboration normale aussi bien que l'élaboration anormale du contenu du rêve, il est certain que ces processus agissent au cours de la formation du rêve, et que, pour l'essentiel, ils manifestent la plus grande analogie avec ceux qui se produisent dans la formation des symptômes hystériques. Or le rêve n'est pas un phénomène pathologique, il ne suppose aucun trouble de l'équilibre mental, il ne laisse après lui aucun affaiblissement intellectuel. Négligeons l'objection que de mes rêves et de ceux de mes malades on ne peut rien conclure pour les rêves d'individus sains. Si nous concluons du phénomène aux forces pulsionnelles qui le provoquent, nous reconnaîtrons que le mécanisme psychique de la névrose n'est pas lié à l'invasion d'un trouble morbide, mais était tout prêt dans la structure de notre vie psychique normale. Les deux systèmes psychiques, la censure qui les sépare, le fait qu'une activité en inhibe, en recouvre une autre, les rapports des deux avec la conscience — ou tout ce que pourra découvrir au lieu de cela une interprétation plus exacte —, tout cela appartient à la structure normale de notre appareil psychique, et le rêve est une des voies qui permettent de le connaître. Si nous voulons nous contenter d'un minimum de notions tout à fait certaines, nous dirons que le rêve nous montre que *ce qui est réprimé persiste et subsiste chez l'homme normal aussi et reste capable de rendement psychique.* Le rêve est une manifestation de ce matériel, il l'est théoriquement toujours, il l'est pratiquement dans un grand nombre de cas, et ceux-ci mettent précisément en pleine lumière son mécanisme propre. Tout ce qui est réprimé dans notre esprit, qui n'a pu, pendant la veille, réussir à s'exprimer, *parce que ce qu'il y a de contradictoire en lui s'oppose,* ce qui a été coupé de la perception interne, tout cela trouve pendant la nuit, alors que les compromis règnent, le moyen et le chemin pour pénétrer de force dans la conscience.

Flectere si nequeo Superos, Acheronta movebo

L'interprétation des rêves est la voie royale qui mène à la connaissance de l'inconscient dans la vie psychique.

En analysant le rêve, nous pénétrons quelque peu la structure de cet instrument, le plus stupéfiant et le plus mystérieux de tous. Un peu seulement, il est vrai, mais c'est un commencement, et d'autres formations — pathologiques cette fois — nous permettront d'aller plus avant. Car la maladie — celle du moins qu'on nomme à bon droit fonctionnelle — ne suppose ni destruction de l'appareil, ni création de nouveaux clivages internes; il faut l'interpréter d'une manière dynamique, comme un renforcement ou un affaiblissement des composantes d'un jeu de forces, dont les fonctions normales nous dissimulent beaucoup l'effet. On pourrait encore montrer comment le fait que l'appareil est composé de deux instances procure un affinement des activités normales elles-mêmes, qu'une seule instance ne permettrait pas (1).

VI. — L'INCONSCIENT ET LA CONSCIENCE
LA RÉALITÉ

Si l'on y regarde de plus près, ce que les chapitres précédents nous ont conduit à admettre, ce n'est pas l'existence de deux systèmes situés près de l'extrémité motrice de l'appareil, mais l'existence de *deux processus ou de deux espèces d'écoulement de l'excitation.* La différence nous importe peu, car nous devons être toujours prêts à abandonner nos représentations auxiliaires, quand nous croyons pouvoir les remplacer par d'autres, plus proches de la réalité inconnue. Essayons maintenant de redresser quelques notions qui risquent d'avoir été mal comprises, parce que, pour simplifier, nous présentions les deux systèmes comme

(1) Le rêve n'est pas l'unique phénomène qui permette de fonder la psychopathologie sur la psychologie. Dans une série d'articles qui n'est pas encore complètement publiée dans le *Monatsschrift für Psychiatrie und Neurologie* (Über den psychischen Mechanismus der Vergeßlichkeit, 1898 ; Über Deckerinnerungen, 1889), j'ai montré qu'on pouvait faire des constatations analogues pour toute une série de faits psychiques.

Ces articles et d'autres sur l'oubli, le lapsus, les actes manqués, etc., ont été réunis depuis sous le titre de *Psychopathologie des Alltagsleben* (1904), 11ᵉ éd., 1929, *Ges. Werke*, t. IV.

deux régions à l'intérieur de l'appareil psychique. C'est là ce que traduisent les mots « refouler » et « pénétrer de force ». Lorsque nous disons qu'une pensée inconsciente s'efforce de se faire traduire en préconscient, pour pénétrer de force ensuite dans la conscience, nous n'entendons pas par là qu'il y a formation d'une seconde idée, située en un autre lieu, quelque chose comme une transcription, à côté de laquelle subsisterait le texte original. Nous n'entendons pas non plus que pénétrer dans la conscience implique un changement de lieu. Lorsque nous disons qu'une pensée préconsciente est refoulée et prise en charge par l'inconscient, nous risquons aussi de nous laisser entraîner par cette métaphore et d'imaginer qu'un certain ordre, détruit dans une région psychique, a été remplacé par un ordre nouveau, dans une autre région psychique. Laissons là ces images et disons, ce qui paraît plus près de la réalité, qu'une certaine énergie a été investie ou a été retirée à une organisation, de telle sorte que la formation psychique s'est trouvée contrôlée par une instance ou a été soustraite à son pouvoir. Ici, de nouveau nous remplaçons un mode de représentation topique par un mode de représentation dynamique; ce n'est pas la formation psychique qui nous paraît changer, mais son innervation (1).

Cependant je crois utile et possible de continuer à représenter les deux systèmes de cette manière concrète. Evitons seulement tout malentendu, en rappelant que les représentations, les pensées, les formations psychiques en général ne sauraient être localisées dans des éléments organiques du système nerveux, mais en quelque sorte *entre eux*, là où se trouvent des résistances ou des « frayages » qui leur correspondent. Tout ce qui peut devenir objet de perception interne est *virtuel*, un peu comme l'image produite par le passage des rayons dans une longue-vue. Nous pouvons comparer nos systèmes, qui ne sont point psychiques par eux-mêmes et que notre perception psychique ne saurait atteindre, aux lentilles qui projettent l'image. La censure entre les deux systèmes correspondrait à la réfraction lors du passage des rayons dans un nouveau milieu.

---

(1) Il a fallu élaborer et modifier ce point de vue dès lors que l'on a reconnu que le caractère essentiel d'une représentation consciente est sa liaison avec les restes des représentations verbales (*Das Unbewusste*, 1915, *Ges. Werke*, t. X).

Nous avons fait jusqu'ici de la psychologie par nos propres moyens; il est temps d'examiner les théories qui régissent la science psychologique à l'heure actuelle et de voir quels sont leurs rapports avec nos propres conceptions. Le problème de l'inconscient en psychologie est, selon les fortes paroles de Lipps (1), moins un problème psychologique que le problème de la psychologie elle-même. Aussi longtemps que la psychologie s'est contentée d'y répondre que « psychique » et « conscient » étaient termes équivalents et que l'expression « processus psychique inconscient » était un visible non-sens, elle ne pouvait songer à utiliser les observations que le médecin peut faire sur les états psychiques anormaux. Pour que le médecin et le philosophe collaborent, il faut que tous deux reconnaissent dans les mots processus psychologiques inconscients « l'expression appropriée et justifiée d'un fait bien établi ». Le médecin ne peut que hausser les épaules quand on affirme que « le conscient est le caractère indispensable du psychique », et tout son respect pour les philosophes l'amènera seulement à admettre qu'ils ne parlent pas de la même chose et que leur science est entièrement différente. Car une seule observation compréhensive de la vie psychique d'un névropathe, une seule analyse de rêve doit le convaincre d'une manière absolue que les processus de pensée les plus compliqués et les plus parfaits peuvent se dérouler sans exciter la conscience du malade (2). Sans doute, le médecin ne connaît ces processus inconscients que lorsqu'ils ont exercé sur la conscience une influence que le malade exprime ou que le médecin peut observer. Mais le caractère psychique de l'effet conscient peut être bien différent de celui du processus inconscient, si bien qu'il est impossible à la perception interne de considérer l'un comme remplaçant

---

(1) *Der Begriff des Unbewussten in der Psychologie.* Communication faite au IIIᵉ Congrès international de Psychologie, Munich, 1897.

(2) Je suis heureux de pouvoir citer un auteur de l'étude du rêve a conduit aux mêmes conclusions sur les rapports de l'activité consciente et de l'activité inconsciente. Du Prel dit : « La question de la nature de l'âme exige visiblement une recherche préliminaire sur l'identité du conscient et du psychique. Le rêve nie la question préliminaire. Il montre que le concept de psychique s'étend bien au-delà du concept de conscient, un peu comme la force d'attraction d'un astre dépasse de beaucoup sa sphère lumineuse » (*Philos. d. Mystik*, p. 47). « On ne saurait assez insister sur le fait que conscient et psychique ne sont pas des concepts de même extension » (*ibid.*, p. 306).

l'autre. Il faut que le médecin puisse toujours *conclure* de l'effet conscient au processus psychique inconscient. Il apprendra par là que l'effet conscient n'est qu'un résultat éloigné du processus inconscient, que ce dernier n'a pu, comme tel, devenir conscient; il verra aussi qu'il a pu longtemps exister et agir sans se trahir à la conscience.

Pour bien comprendre la vie psychique, il est indispensable de cesser de surestimer la conscience. Il faut, comme l'a dit Lipps, voir dans l'inconscient le fond de toute vie psychique. L'inconscient est pareil à un grand cercle qui enfermerait le conscient comme un cercle plus petit. Il ne peut y avoir de fait conscient sans stade antérieur inconscient, tandis que l'inconscient peut se passer de stade conscient et avoir cependant une valeur psychique. L'inconscient est le psychique lui-même et son essentielle réalité. *Sa nature intime nous est aussi inconnue que la réalité du monde extérieur, et la conscience nous renseigne sur lui d'une manière aussi incomplète que nos organes des sens sur le monde extérieur.*

La notion d'inconscient, en supprimant l'ancienne opposition de la vie consciente et de la vie du rêve, supprime du même coup une série de problèmes qui avaient préoccupé les anciens auteurs. On n'attribue plus au rêve, mais à la pensée inconsciente de veille, les activités dont le résultat étonnant apparaît pendant le rêve. Quand le rêve semble s'amuser, selon l'expression de Scherner, à représenter le corps de façon symbolique, nous savons que c'est là le résultat de fantasmes inconscients, qui correspondent probablement à des impulsions sexuelles et qui ne s'expriment pas seulement dans le rêve, mais encore dans des phobies hystériques et dans d'autres symptômes. Quand le rêve poursuit et achève les travaux de la veille et découvre des idées de quelque valeur, nous n'avons qu'à retirer le déguisement dû au rêve, qui est le résultat du travail du rêve et la marque de l'assistance de forces obscures venues du fond de l'âme (cf. le diable dans le rêve de la sonate de Tartini). Le travail intellectuel lui-même est l'œuvre des forces psychiques qui en accomplissent un semblable pendant le jour. Même dans les créations intellectuelles et artistiques, il semble que nous soyons portés à trop surestimer le caractère conscient. Les renseignements que nous ont laissés sur ce point des hommes d'une aussi grande fécondité intellectuelle que Gœthe et

Helmholtz montrent bien plutôt que ce qu'il y eut d'essentiel et de nouveau dans leur œuvre leur vint par une sorte d'inspiration subite, et presque complètement achevé. Il n'est pas étonnant que dans d'autres cas, alors que toutes les forces intellectuelles sont nécessaires pour résoudre une question, l'activité consciente collabore. Mais elle abuse beaucoup de son privilège en dissimulant toute autre activité partout où elle-même entre en jeu.

Il est à peu près inutile d'étudier à part l'importance historique des rêves. Qu'un capitaine du passé ait été déterminé par un rêve à quelque expédition audacieuse dont le succès a changé le cours de l'histoire, il n'y a là de problème que pour ceux qui opposent le rêve, comme une puissance étrangère, à d'autres forces psychiques plus familières. La difficulté disparaît dès qu'on voit dans le rêve une forme d'expressions d'impulsions sur lesquelles, pendant le jour, pèse une résistance, mais qui, la nuit, puisent des forces à des sources d'excitation profondes (1). Le respect des Anciens pour le rêve montre qu'ils pressentaient à bon droit l'importance de ce que l'âme humaine garde d'indompté et d'indestructible, le pouvoir démoniaque qui crée le désir du rêve et que nous retrouvons dans notre inconscient.

Je dis à dessein « dans notre inconscient », car ce que nous appelons ainsi n'est pas l'inconscient des philosophes et n'est pas non plus celui de Lipps. Les philosophes désignent sous ce nom l'opposé du conscient et discutent âprement pour et contre le bien-fondé de cette notion. Lipps apporte une théorie plus large : tout ce qui est psychique est d'abord inconscient, il en parvient une partie seulement à la conscience. Pour démontrer *un pareil* principe, nous n'aurions pas eu besoin d'évoquer les phénomènes du rêve et la formation de symptômes hystériques : l'observation de la vie normale de veille y suffisait. Ce que l'analyse des formations psychopathologiques et du rêve, premier membre de leur série, nous a appris, c'est que l'inconscient — le psychique — se révèle être une fonction de deux systèmes bien distincts et cela déjà dans la vie normale. Il y a donc *deux sortes d'inconscients*, que les psychologues n'avaient pas encore distinguées. Tous deux sont inconscients, au sens

(1) Cf. p. 93, note 1, le rêve d'Alexandre assiégeant la ville de Tyr (Σά-τυρος).

que donne à ce mot la psychologie. Pour nous, l'un des deux, celui que nous appelons inconscient, *ne peut en aucun cas parvenir à la conscience*; l'autre, que pour cette raison nous nommons préconscient, peut y parvenir après que ses excitations se sont conformées à certaines règles, peut-être seulement après le contrôle d'une nouvelle censure, mais cela sans avoir égard au système inconscient. Le fait que, pour parvenir à la conscience, les excitations doivent subir une marche déterminée, à travers une série d'instances que nous révèlent les changements imposés par la censure, nous a conduit à une comparaison spatiale. Nous avons décrit les relations des deux systèmes entre eux et avec la conscience, en disant que le préconscient joue le rôle d'un écran entre l'inconscient et la conscience. Le système préconscient ne fait pas qu'interdire l'accès de la conscience, il commande aussi l'accès à la motilité volontaire et dispose de la répartition d'une énergie d'investissement mobile dont une partie, l'attention, nous est familière (1).

Ecartons également la distinction de conscience supérieure et de conscience inférieure si fréquente dans les ouvrages récents sur les psychonévroses : elle paraît accentuer l'identité du psychique et du conscient.

Quel rôle garde donc, dans notre conception, la conscience jadis toute-puissante et qui recouvrait et cachait tous les autres phénomènes ? Elle n'est plus qu'*un organe des sens qui permet de percevoir les qualités psychiques*. Notre conception fondamentale considère la perception de la conscience comme l'activité propre d'un système déterminé. Nous nous représentons ce système avec des caractères mécaniques analogues à ceux du système perceptif, c'est-à-dire qu'il peut être excité par des qualités et qu'il ne peut conserver la trace des modifications. Il est donc sans mémoire. L'appareil psychique, qui est tourné vers le monde extérieur par les organes des sens de son système perceptif, est lui-même monde extérieur pour l'organe des sens de la conscience, qui trouve d'ailleurs dans ce rapport sa justification téléologique. Une fois de plus nous ren-

_____

(1) Cf. mon article Bemerkungen über den Begriff des Unbewussten in der Psychoanalyse, publié en anglais, in *Proceedings of the Society for Psychical Research*, vol. XXVI, dans lequel j'ai distingué les différents sens (descriptif, dynamique, systématique) du mot « inconscient ».

controns ici le principe des instances successives, qui paraît régir la construction même de l'appareil. Les excitations affluent de deux côtés vers l'organe des sens de la conscience : elles proviennent d'une part du système perceptif, dont l'excitation déterminée par les qualités subit vraisemblablement un remaniement nouveau avant de devenir sensation consciente; d'autre part de l'intérieur même de l'appareil, dont les processus quantitatifs sont ressentis qualitativement comme plaisir et déplaisir, après qu'ils ont subi certaines modifications.

Quelques philosophes se sont aperçus que des pensées parfaites et très cohérentes pouvaient être formées sans l'aide de la conscience. Ils se sont demandé dès lors quelle fonction attribuer à la conscience; elle leur apparaissait comme un inutile reflet des phénomènes psychiques accomplis. L'analogie entre le système de la conscience tel que nous le concevons et le système perceptif nous épargne cet embarras. Nous voyons que la perception par nos organes des sens a pour conséquence de diriger un investissement d'attention vers les voies où se propage l'excitation sensorielle qui arrive; l'excitation qualitative du système perceptif sert à régulariser le débit de la quantité mobile dans l'appareil psychique. Nous pouvons attribuer la même fonction à l'organe sensoriel supérieur du système de la conscience. En percevant de nouvelles qualités, il dirige et répartit utilement les quantités mobiles d'investissement. Par la perception du plaisir et du déplaisir, il influence le cours des investissements à l'intérieur de l'appareil psychique, ordinairement inconscient et qui travaille par déplacement de quantités. Il semble que le principe du déplaisir règle d'abord automatiquement ces déplacements, mais il se peut fort bien que la conscience fasse subir à ces qualités un second réglage plus fin. Celui-ci pourrait même s'opposer au premier et perfectionner l'appareil, en lui permettant, malgré sa disposition primitive, de soumettre à l'investissement et à l'élaboration même ce qui dégage du déplaisir. La psychologie des névroses nous montre que ce réglage par l'excitation qualitative des organes sensoriels joue un grand rôle dans l'activité de l'appareil. Ce réglage, lui-même automatique, fait cesser le contrôle automatique du principe primaire du déplaisir et la limitation de l'activité qui lui est inhérente. On constate que le refoulement, utile à l'origine, mais qui devient un renoncement dangereux à toute inhibition et tout contrôle psychique, s'applique plus aisément aux souvenirs qu'aux perceptions, parce que les souvenirs ne connaissent pas l'accroissement d'investissement fourni par l'excitation de l'organe des sens psychiques. Une pensée qu'il faudrait écarter ne parviendra certes pas à la conscience parce qu'elle est refoulée; mais d'autres fois elle peut n'être refoulée que parce que, pour d'autres motifs, elle est soustraite à la perception de la conscience. La psychothérapie doit se guider d'après ces indications pour supprimer des refoulements.

Le surinvestissement produit par l'influence régulatrice de l'organe des sens de la conscience crée donc une nouvelle série qualitative, et par là un nouveau réglage, qui constitue peut-être un des privilèges de l'homme sur l'animal. Rien ne démontre mieux sa valeur, d'un point de vue téléologique. Les processus de pensée sont en eux-mêmes dépourvus de qualité; le plaisir et le déplaisir qui les accompagnent sont, en effet, freinés, parce qu'ils pourraient troubler la pensée. Pour donner une qualité à ces processus, l'homme les associe à des souvenirs de mots dont les restes de qualité suffisent à appeler l'attention de la conscience et à obtenir par là un nouvel investissement mobile.

On ne peut saisir le problème de la conscience dans toute sa diversité que lorsqu'on a analysé les processus de pensée hystériques. On a alors l'impression que le passage du préconscient à l'investissement conscient dépend d'une censure analogue à la censure entre l'inconscient et le préconscient. Cette censure ne s'exerce elle aussi qu'à partir d'une certaine valeur quantitative, de sorte que les formations de pensée peu intenses lui échappent. On trouve rassemblés dans le cadre des psychonévroses tous les cas où il y a ou arrêt avant le seuil de la conscience ou pénétration de force dans celle-ci, moyennant certaines limitations. Ils montrent tous quelle dépendance intime et bilatérale il y a entre la conscience et la censure. Voici, pour conclure, deux cas de cette espèce.

Je suis appelé l'année dernière, en consultation auprès d'une fillette au regard intelligent et candide. Son aspect est bizarre. Tandis que les femmes soignent ordinairement les moindres détails de leur toilette, elle laisse pendre un de ses bas et deux boutons de son corsage sont défaits.

Elle se plaint de douleurs dans une jambe et montre son mollet sans qu'on le lui demande. Mais sa plainte principale est, textuellement, la suivante. Elle a l'impression d'avoir dans le corps « quelque chose de caché » qui va et vient et la « secoue » tout entière. Souvent alors tout son corps se raidit. Mon collègue me jette un coup d'œil, il trouve cela très clair. Il nous paraît bizarre que la mère de la malade n'y comprenne rien; elle a pourtant dû se trouver souvent dans la situation que son enfant décrit. La fillette n'imagine pas la portée de ce qu'elle dit, sinon elle ne le dirait pas. Ici la censure a été à tel point aveuglée qu'une rêverie ordinairement inconsciente a pu franchir le seuil de la conscience sous le déguisement ingénu d'une plainte.

Second exemple : On m'amène un jeune garçon de quatorze ans qui souffre de tics convulsifs, vomissements hystériques, migraines, etc. Pour commencer le traitement psychanalytique, je le prie de fermer les yeux et de me dire quelles images ou quelles idées lui viennent à l'esprit. Il répond par des images. La dernière impression qu'il a eue avant de venir me trouver reparaît sous une forme visuelle. Il avait joué aux dames avec son oncle, il voit l'échiquier. Il parle de la place des pions, plus ou moins favorable, des coups que l'on peut tenter. Puis il voit sur l'échiquier un poignard, qui appartient à son père. Puis une faucille, ensuite une faux. Il a l'image d'un vieux paysan qui fauche le gazon devant la maison paternelle, pourtant bien éloignée. Au bout de peu de jours j'avais compris le sens de cette accumulation d'images. Le garçon avait été impressionné par une vie de famille orageuse. Son père était un homme dur et coléreux, qui vivait en mauvais termes avec sa mère et ne connaissait d'autres moyens d'éducation que les menaces; il y avait eu divorce et l'enfant s'était trouvé séparé d'une mère tendre et douce; un beau jour le père s'était remarié et avait amené à la maison une jeune femme qui devait être la nouvelle maman. C'est aussitôt après que le garçon tomba malade. La fureur contre son père, qu'il s'efforce d'étouffer, rassemble les images précédentes qui contiennent des allusions fort claires. La mythologie en a fourni les éléments. La faucille est celle avec laquelle Zeus a émasculé son père, et le paysan est Kronos, le méchant vieillard qui mange ses enfants et dont Zeus tire une vengeance si peu filiale. Le mariage du père est une occasion de lui retourner les reproches et les menaces qu'il fit autrefois à l'enfant parce qu'il jouait avec ses organes génitaux (le jeu de dames, les coups défendus, le poignard meurtrier). Voilà les souvenirs longtemps refoulés et leurs dérivés inconscients qui se sont glissés dans la conscience sous forme d'images en apparence vides de sens.

Ainsi la valeur théorique des études sur le rêve réside pour moi dans la contribution qu'elles apportent à la connaissance psychologique des psychonévroses. Dès maintenant, le peu que nous savons nous permet d'exercer une influence favorable sur les formes guérissables des psychonévroses; qui peut dire l'importance qu'aurait une connaissance profonde de la structure et du fonctionnement de l'appareil psychique ?

On m'a demandé quelle était la valeur pratique de ces études pour la connaissance de l'âme et la découverte des traits de caractère cachés. Les tendances inconscientes qui se révèlent dans nos rêves ne sont-elles pas les véritables puissances de notre vie psychique ? Les désirs réprimés qui créent les rêves et peuvent quelque jour créer d'autres activités ont-ils donc une médiocre importance morale ?

Ce n'est pas à moi de répondre à ces questions. Je n'ai pas examiné de près cet aspect du problème. Mais je pense que l'empereur romain qui fit exécuter un de ses sujets parce que celui-ci l'avait assassiné en rêve a eu tort. Il aurait dû se demander d'abord quelle était la signification de ce rêve. Ce n'était probablement pas celle qui apparaissait immédiatement. Et alors même qu'un rêve, d'autre apparence, aurait eu ce sens de lèse-majesté, il aurait dû songer que, selon Platon, l'homme de bien se contente de rêver ce que le méchant fait réellement. Le mieux est donc de ne point juger les rêves. Je ne peux dire dès maintenant s'il faut accorder une *réalité* aux désirs inconscients et de quelle sorte elle pourrait être. Il n'y en a certainement aucune dans les pensées de transition et de liaison. Une fois les désirs inconscients ramenés à leur expression dernière et la plus vraie, on peut dire que la *réalité psychique* est une forme d'existence particulière, qu'il ne faut pas confondre avec la *réalité matérielle*. Il semble donc injuste que les hommes se refusent à accepter la responsabilité de leurs rêves immoraux. Si l'on considère le fonctionnement de l'appareil psychique et les relations du conscient et de l'inconscient, tout ce que nos rêves et nos rêveries peuvent avoir de choquant disparaît presque complètement.

« Il faut rechercher dans la conscience ce que le rêve nous révèle de rapports avec le présent (réalité) et ne pas s'étonner d'y retrouver gros comme un infusoire le monstre que nous a révélé le verre grossissant de l'analyse. » (H. Sachs.)

Il suffit, le plus souvent, pour juger le caractère d'un homme autant que cela nous est pratiquement nécessaire, de considérer ses actions et les opinions qu'il manifeste consciemment. Ses actions surtout, car beaucoup d'impulsions parvenues à la conscience sont détruites par les forces réelles de la vie psychique avant d'aboutir à l'action. Souvent même elles n'ont pas rencontré sur leur route d'obstacles psychiques, parce que l'inconscient savait qu'elles n'aboutiraient pas. Il est bon en tout cas de savoir sur quel sol tourmenté se dressent fièrement nos vertus. Mobile et agitée en toutes directions, la complexité d'un caractère humain se résout très rarement par les solutions simples de notre morale périmée.

Le rêve, enfin, peut-il révéler l'avenir ?

Il n'en peut être question. Il faudrait dire bien plutôt : le rêve révèle le passé. Car c'est dans le passé qu'il a toutes ses racines.

Certes, l'antique croyance aux rêves prophétiques n'est pas fausse en tous points. Le rêve nous mène dans l'avenir puisqu'il nous montre nos désirs réalisés; mais cet avenir, présent pour le rêveur, est modelé, par le désir indestructible, à l'image du passé.

BIBLIOGRAPHIE

I. — Jusqu'à 1900
(date de la 1re édition de ce livre)

ACHMETIS (F. Serim), *Oneirocriticae*, Ed. Nic. Rigaltius, Paris, 1603.

ALBERTI (Michael), *Diss. de insomniorum influxu in sanitatem et morbos*, Resp. Titius, Halae M., 1744.

ALIX, Les rêves, *Rev. scientif.*, 3e série, t. VI (32e de la coll.), 3e année, 2e sem., nov. 1883, p. 554-561.

— Etude du rêve, *Mém. de l'Acad. des Sc., etc., de Toulouse*, 9e série, t. I, p. 283-326, Toulouse, 1889.

ALMOLI (Salomo), *Pithrôn Chalômôth*, Solkiew, 1848.

ARISTOTE, *Ueber Träume und Traumdeutungen*, trad. all. de BENDER.
— *Von der Weissagung im Traume*.

ARTEMIDOROS AUS DALDIS, *Symbolik der Träume*, trad. all. de Friedr. S. KRAUSS, Wien, 1881.

— *Erotische Träume und ihre Symbolik*, trad. allem. de Hans LICHT, *Anthropophyteia*, Bd. IX, p. 316-328.

ARTIGUES, *Essai sur la valeur séméiologique du rêve*, thèse de Paris, 1884.

BACCI (Domenico), *Sui sogni e sul sonnambulismo, pensieri fisiologico-metafisici*, Venezia, 1857.

BALL, *La morphinomanie, les rêves prolongés*, Paris, 1885.

BENEZÉ (Emil), *Das Traummotiv in der mittelhochdeutschen Dichtung bis 1250 und in alten deutschen Volksliedern*, Halle, 1897. (BENEZÉ, *Sagengesch. und lit.-hist. Unters.*, 1. *Das Traummotiv*.)

BENINI (V.), La memoria e la durata dei sogni, *Rivista italiana di Filosofia*, mars-avril 1898.

— Nel moneto dei sogni, *Il Pensiero nuovo*, avr. 1898.

BINZ (C.), *Ueber den Traum*, Bonn, 1878.

BIRKMAIER (Hieron), *Licht im Finsterniss der nächtlichen Gesichte und Träume*, Nürnberg, 1715.

BISLAND (E.), Dreams and their mysteries, *N. Ann. Rev.*, 1896, 152, p. 716-726.

BÖRNER (J.), *Das Alpdrücken, seine Begründung und Verhütung*, Würzburg, 1855.

BRADLEY (J. H.), On the failure of movement in dream, *Mind*, juillet 1894.

BRANDER (R.), *Der Schlaf und das Traumleben*, Leipzig, 1884.

BOUCHÉ-LECLERCQ, *Histoire de la divination dans l'Antiquité* (t. I), Paris, 1879.

BREMER (L.), Traum und Krankheiten, *New York med. Monatsschr.*, 1893, V, p. 281-286.

BÜCHSENSCHÜTZ (B.), *Traum und Traumdeutung im Altertum*, Berlin, 1868.

BURDACH, *Die Physiologie als Erfahrungswissenschaft*, 3. Bd., 1830.

BUSSOLA (Serafino), *De somniis* (Diss.), Ticini Reg., 1834.

CAETANI-LOVATELLI, I sogni e l'ipnotismo nel mondo antico, *Nuova Antol.*, I., déc. 1889.

CALKINS (Mary Whiton), Statistics of dreams, *Amer. J. of Psychology*, V, 1893.

CANE (Francis E.), The physiology of dreams, *The Lancet*, déc. 1889.

CARDANUS (Hieron), *Synesiorum somniorum, omnis generis insomnia explicantes libri IV*, Basileae, 1562 (2ᵉ éd. in *Opera omnia Cardani*, vol. V, p. 593-727, Lugduni, 1603).

CARIERO (Alessandro), *De somniis deque divinatione per somnia*, Patavii, 1575.

CARPENTER, art. « Dreaming », in *Cyclop. of anat. and phys.*, IV, p. 687.

CHABANEIX, *Le subconscient chez les artistes, les savants et les écrivains*, Paris, 1897.

CHASLIN (Ph.), *Du rôle du rêve dans l'évolution du délire*, thèse de Paris, 1887.

CLAVIÈRE, La rapidité de la pensée dans le rêve, *Revue philosophique*, XLIII, 1897.

COUTTS (G. A.), Night-terrors, *Americ. J. of Med. Sc.*, 1896.

DAGONET, Du rêve et du délire alcoolique, *Ann. méd.-psychol.*, 1889, 7ᵉ série, t. X, p. 193.

DANDOLO (G.), *La coscienza nel sonno*, Padova, 1889.

DAVIDSON (Wolf), *Versuch über den Schlaf*, 2. Aufl., Berlin, 1799.

DEBACKER, *Terreurs nocturnes des enfants*, thèse de Paris, 1881.

DECHAMBRE, art. « Cauchemar », in *Dict. encycl. des Sc. Méd.*

DELAGE (Yves), Une théorie du rêve, *Revue scientifique*, 11 juillet 1891.

DELBŒUF (J.), *Le sommeil et les rêves*, Paris, 1885.

DIETRICH (Joh. Dav.), *An ea, quae hominibus in somno et somnio accidunt, iisdem possint imputari ?*, Resp. Gava, Vitembergae, 1726.

DOCHMASA (A. M.), Dreams and their significance as forebodings of disease, Kazan, 1890.

DREHER (E.), Sinneswahrnehmung und Traumbild, *Reichs-med. Anzeiger*, Leipzig, 1890, XV.

DUCOSTÉ (M.), *Les songes d'attaques épileptiques*, 1899.

D. (L.) [DUGAS], A propos de l'appréciation du temps dans le rêve, *Rev. philos.*, XL, 1895, p. 69-72.

Dugas (L.), Le souvenir du rêve, *Revue philosophique*, XLIV, 1897.
— Le sommeil et la cérébration inconsciente durant le sommeil, *Revue philosophique*, XLIII, 1897, p. 410-42.

Du Prel (Carl), Oneirokritikon; der Traum vom Standpunkte des transcend. Idealismus, *Deutsche Vierteljahrsschrift*, H. II, Stuttgart, 1869.
— *Psychologie der Lyrik*, Leipzig, 1880.
— *Die Philosophie der Mystik*, Leipzig, 1887.
— Künstliche Träume, *Monatsschrift « Sphinx »*, juillet 1889.

Egger (V.), Le sommeil et la certitude, le sommeil et la mémoire, *La Critique philos.*, mai 1888, I, p. 321-350.
— La durée apparente des rêves, *Revue philosophique*, XL, 1895, p. 41-59.
— Le souvenir dans le rêve, *Revue philosophique*, XLVI, 1898, p. 154-157.

Ellis (Havelock), On dreaming of the dead, *The psychological Review*, II, Nr. 5, septembre 1895.
— The stuff that dreams are made of, *Appleton's popular Science Monthly*, avril 1899.
— A note on hypnagogic paramnesia, *Mind*, avril 1897.

Erdmann (J. E.), *Psychologische Briefe*, 6. Aufl., Leipzig, 1848.
— *Ernste Spiele* (XII : Das Träumen), Vortr., 3 Aufl., Berlin, 1875.

Erk (V. v.), *Ueber den Unterschied von Traum und Wachen*, Prag, 1874.

Escande de Messières, *Les rêves chez les hystériques*, th. méd., Bordeaux, 1895.

Faure, Etude sur les rêves morbides. Rêves persistants, *Arch. génér. de Méd.*, 1876, vol. 1, p. 558.

Fechner (G. Th.), *Elemente der Psychophysik*, 2. Aufl., 1889.

Fenizia, L'azione suggestiva delle cause esterne nei sogni, *Arch. per l'Antrop.*, XXVI, 1896.

Féré (Ch.), A contribution to the pathology of dreams and of hysterical paralysis, *Brain*, janv. 1887.
— Les rêves d'accès chez les épileptiques, *La Méd. mod.*, 8 déc. 1897.

Fichte (J. H.), *Psychologie. Die Lehre vom bewussten Geiste des Menschen*, I. Teil, Leipzig, 1864.

Fischer (Joh.), *Ad artis veterum onirocriticae historiam symbola*, Diss. Jenae, 1899.

Florentin (V.), Das Traumleben. Plauderei, *Die alte und die neue Welt*, 1899, 33. J., p. 725.

Fornaschon (H.), Die Geschichte eines Traumes als Beitrag der transcendentalen Psychologie, *Psychische Studien*, 1897, p. 274-281.

Freiligrath, *Traumbuch* (dans sa Biographie par Buchner).

Frensberg, *Schlaf und Traum. (Samml. gemeinverst. wiss. Vortr. Virchow-Holtzendorf*, XX. Ser., H. 466, Berlin, 1885.)

Frerichs (Joh. H.), *Der Mensch : Traum, Herz, Verstand*, 2. Aufl., Norden, 1878.

Galenus, *De praecognitione ad Epijenem*, Lyons, 1540.

GIESSLER (C. M.), *Beitrag zur Phänomenologie des Traumlebens*, Halle, 1888.

— *Aus den Tiefen des Traumlebens*, Halle, 1890.

— *Die physiologischen Beziehungen der Traumvorgänge*, Halle, 1896.

GIRGENSOHN (L.), *Der Traum, psychol.-physiol. Versuch*, S. A., 1845.

GLEICHEN-RUSSWURM (A. v.), Traum in der Dichtung, *Nat.-Ztg.*, 1899, Nr. 553-559.

GLEY (E.), Appréciation du temps pendant le sommeil, *L'Intermédiaire des Biologistes*, 20 mars 1898, n° 10, p. 228.

GOBLOT, Sur le souvenir des rêves, *Revue philosophique*, XLII, 1896.

GOMPERZ (Th.), *Traumdeutung und Zauberei*, Wien, 1866.

GORTON (D. A.), Psychology of the unconscious, *N. Y. Med. Times*, 1896, XXIV, 33, 37.

GOULD, *Dreams-Sleep-Consciousness*, Open Court, 1899.

GRABENER (Gottl. Chr.), *Ex antiquitate iudaica de menûdim bachalôm sive excommunicatis per insomnia exerc.*, Resp. Klebius, Vitembergae, 1710.

GRAFFUNDER, *Traum und Traumdeutung*, 1894.

GREENWOOD, *Imaginations in dreams and their study*, London, 1899.

GRIESINGER, *Pathologie und Therapie der psychischen Krankheiten*, 3. Aufl., 1871.

GROT (Nicolas), *Les rêves objet d'analyse scientifique* (en russe), Kiew, 1878.

GUARDIA (J.-M.), La personnalité dans les rêves, *Rev. philos.*, XXXIV, 1892, p. 225-258.

GUTFELDT (J.), Ein Traum, *Psych. Studien*, 1899, p. 491-494.

HAFFNER (P.), *Schlafen und Träumen*, 1884. *Frankfurter zeitgemässe Broschüren*, 5. Bd., Heft 10.

HALLAM (Fl.) et WEED (Sarah), A study of the dream consciousness, *Amer. J. of Psychology*, VII, Nr. 3, avril 1896.

HAMPE (Th.), Ueber Hans Sachsens Traumgedichte, *Zeitschrift für den deutschen Unterricht*, 10. Jahrg., 1896, p. 616 sq.

HEERWAGEN, Statist. Untersuch. über Träume u. Schlaf, *Philos. Stud.*, V, 1888, p. 88.

HENNINGS (Justus Chr.), *Von Träumen und Nachtwandlern*, Weimar, 1802.

HENZEN (Wilh.), *Ueber die Träume in der altnord. Sagaliteratur*, Diss. Leipzig, 1890.

HERVEY DE SAINT-DENYS, *Les rêves et les moyens de les diriger*, Paris, 1867 (anonyme).

HILDEBRANDT (F. W.), *Der Traum und seine Verwertung fürs Leben*, Leipzig, 1875.

HILLER (G.), Traum. Ein Kapitel zu den zwölf Nächten, *Leipz. Tagbl. und Anz.*, 1899, Nr. 657, 1. Beil.

HIPPOKRATES, *Buch über die Träume. Sämtliche Werke*, übersetzt von Dr. Robert FUCHS, München, 1895-1900, Bd. I, p. 361-369.

HITSCHMANN (F.), Ueber das Traumleben der Blinden, *Zeitschr. f. Psychol.*, VII, 5-6, 1894.

IDELER, Die Entstehung des Wahnsinns aus den Träumen, *Charité Annalen*, 1862, III.

JASTROW, The dreams of the blind, *New Princetown Rev.*, New York, janv. 1888.

JEAN-PAUL, Blicke in die Traumwelt, *Museum* (1813), II (*Werke*, hg. v. HEMPEL, 44, p. 128-152).
— *Ueber Wahl- und Halbträume*, ibid., p. 142 sq.
— *Wahrheit aus seinem Leben*, 2, p. 106-126.

JENSEN (Julius), *Traum und Denken*, Berlin, 1871 (*Samml. gemeinverst. wiss. Vortr. Virchow-Holtzendorf*, Ser. VI, H. 134).

JESSEN, *Versuch einer wissenschaftlichen Begründung der Psychologie*, Berlin, 1856.

JODL, *Lehrbuch der Psychologie*, Stuttgart, 1896 (3. Aufl., 1908).

KANT, *Anthropologie in pragmatischer Hinsicht*, éd. KIRCHMANN, Leipzig, 1880.

KINGSFORD (A. B.), *Dreams and dream-stories*, ed. by MAITLAND, 2e éd., London, 1888.

KLOEPFEL (F.), Träumerei und Traum. Allerlei aus unserem Traumleben, *Universum*, 1889, 15. J., Sp. 2469-2484, 2607-2622.

KRAMÁŘ (Oldrich), *O spánku a snu*, Prager Akad. Gymn., 1882.

KRASNICKI (E. v.), Karls IV. Wahrtraum, *Psych. Stud.*, 1897, p. 796.

KRAUSS (A.), Der Sinn im Wahnsinn, *Allgemeine Zeitschrift für Psychologie*, XV et XVI, 1858-1859.

KUČERA (Ed.), *Aus dem Traumleben*, Mähr.-Weisskirchen Gymn., 1895.

LADD, Contribution to the psychology of visual dreams, *Mind*, avril 1892.

LAISTNER (Ludw.), *Das Rätsel der Sphinx*, 2 Bände, Berlin, 1889.

LANDAU (M.), Aus dem Traumleben, *Münchner Neueste Nachrichten*, 9 janvier 1892.

LASÈGUE, Le délire alcoolique n'est pas un délire, mais un rêve, *Arch. gén. de Méd.*, 1881 (réimp. in *Etudes méd.*, t. I, p. 203-227).

LAUPTS, Le fonctionnement cérébral pendant le rêve et pendant le sommeil hypnotique, *Annales méd.-psychol.*, 1895.

LEIDESDORF (M.), *Das Traumleben*, Wien, 1880. — Sammlung der « Alma Mater ».

LE LORRAIN, La durée du temps dans les rêves, *Rev. philos.*, XXXVIII, 1894, p. 275-279.
— Le rêve, *Revue philosophique*, XL, juillet 1895.

LÉLUT, Mémoire sur le sommeil, les songes et le somnambulisme, *Ann. méd.-psych.*, 1852, t. IV.

LEMOINE, *Du sommeil au point de vue physiologique et psychologique*, Paris, 1855.

LERCH (Math. Fr.), *Das Traumleben und seine Bedeutung*, Gymn. Progr. Komotau, 1883-84.

LIBERALI (Francesco), *Dei sogni*, Thèse. Padova, 1834.

LIÉBEAULT (A.), *Le sommeil provoqué et les états analogues*, Paris, 1889.
— A travers les états passifs, le sommeil et les rêves, *Rev. de l'Hypnot.*, etc., Paris, 1893, 4, VIII, pp. 41, 65, 106.

LIPPS (Th.), *Grundtatsachen des Seelenlebens*, Bonn, 1883.

LUKSCH (L.), *Wunderbare Traumerfüllung als Inhalt des wirkl. Lebens*, Leipzig, 1894.

MACARIO, Du sommeil, des rêves et du somnambulisme dans l'état de santé et dans l'état de maladie. *Ann. méd.-psychol.*, 1858, t. IV, V.

— Des rêves considérés sous le rapport physiologique et pathologique, *ibid.*, 1846, t. VIII.

— Des rêves morbides, *Gaz. méd. de Paris*, 1889, Nr. 8.

MACFARLANE (A. W.), Dreaming, *The Edinb. Med. J.*, 1890, t. 36.

MAINE DE BIRAN, *Nouvelles considérations sur le sommeil, les songes et le somnambulisme* (éd. COUSIN), 1792.

MANACEINE (Marie de), *Le sommeil, tiers de notre vie*, Paris, 1896.

— *Sleep ; its Physiology, Pathology and Psychology*, London, 1897.

MAUDSLEY, *The Pathology of Mind*, 1897.

MAURY (A.), Analogies des phénomènes du rêve et de l'aliénation mentale, *Annales méd.-psych.*, 1853, V, VI.

— De certains faits observés dans les rêves, *Ann. méd.-psychol.*, 1857, t. III.

— *Le sommeil et les rêves*, Paris, 1878.

MEISEL (pseud.), *Natürlich-göttliche teuflische Träume*, Siegharstein, 1783.

MÉLINAND, Dream and Reality, *Pop. Sc. Mo.*, vol. LIV, p. 96-103.

MELZENTIN (C.), Ueber wissenschaftliche Traumdeutung, *Die Gegenwart*, 1899, Nr. 50.

MENTZ (Rich.), *Die Träume in den altfranzösischen Karls- und Artus-Epen*, Marburg, 1888 (*Ausg. u. Abh. aus d. Geb. d. roman. Phil.*, Bd. 73).

MONROE (W. S.), A study of taste-dreams, *Am. J. of Psychol.*, janv. 1899.

MOREAU DE LA SARTHE, art. « Rêve », *Dict. des Sc. méd.*, t. 48, Paris, 1820.

MOREAU (de Tours) (J.), De l'identité de l'état de rêve et de la folie, *Annales méd.-psych.*, 1855, p. 261.

MORSELLI (A.), Dei sogni nei genii, *La Cultura*, 1899.

MOTET (A.), art. « Cauchemar », *Dict. de méd. et de chir. pratiques*.

MURRY (J. C.), Do we ever dream of tasting ?, *Proc. of the Americ. Psychol. Soc.*, 1894, 20.

NAGELE (Anton), *Der Traum in der epischen Dichtung*, Programm der Realschule in Marburg, 1889.

NELSON (J.), A study of dreams, *Amer. J. of Psychology*, I, 1888.

NEWBOLD (W. R.), Sub-conscious reasoning, *Proc. Soc. Ps. Res.*, 1896, XII, p. 11-20.

— Ueber Traumleistungen, *Psychol. Rev.*, mars 1896, p. 132.

PASSAVANTI (Jac.), *Libro dei sogni*, Ed. d. Bibl. diamante, Roma, 1891.

PAULHAN, *L'activité mentale et les éléments de l'esprit*, Paris, 1889.

— A propos de l'activité de l'esprit dans le rêve, *Rev. philos.*, XXXVIII, 1894, p. 516-548.

PRAFF (E. R.), *Das Traumleben und seine Deutung nach den Prinzipien der Araber, Perser, Griechen, Indier und Aegypter*, Leipzig, 1868.

PICHON, *Contribution à l'étude des délires oniriques ou délires de rêve*, thèse de Bordeaux, 1896.

PICK (A.), Ueber pathologische Träumerei und ihre Beziehungen zur Hysterie, *Jahrbuch für Psychiatrie*, 1896.

PILCZ, Ueber eine gewisse Gesetzmässigkeit in den Träumen. Autoreferat in *Monatsschrift für Psychiatrie und Neurologie*, mars 1899.

PRÉVOST, Quelques observations psychologiques sur le sommeil, *Bibl. univ. des sc., belles-lettres et arts*, 1834, t. I, Littérature, p. 225-248.

PURKINJE, articles : « Wachen », « Schlaf », « Traum und verwandte Zustände », in *Wagners Handwörterbuch der Physiologie*, 1846.

RADESTOCK (P.), *Schlaf und Traum*, Leipzig, 1878.

RAMM (Konrad), *Diss. pertractans somnia*, Viennae, 1889.

RÉGIS, Les rêves, Bordeaux, *La Gironde* du 31 mai 1890.

— Des hallucinations oniriques des dégénérés mystiques, *C. R. du Congrès des Méd. aliénistes*, etc., 1894, Paris, 1895, p. 260.

Rêves (Les) et l'hypnotisme, *Le Monde*, 25 août 1890.

RICHARD (Jérôme), *La théorie des songes*, Paris, 1766.

RICHARDSON (B. W.), The physiology of dreams, *The Asclep.*, London, 1892, IX, p. 129, 160.

ROBERT (W.), *Der Traum als Naturnotwendigkeit erklärt*, Hamburg, 1886.

RICHIER, *Onéirologie ou dissertation sur les songes considérés dans l'état de maladie*, thèse de Paris, 1816.

ROBINSON (L.), What dreams are made of, *N. Americ. Rev.*, New York, 1893, CI, VII, p. 687-697.

ROUSSET, *Contribution à l'étude du cauchemar*, thèse de Paris, 1876.

ROUX (J.), Les rêves et les délires oniriques, *Province méd.*, 1898, p. 212.

RYFF (Walther Herm.), *Traumbüchlein*, Strasbourg, 1854.

SANCTIS (Sante de), *Emozione e sogni*, 1896.

— I sogni nei delinquenti, *Arch. di psichiatr. e antrop. criminale*, Torino, 1896, XVII, p. 488-498.

— *I sogni e il sonno nell'isterismo e nella epilessia*, Roma, 1896.

— *Les maladies mentales et les rêves*, 1897. Extrait des *Annales de la Société de Médecine de Gand*.

— Sui rapporti d'identità, di somiglianza, di analogia e di equivalenza fra sogno e pazzia, *Rivista quindicinale di Psicologia, Psichiatria, Neuropatologia*, 15 nov. 1897.

— I sogni dei neuropatici e dei pazzi, *Arch. di psichiatr. e antrop. crim.*, 1898, fasc. 4 (Bibliographie).

— Psychoses et rêves, Rapport au Congrès de neurol. et d'hypnologie de Bruxelles, 1898, *Comptes rendus*, fasc. 1, p. 137.

— *I Sogni*, Torino, 1899.

SANTEL (Anton), *Poskus raz kladbe nekterih pomentjivih prikazni spanja in sanj*, Progr. Gym. Görz, 1874.

SARLO (F. de), *I sogni. Saggio psicologico*, Napoli, 1887.

SCH. (Fr.), Etwas über Träume, *Psych. Studien*, 1897, p. 686-694.

SCHERNER (R. A.), *Das Leben des Traumes*, Berlin, 1861.

SCHLEICH (K. L.), Traum und Schlaf, *Die Zukunft*, 1899, 29. Bd., p. 14-27, 54-65.

SCHLEIERMACHER (Fr.), *Psychologie.* Herausgegeben von L. GEORGE, Berlin, 1862.

SCHOLZ (Fr.), *Schlaf und Traum*, Leipzig, 1887.

SCHOPENHAUER, *Versuch über das Geistersehen und was damit zusammenhängt. Parerga und Paralipomena*, I. Bd., 1857.

SCHUBERT (Gotthilf Heinrich), *Die Symbolik des Traumes*, Bamberg, 1814.

SCHWARTZKOPFF (P.), *Das Leben im Traum. Eine Studie*, Leipzig, 1887.

Science of dreams, *The Lyceum*, Dublin, oct. 1890, p. 28.

SIEBEK (A.), *Das Traumleben der Seele*, 1877 (*Sammlung Virchow-Holtzendorf*, Nr. 279).

SIMON (M.), *Le monde des rêves*, Paris, 1888.

SPITTA (W.), *Die Schlaf- und Traumzustände der menschlichen Seele*, 2. Aufl., Freiburg i. B., 1892.

STEVENSON (R. L.), A Chapter on Dreams (in *Across the Plain*), 1892.

STRICKER, *Studien über das Bewusstsein*, Wien, 1879.

— *Studien über die Assoziation der Vorstellungen*, Wien, 1883.

STRÜMPELL (L.), *Die Natur und Entstehung der Träume*, Leipzig, 1877.

STRYK (M. v.), Der Traum und die Wirklichkeit (d'après C. MÉLINAND), *Baltische Monatsschrift*, Riga, 18 99, p. 189-210.

STUMPF (E. J. G.), *Der Traum und seine Deutung*, Leipzig, 1889.

SULLY (J.), Etude sur les rêves, *Rev. scientif.*, 1882, p. 385.

— *Les illusions des sens et de l'esprit*, Bibl. scientif. internat., vol. 62, Paris, Alcan.

— *Human Mind*, London, 1892.

— The dreams as a revelation, *Fortnightly Rev.*, mars 1893.

— Laws of dream fancy, *Cornhill Mag.*, vol. L, p. 540.

— Art. « Dreams » in *Encyclop. Brit.*, 9e édition.

SUMMERS (T. O.), The physiology of dreaming, *Saint-Louis Clin.*, 1895, VIII, p. 401-406.

SURBLED, *Le rêve*, 2e éd., 1898.

— Origine des rêves, *Rev. des quest. scient.*, 1895.

SYNESIUS, *Oneiromantik* (trad. all. de KRAUSS), Wien, 1888.

TANNERY (P.), Sur l'activité de l'esprit dans le rêve, *Rev. philos.*, XXXVIII, 1894, p. 630-634.

— Sur les rêves des mathématiciens, *Rev. philos.*, XLV, 1898, p. 639.

— Sur la paramnésie dans les rêves, *Rev. philos.*, XLVI, 1898, p. 420.

— Sur la mémoire dans le rêve, *Revue philosophique*, XLVI, 1898, p. 636.

THIÉRY (A.), Aristote et la psychologie physiologique du rêve, *Rev. neoscol.*, 1896, III, p. 260-271.

THOMAYER (S.), Sur la signification de quelques rêves, *Rev. neurol.*, Nr. 4, 1897.

— Contribution à la pathologie des rêves, *Policlinique de l'Université tchèque de Prague* (en tchèque), 1897.

TISSIÉ (Ph.), Les rêves ; rêves pathogènes et thérapeutiques ; rêves photographiés, *Journ. de Méd. de Bordeaux*, 1896, XXVI.

— *Les rêves, physiologie et pathologie*, Paris, 1898.

TITCHENER, Taste dreams, *Amer. J. of Psychology*, VI, 1893.

Tonnini, Suggestione e sogni, *Arch. di psichiatr., antrop. crim.*, III, 1887.

Tonsor (J. Heinrich), *Disp. de vigila, somno et somniis*, Prop. Lucas, Marpurgi, 1627.

« Traum », art. in *Allgemeine Enzyklopädie der Wissenschaften und Künste* de Ersch et Gruber.

Traumbuch. Apomasaris... auss griechischer Sprach ins Latein bracht durch Lewenklaw jetzt und... verteutschet, Wittemberg.

Tuke (Hack), art. « Dreaming » in *Dict. of Psycholog. Med.*, 1892.

Ullrich (M. W.), *Der Schlaf und das Traumleben, Geisteskraft und Geinstesschwäche*, 3. Aufl., Berlin, 1897.

Unger (F.), *Die Magie des Traumes als Unsterblichkeitsbeweis*, Nebst Vorw. : *Okkultismus und Sozialismus*, von C. Du Prel, 2. Aufl. Münster, 1898.

Utility of dreams, éd. *J. Comp. Neurol.*, Granville, 1893, III, p. 17-34.

Vaschide, Recherches expérim. sur les rêves, *Comptes rendus de l'Acad. des Sciences*, 17 juillet 1899.

Vespa (B.), I sogni dei neuro-psicopatici, *Bull. Soc. Lancisiana*, Roma, 1897.

Vignoli, *Von den Träumen, Illusionen und Halluzinationen*, Internationale wissenschaftliche Bibliothek, Bd. 47.

Vischer (F. Th.), Studien über den Traum, *Beilage z. Allg. Ztg.*, 1876, Nr. 105-107.

Vold (J. Mourly), Einige Experimente über Gesichtsbilder im Traume, *Dritter internationaler Kongress für Psychologie in München*, 1897. *Zeitschr. für Psychologie und Physiologie der Sinnesorgane*, XIII, p. 66-74.

— *Expériences sur les rêves et en particulier sur ceux d'origine musculaire et optique*, Christiania, 1896. — Analyse in *Revue philosophique*, XLII, 1896.

Vykoukal (F. V.), *Des rêves et de leur interprétation*, Prague, 1898 (en tchèque).

Wedel (R.), Untersuchungen ausländischer Gelehrter über gew. Traumphänomene, *Beiträge zur Grenzwissenschaft*, 1899, p. 24-77.

Weed, Hallam et Phinney, A study of the dream-consciousness, *Americ. J. of Psychol.*, vol. VII, 1895, p. 405-411.

Wehr (Hans), *Das Unbewusste im menschlichen Denken*, Programm der Oberrealschule zu Klagenfurt, 1887.

Weil (Alex), *La philosophie du rêve*, Paris.

Wendt (K.), *Kriembilds Traum*, Diss. Rostock, 1858.

Weygandt (W.), *Entstehung der Träume*, Leipzig, 1893.

Wilks (S.), On the nature of dreams, *Med. Mag.*, Londres, 1893-94, II, p. 597-606.

Williams (H. S.), The dreams state and its psychic correlatives, *Americ. J. of Insanity*, 1891-92, vol. 17, p. 445-457.

Woodworth, Note on the rapidity of dreams, *Psychol. Review*, IV, 1897, Nr. 5.

Wundt, *Grundzüge der physiologischen Psychologie*, II, 2. Aufl., 1880.

X..., Ce qu'on peut rêver en cinq secondes, *Rev. Sc.*, 3ᵉ série, I, XII, 30 oct. 1886.

Zucarelli, Pollutions nocturnes et épilepsie, *Bull. de la Soc. de Méd. ment. de Belgique*, mars 1895.

Appendice (à la 1ʳᵉ édition)

Ce livre était déjà en pages, lorsque j'ai reçu, fin septembre 1899, un petit opuscule de Ch. Ruths : *Induktive Untersuchungen über die Fundamentalgesetze der psychischen Phänomene* (1898), qui annonçait un travail plus important sur l'analyse des rêves. Les indications données par l'auteur semblent montrer que ses résultats concordent avec les miens sur certains points.

(Le travail annoncé n'est jamais parvenu à ma connaissance.)

II. — De 1900 a 1913 (1)

*Abraham (Karl), *Traum und Mythos. Eine Studie zur Völkerpsychologie, Schriften zur angew. Seelenkunde*, Heft 4, Wien und Leipzig, 1909.

*— Ueber hysterische Traumzustände, *Jahrbuch f. psychoanalyt. und psychopathol. Forschungen*, Bd. II, 1910.

*— Sollen wir die Pat. inre Träume aufschreiben lassen ?, *Intern. Zeitschr. für ärztl. Ps.-A.*, I, 1913, p. 194.

Ackerknecht (E.), Zur Konzentrationsfähigkeit des Träumenden, *Zeitschrift für Psychologie*, 41, I, 1907, p. 423.

*—Adler (Alfred), Zwei Träume einer Prostituierten, *Zeitschrift f. Sexualwissenschaft*, 1908, Nr. 2.

*— Ein erlogener Traum, *Zentralbl. f. Psychoanalyse*, I, 1910, Heft 3.

*— Traum und Traumdeutung, *ibid.*, III, 1912-13, p. 174.

Aliotta (A.), Il pensiero e la personalità nei sogni, *Ricerche di Psicol.*, 1905.

Amram (Nathan), *Sepher pithrôn chalômôth*, Jerusalem, 1901.

Anderson (E.), Stèle du Songe, *Sphinx*, t. 16, p. 81-90.

Arno, *Traumvisionen*, Lorch, 1909.

Arnold (Heinr. Max), *Die Verwendung des Traummotivs in der engl. Dichtung*, Diss. Kiel, 1912.

Aschaffenburg, Der Schlaf im Kindesalter und seine Störungen, *Wissen f. Alle*, 6. J., 1909, p. 260-280.

Auwand (O.), Der Traum im Drama, *National-Ztg.*, Sonntagsbeil., Nr. 3, 1903.

Baake (E. Wilh.), *Die Verwendung des Traummotivs in der engl. Dichtung bis auf Chaucer*, Diss. Halle, 1906.

(1) L'astérisque * indique des travaux qui ont tenu compte de ce livre.

Bailey (T. P.), Snap Shot of a Dream Drama, *Journ. of Phil., Psychol. and Sc. Methods*, 3, 1906, p. 708-712.

Banchieri (F.), I sogni dei bambini di cinque anni, *Riv. di Psicol.*, 8, p. 325-330.

Beaunis (H.), Contribution à la psychologie du rêve, *Americ. J. of Psychol.*, vol. XIV, Nr. 3-4, juillet-oct. 1903.

Becker (W. H.), Mod. Traumdeuterei, *Allg. Med. Zentralzeitg.*, 80, 1911, p. 54.

Behr (A.), Natürl. Schlaf und pathol. Traumzustände, *Baltische Monatsschr.*, Riga, 1902, 53. Bd., p. 160-185.

Bergson (H.), Le rêve, *Rev. scientif.*, 1901, p. 705-713.

— Le rêve, *Bull. de l'Institut psychol. intern.*, I, 1901, p. 113.

Birnbaum (M.), Traum d. Kranken, *Die Krankenpflege*, 1911, p. 215.

*Bleuler (E.), Die Psychoanalyse Freuds, *Jahrb. f. psychoanalyt. u. psychopatholog. Forschungen*, Bd. II, 1910.

*— Träume mit auf der Hand liegender Deutung, *Münch. Med.*, 60, Nr. 47, 11 nov. 1913.

*Bloch (Ernst), Beitrag zu den Träumen nach Coitus interruptus, *Zentralbl. für Ps.-A.*, II, 1911-12, p. 276.

Bonus (A.), Traum und Kunst, *Kunstwart*, 19, nov. 1906, p. 177-191.

Bovet (P.) et Jaccard (H.), Exemples de travail utile pendant le rêve, *Arch. de Psychol.*, 4, 1905, p. 369-371.

*Brewster (E. T.), Dreams and forgetting. New discoveries in dream psychology, *McClure's Magazine*, oct. 1912.

*Brill (A. A.), Dreams and their relation to the neurosis, *New York Medical Journ.*, 23 avril 1901.

—Psychoanalysis, its theory and practical application, Philadelphia and New York, 1912.

*— Hysterical dreamy states, *New York Med. Journ.*, mai 1912.

*Brown (W.), Dreams, the latest views of science, *Strand Magaz.*, janv. 1913 (cf. déc. 1913).

*— Freud's theory of dreams, *The Lancet*, 19 et 26 avril 1913.

*Bruce (A. H.), The marvels of dream analysis, *McClure's Magaz.*, nov. 1912.

*Buchner (Eberhard), Traum und Traumdeutung, *Frankf. Ztg.*, 30, I, 1910.

*— Traum und Traumdeutung, *Neue metaph. Rdsch.*, XX, 2-3, 1923.

*Burckhard (M.), Ein modernes Traumbuch, *Die Zeit*, 1900, Nr. 275, 276.

Busemann (A.), Traumleben der Schulkinder, *Ztschr. f. päd. Psychol.*, 10, 1909, p. 294-301.

— Psychol. d. kindl. Traumerlebnisse, *Zeitschr. f. päd. Psychol.*, 1910, XI, p. 320.

Chinard (Gilbert), *L'Amérique et le rêve exotique dans la litt. franç. aux XVIIᵉ et XVIIIᵉ s.*, Paris, 1913.

Claparède (E.), Esquisse d'une théorie biologique du sommeil, *Arch. de Psychol.*, IV, Nr. 15-16, févr.-mars 1905.

— Rêve utile, *Arch. de Psychol.*, IX, 1910, 148.

*CORIAT (J.), Zwei sexual-symbolische Beispiele von Zahnarzt-Träumen, *Zentralbl. f. Ps.-A.*, III, 1912-13, p. 440.

CORONA (Augusto), *Sonno e sogni*, Parma, 1900.

CZEPA (A.), Schlaf und Traum, *Naturn und Offenbarung*, 1907, p. 595-613.

*DAVID (J. J.), Die Traumdeutung, *Die Nation*, 1900, Nr. 17.

*DELACROIX (H.), Sur la structure logique du rêve, *Rev. de Métaphys.*, nov. 1904.

— Note sur la cohérence des rêves, *Rapp. et C. R. du IIe Congrès intern. de Philos.*, p. 556-560.

DELAGE, La nature des images hypnagogiques et le rôle des lueurs entoptiques dans le rêve, *Bull. de l'Institut général psychol.*, 1903, p. 235-247.

*DERCUM (F. X.), The role of dreams in etiology, *J. Am. Med. Assoc.*, Chicago, 13 mai 1911, p. 1373.

DIEPGEN (Paul), *Traum und Traumdeutung als mediz.-wissensch. Problem im Mittelalter*, Berlin, 1912.

DOGLIA (S.) et BANCHIERI (F.), *I sogni dei bambini di tre anni. L'inizio dell' attività onirica (Contributi psicol.*, I, 9).

DREWITT (J. A. J.), On the distinction between waking and dreaming, *Mind*, 20, 1911, p. 67-73.

DREWS (A.), Das ästhetische Verhalten und der Traum, *Preuss. Jb.*, 1901-02, 104. Bd., p. 385-401.

DREXL (Fr. X.), *Achmets Traumbuch. Einl. und Probe eines krit. Textes*, Münchner Diss., Freising, 1909.

DROMARD (Gabriel), *Le rêve et l'action*, Paris, 1913 (Bibl. de Philos. scient., vol. 91).

DUMAS (G.), Comment on gouverne les rêves, *Rev. de Paris*, 22, 1909, p. 344-367.

DUPRAT (E.), La mémoire des rêves chez les enfants, *Revue de Psychiatrie*, IX, Nr. 7, 4e série, juillet 1905.

— Le rêve et la pensée conceptuelle, *Rev. philos.*, LXXII, 1911, p. 285-289.

*EDELSHEIM (Th.), Moderne französische Traumtheorien, *Zentralbl. f. Ps.-A.*, III, 1912-13, p. 558-562.

*EDER (M. D.), Freud's theory of dreams, *Transactions of the Psycho-Medic. Soc. London*, vol. III, part 3, 1912.

*— Augenträume, *Internat. Ztschr. f. ärztl. Ps.-A.*, I, 1913, p. 137.

*EEDEN (Frederik Van), A study of dreams, *Proceedings of the Society for Psych. Research*, part LXVII, vol. XXVI.

ELLIS (Havelock), The logic of dreams, *Contemp. Rev.*, t. 98, 1910, p. 353-359.

*— The symbolism of dreams, *The Popular Science Monthly*, juill. 1910.

*— Symbolismen in den Träumen, *Zeitschr. f. Psychotherapie*, III, 1911, p. 29-46.

*— *The World of Dreams*, London, 1911.

*— The relation of erotic dreams to vesical dreams, *Journ. of abn. Psychol.*, VIII, 3, août-sept. 1913.

FABRI (T.), Das Traumleben als Erzieher, *Die Woche*, 1905, Nr. 4.

*FEDERN (Paul), Ein Fall von pavor nocturnus mit subjektiven Lichterscheinungen, *Internat. Zeitschr. f. ärztl. Ps.-A.*, I, 1913, H. 6.

FEERHOW (F.), *Traum, Tod und Wahnsinn. Eine vergl. psych. Studie*, Leipzig, 1911.

*FERENCZI (S.), Die psychologische Analyse der Träume, *Psychiatrisch-Neurologische Wochenschrift*, XII, Nr. 11-13, juin 1910.

*— Symbolische Darstellung des Lust- und Realitätsprinzips im Œdipus-Mythos, *Imago*, I, 1912, p. 276.

*— Ueber lenkbare Träume, *Zentralbl. f. Ps.-A.*, II, 1911-12, p. 31.

FERRERO (G.), *Les lois psychologiques du symbolisme*, Paris, 1905.

FISCHER (A.), Schlaf und Traum, *Natur und Offenbarung*, 1903, p. 269-290.

*FISCHER (Ottokar), *Die Träume des grünen Heinrich. Prager deutsche Studien*, hg. von KRAUS und SAUER, Heft 9, Prag, 1908.

FLOURNOY, Note sur un songe prophétique réalisé, *Arch. de Psychol.*, IV, 1904, p. 64.

FÖRSTER (M.), Das lat.-altengl. Traumbuch, *Arch. f. d. Stud. d. n. Spr. u. Lit.*, 120, p. 43 sq.; 125, p. 39-70; 127, p. 1 sq.

— Mittelenglische Traumbücher, *Herrings Archiv*, 1911.

*FOUCAULT (Marcel), *Le rêve. Etudes et observations*, Paris, 1906.

FRANK, Kritik des Träumens und der Träumerei über das Wachen, *Das Wort*, 1901, p. 47-57, 86-90, 121-26.

FREUDENBERG (F.), Zur Traum-Psychologie, *Die übersinnl. Welt*, 1900, p. 49-54.

— Die Welt d. Tr., *Die übersinnl. Welt*, 1909, p. 309.

— Seltsame Traumerlebnisse, *Die übersinnl. Welt*, 1910, 9, p. 98-104.

*FRIEDJUNG (J. K.), Traum eines sechsjährigen Mädchens, *Internat. Ztschr. f. ärztl. Ps.-A.*, I, 1913, p. 71.

*FRINK (H. W.), Dreams and their analysis in reference to psychotherapy, *Med. Record*, mai 27, 1911.

*— On Freud's theory of dreams, *Americ. Med.*, Burlington, New York, VI, p. 652-661.

FROST (E. P.), The characteristic form assumed by dreams, *Americ. J. of Psychol.*, juillet 1913.

*GERHARD (C.), Moderne Traumdeutungen, *Universum*, 19, 1902, I, p. 329-332.

GIESSLER (C.), Grundtatsachen des Traumzustandes, *Allg. Ztschr. f. Psychiatrie und psychiatr. ger. Med.*, 1901, p. 164-183.

— Analogien zw. Zuständen von Geisteskrankheit und den Träumen normaler Menschen, *Allg. Ztschr. f. Psychiatrie*, I, 1902, p. 885-911.

— Träume der Geisteskranken, *Die Krankenpfl.*, 2, 1905, p. 593-608.

— Das Ich im Traume, *Ztschr. f. Psychol. u. Physiol.*, 1905, H. 4 u. 5.

— Bedeutung der Träume, *Deutsche Rev.*, août 1906, p. 244-247.

*GINCBURG (Mira), Mitteilung von Kindheitsträumen mit spezieller Bedeutung, *Int. Ztschr. f. ärztl. Ps.-A.*, I, 1913, p. 79.

GLEICHEN-RUSSWURM (A.), Traum und Dichtung, *Nation*, 1904, 22, Nr. 10.

GOEBELER (D.), *Was muss man vom Traumleben wissen?*, Berlin, 1904.

GOTTHARDT (Otto), *Die Traumbücher des Mittelalters*, Eisleben, 1912, Progr. des Luthergymn.

*GOTTSCHALK, Le rêve, d'après les idées du Pr Freud, *Archives de Neurol.*, 1912, n⁰ 4.

GRAWITZ (E.), Der Schlaftraum und das Schlafträumen, *Der Gesundheitslehrer*, 4, 1902, p. 168.

GREGORY (J. C.), Dreams as a bye-product of waking activity, *Westm. Rev.*, London, 1911, vol. 175, p. 561-567.

GRUHN (A.), Zur Psychol. des Traumes, *Pädag. Arch.*, 1907, p. 263-265.

GÜNTHER (H.), Traumtechnik, *Kosmos*, 9, 1912, p. 277.

HACKEMANN (A.), Traumleben der Seele, *Alte und neue Welt*, 40, 1905, p. 14-15, p. 66-67.

*HACKER (Friedr.), Systemat. Traumbeobachtungen mit bes. Berücksichtigung der Gedanken, *Arch. f. d. ges. Psychol.*, XXI, 1-3. H., 1911.

HAENEL (H.), Schlafen und Träumen, *Dresd. Anz.*, Montagsbeil., 1902, Nr. 30, 32.

*HAHN (S.), Zum augenblickl. Stand der Traumpsychologie, *Phil. Jahrb. d. Görres-Ges.*, 24. Bd., 1911, p. 452-472.

*HÁRNIK (J.), Gelungene Auslegung eines Traumes, *Zentralbl. f. Ps.-A.*, II, 1911-12, p. 417.

*HARTUNGEN (Ch. v.), Kritische Tage und Träume, *Zeitschr. für Psychotherapie und med. Psychol.*, III, 1, 1911.

HEGEWALD, *Das Buch der Träume für die gebildete Welt*, 2. Aufl., Leipzig, 1912.

HENNIG (R.), Die fleissigen Heinzelmännchen. Zur Psychol. der Traumhandlungen, *Gartenlaube*, 1908, Nr. 49.

HESSLER (H.), Redreaming dreams, *Psychol. Rev.*, 1901, p. 606-609.

HEY (F. O.), *Der Traumglaube der Antike. Ein hist. Versuch*. Progr. München, 1908.

— *Die Wurzeln der griech. Religion im bes. Zusammenhang mit dem Traumglauben*, Neub., 1910.

HINE (R. L.), *Dreams and the way of dreams*, London and New York, 1913.

*HITSCHMANN (Ed.), *Freuds Neurosenlehre. Nach ihrem gegenwärtigen Stande zusammenfassend dargestellt*, Wien und Leipzig, 1911; 2. Aufl., 1913.

*— Ein Fall von Symbolik für Ungläubige, *Zentralbl. f. Ps.-A.*, I, 1910-11, p. 235.

*— Beiträge zur Sexualsymbolik des Traumes, *ibid.*, p. 561.

*— Weitere Mitt. von Kindheitsträumen mit spez. Bedeutung, *Intern. Ztschr. für ärztl. Ps.-A.*, I, 1913, p. 476.

*— Goethe als Vatersymbol in Träumen, *ibid.*, Heft 6.

HOFFMANN (K.), Ist der Traum eine bes. Bewusstseinsform?, *Psych. Studien*, 1902, p. 631-636.

HUCH (Friedrich), *Träume*, Berlin, 1904.

*Hug-Hellmuth (H. v.), Analyse eines Traumes eines 5 1/2 jährigen Knaben, *Zentralbl. f. Ps.-A.*, II, 1911-12, p. 122-127.

*— Kinderträume, *Internat. Ztschr. f. ärztl. Ps.-A.*, I, 1913, p. 470.

*— Aus dem Seelenleben des Kindes. *Schr. z. angew. Seelenk.*, herausg. v. Freud, H. 15, Wien und Leipzig, 1913.

Hynitzsch (Adolf), *Das Leben des Traumes und der Traum des Lebens*, Gymn. Progr. Quedlinburg, 1903 (repris in : *Erinnerungen aus vergangenen Tagen*, Reden und Abhandlungen, Quedlinburg, 1904).

Illig (J.), Ein wahrgewordener Traum, *Psych. Studien*, 1908, p. 202-207.

Iwaya (S.), Traumdeutung in Japan, *Ostasien*, 1902, p. 312.

Jaehde (W.), *Religion, Schicksalsglaube, Vorahnungen, Träume, Geister und Rätsel in den englisch-schottischen Volksballaden*, Thèse. Halle, 1905.

Jastrow (J.), Dreams and their meaning, *Hampton Mag.*, 28, p. 96-101, 140-144.

— The status of the subconscious, *Americ. J. of Psychology*, vol. XIV, 1903, p. 343-353.

Jentzsch (E.), Traumarbeit, *Neue Rdsch.*, juin 1905, p. 875-882.

Jewell (J. R.), The psychology of dreams, *Americ. J. of Psychol.*, XVI, 1905.

*Jones (E.), On the nightmare, *Americ. J. of Insanity*, janv. 1910.

*— The Œdipus Complex as an explanation of Hamlet's mystery : A study in motive, *American Journ. of Psychology*, janv. 1910, p. 72-113.

*— Freud's theory of dreams, *American Journal of Psychology*, avril 1910.

*— Remarks on Dr. M. Prince's article : The mechanism and interpr. of dreams, *Journ. of abn. Psychol.*, 1910-11, p. 328-336.

*— Some instances of the influence of dreams on waking life, *The Journal of abnormal Psychology*, avril-mai 1911.

*— The relationship between dreams and psychoneurotic symptoms, *Americ. J. of Insanity*, vol. 68, Nr. 1, juillet 1911.

*— A forgotten dream, *J. of abn. Psychol.*, avril-mai 1912.

*— Papers on Psycho-Analysis, London, 1912.

*— Der Alptraum in seiner Beziehung zu gewissen Formen des mittelalterl. Aberglaubens. *Schriften zur angew. Seelenk.*, hg. v. Freud, H. 14, Leipzig und Wien, 1912.

*Jung (C. G.), L'analyse des rêves, *L'Année psychologique*, t. XV.

*— Assoziation, Traum und hysterisches Symptom, *Diagnostische Assoziationsstudien*, Beiträge zur experimentellen Psychopathologie, hg. von C. G. Jung, II. Bd., Leipzig, 1910 (Nr. VIII, p. 31-66).

*— Ein Beitrag zur Psychologie des Gerüchtes, *Zentralbl. für Psychoanalyse*, I, 1910, Heft 3.

*— Ein Beitrag zur Kenntnis des Zahlentraumes, *ibid.*, 1910-11, p. 567-572.

*— Morton Prince's : The mechanism and interpretation of dreams. Eine kritische Besprechung, *Jahrb. f. Ps.-A. u. Psychopathol. Forsch.*, III, 1911.

Kalichmann (H.), *Der Einfluss von Träumen auf die Schwangerschaft*, Thèse. München, 1908.

Kanig (O.), Träume, Schäume, *Der alte Glaube*, II, 1901, Nr. 30.

*KARELL (L.), Traum (nach Freud), *Beil. z. Münchn. Allg. Ztg.*, 1900, Nr. 234, p. 4.

KAZODOWSKY (A.), Zusammenhang von Träumen und Wahnvorstellungen, *Neurol. Zbl.*, 1901, p. 440-447, 508-514.

KEMLIN (M.), Les songes et leur interprétation chez les Reungao, *Bulletin de l'Ecole franç. d'Extrême-Orient*, vol. X, p. 507-538.

KLAIBER (Th.), Traumdichtung, *Mon. Bl. f. d. Lit.*, VIII, 1903, p. 119-125.

KLIPPEL et TRENAUNAY, Délire systématisé de rêve à rêve, *Rev. de Psychiatrie*, avril 1901.

KÖHLER (P.), Systemat. Traumbeobachtungen, *Arch. f. d. ges. Psychol.*, 23. Bd., 1912, p. 415-483.

*KÖRBER (H.), Neues von Träumen, *Salon*, Feuilleton II, 1912, 13.

KÖRMAN-ALZECH (J.), *Künstliche Traumerzeugung, d. i. d. Kunst, d. Traumleben nach Wunsch zu lenken und zu beeinflussen*, Leipzig, 1904.

*KORN (G.), Neuere Forschungen über Traum und Traumleben, *D. Türmer*, janv. 1902, p. 438-443.

*KOSTYLEFF, Freud et le problème des rêves, *Rev. philos.*, LXXII, juillet-déc. 1911, p. 491-522.

KRAEPELIN (E.), Ueber Sprachstörungen im Traume, *Psychol. Arbeiten*, V, Leipzig, 1907.

KRAÏNSKY (N.), Théorie énergétique du rêve, *Neurol. Viestnik* (en russe), 19, 65 (375), 1912.

KRASNICKI (E. v.), Traum od. Doppelgängerei, *Die übers. Welt*, 1900, p. 148-150.

KRAUSZ (Rud.), Ueber die Träume Mörikes, *Jugend*, 1904, Nr. 37, p. 749.

*L..., Ein Grossvatertraum, *Internat. Ztschr. f. ärztl. Ps.-A.*, I, 1913, p. 475.

*LANG (J. B.), Aus der Analyse eines Zahlentraumes, *Zentralbl. f. Ps.-A.*, III, 1912-13, p. 206.

*LAUER (Ch.), Das Wesen des Traumes in der Beurteilung der talmudischen und rabbinischen Literatur, *Intern. Ztschr. f. ärztl. Ps.-A.*, I, 1913, H. 5.

LEADBEATER (C. W.), *Träume. Eine theosoph. Studie*, 2. verm. Aufl., deutsch von G. WAGNER, Leipzig, 1912.

LEHMANN, *Aberglaube und Zauberei von den ältesten Zeiten bis in die Gegenwart*, deutsch von PETERSEN, 2. verm. Aufl., Stuttgart, 1908.

LEROY (Bernard), A propos de quelques rêves symboliques, *Journal de Psychologie*, V, 1908, p. 358-365.

— Sur l'inversion du temps dans le rêve, *Rev. philos.*, LXIX, 1910, p. 65-69.

— et TOBOLOWSKA (J.), Mécanisme intellectuel du rêve, *Rev. philos.*, LI, 1901, p. 570-593.

*LEYEN (Fr. v. d.), Traum u. Märchen, *Der Lotse*, I. Jahrg., 1901, 2. Bd., p. 382-390.

*— Das Märchen, in *Wissensch. und Bildung*, Bd. 96, Leipzig 1911.

*Linde (van de), Zwei interessante Träume, *Zentralbl. f. Ps.-A.*, III, 12 sept. 1913.

*Lloyd (J. H.), The so-called Œdipus-Complex in « Hamlet », *Jour. of Americ. Med. Assoc.*, 13 mai 1911.

Lobedank, *Ueber das Wesen des Traumes*, Prag, 1902.

*Lœwenfeld (L.), Sexuelle Träume, *Sex. Probl.*, 1908, p. 588-601.

Lœwinger, *Der Traum in der jüdischen Literatur*, Leipzig, 1908. *Mitteilungen zur jüd. Volkskunde*, H. 1 u. 2.

Lövy (M.), Traum u. Wirklichkeit, *Jahrb. d. ungar. Karpathenvereines*, 33, 3, 1906, p. 20-32.

Lombard (E.), Questionnaire sur le langage dans le rêve, *Arch. de Psych.*, XI, p. 196.

Longford (E. Graf. v), *Sammle deine Träume ! Der Traum, die Sprache der Seele*, Berlin, 1908.

Lopez, *Du rêve et du délire qui lui fait suite dans les infections aiguës*, thèse de Paris, 1900.

Lubarsch (O.), Schlaf und Traum, *Die Woche*, 1901, Nr. 1.

*MacComb (Sam.), The new interpretation of dreams, *Century Mag.*, vol. 84, p. 663-669, London, sept. 1912.

*Maeder (Alphonse), Essai d'interprétation de quelques rêves, *Archives de Psychol.*, t. VI, Nr. 24, avril 1907.

*— Die Symbolik in den Legenden, Märchen, Gebräuchen und Träumen, *Psychiatrisch-Neurolog. Wochenschr.*, X, Jahrg., 1908.

*— Zur Entstehung der Symbolik im Traum, in der Dementia praecox, etc., *Zentralblatt f. Ps.-A.*, I, 1910-11, p. 383-389.

*— Ueber die Funktion des Traumes, *Jahrb. f. psychoanalyt. Forsch.*, IV, 1912.

*— Ueber das Traumproblem, *ibid.*, V, 1913, p. 647.

Maillet (Edm.), Les rêves et l'inspiration mathématique, extr. du *Bulletin de la Soc. Philomathique*, 1905, Paris.

*Marcinowski (J.), Gezeichnete Träume, *Zentralbl. f. Ps.-A.*, II, 1911-12, p. 490-518.

*— Drei Romane in Zahlen, *ibid.*, p. 619-638.

*— *Der Mut zu sich selbst. Das Seelenleben des Nervösen und seine Heilung*, Berlin, 1912.

*Marcus (Ernst), Ein Fall lenkbarer Träume, *Zentralbl. f. Ps.-A.*, II, 1911-12, p. 160.

Marcuse (J.), Natur und Wesen d. Tr., *Bl. f. Volksgesundh.-Pflege*, 1902, p. 261-265.

Mayer (Ad.), Träumen, Denken, Dichten, *Gegenwart*, 1912, Nr. 9.

*Meisl (Alfred), Der Traum. Analytische Studien über die Elemente der psychischen Funktion, *Wr. klin. Rdsch.*, 1907, Nr. 3-6.

*— Der Traum eines Coitus interruptus, *Zentralbl. f. Ps.-A.*, II, 1911-12, p. 88.

Merkwürdige Träume, *Psych. Studien*, 1906, p. 767-774.

Meumann (E.), Organempfindungsträume u. e. merkwürdige Tr.-Erinnerung, *Arch. f. d. ges. Psychol.*, IX, 1907, p. 63-70.

— Schlaf u. Tr. im Licht exp. Forschg., *Die Umschau*, 1908, Nr. 21, 22.

— Lesen u. Schreiben im Tr., *Arch. f. d. ges. Psychol.*, 1909, p. 380-400.

MEUNIER (P.), Des rêves stéréotypés, *Journal de Psychologie*, 1905.

— A propos de l'onirothérapie, *Arch. de Neurol.*, mars 1910.

— Valeur séméiologique du rêve, *Journ. de Psychologie*, VII, p. 41-49, 1910.

— *Les rêveurs, les désemparés*, 2 vol., Paris, 1913.

— et MASSELON, *Les rêves et leur interprétation*, Paris, 1910.

MEYER (Semi), Zum Traum-Problem, *Ztschr. f. Psychol. u. Physiol. d. Sinnesorgane*, 53. Bd., 1909, p. 206-224.

— Träume, *Die Umschau*, 1911, Nr. 14.

MITCHELL (A.), *About Dreaming, Laughing and Blushing*, London, 1905.

MIURA (K.), Japanische Traumdeuterei, *Mitt. d. deutsch. Ges. f. Natur-u. Völkerk. Ostasiens*, X., 291-306.

MONROE (W. S.), Mental elements of dreams, *Journ. of Philos., Psychol. and Sci. Methods.*, 1905.

MOURRE (Ch.), La volonté dans le rêve, *Rev. philos.*, LV, 1903, p. 506 et 634.

MUFORD (P.), Wert der Traumdeuterei, *Unser Hausarzt*, 17. Jahrg., 1911, p. 74.

MÜLLER (E.), *Schlaf u. Traum, Suggestion u. Hypnose. Psychol. Studie*, Leipzig, 1903.

MÜLLER (K. J.), *Das Traumleben der Seele und Traumdeutungen*, Vortr., Berlin, 1912.

NACKE (P.), Die forensische Bedeutung der Träume, *H. Gross' Archiv*, 1900.

— Ueber sexuelle Träume, *H. Gross' Archiv*, 1903, p. 307.

— Der Traum als feinstes Reagens f. d. Art d. sexuellen Empfindens, *Monatsschrift f. Krim.-Psychol.*, 1905.

— Kontrastträume und spez. sexuelle Kontrastträume, *H. Gross' Archiv*, 24. Bd., 1907, p. 1-19.

— Beiträge zu den sexuellen Träumen, *H. Gross' Archiv*, 29. Bd., p. 363 sq.

— Die diagnostische und prognostische Brauchbarkeit der sex. Träume, *Aerztl. Sachv.-Ztg.*, 1911, Nr. 2.

NEGELEIN (J. v.), *Der Traumschlüssel des Yaggaddeva*, Giessen, 1912 (*Relig.-Gesch. Vers.*, XI, 4).

Nervöse Träume, *Die Mediz. Woche*, 1903, p. 163.

OBERSTEINER (H.), Kraepelins Traumsprache, *Ber. d. W. Kongr. f. exp. Psychol.*, 1910, p. 184.

— Zur Traumsprache, *Zeitschr. f. Psychotherap.*, II, p. 257-265.

*Œdipus Myth and Psychiatry, *The Universal Medical Record*, mars 1912.

*ONUF (B.), Dreams and their interpretations as diagnostic and therapeutic aids in psychology, *The Journal of abnormal Psychology*, févr.-mars 1910.

PACHANTONI (D.), Der Traum als Ursprung von Wahnideen bei Alkoholdeliranten, *Zentralbl. f. Nervenheilk.*, 32. Jahrg., 1909, p. 796.

*PEAR (T. H.), The analysis of some personal dreams, with special reference to Freud's interpretation, *Meeting at the British Assoc.*

for the Advancement of Science, Birmingham, sept. 16-17, 1913. *British Journ. of Psychol.*, VI, 3-4, févr. 1914.

PÉRÈS (J.), La logique du rêve et le rôle de l'association et de la vie affective, *Revue philosophique*, déc. 1913.

PETERSEN (F.), The new divination of dreams, *Harper's Mag.*, t. 115, 1907, p. 448-452.

PETERSEN (Marg.), Ein telepathischer Traum, *Zentralbl. f. Ps.-A.*, IV, oct. 1913.

*PFISTER (Oskar), Wahnvorstellung und Schülerselbstmord. Auf Grund einer Traumanalyse beleuchtet, *Schweiz. Blätter für Schulgesundheitspflege*, 1909, Nr. 1.

*— Kryptolalie, Kryptographie und unbewusstes Vexierbild bei Normalen, *Jahrb. f. Ps.-A. Forschg.*, V, 1, 1913.

*— Die psychoanalyt. Methode, *Pädagogium*, Bd. I, Leipzig und Berlin, 1913.

PICK (A.), Clinical studies in pathological dreaming, *J. of Mental Sc.*, 1901.

— Zur Psychol. d. motor. Apraxie, *Neurol. Zentralbl.*, 1902, p. 994-1000.

PIÉRON (H.), La rapidité des processus psychiques, *Rev. philos.*, LV, 1903, p. 89-95.

*POPE (C.), The scientific significance of dreams, *Kentucky Med. J.*, Bowling Green, IX, 469.

PRAEKURSOR (O.), Der Traum als Helfer im tägl. Leben, *Die übersinnl. Welt*, 1911, p. 328-335.

*PRESCOTT (F. C.), Poetry and dreams, *Journ. qbn. Psychol.*, VII, avril-juin 1912.

*PRINCE (Morton), The mechanism and interpretation of dreams, *The Journal of abnorm. Psych.*, oct.-nov. 1910.

*— The mechanism and interpr. of dreams; a reply to Dr. Jones, *Journ. of abn. Psychol.*, 1910-11, p. 337-353.

PROVENZALI (D.), Sonno e sogni. Note di psicologia introspettiva, *Riv. di Psicol.*, 8, p. 207-224.

*PUTNAM (J. J.), Aus der Analyse zweier Treppen-Träume, *Zentralbl. f. Ps.-A.*, II, 1911-12, p. 264.

*— Ein charakteristicher Kindertraum, *ibid.*, p. 328.

*RANK (Otto), Der Mythus von der Geburt des Helden, *Schr. z. angew. Seelenkunde*, Heft 5, Wien und Leipzig, 1909.

*— Beispiel eines verkappten Œdipus-Traumes, *Zentralblatt für Psychoanalyse*, I. Jahrg., 1910.

*— Zum Thema der Zahnreizträume, *ibid.*

*— Das Verlieren als Symptomhandlung. Zugleich ein Beitrag zum Verständnis der Beziehungen des Traumlebens zu den Fehlleistungen des Alltagslebens, *ibid.*

*— Ein Traum, der sich selbst deutet, *Jahrbuch für Psychoanalyt. und Psychopathol. Forschungen*, Bd. II, 1910.

*— Ein Beitrag zum Narzissmus, *ibid.*, Bd. III, 1911.

*— Fehlleistung und Traum, *Zentralbl. f. Ps.-A.*, II, 1911-12, p. 266.

*— Aktuelle Sexualregungen als Traumanlässe, *ibid.*, p. 596-602.

*— Die Symbolschichtung im Wecktraum und ihre Wiederkehr im mythischen Denken, *Jahrb. f. Ps.-A.*, IV, 1912.

*— *Das Inzestmotiv in Dichtung und Sage. Grundzüge einer Psychologie des dichterischen Schaffens*, Wien und Leipzig, 1912.

*— Die Nacktheit in Sage und Dichtung. Eine ps.-a. Studie, *Imago*, II, 1912.

*— Eine noch nicht beschriebene Form des Œdipus-Traumes, *Intern. Zeitschr. f. ärztl. Ps.-A.*, I, 1913, p. 151.

*RANK (O.) et SACHS (H:), Die Bedeutung der Psychoanalyse für die Geisteswissenschaften, *Grenzfr. d. Nerven- u. Seelenlebens*, hsg. v. LÖWENFELD, Heft 93, Wiesbaden, 1913.

*REIK (Th.), Zwei Träume Flauberts, *Zentralbl. f. Ps.-A.*, III, 1912-13, p. 223.

*— Kriemhilds Traum, *ibid.*, II, p. 416.

*— Beruf und Traumsymbolik, *ibid.*, p. 531.

*— *Schnitzler als Psycholog*, Minden, 1913.

Rêve (Un) mystique infantile, *Arch. de Psychol.*, XIII, no 50, juin 1913.

Rêverie et images, *ibid.*

*RIKLIN (Franz), Wunscherfüllung und Symbolik im Märchen, *Schriften zur angew. Seelenkunde*, Heft 2, Wien und Leipzig, 1908.

*— Œdipus und Psychoanalyse, *Wissen und Leben*, V, 1912, H. 20.

*ROBITSEK (Alfred), Die Analyse von Egmonts Traum, *Jahrb. für Psychoanalyt. und Psychopathol. Forschungen*, Bd. II, 1910.

*— Die Stiege, Leiter, als sexuelles Symbol in der Antike, *Zentralbl. f. Ps.-A.*, I, 1910-11, p. 586.

*— Zur Frage der Symbolik in den Träumen Gesunder, *ibid.*, II, p. 340.

ROGERS (L. J.), Quelques observations de rêves, *J. de Psychologie*, VIII, 1911, p. 152-157.

ROSCHER (W. H.), *Ephialtes*, Leipzig, 1900.

ROUSSEAU (P.), La mémoire des rêves dans le rêve, *Rev. phios.*, LV, 1903, p. 411-416.

RUBENSOHN (O.), Das Aushängebild eines Traumdeuters, *Festschrift für Joh. Vahlen*, 1900, p. 1-16.

*SACHS (Hanns), Zur Darstellungstechnik des Traumes, *Zentralbl. f. Ps.-A.*, I, 1910-11.

*— Ein Fall intensiver Traumentstellung, *ibid.*, p. 588.

*— Traumdeutung und Menschenkenntnis, *Jahrb. f. Ps.-A.*, III, 1911, p. 568.

*— Ein Traum Bismarcks, *Intern. Ztschr. f. ärztl. Ps.-A.*, I, 1913, H. 1.

*— Traumdarstellungen analer Weckreize, *ibid.*, p. 489.

*SADGER (J.), Ueber das Unbewusste und die Träume bei Hebbel, *Imago*, juin 1913.

SAMUELY (O.), Ueber Bewusstseinsvorgänge im Schlafe und im Traume, *Zeitschr. f. Psychotherap.*, I, 1909, p. 150-165.

Sappho. Die Traumdeutung nach den Ueberlieferungen antiker Völker, bes. der Ægypter und Chaldäer, Uebers. aus dem engl., Leipzig, 1912.

*Saudek (R.), Wissenschaftl. Traumdeutungen, *Westermanns Monatsh.*, nov. 1909, p. 289-295.

*Savage, Some dreams and their significance, *J. of Ment. Sc.*, vol. 58, Nr. 242.

Scherbel, Traum und Vhtg., *Aerztl. Ratgeber*, 4, 1903, p. 199.

Schlaf- und Traumerscheinungen, *Psych. Studien*, 1909, p. 552.

*Schlesinger (Max), Geschichte d. Symbols, Berlin, 1912.

*Schrötter (Karl), Experimentelle Träume, *Zentralbl. f. Ps.-A.*, II, 1912, p. 638.

Schultz (P.), Ueber den Traum, *Deutsche Revue*, janv. 1902, p. 106-116.

Schwarz (F.), Traum u. Traumdeutung nach 'Abdalganī an Nābulusī', *Zeitschr. d. deutsch. morgenl. Ges.*, Bd. 67, 1913, III. H., p. 473-493.

Secker (F.), Chines. Ansichten über den Traum, *Neue metaph. Rdschr.*, Bd. 17, 1909-10, p. 101.

*Sidis (B.), Dreams, *Psychol. Bull.*, 9, p. 36-40.

*Silberer (Herbert), Bericht über eine Methode, gewisse symbolische Halluzinationserscheinungen hervorzurufen und zu beobachten, *Jahrb.*, Bd. I, 1909.

*— Phantasie und Mythos, *ibid.*, Bd. II, 1910.

*— Symbolik des Erwachens und Schwellensymbolik überh., *ibid.*, III, 1911.

*— Ueber die Symbolbildung, *ibid.*

*— Zur Symbolbildung, *ibid.*, IV, 1912.

*— Spermatozoenträume, *ibid.*

*— Zur Frage der Spermatozoenträume, *ibid.*

Smith (Th. L.), The psychology of day dreaming, *Americ. Journ. of Psychol.*, vol. XV, 1904, p. 465-488.

*Sokal (E.), Wissensch. Traumdeutung, *Die Gegenwart*, 1902, Nr. 6.

*Solomon (Meyer), The analysis and interpretation of dreams based on various motives, *J. of abn. Psychol.*, VIII, 2, juin-juill. 1913.

*— A contribution to the analysis and interpretation of dreams based on the motives of selfpreservation, *Americ. J. of Insanity*, 1913.

Specht (G.), Schlaf und Traum, *Velh. und Klasing Monatsh.*, janv.-févr. 1909.

*Spielrein (S.), Traum vom « Pater Freudenreich », *Intern. Ztschr. f. ärztl. Ps.-A.*, I, 1913, p. 484.

Spitteler (Karl), Meine Frühesten Erlebnisse. I. Hilflos und sprachlos. Die Träume des Kindes, *Südd. Monatsh.*, oct. 1913.

*Staercke (August), Ein Traum, der das Gegenteil einer Wunscherfüllung zu verwirklichen schien, zugleich ein Beispiel eines Traumes, der von einem anderen Traum gedeutet wird, *Zentralbl. f. Ps.-A.*, II, 1911-12, p. 86.

*Staercke (Johann), Neue Traumexperimente in Zusammenhang mit älteren und neueren Traumtheorien, *Jahrb. f. Ps.-A.*, V, 1913, p. 233.

*STEGMANN (Marg.), Darstellung epileptischer Anfälle im Traume, *Intern. Ztschr. f. ärztl. Ps.-A.*, I, 1913.
*— Ein Vexiertraum, *ibid.*, p. 486.
*STEKEL (Wilhelm), Beiträge zur Traumdeutung, *Jahrbuch für psycho-analytische und psychopatholog. Fortschungen*, Bd. I, 1909.
*— Nervöse Angstzustande und ihre Behandlung, Wien-Berlin, 1908, 2. Aufl., 1912.
*— Die Sprache des Traumes. Eine Darstellung der Symbolik und Deutung des Traumes in ihren Beziehungen zur kranken und gesunden Seele für Aerzte und Psychologen, Wiesbaden, 1911.
*— Die Träume der Dichter, Wiesbaden, 1912.
*— Ein prophetischer Nummerntraum, *Zentralbl. f. Ps.-A.*, II, 1911-12, p. 128-130.
*— Fortschritte der Traumdeutung, *Zentralbl. f. Ps.-A.*, III, 1913-14, p. 154, 426.
*— Darstellung der Neurose im Traum, *ibid.*, p. 26.
STOOP (E. de), Oneirokritikon biblion, etc., *Rev. de Philol.* (nouv. sér.), t. 33, 1909, p. 93.
*SWOBODA (Hermann), *Die Perioden des menschlichen Organismus*, Wien und Leipzig, 1904.
*TAUSK (V.), Zur Psychologie der Kindersexualität, *Intern. Ztschr. f. ärztl. Ps.-A.*, I, 1913, p. 444.
TFINKDJI (abbé Joseph), Essai sur les songes et l'art de les interpréter (onirocritie) en Mésopotamie, *Anthropos*, VIII, 2-3, mars-juin 1913.
THÈBES (Mme de), *L'énigme du rêve*, Paris, 1913.
THOMA (H.), Traumthema und künstl. Schaffen, *Kunstwart*, 1912, 26 J., H. 5, p. 309.
TOBLER (O.), *Die Epiphanie der Seele in deutscher Volkssage*, Kiel, 1911.
TOBOLOWSKA (Justine), *Etude sur les illusions de temps dans les rêves du sommeil normal*, thèse de Paris, 1900.
*TRAUGOTT (Richard), *Der Traum, psychol. und kulturgeschichtl. betrachtet*, Würzburg, 1913.
Traum (Der), *Klin. therap. Wochenschr.*, 1902, p. 723.
Traum im Lichte d. wissensch. Unters., *Gaea, Natur u. Leben*, 1902, p. 44-48.
Traum (Ein) und dessen Verwirklichung, *Mitt. d. wiss. Vereines f. Okkult. in Wien*, 2. Jahrg., 1901, p. 67.
Traumbuch (Das älteste, echte, grosse, ägyptische) vom Jahre 1204, Wien, 1900.
Träume in Dichtungen, *Kunstwart*, 19. J., nov. 1906, p. 198-208.
TRENAUNAY (Paul), *Le rêve prolongé. Délire consécutif à un rêve prolongé à l'état de veille*, Paris, 1901.
TRÖMNER (E.), Entstehung und Bedeutung der Träume, *Journ. f. Psychol. u. Neurol.*, 19. Bd., 1912, p. 343-350.
*VASCHIDE (N.), *Le sommeil et les rêves*, Paris, 1911 (bibliographie).
— et PIÉRON, *La psychol. du rêve au point de vue médical*, Paris, 1902.
VERONESE (Franz), *Versuch einer Physiologie des Schlafes und des Traumes*, Leipzig, 1910.

Vogel (Wilh.), Ansicht über den Traum, *Die Wahrheit*, 1901, p. 58-65.

Vold (J. Mourly), *Ueber den Traum. Experimentell-psychologische Untersuchungen*. Herausgegeben von O. Klemm, I. Band, Leipzig, 1910; II. Bd., 1912.

Voraussehen im Traum, *Psych. Stud.*, 1900, p. 381-385.

Wahrtraum (Ein), *Mitt. d. wiss. V. f. Okk. in Wien*, II, 1900, p. 26.

Wahrträume (Drei), *ibid.*, p. 45.

Warcollier (R.), Rêve commencé et terminé par deux dormeurs différents, *Ann. de Sc. psych.*, 16, 1906, p. 437.

Was ist der Traum ?, *Die Grenzboten*, 1900, Nr. 11.

*Waterman (George A.), Dreams as a cause of symptoms, *The Journal of abnormal Psychol.*, oct.-nov. 1910.

*Weber (R.), Petite psychologie. Quelques rêves, *Arch. intern. de Neurol.*, 35ᵉ année, nᵒ 1, juillet 1913, p. 1-23.

Weizsaecker (P.), *Ueber Alpträume und Verwandtes*, S. A., Stuttgart, 1901.

*Wertheimer (H. G.), Dreaming and dreams, *N. J. Med. Journ.*, vol. 97, mars 1913, p. 687.

*Weyer (E. M.), Freud's art of interpreting dreams, *Forum*, mai 1911.

Weygandt (W.), Beitr. z. Psychologie des Traumes, *Philos. Studien*, 20. Bd., 1902, p. 456-486.

Wiggam (A.), A contribution to the data of dream psychology, *Pedagogical Seminary*, juin 1909.

*Winterstein (Alfr. v.), Zum Thema : « Lenkbare Träume », *Zentralbl. f. Ps.-A.*, II, 1911-12, p. 290.

Wolff (G.), Traumphysiologie, *Die Hilfe*, 1912, Nr. 2.

Wolff (M.), Das Träumen und die geistige Persönlichkeit, *Glauben und Wissen*, 1904, p. 307-310.

*Wolffensperger (W. P.), Uebersicht über die Freudsche Traumdeutung, *Med. Revue*, t. 13, 1913, p. 237.

*Wulff (M.), Ein interessanter Zusammenhang von Traum, Symbolhandlung und Krankheitssymptom, *Internat. Ztschr. f. ärztl. Ps.-A.*, I, 1913, H. 6.

INDEX DES ŒUVRES DE FREUD

INDEX DES PRINCIPAUX RÊVES

INDEX DES AUTEURS ET MATIÈRES

INDEX DES CITATIONS
ET RÉFÉRENCES DE PERSONNES CÉLÈBRES
OU D'ŒUVRES ARTISTIQUES
Nous avons mis entre crochets les références implicites

TABLE DES MATIÈRES

Imprimé en France
Imprimerie des Presses Universitaires de France
73, avenue Ronsard, 41100 Vendôme
Février 1987 — N° 32 626